Thode, I

Michelangelo und das Ende der Renaissance

Renaissance

1. Band

Thode, Henry

Michelangelo und das Ende der Renaissance

1. Band

Inktank publishing, 2018

www.inktank-publishing.com

ISBN/EAN: 9783747758922

MICHELANGELO

UND DAS ENDE DER

RENAISSANCE

VON

HENRY THODE

I. BAND

DAS GENIE UND DIE WELT

Zweite Auflage

BERLIN

G. GROTE'SCHE VERLAGSBUCHHANDLUNG

1912

DER HÜTERIN

DES

ERBES VON BAYREUTH

INHALTSVERZEICHNISS

VORWORT

Es wird hiermit der Öffentlichkeit der erste Band eines
Werkes übergeben, dessen Berechtigung neben so vielen
bereits erschienenen und zum Theil vortrefflichen Biographieen sich aus den von mir gewonnenen Gesichtspunkten
und Anschauungen erweisen dürfte. Dem ganzen Charakter
nach unterscheidet sich meine Arbeit von jenen älteren.
Das Historische erscheint in ihr, wenn es auch gewissenhaft
beachtet, ja in den Annalen sogar ausführlich bearbeitet
worden ist, höheren Betrachtungen untergeordnet. Es wurde
der Versuch gewagt, das grosse Problem, welches den Menschen Michelangelo, sein Künstlerthum und das Wesen der
christlichen bildenden Kunst zugleich in sich begreift, dadurch
einer Lösung entgegenzuführen, dass die in diesem Genius
und durch ihn wirkenden Kräfte einerseits als persönliche
und andrerseits als solche der die Kultur der Renaissance
gestaltenden Ideen erkannt werden. Indem das Besondere
der einzelnen Erscheinung zum Allgemeinen sich erweitert
und das Allgemeine in diesem Besonderen sich offenbart,
gewinnt Eines aus dem Anderen seine Begründung und ergiebt sich die Einheitlichkeit der Auffassung.

Entwarf Herman Grimm ein Gemälde der äusseren Zeit-
verhältnisse, in deren Mitte er Michelangelo versetzte, so
möchte der Verfasser des vorliegenden Buches tief in das
Innere des Meisters und in das Walten seiner Zeit hinabführen
und das in Beiden Wirkende miterleben lassen etwa in dem
Sinne, wie man gestaltende Gefühle und Vorstellungen eines

Musikers beim Anhören seiner symphonischen Dichtung zwar dunkel aber doch in einer die eigene Seele entscheidend bestimmenden Weise nacherlebt.

Der Aufgabe gemäss, die ich mir gestellt, scheidet sich die Darstellung in drei Theile, denen je ein Band zugewiesen ist. Der erste versucht in Form einer psychologischen Studie die Charakteristik des Genius zu geben und zeigt den in seinem Wesen begründeten, durch das Schicksal verschärften Konflikt mit der Welt. Der zweite ist der Erkenntniss der Ideen, die den Meister beherrschen, und des Zusammenhanges, in welchem sein geistiges Leben mit der allgemeinen Kultur der Renaissance steht, gewidmet. In dem dritten werden die künstlerischen Schöpfungen von dem so gewonnenen Standpunkt einer gleichzeitigen Berücksichtigung des Persönlichen und des Allgemeinen, das in ihnen zum Ausdruck kommt, ins Auge gefasst und nach ihrer Eigenart wie nach ihrer Bedeutung für die Erkenntniss des Problemes christlicher Kunst überhaupt betrachtet.

Die ersten zwei Bände sind dem Wesentlichen nach schon vor fünf Jahren ausgeführt worden. Ihre Veröffentlichung hat sich so lange verzögert, weil es wünschenswerth, ja geboten erschien, die Resultate der Forschungen abzuwarten, welche zwei mit der Korrespondenz Michelangelos sich beschäftigende Gelehrte im Archivio Buonarroti angestellt hatten. Und als der eine, Carl Frey, welcher uns 1897 mit der kritischen und an neuen Aufschlüssen reichen Ausgabe der „Dichtungen" des Künstlers beschenkte, 1899 die „Sammlung ausgewählter Briefe an Michelangelo" herausgegeben hatte, sah ich mich durch andere drängende Aufgaben verhindert, sogleich an die Ergänzung meiner Manuskripte und an deren Fertigstellung für den Druck zu gehen.

Aus der Einleitung zu jener Briefsammlung musste ich ersehen, dass auch Carl Frey, der sich ein besonderes Verdienst, wie um die litterarische Hinterlassenschaft Michelangelos, so um die Chronologie von Dessen Leben erworben, ja in

bedeutender Weise unsere Kenntnisse gefördert hat, eine
Biographie des Meisters zu verfassen beschäftigt ist. Dies
konnte mich natürlich nicht bestimmen, mein eigenes, seit
nun fünfzehn Jahren geplantes und zum grösseren Theile schon
verwirklichtes Unternehmen aufzugeben, um so weniger, als
ich vermuthen darf, dass sich die beiden Arbeiten ergänzen
werden, aber es verstärkt meinen Wunsch, nachdrücklich
hervorzuheben, wie viel ich den mit seltener Sorgfalt an-
gestellten Untersuchungen des Strebensgenossen für meine
Angaben über die geschichtlichen Thatsachen in des Künstlers
Leben und Schaffen verdanke. Dies gilt in Sonderheit für
die dem ersten Bande als Anhang beigegebenen Annalen,
die ohne Freys „Studien zu Michelangelo" und seine folgenden grösseren Publikationen mit ihren zahlreichen kritischen und regestenmässigen Darlegungen viele Lücken und
Unrichtigkeiten bewahrt hätten.

Über das Verhältniss meiner Arbeit zu den wichtigsten
früheren Biographieen Michelangelos, unter denen ich mit
Übergehung der älteren nur die von John Sam. Harford
(1857), Herman Grimm (erste Ausgabe 1860, seitdem sieben
weitere und die soeben erschienene illustrierte), Aurelio Gotti
(1875), Charles Heath Wilson (1876), L'œuvre et la vie de
Michelangelo in der Gazette des beaux-arts (1876), von Anton
Springer (erste Ausgabe 1878), John Addington Symonds
(1893) und Carl Justi (1900) hervorhebe, brauche ich mich hier
nicht auszusprechen, da Übereinstimmung und Abweichung
der Meinungen im Texte selbst an den maassgebenden Stellen
zur Sprache kommen wird. Und es bedarf ja kaum der Ver-
sicherung, in wie hohem Grade ich, wie Jeder, der sich mit
Michelangelo beschäftigt, so grundlegenden und, jede in ihrer
Art bedeutungsvollen Arbeiten mich verpflichtet fühle, wenn
auch mein Weg mich nach einer anderen Seite führte. Von
allen Übrigen, denen ich Förderung bei meinen Studien verdanke
und deren am entsprechenden Orte Erwähnung geschehen
wird, möchte ich hier nur zwei besonders nennen: den edlen

Grafen Gobineau, dessen nach langer Verborgenheit durch
L. Schemanns vortreffliche Übersetzung liebevoll weiteren
Kreisen zugeführte „Renaissance" jene grosse Epoche und in
ihr gerade Michelangelo mit tief die Probleme erfassender
Dichterkraft veranschaulichte, und L. von Scheffler, der mit
seiner Michelangelo gewidmeten „Renaissancestudie" (1892)
dem Verständniss der Gedichte des Meisters neue Bahnen
erschlossen hat. Aus beiden Schriften durfte ich eine Be-
kräftigung, zugleich aber auch eine Erweiterung meiner Ansichten gewinnen. Dass einigen derselben in des zu früh
der Welt entrissenen Heinrich von Stein „Vorlesungen über
Ästhetik" auf Grund persönlichen Gedankenaustausches eine
erste, freilich nur andeutende Formulirung zu Theil ward, durfte
ich als ermuthigende Genugthuung begrüssen.

Das einzig denkbare Verfahren, einer so hohen Aufgabe,
wie ich sie mir gestellt, mich nicht ganz unwürdig zu erweisen,
musste ich darin erkennen, den Meister, so viel nur immer
denkbar, von sich selbst zeugen zu lassen, und dies war
möglich. Man wird über die Fülle von Mittheilungen, welche
Michelangelo über sich hinterlassen hat, erstaunt sein. Die
bisher erschienenen Biographieen liessen dies den Nicht-
eingeweihten gar nicht vermuthen. In unserem ersten Bande,
welcher uns die Persönlichkeit nahe führen soll, konnten und
mussten in ausgiebiger Weise besonders die Briefe und Ricordi
des Künstlers verwerthet werden, welche Gaetano Milanesi
1875 (häufig mit falscher Datirung) veröffentlicht hat: Le
lettere di Michelangelo Buonarroti. Daneben kamen die Gedichte in Betracht, welche aber, in umfänglicherer Weise be-
rücksichtigt, die Grundlage für die Betrachtungen erst des
zweiten Bandes bilden. Sie wurden, nachdem sie zuerst 1623
von dem jüngeren Michelangelo, willkürlich verändert, herausgegeben worden waren, in unverfälschter Form von Cesare
Guasti 1863: Le rime di M. B. und neuerdings 1897 in einer
strengen philologisch-kritischen Fassung von Carl Frey: „Die
Dichtungen des M. B." veröffentlicht. Obgleich wir zwei

deutsche Übersetzungen, von Sophie Hasenclever (1875) und
von Walter Robert-tornow (1896, diese schon auf Grund
der Frey'schen Lesungen angefertigt) besitzen, sah ich mich,
im Hinblick auf meine besondere Aufgabe, genöthigt, die
Originale nochmals ins Deutsche zu übertragen, und zwar in
einer bloss rhythmischen, nicht gereimten Form, da es nur so
möglich, Michelangelos Gedanken und Sprache ungetrübt
wiederzugeben. Sämmtliche Gedichte, von einigen kleineren
Bruchstücken und Varianten abgesehen, sind in dem vorliegenden Werke enthalten, aber natürlich in einer ihrem Inhalte
entsprechenden Vertheilung auf die drei Bände.

Zu jenen vielsagenden, von Michelangelo selbst herrühren-
den Mittheilungen gesellen sich die in zeitgenössischen Äusserungen enthaltenen Quellen der Belehrung. Unter ihnen treten
die an den Künstler gerichteten Briefe in den Vordergrund,
wie deren viele von Giovanni Bottari in seiner Raccolta di
lettere, von Giovanni Gaye in seinem Carteggio inedito d'artisti
(1840, im II. und III. Band), von Daelli in den Carte Michelangiolesche inedite (1865), von Milanesi in den Correspondants de Michel-Ange (nur Sebastiano del Piombo, 1890), von
Gotti, Symonds und Anderen bekannt gemacht worden sind.
Eine grössere Sammlung aller wichtigeren Korrespondenzen,
die in der Casa Buonarroti aufbewahrt werden, gab, wie
schon erwähnt, Carl Frey 1899 heraus: „Sammlung ausgewählter Briefe an M. B."

An zweiter Stelle müssen die alten Biographieen genannt
werden, die man jetzt in Carl Freys „Sammlung ausgewählter
Biographieen Vasaris" zusammen veröffentlicht findet (II. Le
Vite di M. B. 1887): die kurze um 1512 von Paolo Giovio
verfasste, von Tiraboschi mitgetheilte Vita Michaelis Angeli,
der Abschnitt im Anonymus Magliabechianus, um 1541/42
entstanden, die erste Vita von Vasari in der Ausgabe von
1550, die 1553 von Ascanio Condivi veröffentlichte, direkt
auf Michelangelos eigene Angaben zurückgehende Lebens-
beschreibung und 1568 die zweite Ausgabe der Vasari'schen

Vita, welche Condivis Mittheilungen übernimmt und Neues, Dank dem persönlichen Verkehr des Verfassers mit Michelangelo, hinzuzufügen weiss.

Endlich haben sonstige zeitgenössische Nachrichten, wie die von Benedetto Varchi, Donato Giannotti, Pietro Aretino, Annibale Caro und vielen Anderen, auf die hier nur im Allgemeinen hingewiesen zu werden braucht, Bedeutung. Am wichtigsten sind die „Vier Gespräche über die Malerei" von Francisco de Hollanda, der 1538 und 1539 mit dem Meister verkehrte.

Von der übrigen in Berücksichtigung gezogenen Litteratur, deren Studium im zweiten, den Ideen gewidmeten Bande sich fast auf alle bedeutenden Erscheinungen der Renaissance überhaupt erstrecken musste, giebt das jedem Bande hinzugefügte Verzeichniss Nachricht.

Bei dem grossen Umfange, den die Arbeit gewonnen, empfahl es sich, die Bände einzeln nach einander erscheinen zu lassen. Da jeder ein in sich abgeschlossenes Ganze bildet, dürfte dieses Vorgehen kaum ernstere Bedenken erregen. Ein Generalregister wird am Schlusse gegeben werden.

Wer die in meinem Buche „Franz von Assisi und die Anfänge der Renaissance" dargelegte, heute von Vielen angenommene Meinung über die Entstehung und damit auch über das Wesen der grossen italienischen Kunst kennt, wird den inneren Zusammenhang des neuen Werkes mit jenem älteren nicht übersehen können. Ihn ganz deutlich zu machen, sind die einleitenden Abschnitte des zweiten und dritten Bandes bestimmt. Aber die beiden Arbeiten ergänzen sich doch nicht wie die beiden Hälften eines Ringes, die zusammengefügt ein abgerundetes Ganze ergeben. In Michelangelo zeigt sich uns das Ende der Renaissancebestrebungen und -ideen gleichsam nur von der einen, wenn auch unendlich bedeutsamen Seite: — Michelangelo war Bildhauer. Neben seiner tragischen Erscheinung hätte eine andere: die siegreiche Vollendung der Renaissanceideale durch die Malerei, wie man dies in meiner Monographie über Tintoretto angedeutet finden mag, zu treten, sollte unsere Anschauung von jener grossen schöpferischen Periode eine umfassende werden. Dennoch bleibt es gewiss: tiefere Aufschlüsse können wir keinem Anderen wie Michelangelo verdanken, denn nur in der Tragik offenbaren sich die verborgensten Geheimnisse des Lebens.

HEIDELBERG, Dezember 1901.

HENRY THODE.

Zur zweiten Auflage des ersten Bandes

Von einigen Berichtigungen abgesehen, liess ich den Text unverändert bestehen. Die Annalen sind auf Grund neuerer Forschungen an einzelnen Stellen verbessert und im Ganzen vervollständigt worden.

VILLA CARGNACCO, Oktober 1912.

H. T.

EINLEITUNG

> Die Absonderung des Künstlers vom
> Menschen ist eine ebenso gedankenlose
> wie die Scheidung der Seele vom Leibe,
> und es steht fest, dass nie ein Künstler
> geliebt, nie seine Kunst begriffen werden
> konnte, ohne dass er — mindestens un-
> bewusst und unwillkürlich — auch als
> Mensch geliebt und mit seiner Kunst
> auch sein Leben verstanden wurde.
>
> (Richard Wagner in:
> Eine Mittheilung an meine Freunde.)

I

ALLGEMEINES

Im Ganzen und Allgemeinen beruht die dem Genie bei-
gegebene Melancholie darauf, dass der Wille zum Leben,
von je hellerem Intellekt er sich beleuchtet findet, desto
deutlicher das Elend seines Zustandes wahrnimmt." — „Des-
halb ist das eigentliche Genie durchaus nur zu theoretischen
Leistungen befähigt, als zu welchen es seine Zeit wählen
und abwarten kann; welches gerade die sein wird, wo der
Wille gänzlich ruht und keine Welle den reinen Spiegel
der Weltauffassung trübt; hingegen ist zum praktischen Leben
das Genie ungeschickt und unbrauchbar, daher auch meistens
unglücklich." — „Es wird, vermöge seiner gesteigerten
Erkenntnisskraft in den Dingen mehr das Allgemeine, als
das Einzelne sehen; während der Dienst des Willens hauptsächlich die Erkenntniss des Einzelnen erfordert. Aber wann
nun wieder gelegentlich jene ganze, abnorm erhöhte Erkenntnisskraft sich plötzlich, mit aller ihrer Energie, auf die
Angelegenheiten und Miseren des Willens richtet, so wird
sie diese leicht zu lebhaft auffassen, Alles in zu grellen Farben,
zu hellem Lichte, und ins Ungeheure vergrössert erblicken,
wodurch das Individuum auf lauter Extreme verfällt." — „Zu
diesem Allen kommt noch, dass das Genie wesentlich einsam
lebt. Es ist zu selten, als dass es leicht auf seinesgleichen
treffen könnte, und zu verschieden von den Übrigen, um ihr
Geselle zu sein. Bei ihnen ist das Wollen, bei ihm das Erkennen das Vorwaltende: daher sind ihre Freuden nicht seine,
seine nicht ihre. Sie sind bloss moralische Wesen und haben

1 *

19

bloss persönliche Verhältnisse: er ist zugleich ein reiner Intellekt, der als solcher der ganzen Menschheit angehört."

Als Schopenhauer diese Sätze in den Abschnitten seines Hauptwerkes, welche der herrlichen Darlegung vom Wesen des Genies gewidmet sind, niederschrieb, muss — so möchte man glauben — neben dem Bilde anderer Künstler mit besonderer Deutlichkeit dasjenige Michelangelo Buonarrotis vor seinem Sinne geschwebt haben. Lässt sich doch fast jede seiner Äusserungen über Seele, Geist und Leben schöpferischer Geister auf die Betrachtung des grossen Florentiners anwenden, so dass für eine allgemeinste Erklärung von Dessen Wesen in der vom Philosophen gegebenen Definition des Genies Alles enthalten zu sein scheint. Wie aber jedes einzelne Phänomen der Natur dem forschenden Verstande ein neues Problem darbietet, das seine spezielle Lösung verlangt, so in bedeutendstem Sinne eine grosse Persönlichkeit, in welcher sich uns zugleich mit einem Typus erhabenen Menschenthumes eine höchst ausgebildete Individualität offenbart. Nicht Das, was ihr gemeinsam ist mit anderen, sondern das ihr besonders Eigene will ins Auge gefasst und ergründet sein.

Befragen wir die alten Biographieen Michelangelos, wie sie uns von Dessen zwei Vertrauten: Giorgio Vasari und Ascanio Condivi erhalten sind, befragen wir die Briefe und Gedichte des Meisters, befragen wir endlich seine gemalten und gemeisselten Werke, so tritt uns als das Wesentliche und Eigenthümliche dieses Daseins, im Vergleich mit demjenigen der anderen hohen Geister der Renaissance, das Leiden entgegen. In der Erkenntniss seines Leidens liegt daher die Erkenntniss des Wesens und der Kunst Buonarrotis einbeschlossen. Sollen wir uns, wie zumeist geschehen, an einer historischen Darlegung der Thatsachen in Michelangelos Leben und Schaffen und an einer nur allgemeinen Analyse der Formensprache und des Gehaltes seiner Schöpfungen genügen lassen? Soll uns dieser Gewaltigste unter den Bildnern der christlichen romanischen Kunst ewig ferne bleiben, als Einer, vor dem wir mit scheuem Staunen uns beugen, der uns aber doch im Grunde fremd und unverständlich erscheint?

Denn es ist so und nicht anders: durch Jahrhunderte hindurch gefeiert und bewundert, in zahlreichen Lebensbeschreibungen verherrlicht, blieb Michelangelo, wie zu einem unnahbaren Idol geworden, als Mensch den Meisten unbekannt und ungeliebt. Kaum dürfte es ein anderes gleich deutliches Zeugniss für die Zähigkeit, mit welcher falsche Traditionen sich erhalten können, geben. Nicht so, wie es auf Grund inniger Bekanntschaft jene zwei Schüler einst hingestellt, ist des Meisters Bild im allgemeinen Andenken der späteren Zeiten bis auf uns gekommen, sondern mit manchen der Entstellungen behaftet, die Unverstand, Neid und Hass feindseliger Zeitgenossen ihm zugefügt haben. Zwar die nichtswürdigen gröbsten Anklagen, mit welchen pöbelhafte Verleumdungssucht dem Schöpfer der Decke der Sixtina zu nahen gewagt hat, mussten vor dem reinen Blicke der erlauchten Gestalten, welche seine Hand erschaffen, allmählich verstummen, aber es blieb die Wirkung aller jener vorsichtigeren Anschuldigungen bestehen, die, mit so geschickter Berechnung der Philisterfreude am Verkleinern, die Schwächen des Durchschnittsmenschen auf den grossen übertragen und dem Letzteren einen Mangel an „Moralität" vorwerfen, welcher gerade für den selbstzufriedenen Kritiker charakteristisch ist. Gehässigkeit und Neid gegen andere Künstler, Lieblosigkeit und Ungerechtigkeit gegen Untergebene und Gehülfen, Hochmuth und Eitelkeit, Phantasterei und Geiz: wider die geläufigen Vorwürfe solcher Laster und Schwächen hatten Condivi und Vasari ihren heissverehrten Lehrer in Schutz zu nehmen. Die Schilderung, welche sie von ihm gaben, nahm nothgedrungen den Charakter einer Vertheidigung an, und in einem gewissen Sinne vertheidigend, ja entschuldigend mussten seit ihrer Zeit Alle vorgehen, welche eine Geschichte dieses Künstlerlebens geschrieben haben. Wenn trotz aller solcher Bemühungen Michelangelo nun doch noch immer als ein willkürlich gewaltsamer, launisch unbilliger, liebloser und daher die Liebe abweisender Sonderling aufgefasst werden kann, so trägt die Schuld hieran einmal jene, wie es scheint, unausrottbare, verhängnissvolle Verkennung des ethischen Grundes, aus dem jedes grosse künstlerische Schaffen einzig und allein hervorgeht, und andrerseits die Nichtbeachtung des bestimmten Pro-

blemes, durch dessen Lösung einzig ein einheitliches tiefes
Verständniss dieser übermässigen Natur gewonnen werden kann. Was aber von seinem Wesen gilt, gilt auch von dessen
Ausfluss: den Schöpfungen. Den Anschauenden überwältigend
durch die Grösse ihrer Formen und die Macht ihres Seelen-
gehaltes haben sie, unwiderstehlich fesselnd und dann doch
wieder abschreckend, den Charakter sphinxartiger Räthsel behalten. Dem leidenschaftlich bewegten Gefühl und der gesteigerten Anschauung hat es so wenig, wie der scharfsich-
tigen analysirenden Beurtheilung gelingen wollen, dem Geheimniss dieser Gestaltungen, sei es in poetischen Vorstellungen,
sei es in klaren Begriffen nahe zu kommen. Sie scheinen
der ästhetischen Auffassung in gleicher Weise wie der dichterischen Interpretation zu spotten: die Erregung, in die sie
uns versetzen, steigert sich bis zur Qual. Ein Ungeheures,
Unfassliches in ihnen muthet unserem Gefühle eine Anspannung zu, welche uns zu dem Frieden reiner Anschauung
nicht gelangen lässt. Ein unermessliches Sehnen wird in uns
geweckt, dem keine Erfüllung beschieden ist, und der Über-
spannung unserer seelischen Kräfte folgt die Schwermuth.
Erleben wir derart bei der Vertiefung in diese Werke nicht
in uns selbst den jähen Wechsel hochgemuther Erhebung
und banger Niedergeschlagenheit, in dem die Seele des
Künstlers während seines Lebens sich verzehrte? Müssen
wir die Wirkung seiner Schöpfungen nicht als einen schmerzlichen Genuss bezeichnen, ja erfahren wir es nicht in uns,
dass sie der Ausdruck eines furchtbaren Leidens sind?

Und weiter — ist uns in dieser Erkenntniss nicht eben
der Schlüssel zu dem Geheimniss: Michelangelo gegeben?
Nur indem wir sein Leiden, das weder von seinen ersten
noch seinen späteren Biographen erkannt und begriffen
worden ist, zum Ausgangspunkt der Betrachtung nehmen,
nur indem wir es selbst nachfühlen, werden wir den Grossen
verstehen, oder, was mehr sagt, lieben lernen durch die
Kraft eines tiefsten Mitleidens, welches die schauernde Verwunderung über sein dämonisches Schaffen in eine ehr-
furchtsvolle, innige Hingebung verwandelt. Nur so betrach-

tet werden sein Schicksal und seine Kunst ihrem inneren Zusammenhange nach uns deutlich werden. Aber noch mehr als dies. Das Problem seines Wesens ist ein Problem der Renaissance überhaupt. Das Persönliche erweitert sich zu einem allgemein Bedeutungsvollen. Indem wir Michelangelo verstehen lernen, gewinnen wir zugleich den Blick in die wunderreichen Tiefen der Ideen und in die inneren Konflikte der einen grossen Periode moderner Kultur.

Alles, was wir zu ergründen uns vorgesetzt, liegt demnach in der Beantwortung der Frage eingeschlossen: welches war das Leiden Michelangelos? Jedes Leiden ist das Empfinden einer Noth — das geistige Leiden entspringt einer geistigen Noth, einem Streben, das seine Befriedigung nicht findet, einem Verlangen, das nicht erfüllt wird. Ein dauerndes Leiden aber hat seinen ewigen Quell in der Nichtbefriedigung jenes Verlangens, welches der Nerv eines ganzen Lebens ist.

Diese innere Noth ist bei Michelangelo eine zweifache gewesen. Die eine theilt er mit allen grossen Künstlern, nur dass sie, entsprechend der übermenschlichen Gewalt seines inneren Lebens, auch über alles Maass gesteigert war, die andere war ihm allein beschieden.

Die erste ist das nimmer zu stillende Sehnen einer Liebeskraft, die, jedem Idealisten, wenn auch in sehr verschiedenem Grade, zu eigen, im Leben verwirklicht sehen möchte, was durch künstlerisches Schauen vom entzückten Gefühl als Einheit erfasst wird, das unabweisliche Bedürfniss einer Aufhebung der Schranken des Egoismus, einer inneren Vereinigung mit den Menschen. Unüberbrückbar bleibt die abgrundtiefe Kluft zwischen dem reinen, begeisterten Wollen, das einzig auf solche Ziele gerichtet ist, und dem verblendeten Trachten der Welt, welches, persönlichem Vortheil und Genuss zugewandt, dem Gemeinsamen das Individuelle entgegensetzt. Dem Zwiespalt zwischen dem Liebesbedürfniss und der Lieblosigkeit, zwischen genialer Erkenntniss und Realität entspringt die Schwermuth, deren Schatten sich selbst Künstler, die, wie Raphael, vom Schicksal unvergleichlich begünstigt waren, nicht entziehen konnten. Tritt an die Stelle

von Gleichgültigkeit und Verständnisslosigkeit sogar ge-
hässiger Widerstand, sieht der Liebende in seinem heiligen
Streben die Liebe selbst verhöhnt und angegriffen, dann
muss sich seiner eine Verzweiflung bemächtigen, von der er
nur im Schaffen sich wieder befreien kann. Ewig aber
währt sein Sehnen, denn sein Liebesverlangen kennt kein
Ende, wenn es, wie dasjenige Michelangelos, grenzenlos ist.
Diesem Meister war aber auch das sich Genügethun seiner
künstlerischen Schöpferlust versagt: hier liegt der andere
Quell seines Leidens. Wie erklärt sich dies? Die einzige
Antwort, die man bisher gegeben, hob das grausame Schicksal hervor, welches dem Bildner verwehrte, seine grössten
Pläne: das Juliusdenkmal, die Fassade von S. Lorenzo und
die Medicikapelle in dem geplanten vollen Umfange auszuführen. Wer die schmerzlichen Klagen seiner Briefe, in
denen er von der immer neuen Vereitelung seiner Absichten
spricht, kennt und wer weiss, in welch tiefer Niedergeschlagenheit er immer wieder danach ringt, sich zu bescheiden, wird gewiss zugeben, dass die hemmenden, ja ver-
nichtenden Verhältnisse ihm Qualen ohne Unterlass bereiten
mussten. Aber der grossen, seines Genies würdigen Aufträge
sind genug an ihn herangetreten, seinem Können Bethätigung
zu gewähren: sein Name war über alle anderen in jenem glück-
lichen Zeitalter bildender Kunst in Italien gefeiert, und Privat-
leute, wie Städte und Fürsten wetteiferten darum, ein Werk,
dessen Gegenstand und Charakter häufig seiner freien Wahl
anheimgestellt ward, von seiner Hand zu erhalten. Wie oft
ihn auch die mit den Päpsten abgeschlossenen Kontrakte
hindern mochten, solche Aufgaben zu übernehmen, eben so
oft scheint er sie aus freiem Willen abgelehnt zu haben.
    So gross und schwerwiegend die Tragik in der Geschichte
seiner Unternehmungen war, so haben wir die Ursache der
Unbefriedigtheit seines Schaffensdranges, von der sein Leben
eben so, wie von der Unbefriedigtheit seines liebeersehnenden
Herzens gemartert wird, tiefer zu suchen. Die furchtbare
Wahrheit ist: sein Schaffen selbst, seine Schöpfung befriedigte
ihn nicht. Nicht allein die Thatsache, dass er eine in Anbetracht der Dauer seines Lebens verhältnissmässig sehr ge-

ringe Anzahl von Statuen ganz vollendet hat, dass vielmehr die meisten von ihm entweder bald nach Beginn der Thätigkeit wieder vernichtet oder unausgeführt gelassen wurden, sondern auch seine uns überlieferten Äusserungen über die Qual bei der Arbeit und über die Vergeblichkeit seiner Bemühungen, das innerlich Erschaute zur künstlerischen Wirklichkeit zu machen, legen Zeugniss hiervon ab. Was uns sonst nur bei Halbbegabten begegnet: das Verzweifeln an dem eigenen Werke und das muthlose Imstichlassen des feurig Angefangenen, tritt uns hier in dem Leben eines Genius, welcher mit höchstem Reichthum der Phantasie und gewaltigster Gestaltungskraft ein unfehlbares technisches Können verband, als charakteristisch entgegen: eine Erscheinung von so ausserordentlicher Bedeutung, dass wir nicht anders als durch die Annahme eines unversöhnlichen Widerspruches, in welchen sein künstlerisches Formen zu dem von ihm gehegten Ideale gerieth, das Räthsel zu lösen hoffen dürfen.

Dieser Widerspruch, da er, wie erwähnt, nicht in einem Missverhältniss zwischen der Grösse der Vorstellungen und dem Vermögen bildnerischer Ausführung gesucht werden darf, kann nur in einer Unvereinbarkeit des Ideales mit den Ausdrucksmöglichkeiten der Kunstart gelegen haben. Durch eine unvergleichliche Begabung zum Bildhauer bestimmt, alle Bedingungen höchster Gestaltung nur in der plastischen Form gewahrend, der Erbe und Vollender jahrhundertelanger Bestrebungen in dieser Kunst, hat Michelangelo, in vollem Bewusstsein der von der Skulptur an ihn gestellten stilistischen Anforderungen, ein gesetzmässig Vollkommenes schaffen wollen. Die Gefühle aber, die seine glühende Seele erregten, und die durch sie geweckten Vorstellungen seiner Phantasie liessen sich innerhalb der beschränkten Grenzen der Plastik und ihres Stiles nicht aussprechen, seine Kunst konnte nicht der unmittelbare und entsprechende Ausdruck seiner Gemüthsbewegungen sein: der Mensch konnte nicht in dem Künstler aufgehen. Statt dem inneren übermächtigen Leben in jener wundervollen Objektivirung des eigenen Ichs, welche die Seligkeit künstlerischen Hervorbringens mit sich bringt, Befreiung zu gewähren, verlangte die plastisch bildende Thätigkeit ein Zurückdämmen, eine künstliche Bewältigung der inneren Fluthen, und gegen diese ihr angethane Gewalt empörte sich, die Schranken durchbrechend und das Bilden störend und verwirrend, die Seele. So wurde die schöpferische Thätigkeit, statt zu einer Selbstbeschwichtigung, zu einem verzweifelten Ringen, das sein Ende nur, sei es in einer Niederlage der gestaltenden Phantasie und Hand, welche von der Ausführung oder Vollendung des Werkes abstand, sei es in einem Kompromiss der widerstreitenden Mächte, nämlich: der ein höchstes Ideal erstrebenden Einbildungskraft und eines zu vollem Ausdrucke drängenden Gefühls, finden konnte. Welcher Art aber jenes vor dem inneren Auge des grössten Bildhauers neuerer Zeiten schwebende Ideal gewesen ist, dürfte, auch wenn er selbst nicht immer wieder in seinen Gedichten davon spräche, nicht zweifelhaft sein: es war die Idee der antiken Schönheit, der ewig gültigen Vollkommenheit, zu welcher die griechischen Bildhauer, in Beschränkung die Freiheit findend, die plastische Kunst erhoben haben.

Und ebensowenig im Unklaren lassen uns die Lebensereignisse und Aufzeichnungen des Meisters über den Kern und Inhalt seines Gemüthslebens: die Inbrunst christlichen Glaubens ist es gewesen, durch deren Gluthen diese grosse Mannesseele ein immer neues Leben und Sterben gewann. In nichts Anderem demnach als einem Konflikt zwischen dem antiken Ideal rein menschlicher plastischer Schönheit, welches seine Phantasie beherrschte, und dem Drange nach Ausdruck der seine Seele bewegenden christlichen Gefühlsmacht, haben wir jenen Widerspruch zu erkennen, welcher die zweite Quelle seiner Noth, seiner tiefen Unbefriedigtheit, seines Leidens war. Mitten in einer Zeit, die in blinder Selbstvergötterung die Versöhnung zwischen der Antike und dem Christenthum geschlossen zu haben glaubte, offenbaren die beiden Welten ihren unversöhnlichen Gegensatz in dem Genius, welcher der Abschluss aller auf die Vereinigung gerichteten Bestrebungen erschien. Ein leidensvolles Opfer des ungeheuren Widerstreites steht er vor uns — und mit ihm bricht alle Herrlichkeit der Renaissance zusammen. Er selbst ein Unseliger, aber doch Einer, dem es erklungen: du kannst selig werden! Er

ward es, da er nach einem langen Leben schmerzlichen Be-
mühens, die beiden Mächte in sich durch eine fast übermenschliche Anstrengung zu einem reinen Bunde zu bringen,
sich für die höhere entschied und, mehr und mehr der Kunst
entsagend, in voller Hingebung an die inneren Offenbarungen
Gottes den Frieden und die Gewissheit der Weltüberwindung
suchte und fand. Das letzte „Werk", das er in hohem
Alter einzig noch übernahm, St. Peters Kuppel, ist nur der
Ausfluss solcher durch die Rechtfertigung im Glauben gewonnenen Kraft gewesen. Der einsame Augenzeuge einer
vergangenen Epoche ragt der Greis in eine neue Zeit hinein,
deren Licht in seinem sehnsuchtsvollen Auge sich spiegelt. —

In wenigen Zügen konnte das Problem, dessen Betrachtung
dieses Werk gewidmet ist, hingestellt und seine Lösung angedeutet werden. Die Eintheilung des Stoffes ergab sich aus
den grundlegenden Anschauungen von selbst. In dem ersten
Band: „das Genie und die Welt" tritt uns die Persönlichkeit
nach ihrem Wesen und Schicksal und nach ihrem hierin begründeten Leiden entgegen. Der zweite soll uns in das
Bereich ihrer Ideen, eben jener, welche die Renaissance überhaupt beherrschten: Schönheit und Liebe versetzen, und uns
an der Hand der dichterischen Verkündigungen in die Tiefen
der geistigen und seelischen Kämpfe, aber weiter auch zu
den Höhen weltentrückenden Schauens und Glaubens führen.
Der dritte, den künstlerischen Schöpfungen gewidmet, wird
versuchen, uns deren Erscheinung und Bedeutung aus dem
leidenbringenden Widerspruch zwischen dem Schönheitsideal
der Antike und dem Ausdrucksbedürfniss der christlichen
Seele zu deuten und erklären.

BIOGRAPHISCHE ÜBERSICHT

Michelangelo wurde als Sohn des Lodovico di Leonardo Buonarroti Simoni und der Francesca di Neri di Miniato del Sera e di Bonda Rucellai am 6. März 1475 zu Caprese im Casentino, wo sein Vater Podestà war, geboren. Als nach Ablauf seiner kurzen Amtszeit Lodovico nach Florenz heimkehrte, vertraute er das Kind der Frau eines Steinmetzen in Settignano, welche ihm die Nahrung reichte, an — „mit der Milch", so meinte der Meister später scherzend, „habe er seine Kunst eingesogen". Dann, den Eltern zurückgebracht, besuchte der Knabe, schon 1481 seiner Mutter beraubt, die Schule bei einem Francesco da Urbino. Frühzeitig aber verrieth sich die künstlerische Neigung und Begabung in starker Weise, so dass Lodovico, nach heftigem Widerstande gegen den Wunsch des Sohnes, sich genöthigt sah, nachzugeben und ihn am 1. April 1488 als Lehrling in die Werkstatt Domenico Ghirlandajos, des als Freskomaler vor allen Anderen berühmten und gefeierten Meisters, schickte. Binnen kurzem machte er hier erstaunliche Fortschritte, was, wie Condivi sagt, die Eifersucht seines Lehrers, dessen Entwürfe er zu vervollkommnen wusste, erweckte. Seine Geschicklichkeit zeigte sich in der Nachahmung alter Zeichnungen, welche er täuschend wiederzugeben und künstlich mit dem Anschein des Alters zu versehen trachtete, so dass man sie für die Originale selbst halten konnte. Als erstes Gemälde entstand in dieser Zeit eine Kopie von Martin Schongauers Stich: „die Versuchung des heiligen Antonius", für dessen abenteuerliche Dämonengestalten er die Farben durch Studien auf dem Fischmarkte fand. Statt der vertragsmässig ausbedungenen drei Jahre der Lehrlingszeit bei Ghirlandajo verbrachte er aber nur ungefähr ein Jahr bei dem Maler. Die antiken Skulpturen im Garten der Medici, in welchen ihn sein Freund, der Maler Francesco Granacci, führte, machten einen stärkeren Eindruck auf seine Phantasie, als die Gemälde Domenicos. Sie weckten seine bildnerische Begabung, und, wie es scheint, mit Einwilligung Ghirlandajos, aber wiederum unter heftigem Widerspruch des Vaters, welcher seinen Sohn nicht „Steinmetz" werden lassen wollte, trat er 1489 in jene Bildhauerschule ein, die unter der Leitung Bertoldos, eines Schülers des Donatello, in eben jenem Garten durch Lorenzo Medici begründet worden war. Das Behauen der für Dessen Bibliothekbau bestimmten Blöcke war die erste Übung in der mit Leidenschaft von ihm betriebenen neuen Kunst. Bald aber reizten ihn die Antiken zur Nachahmung: einige Figuren, die er im Wetteifer mit dem jungen Bildhauer Torrigiani angefertigt, und eine Faunsmaske, die er, frei ein altes Vorbild interpretirend, meisselte, erregten die Aufmerksamkeit des Medici. Dieser liess des fünfzehnjährigen Knaben Vater zu sich kommen, gab ihm ein kleines Amt in der Zollbehörde und nahm bald darauf, 1490, Michelangelo ganz in sein Haus auf, wo der Jüngling während zweier Jahre, fast wie ein Sohn behandelt und mit fünf Dukaten monatlich unterstützt, Mitglied des geistvollen und angeregten Kreises von Dichtern und Gelehrten, wie Marsilio Ficino, Pico della Mirandola, Angelo Poliziano, Cristoforo Landini und Anderen wurde. Hier legte er die Grundlagen jener Bildung, die ihm später den Platz unter den edelsten Vertretern idealer geistiger Anschauungen sicherte. Zugleich aber dürfte er ein Theilnehmer an den frivol erfindungsreichen Festen, Maskenzügen und Unterhaltungen gewesen sein, durch welche Lorenzo die Gesellschaft und das Volk in leichtsinniger Lebensfreude und gedankenlosem Taumel zu erhalten suchte.

Während dieses Aufenthaltes im Palazzo des Herrschers von Florenz verfertigte er die frühesten uns erhaltenen, in

der Casa Buonarroti aufbewahrten zwei Werke, welche uns
seine schnell erworbene Meisterschaft offenbaren: das Relief
des Kentaurenkampfes, das auf eine Anregung Polizianos
zurückzuführen ist, und jenes der „Madonna an der Treppe".
In ihnen fanden die Studien sowohl nach der Antike, welche
auch in einer erst neuerdings bekannt gewordenen Apollostatuette (im Kaiser Friedrichmuseum zu Berlin), nach-
gebildet erscheint, als nach florentinischen Bildhauerarbeiten
des XV. Jahrhunderts ihren ersten originellen Ausdruck.
Waren es unter den letzteren vor allem Donatellos Schöpfungen, welche Michelangelos Bewunderung erregten, so
wählte er sich unter den Malern Dessen grossen Zeitgenossen
Masaccio zum Lehrer und Vorbild. Auch er, wie die meisten
toskanischen Künstler jener Tage, bildete sich seine Anschauung von einem hohen monumentalen Stile vor den Fresken
dieses Begründers der Quattrocentomalerei in der Brancaccikapelle der Kirche S. Maria del Carmine. Hier traf ihn
das Schicksal, gelegentlich eines Streites von Torrigiani einen
sein Nasenbein zerschmetternden Schlag zu erhalten, dessen
Spuren er sein Leben lang bewahren sollte.

Als am 8. April 1492 Lorenzo Magnifico starb, veränderte
sich für den Jüngling, wie für alle Freunde und Hausgenossen
des genialen Mannes, mit einem Schlage das Lebensschick-
sal. Das neue Haupt der Familie, Piero, ein Mensch von
roher Art, war weder in der Politik noch in den Geistes-
bestrebungen der Erbe Lorenzos. Als Michelangelo nach
kurzem Aufenthalte bei seinem Vater, während welcher Zeit
er eine anfangs im Palazzo Strozzi, später im Besitze Franz' I.
befindliche Herkulesstatue in Marmor ausführte, wieder, einer
Aufforderung Pieros folgend, in den Palazzo Medici zurückkehrte, fand er hier keine ermuthigende Werthschätzung
und Anregung, sondern musste es sich gefallen lassen, die
Gunst des Protektors mit einem spanischen Läufer zu theilen.
Mit um so grösserem Eifer suchte er selbstständig seine
weitere künstlerische Ausbildung und gewann die Möglichkeit, anatomische Studien anzustellen, bei dem Prior von
S. Spirito, für welchen er einen heute noch in der Kirche
befindlichen Crucifixus in Holz geschnitzt hat. An die Stelle

der Beschäftigung mit Dichtkunst und Philosophie aber trat die inbrünstige Versenkung in die Tiefen religiösen Empfindens, welche durch Savonarolas gewaltige, zur Busse und inneren Einkehr ermahnende Predigten erschlossen wurden. Der von Pieros Regiment beförderte Umschwung, den diese in den Lebensanschauungen und politischen Ansichten der Florentiner hervorgerufen hatten, sollte zur entscheidenden That werden, als Karl VIII. mit seinem Heere der Stadt sich näherte. Noch ehe aber Piero Medici verjagt war, hatte eine geheimnissvolle Vorahnung Michelangelo im Jahre 1494 zur Flucht getrieben. Nach einem kurzen Aufenthalt in Venedig traf er in Bologna ein, wo er an Gianfrancesco Aldovrandi, welcher zufällig seine Bekanntschaft machte und ihn von der wegen mangelnden Passes ihm auferlegten Geldstrafe befreite, einen Gönner fand. In Dessen Haus aufgenommen und durch seine Kenntniss der grossen italienischen Dichter seinem Wirthe, der ihn gern vorlesen hörte, theuer geworden, erhielt er den Auftrag, drei Figuren für des heiligen Dominicus Marmorschrein, welcher einst im XIII. Jahrhundert von Niccolò Pisano begonnen, aber niemals vollendet worden war, anzufertigen: die kleinen Statuen der heiligen Petronius und Proculus und den einen der beiden Leuchter haltenden Engel, die noch heute den Sarkophag zieren. Nicht lange aber sollte des Bleibens für den Künstler in Bologna sein. Die Drohungen eines neiderfüllten Bildhauers, welcher sich durch seine Thätigkeit beeinträchtigt glaubte, veranlassten ihn, die Stadt zu verlassen und nach Florenz zurückzukehren, wo inzwischen das republikanische Regiment nach den Ideen Savonarolas begründet worden war. Im Juli 1495 erscheint er unter den Künstlern, deren Meinung über den Bau des grossen Rathssaales eingefordert wurde. Bald darauf dürfte er von einem Mitgliede der Medicifamilie, einem Anhänger des Reformators, von Lorenzo di Pierfrancesco den Auftrag erhalten haben, die Statue eines jugendlichen Johannes (Giovannino), die in einer Figur des Berliner Museums wiedererkannt wird, zu entwerfen; zugleich ward auch ein schlafender Amor ausgeführt, und zwar in so getreuer Nachahmung der Alten, dass er, künstlich zu alterthümlichem Ansehen gebracht, für ein antikes Werk gelten konnte. Ein Baldassare kaufte ihn für 30 Dukaten und verkaufte ihn dann als Antike für 200 Dukaten an den Kardinal von S. Giorgio, Raphael Riario. Dieser Vorfall sollte die Veranlassung für des Künstlers erste Reise nach Rom werden. Der Kardinal, welcher zu ahnen begann, dass Baldassare ihn betrogen, schickte einen seiner Edelleute nach Florenz, und Dieser erfuhr von Michelangelo die Wahrheit, dass nämlich er selbst, sowie der Käufer, geprellt worden sei. Der Abgesandte schlug ihm vor, ihn zu begleiten, damit die Angelegenheit geregelt werde, und er folgte willig dieser Aufforderung im Juni 1496. In den Hofstaat Riarios aufgenommen, musste er jedoch erfahren, dass die Hoffnungen, von Baldassare, welcher den Amor hatte zurücknehmen müssen, entschädigt zu werden oder das Werk selbst wiederzuerhalten, vergebliche waren. Auch Lorenzo di Pierfrancesco, an welchen er hierüber schrieb, erreichte durch seine Vermittlung nichts, vielmehr gelangte die Figur in den Besitz des Herzogs Guidobaldo von Urbino, dem sie Cesare Borgia abgewann, und ward dann Eigenthum der Isabella Gonzaga in Mantua. Man glaubt sie neuerdings in einem Amor des Museo in Turin wiederzuerkennen. Bald durfte sich Michelangelo über diesen Verlust und Betrug trösten. Die Kunstfreunde in Rom wurden auf ihn aufmerksam, und Aufträge ergingen von verschiedenen Seiten an ihn. Eine grosse Statue freilich, die er für den Kardinal zu meisseln versprach, dürfte nach einem Briefe, den er am 1. Juli 1497 an seinen Vater richtete, nicht zur Ablieferung gelangt sein, auch das Schicksal einer anderen Skulptur, welche er für Piero Medici, der sich in Rom aufhielt, zu arbeiten begonnen, ist das gleiche gewesen, und zu dem Gemälde der „Stigmatisation des heiligen Franz", für S. Pietro in Montorio bestimmt, scheint nur der Karton von ihm angefertigt worden zu sein. Die Beziehung zu einem reichen römischen Banquier Jacopo Gallo aber sollte befriedigendere Erfolge haben. Für diesen durch feinen Geschmack ausgezeichneten Mann, welcher, als Michelangelo nach zwölf Monaten das Haus Riarios verliess, sein Bewunderer wurde, ist die Statue des

Bacchus, welche jetzt in der Sammlung des Bargello zu sehen ist, entstanden, und zugleich wurde ein Cupido, den man in einer, aus den Gualfonda-Gärten in das South Kensington-Museum gelangten knieenden Figur wiederentdeckte, von Gallo erworben. Auch der sterbende Adonis im Bargello wird als frühe zu den Schöpfungen dieser Zeit gezählt, welche zeigen, wie sehr während solch' ersten Aufenthaltes in Rom, den der Künstler nur einmal im November 1497 durch eine Reise nach Carrara unterbrach, die Welt antiker Werke und Vorstellungen seine Phantasie beschäftigte, zugleich aber die erlangte volle Unabhängigkeit seines Genius verkünden. Durften jene Statuen bei den Kennern die begeisterte Überzeugung erwecken, dass in dem Jüngling ein Rivale der grössten Meister des Alterthumes erstanden sei, so musste es ihnen angesichts einer Skulptur, welche bald darauf von ihm geschaffen ward, zum Bewusstsein kommen, dass eben dieser Bildner bestimmt sei, in unvergleichlich vollendeter Form auch das innerste Wesen christlichen Gefühles auszudrücken.

In demselben Jahre, in welchem der Erwecker neuen religiösen Lebens, dessen lodernde Worte die Seele auch Michelangelos entflammt hatten, Savonarola, den Feuertod erlitt, nur wenige Monate nach dem furchtbaren Ereignisse, am 27. August 1498 schloss der Meister unter Beistand Jacopo Gallos den Vertrag mit dem Kardinal Jean de la Groslaye de Villiers, Abt von St. Denys, über die Gruppe der Pietà für St. Peter ab. Im Verlauf der folgenden zwei Jahre ist dieses Werk, der erhabenste Ausdruck der Klage eines in allen Tiefen erschütterten Herzens, ausgeführt worden, bald darauf wohl auch die Madonnenstatue in Brügge.

Erst 1501 ist Michelangelo wieder in Florenz angesessen, wo ihm zwei grössere Aufträge zugewiesen wurden. Der eine, vom Kardinal Francesco Piccolomini, dem späteren Papst Pius III., ausgehend und am 5. Juni übernommen, betraf fünfzehn kleinere Statuen für den Altar einer Kapelle der Piccolomini im Dome zu Siena. Sie sollten im Verlaufe von drei Jahren abgeliefert werden, aber die Arbeit vermochte den Künstler neben grösseren Aufgaben nicht zu befriedigen. Als nach dem Tode Pius' III. ein neuer Kontrakt

Thode, Michelangelo I.   2

mit Dessen Erben am 15. September 1504 gemacht wurde,
waren ausser der von Torrigiano begonnenen und von Michelangelo beendeten Figur des heiligen Franz nur die vier
Gestalten der heiligen Petrus, Paulus, Pius und Gregorius
vollendet, und bei diesen ist es auch in der Folge geblieben,
wie aus einem 1537 von Antonio Maria Piccolomini unter-
zeichneten Dokumente und aus einem noch 1561 geäusserten
Wunsche des Meisters, die einst in seiner Jugend eingegangene
und nie erfüllte Verpflichtung zu lösen, hervorgeht. Der andere Auftrag wurde ihm von den Operaj von S. Maria del
Fiore ertheilt. In Deren Besitz befand sich seit alter Zeit ein
grosser Marmorstein, aus welchem 1464 Agostino d'Antonio
di Duccio die Statue eines Propheten für den Dom hatte
meisseln sollen. Ein Steinmetz, der sie in Carrara anlegte,
hatte den Block verhauen. Nun erging die Anfrage an
Michelangelo, ob er sich getraue, aus demselben eine Gigantenfigur zu gestalten, und er übernahm am 16. August 1501
das kühne Wagniss. Nach einem kleinen Wachsmodell, als
Vorwurf David mit der Schleuder sich wählend, begann er
am 13. September die Arbeit, welche am 28. Februar 1502
bereits halb, am 25. Januar 1504 ganz vollendet war. Am
letzteren Tage wurde eine Versammlung aller bedeutenderen
Künstler, unter welchen auch Lionardo da Vinci sich befand,
berufen, damit sie über den Ort der Aufstellung sich be-
riethen. Die Ansicht, der Platz vor dem Signorenpallast sei
der richtige, siegte, da auch der Meister selbst sie vertrat,
schliesslich über die Meinung: die Loggia dei Lanzi eigne
sich besser, und am 11. April wurden mehrere Künstler beauftragt, den Transport des kolossalen Werkes zu übernehmen.
Dieser dauerte vom 14. bis zum 18. Mai, erst am 8. Juni
war die Aufstellung beendigt. Mehr als dreihundert Jahre
hat sich der David, als ein Wahrzeichen der politischen und
künstlerischen Grösse der Stadt Florenz im Anfang des
XVI. Jahrhunderts, auf der Piazza dei Signori — an der
Stelle, wo zuvor Donatellos Judith stand — befunden, bis er
1875 in die Akademie der schönen Künste übergeführt ward.
    Mitten in die Zeit der Thätigkeit am David fällt die nur
kurz andauernde Beschäftigung mit einer anderen Aufgabe.

Am 24. April 1503 versprach der Künstler, die Statuen der zwölf Apostel für den Dom anzufertigen. Aus welchen Gründen die Ausführung — von einer nur im Rohen behauenen, jetzt in der florentinischen Akademie befindlichen Figur des Matthäus abgesehen — unterblieb, obgleich Michelangelo eigens für diese Arbeit ein Haus im Borgo Pinti gebaut erhielt, ist unbekannt.

Schon ehe der Plan des Giganten gefasst wurde, im Juni 1501, war von Pierre de Rohan, Maréchal de Gié, einem Günstling Ludwigs XII., dem Gonfaloniere Piero Soderini, welcher an der Spitze der florentinischen Republik stand, der Wunsch ausgesprochen worden, eine Kopie von Donatellos Bronzedavid zu erhalten. Da es im politischen Interesse lag, dieses Anliegen zu berücksichtigen, wurde Michelangelo befragt, ob er einen lebensgrossen David auch in Bronze ausführen wolle. Man sah offenbar, da ein solcher Künstler lebte, von dem Gedanken einer Kopie ab. Am 12. August 1502 verpflichtete er sich zur Übernahme der Arbeit, die sich aber wohl einige Zeit hinausgezogen hat. Als der Duc de Rohan 1503 in Ungnade gerieth, kamen die Signori auf den Gedanken, die Statue lieber an den neuen Günstling des französischen Königs, Florimond Robertet, als Geschenk zu senden, und so ward sie nach langen Verhandlungen Anfang November 1508 über Livorno nach Frankreich geschickt. Mehr als ein Jahrhundert lang befand sie sich im Hofe des Schlosses Bury bei Blois, dann kam sie in das Schloss Villeroy und ist später verschollen. Ihr Modell hat man neuerdings in einer Bronze des Museums in Amsterdam entdeckt. Noch ein anderes, aber, wie oben erwähnt ward, wohl schon früher entstandenes Werk, eine Madonnenstatue, ist in das Ausland gebracht worden: die Gruppe, welche — von Condivi fälschlich als Bronze bezeichnet — sich in der Liebfrauenkirche zu Brügge befindet. Sie war, vermuthlich durch Vermittlung von Michelangelos Freund Giovanni Balducci, welcher am 4. August 1506 an ihn betreffs ihrer beabsichtigten Absendung nach Rom schreibt, von den Brüdern Jean und Alexandre Mouscron in Brügge erworben und für ihre Kapelle in jener Kirche bestimmt worden.

2*

Wiederholt hat der Künstler in eben jener Schaffensperiode, die er zu Florenz verlebte, in der Darstellung der
Madonna seine Aufgabe gefunden. Ein unvollendetes Gemälde der National Gallery in London weist noch Beziehungen
zur quattrocentistischen Kunst auf, das für Agnolo Doni gemalte Rundbild aber (in der Tribuna der Uffizien), welches
die heilige Familie zeigt, und die beiden Rundreliefs: das eine
(jetzt in der Royal Academy zu London) im Auftrage Taddeo
Taddeis, das andere (Bargello zu Florenz) in dem des Bartolommeo Pitti ausgeführt, zeigen uns Michelangelo mit demselben Problem neuer Kompositionsweise für diesen seit Jahrhunderten die Phantasie der Künstler unablässig bewegenden Vorwurf beschäftigt, welches zu lösen Lionardo da Vinci
und Fra Bartolommeo sich zur Pflicht gemacht hatten. Auch
er wurde in solchen Werken zu einem Mitarbeiter an der
Verwirklichung jenes reinmenschlichen, höchsten Schönheitsideales der Madonna, auf welches gerade damals alle die
edelsten Bestrebungen der florentiner Meister gerichtet waren.
Nicht ihm, dem Bildhauer, aber, sondern dem Maler Raphael,
welcher Ende des Jahres 1504, von dem Zwange der Schule
Peruginos befreit, nach Florenz kam, sollte es bestimmt sein,
jenes Streben zur Vollendung zu bringen. Michelangelos
Genius waren andere Ziele gesetzt.

Die persönliche Begegnung mit dem zwanzig Jahre älteren,
höchsten Ruhmes und allgemeinster Bewunderung theilhaftigen
Lionardo da Vinci, welcher in jenen Jahren wieder längeren
Aufenthalt in Florenz nahm, musste, so sehr der Schöpfer
des David seines Ideales und seiner Meisterschaft sich auch
bewusst war, doch entschiedenen Eindruck auf ihn machen.
Seinem Blicke konnte die Bedeutung jener freiesten Gestaltung vollkommener Schönheit, durch welche Lionardo der
Begründer und Leiter der neuen Kunstrichtung geworden
war, nicht entgehen. War Buonarrotis Ideenwelt auch eine
viel zu starke und selbstständige, als dass er noch durch
Nachahmung hätte lernen können, so brachte doch der blosse
Vergleich seines Schönheitsideales mit demjenigen Lionardos —
ein Vergleich, welcher in einigen Zeichnungen gleichsam anschaulichen Ausdruck gefunden hat — Früchte für seine weitere

künstlerische Entwicklung hervor. Zugleich aber stellte sich
die Erkenntniss der tiefgreifenden Verschiedenheit der künstlerischen und geistigen Weltanschauung, die in der Sinnesart
und in der Gegensätzlichkeit der Temperamente begründet
war, heraus. Partheinahme der jüngeren Künstler für den
Einen wie für den Anderen mochte diese Wahrnehmung
verschärfen, und so ward die gemeinsame Arbeit, zu welcher
die beiden Meister im Jahre 1504 berufen wurden, nämlich
zwei Schlachtenbilder in dem grossen Rathssaal zu malen, zu
einem alle Gemüther erregenden Wettstreit. Dessen künstlerischen Resultate sind leider durch ein grausames Schicksal
vernichtet worden. Zu einer Ausführung der Gemälde an den
Wänden des Pallastes ist es überhaupt nicht gekommen. Die
beiden Kartons, sowohl die „Schlacht von Anghiari", von
Lionardo in einem Reiterkampf verbildlicht, als auch die
„Schlacht von Cascina", in welcher Michelangelo die Wirkung
der Nachricht vom Nahen der Feinde auf badende Soldaten
darstellte, sind, nachdem sie, einige Jahre lang ausgestellt, den
Mittelpunkt begeisterter Studien für alle strebsamen Maler
und Bildhauer in Florenz abgegeben hatten, zerstückelt worden
und selbst diese Bruchstücke, von denen einige noch 1575
bei den Strozzis in Mantua und ein vereinzeltes 1584 in
florentinischem Privatbesitz erwähnt werden, haben sich verloren. Nur aus wenigen Skizzen und Stichen, sowie aus
Beschreibungen vermögen wir uns eine ungefähre Anschauung
von den zwei Meisterschöpfungen zu verschaffen.

Noch während Michelangelo in der Werkstätte, die ihm
im Hospital der Färber bei S. Onofrio eingeräumt war, der
Ausführung des Kartons oblag, erhielt er vom Papst Julius II.
den Ruf, nach Rom zu kommen. Grosse Pläne bewegten
den von der Idee weltlicher Macht des Papstthumes und
persönlicher Ruhmessucht erfüllten leidenschaftlichen Neffen
jenes Sixtus IV., welcher die Stellung der Familie Rovere begründet und durch künstlerische Thätigkeit zu verherrlichen
begonnen hatte. In Michelangelo erkannte sein kühner Blick
den Mann, welcher einzig seine Intentionen in grösstem Sinne
zu verwirklichen im Stande war. Als der Meister im Frühjahr
1505 in Rom eintraf, äusserte der Papst den Wunsch, sein

Grabdenkmal noch zu Lebenszeiten errichtet zu sehen, ein
Monument von so gewaltigen Dimensionen, wie es zuvor von
keinem Anderen geplant worden war, ein mächtiger architek-
tonischer Freibau mit zahlreichen, darunter einzelnen kolossalen
Statuen und Reliefs. Leidenschaftlich wie der Wunsch des
Auftraggebers war der Eifer, mit dem der Künstler den
Gedanken erfasste und sogleich ins Werk zu setzen begann.
Bereits im April 1505 begab er sich nach Carrara und war
hier bis zum November mit der Wahl und ersten Bearbeitung der Marmorblöcke beschäftigt, von einem Muth und
einem Selbstbewusstsein geschwellt, welche den Wunsch in
ihm aufsteigen lassen konnten, mit den Verfertigern des
Kolosses von Rhodos wetteifernd, ja sie überbietend, aus
einem Berge an der Meeresküste eine riesenhafte Gestalt
herauszuhauen, die weit über die See hin den Schiffern ein
Zeichen sei. Im Dezember kehrte er nach Rom zurück, wo
eine grosse Sendung von Blöcken bereits eingetroffen und
auf dem Platz von S. Peter abgeladen war. Mit freudiger
Erregung verfolgte der Papst die Fortschritte der Arbeit,
ja er liess, um allezeit bequem in das Michelangelo zugewiesene Haus gelangen zu können, eine leichte Brücke
vom Vatikan aus zu demselben hinüberschlagen.

Nur kurze Zeit aber sollte solcher gemeinsamen Förde-
rung des Unternehmens bestimmt sein. Die Grösse des
Grabdenkmales bestärkte Julius' II. Gedanken einer Erweiterung der Peterskirche, in welcher es errichtet werden sollte.
Aus den Berathungen mit Bramante, dem genialsten Baumeister
der Zeit, ging der Plan eines vollständigen Neubaues von
S. Pietro, welchen schon Nikolaus V. ins Auge gefasst und am
Chor begonnen hatte, hervor und drängte das Projekt des
Denkmales mehr und mehr in den Hintergrund. Bramante
gewann die Gunst des Herrn, und Michelangelo verlor seine
bisherige maassgebende Stellung. Intriguen verschärften
den hierdurch entstandenen Gegensatz, und in einer Auf-
wallung sittlicher Empörung über die ihm widerfahrene Behandlung, zugleich aber auch in der Besorgniss ernster ihm
drohender Gefahren verliess Michelangelo, kurz vor der am
18. April 1506 erfolgten Grundsteinlegung der Kirche, heim-

lich Rom und kehrte nach Florenz zurück. Vergeblich sandte
ihm Julius Kuriere nach, vergeblich suchte er Soderinis Vermittlung. Der Künstler verschloss sich allen Aufforderungen
und erklärte, lieber einen Ruf des Sultans annehmen und für
Diesen die Brücke von Konstantinopel nach Pera bauen zu
wollen, als sich dem Verlangen des Papstes zu fügen. Erst
im Herbst kam es zu einer Versöhnung. Julius hatte am
27. August seinen Eroberungszug gegen Perugia und Bologna
unternommen und war am 11. November siegreich in letzterer
Stadt eingezogen. Der Wunsch, auch hier sein Andenken
künstlerisch verewigt zu sehen, liess ihn neue Anstrengungen
machen, Buonarroti zu gewinnen, welcher, durch Soderini
überredet, endlich die wiederaufgenommene Arbeit am
Schlachtenkarton unterbrach und sich nach Bologna begab,
wo er auf das Freundlichste, ja Ehrenvollste empfangen ward.

Das Werk, welches Julius von ihm verlangte, war Dessen
eigene Statue, in einer Grösse von sieben Ellen in Bronze
gegossen. Er liess die Ausrede des Meisters, „er verstehe
nicht den Bronzeguss", nicht gelten und besuchte ihn öfters,
wie früher in Rom, bei der schnell begonnenen Arbeit.
Noch ehe er, am 22. Februar 1507, Bologna verliess, konnte
er die Figur, im Thon fast fertig ausgeführt, betrachten.

Ärgernisse, Unbequemlichkeiten und Sorgen liessen aber
nicht ab, Michelangelo seine Thätigkeit, welche fünfzehn Monate
in Anspruch nahm, zu erschweren. Zuerst waren es zwei
Gehilfen Lapo und Lodovico, die nicht gut thaten, und,
schliesslich in die Heimath gejagt, den Vater gegen ihn auf-
hetzten. Dann gerieth er durch eine von Piero Aldobrandini
ihm ertheilte Kommission auf eine Degenklinge in allerlei Unannehmlichkeiten, und endlich musste er es erleben, dass der
Guss der Statue, für welchen er im Mai 1507 einen Meister
Bernardino d'Antonio dal Ponte aus Florenz kommen liess,
halb misslang. Ein neuer Guss der nicht geglückten Hälfte
erforderte Zeit, Geduld und Mittel. Niemand glaubte, dass
er zum Ziele gelangen werde; die Mühen waren so grosse,
dass er seinem Bruder schrieb: zum zweiten Male im Leben
werde er nicht im Stande sein, Gleiches durchzumachen. Über
Alles aber siegte seine Energie: der zweite Guss gelang.

Am 21. Februar 1508 konnte die Statue über dem Hauptportal von S. Petronio aufgestellt werden. Nur vier Jahre
hat sie von hier aus Julius' II. Sieg über Bologna verkündet.
Als die vertriebenen Bentivoglio in die Stadt zurückkehrten,
fiel sie der Volkswuth zum Opfer: am 30. Dezember 1511
mit Stricken von ihrer Höhe herabgerissen, ward sie im
Fallen auf den Boden zerschmettert. Ein Theil der Bronze
wurde zum Guss einer Kanone von Herzog Alfonso von
Ferrara verwendet. Auch dieses Werk war für die Zukunft
unwiederbringlich verloren.

Mit grosser Ungeduld hatte Michelangelo den Augenblick
der Heimkehr nach Florenz ersehnt. Anfang März dort eingetroffen, gedachte er sich für längere Zeit niederzulassen und
miethete nunmehr selbst jenes früher für ihn gebaute Haus im
Borgo Pinti. Aber Julius II. wollte seine Dienste nicht missen.
Er berief den Meister nach Rom, jedoch nicht, um ihn mit der
ersehnten Fortführung der Arbeiten am Grabdenkmal zu betrauen, sondern um ihm die Ausmalung der Decke in der
Sixtinischen Kapelle zu übertragen. Die Intriguen der Parthei
Bramantes, von denen Julius II. selbst nichts ahnte, hatten
gewirkt. Sie waren darauf gerichtet gewesen, Michelangelo
von dem eigentlichen Gebiete seiner Thätigkeit, der Bildhauerei, ab, auf das ihm fremde der Wandmalerei zu drängen
und ihn auf diese Weise möglichst unschädlich zu machen.
Zugleich ward der Plan gefasst, Bramantes Landsmann Raphael
für Rom zu gewinnen, wo er in den Stanzen seine grosse
Kunst als Maler bewähren sollte. Vergeblich wehrte sich
Michelangelo gegen den Auftrag. Der gewaltsame Papst
bestand auf seinem Willen, und so entschloss sich Jener, am
10. Mai 1508 das Werk zu beginnen. Er erhielt, nachdem
er die ursprüngliche Idee, die zwölf Apostel darzustellen,
zurückgewiesen hatte, das Recht, nach eigener Wahl die
Gegenstände seiner Kompositionen zu wählen, und entschied
sich für die Anordnung einer festlichen, mit zahlreichen, Festons
haltenden Jünglingen und spielenden Putten geschmückten
Scheinarchitektur, in welche an dem Spiegel der Decke die
ersten Geschichten des Alten Testamentes eingefügt wurden.
An den Gewölbeansätzen fanden die grossen Gestalten von

Propheten und Sibyllen, in den Lünetten die Familiengruppen
der Vorfahren Christi ihren Platz. Hatte er darauf gerechnet,
dass junge geschulte Wandmaler, welche er aus Florenz berief, ihm die technischen Schwierigkeiten erleichterten, so sah
er sich hierin getäuscht. Er schickte die Gehülfen heim und
vertraute der eigenen Kraft. Am 1. September 1510 war die
eine Hälfte der Malereien, am 14. August 1511 ein weiterer
Theil, im Oktober 1512 der gesamte Freskenschmuck vollendet. Aus allen diesen Jahren ist nur von der mit fieber-
haftem Eifer betriebenen Arbeit zu berichten, welche zweimal
durch kurze Reisen zum Papst, einmal im Oktober 1510
nach Bologna, das andere Mal Ende Dezember 1511 nach
Mirandola, unterbrochen wurde.

Ein grosser Wandel war inzwischen in den politischen Verhältnissen seiner Vaterstadt eingetreten. Die Liga, welche
der Papst gegen die Franzosen geschlossen hatte, sollte
durch Florenz verstärkt werden, dem Julius II. feindlich gesinnt war. Die hierdurch entstandenen Partheiungen und Unruhen wussten die verbannten Medici, die Söhne Lorenzo
Magnificos: Giovanni und Giuliano zu benutzen. Ein Pakt
mit dem Vizekönig von Neapel Don Raimondo von Cardona
wurde von ihnen geschlossen, und im Einverständniss mit
Julius II., welcher sich dafür rächen wollte, dass die Florentiner das Konzil der Schismatiker in Pisa begünstigt hatten,
rückte Cardona mit seinem Heere vor, zerstörte und plün-
derte Prato in grausamster Weise und bedrohte Florenz selbst.
Angesichts dieser Gefahr entschieden sich die Anhänger der
Medici in der Stadt für einen Gewaltstreich. Sie zwangen am
30. August 1512 Piero Soderini zur Abdankung, und die neue
Signoria erklärte sich Cardona gegenüber zu einem Vertrage
bereit, nach welchem den Medici die Rückkehr und alle ihre
Rechte als private Bürger bewilligt wurden. Giovanni und
Giuliano hielten am 12. September ihren Einzug, und damit
war die alte Vorherrschaft dieser Familie von Neuem, aber
in einer viel entscheidenderen Weise begründet. Von grosser
Besorgniss für die Seinigen erfüllt, verfolgte Michelangelo aus
der Ferne jene Ereignisse. Das Gerücht davon, dass er
sich empört über die Vorgänge in Prato ausgesprochen habe,

veranlasste seinen ängstlichen Vater, ihn um Vorsicht zu
bitten. Er erwiderte beruhigend, dass er nichts gegen die
Medici geäussert habe, ausser was Jeder über den Fall von
Prato gesagt, „denn wenn die Steine hätten sprechen können,
so würden sie darüber gesprochen haben". Thätig ein-
greifend, um die Noth der Familie zu lindern, wandte er sich
persönlich an Giuliano, welcher seine Wünsche erfüllt zu haben
scheint.

Die Rückkehr der Medici nach Florenz war nur das Vorspiel ihrer bald darauf erfolgenden Erhebung zu immer
höherer Macht. Als am 21. Februar 1513 das thatenreiche,
ungestüme Leben Julius' II. sein Ende erreichte, erhielt Giovanni Medici als Leo X. die päpstliche Tiara. Eine seiner
ersten Amtshandlungen war die Ernennung seines Vetters
Giulio, des Sohnes des älteren Giuliano, zum Erzbischof von
Florenz und bald darauf zum Kardinal. Mit grosser Gewandt-
heit verstand er durch Milde und Begnadigung seiner einstigen
Gegner die Herzen für sich zu gewinnen, und die hohe Bildung, welche er im väterlichen Hause erhalten hatte, als
Mittel zugleich zu seiner Machtstellung, wie zur Befriedigung
seiner Genusssucht und Eitelkeit zu verwerthen. Gern übernahm er in solchem Sinne die grossen künstlerischen Pläne
seines Vorgängers als bedeutsames Vermächtniss, ja gab, indessen Raphael den Auftrag erhielt, mit der Malerei in den
Stanzen fortzufahren, und Bramante seine Thätigkeit an der
Peterskirche weiterbetreiben durfte, Michelangelo die Erlaubniss, an die Gestaltung des Juliusdenkmales zu gehen, dessen
nunmehr an die Wand angelehnter, mit noch reicherem
Schmuck als früher ausgestatteter Aufbau am 6. Mai 1513
durch einen neuen Vertrag zwischen den Vollstreckern der
Wünsche Julius' II. und dem Meister festgestellt wurde. Fast
drei Jahre lang durfte Michelangelo sich der Arbeit widmen,
und in dieser Frist entstanden der „Moses", der als eine von
sechs Kolossalfiguren den Oberbau des Monumentes krönen
sollte, und die zwei jetzt im Louvre aufbewahrten „Sklaven",
denen der Platz vor den Pfeilern des unteren Stockwerkes
angewiesen war. Die Statue des „Siegers" (im Bargello zu
Florenz) dagegen, ebenso wie die nur aus dem Rohesten

gehauenen Figuren, die jetzt in der Akademie aufgesucht
sein wollen, dürften erst der späteren erneuten Beschäftigung
des Künstlers mit dem Grabmal während seines Aufenthaltes in Florenz ihre Entstehung verdanken, wo auch die
irrthümlich auf das Juliusdenkmal bezogene Statue des
kauernden Knaben (jetzt in Petersburg) entworfen wurde.
Nur, wie es scheint, ein einziger anderer Auftrag ist ihm
in jenem Zeitraum, welcher zu den glücklichsten Perioden
seines Lebens gehört hat, von drei Römern: Bernardo
Cencio, Mario Scapucci und Metello Varj zu theil geworden:
nämlich eine Christusstatue für S. Maria sopra Minerva zu
meisseln.

Aus solcher ungestörten Vertiefung in eine ihn ganz er-
füllende Aufgabe wurde Michelangelo im Jahre 1516 heraus-
gerissen. Schon lange mochte es Leo X. wurmen, dass des
Meisters Thätigkeit nur dem Andenken Julius' II. und nicht
seiner eigenen Verherrlichung gelte. Als er im Herbste 1515
und Anfang des Jahres 1516 in Florenz weilte, fasste er den
Plan, durch die Errichtung der Fassade von S. Lorenzo, der
Kirche der Medici, sich in seiner Heimathstadt ein Denkmal
zu setzen. Unter den eingeforderten Entwürfen siegte derjenige Michelangelos, aber erst am Ende des Jahres wurde
Dieser von Carrara, wo er neue Blöcke für das Juliusgrabmal aus den Steinbrüchen förderte, nach Rom berufen, um
endgültig den Auftrag zu erhalten. In ernsten Konflikt mit
seiner Pflicht gegenüber den Erben Julius' II., mit denen am
8. Juli ein neuer, das Monument auf die Hälfte der Ausdehnung einschränkender Kontrakt abgeschlossen worden war,
gerathen, musste er sich doch dem Willen des Papstes fügen.
Noch im Dezember ging er nach Florenz, beauftragte Baccio
d'Agnolo mit der Ausführung eines Modelles nach seinen
Entwürfen und war dann in Carrara mit der ersten Auswahl
der Blöcke für die Fassade beschäftigt. Das Jahr 1517,
abwechselnd in Carrara und Florenz von ihm verbracht,
verging mit den mühsamen Vorbereitungen für das Werk,
welches an Grösse der Konzeption, an Reichthum der Statuen
und Reliefs mit dem Grabmal wetteiferte. Baccios Modell
war nicht geglückt, und er sah sich genöthigt, selbst ein

solches zu verfertigen, auf Grund dessen dann am 19. Januar
1518 ein Übereinkommen mit Leo X. abgeschlossen ward.
Unter furchtbaren Mühen und Ärgernissen, welche ihm besonders aus der Zumuthung, Steinbrüche in Seravezza zu er-
schliessen und hierfür eine neue Strasse zu bauen, erwuchsen,
verbrachte er die Jahre 1518 und 1519. Er hatte sich
am 14. Juli 1518 ein Haus in der Via Mozza in Florenz
gekauft, wohin er im Dezember die roh behauene, für
S. Maria sopra Minerva in Rom bestimmte Christusstatue
schickte: so wenig aber wie für das Juliusdenkmal vermochte er für deren Ausführung Zeit zu gewinnen, wie er
auch Soderini, der ein Tabernakel für S. Silvestro in Rom
wünschte, nur eine Zeichnung hierfür einsenden konnte
(Oktober 1518), und endlich erwies sich alle für S. Lorenzo
geleistete Arbeit als fruchtlos: am 10. März 1526 wurde der
Plan der Fassade aufgegeben und er aller Verpflichtungen ent-
bunden. Die tiefe Enttäuschung scheint ihn auf das Kranken-
lager geworfen zu haben.

Schon aber war ihm von Rom aus zu eben jener Zeit, als
Raphael, dessen Partei eine immer feindseligere Stellung gegen
ihn und seinen Schützling Sebastiano del Piombo eingenommen
hatte, der Welt entrissen ward, ein neuer Plan nahegelegt
worden, welcher dem Geiste des Kardinals Giulio Medici
entstammte: der Bau einer Grabkapelle in S. Lorenzo für
die Medici und die Errichtung von Denkmälern in derselben.
Am 23. November 1520 schickte Michelangelo seinen Entwurf ein und begann, als dieser gutgeheissen wurde, Ende
März 1521 die Arbeit, welche Anfangs auf einen Freibau
mit vier Gräbern angelegt war. Zugleich auch nahm er sich
von Neuem der Christusstatue an, deren Vollendung er aber
seinem Schüler Pietro Urbano in Rom und dann, als Dieser
ungeschickt verfuhr, einem Bildhauer Federigo Frizzi überlassen musste, zum Schaden des Werkes, welches im Oktober 1521 in S. Maria sopra Minerva aufgestellt wurde.

Alle Erwartungen, welche dereinst der Meister auf Leo X.
gesetzt haben mochte, waren unerfüllt geblieben. Er musste
den am 1. Dezember 1521 erfolgten Tod des Papstes als
eine Befreiung betrachten, da er diesem Ereigniss die

Möglichkeit verdankte, wieder seinen für das Juliusdenkmal
eingegangenen Pflichten zu leben. Während der Regierungszeit des jeder Kunst abgeneigten Hadrians VI., der allen freu-
digen Regungen der Renaissancekultur ein Ende zu machen
schien, in den Jahren 1522 und 1523, widmete sich Michelangelo in Florenz abermals seiner grossen Aufgabe. In sie
vertieft wies er ehrenvolle Anerbieten: die Beurtheilung der
für S. Petronio in Bologna gemachten Fassadenentwürfe
(Juli 1522), die Anfertigung einer Statue Andrea Dorias für
die Genuesen (1523), die Ausführung eines Werkes für den
Kardinal Grimani (28. Juni 1523) zurück; nur die Bitte des
Marchese von Mantua um das Modell zu einer Villa erfüllte
er (1523). Die Ungunst der Zeiten für die Kunst musste
aber auch er schwer empfinden, und Hoffnungen allgemeiner
Art durften ihn beseelen, da nach Hadrians Tode Giulio
Medici als Clemens VII. am 19. November 1523 den päpstlichen Stuhl bestieg. In der besorglichen Annahme freilich,
dass Dieser seine Thätigkeit sogleich für sich stark in Anspruch nehmen werde, hatte er sich nicht geirrt. Noch am
Ende desselben Jahres legte der Papst ihm den Wunsch
des Baues der Mediceischen Bibliothek bei S. Lorenzo dar
und forderte zugleich den Künstler auf, mit der Arbeit der
neuen Sakristei fortzufahren. Die Verhandlungen über die
Anlage der Libreria und deren Details zogen sich bis 1526
hin, für die Medicigräber konnte bereits am 23. Mai 1524
ein neuer Entwurf gemacht werden. An die Stelle von vier
Denkmälern traten jetzt sechs: nämlich für den alten Cosimo,
Lorenzo Magnifico, Giuliano, Herzog von Nemours, Lorenzo
den Jüngeren, Herzog von Urbino, Leo X. und Clemens VII.
Im Verlaufe des Jahres 1525, welches auch die Zeichnung
eines Grabmales für den Herzog von Sessa entstehen sah,
trat dann aber wiederum eine Vereinfachung ein: es sollten
nur noch zwei Wandgräber, jedes mit einer Statue des Ver-
storbenen, (und zwar Giulianos und Lorenzos des Jüngeren),
mit zwei auf den Sarkophagen liegenden Gestalten, zwei Allegorieen in den Nischen und zwei am Boden liegenden „Flüssen"
ausgeführt werden. Sechs Figuren hatte der Meister im Frühjahr 1526 in Arbeit. Zwei andere Gedanken des Papstes, die

1525 ausgesprochen wurden: die Herstellung eines Ciboriums
für S. Lorenzo und einer Kolossalstatue von vierzig Ellen Höhe
neben dem Palazzo Medici, kamen nicht zur Verwirklichung.
Die quälenden Verhandlungen wegen des Juliusdenkmales
ruhten auch in dieser Zeit niemals, ja veranlassten den Meister,
einmal, Anfang 1525, nach Rom zu gehen. In demselben Jahre
begann die Thätigkeit an der Laurenziana, welche aber, wie im
November berichtet wird, sehr langsame Fortschritte machte.

Die kriegerischen Wirren, die in dem Unglücksjahre
1527 über Italien hereinbrachen, machten dieser Thätigkeit
ein Ende. Clemens' VII. verhängnissvolle Politik führte zu
dem furchtbaren Augenblick, in welchem er, von den Franzosen im Stich gelassen, Rom den Truppen des Kaisers
preisgegeben sah. Am 6. Mai wurde die Stadt erstürmt und
geplündert und der Papst selbst zum Gefangenen gemacht.
Die Nachricht hiervon entfesselte die Thatkraft und Leidenschaft der Unzufriedenen in Florenz, und wieder wurde das
Joch der Mediceischen Herrschaft abgeschüttelt. Am 17. Mai
musste Alessandro, ein natürlicher Sohn des jüngeren Lorenzo,
aus der Stadt fliehen. Noch einmal gelangte Savonarolas
politisches Ideal einer Republik unter Christus als König zur
Geltung, noch einmal sollte durch strenge Gesetze Zucht
und Ordnung zur Grundlage der Freiheit gemacht werden.
Von Michelangelos Leben erfahren wir wenig aus diesen
Zeiten. Er scheint sich mit den Angelegenheiten der politischen Neuordnung nicht beschäftigt zu haben, selbst ein
kleines am 22. August 1527 ihm übertragenes Amt lehnte er
ab und widerrieth auch seinem Bruder Buonarroto, es anzunehmen. Wir erfahren nur, dass er in den Tagen der
Volkserhebung (am 29. April) einem Piero Gondi erlaubt,
seine Habe in der Sakristei von S. Lorenzo zu verbergen.
Aus seiner stillen Zurückgezogenheit riss ihn erst im folgenden
Jahre die von der Signoria an ihn ergehende Aufforderung,
aus einem Marmorblock, welcher bereits im Jahre 1508 ihm
zugewiesen, dann aber infolge von Intriguen genommen
und an Baccio Bandinelli gegeben worden war, die kolossale
Gruppe eines Herkules mit Kakus zu schaffen. Sie sollte als
ein Seitenstück zum David vor dem Signorenpallast aufgestellt

werden. Nachdem er Modelle geformt, veränderte er den
Plan und machte den Entwurf eines Samson, der zwei
Philister bekämpft, aber an der Ausführung wurde er durch
neue Pflichten verhindert, und schliesslich sollte es einige
Jahre später doch Bandinelli gelingen, den Block wieder an
sich zu bringen und einen Herkules daraus zu verfertigen,
der noch heute vor dem Palazzo steht.

Jene neuen Pflichten aber erwuchsen dem Meister aus
den Gefahren, welche Anfang 1529 die Stadt zu bedrohen
begannen. Der Versuch einer Aussöhnung zwischen Clemens VII. und Karl V. wurde auf die Unterwerfung von
Florenz begründet, und die Signoria sah sich genöthigt,
Sicherheitsmaassregeln gegen einen bevorstehenden Krieg zu
treffen. Am 10. Januar wurde Michelangelo in die Kriegs-
behörde, die „Nove della milizia", gewählt und am 6. April
zum Prokurator und Gouverneur der Befestigungswerke mit
dem täglichen Gehalte von einem Goldgulden ernannt. Voll
patriotischen Eifers widmete er sich der verantwortlichen
Aufgabe. Anfang Juni besuchte er Pisa und Livorno, dort
Anordnungen zu treffen, war, zurückgekehrt, mit Wiederherstellung der Arnoregulirung und mit Verstärkung der
Befestigungen bei S. Miniato, welches er mit Recht als den
bei einer Belagerung wichtigsten Punkt erkannte, beschäftigt
und ging am 28. Juli mit einem Empfehlungsschreiben an
den Herzog nach Ferrara, wo er die Fortifikationen studirte.

Inzwischen war das kaiserliche Heer, nachdem am 27. Juni
zwischen Karl V. und Clemens VII. ein festes Bündniss abgeschlossen worden war, unter Philibert von Oranien in Tos-
cana eingerückt und hatte Perugia und Cortona genommen.
Jetzt fiel auch Arezzo in seine Hände, und eine fieberhafte
Unruhe bemächtigte sich der Florentiner. Michelangelo,
wieder in die Heimath zurückgekehrt, wurde von dunklen
Ahnungen gequält. Er hatte keinen Glauben an den Gonfaloniere Francesco Carducci und hegte tiefes Misstrauen
gegen Malatesta Baglioni, welcher später, im Januar 1530, definitiv zum General der florentinischen Truppen gewählt ward.
Die Beängstigungen wurden seiner erregbaren Natur so Herr,
dass ein geringer, aber geheimnissvoller Anlass: die Warnung

von Seiten eines Unbekannten, genügte, ihn zu plötzlicher Flucht zu bewegen. Am 21. September verliess er mit einem Rinaldo Corsini und seinem Gehülfen Antonio Mini heimlich die Stadt und ging über Ferrara nach Venedig. Er hatte den Plan gefasst, seine Dienste dem kunstliebenden König von Frankreich anzubieten. Der französische Gesandte in Venedig, in Kenntniss hiervon gesetzt, schrieb an Franz I., und Dieser machte dem Meister das Anerbieten eines Jahresgehaltes von 1200 Livres und anderer Begünstigungen. Inzwischen aber hatte Jener den übereilten Schritt bereut. Er erhielt die Nachricht, dass am 30. September in Florenz über ihn die Acht ausgesprochen war, die Einziehung seiner Güter bevorstand und Galeotto Giugni, der florentinische Geschäftsträger in Ferrara, sich zum Vermittler anbot. Am 20. Oktober gewährte die Signoria ihm die Erlaubniss freier Rückkunft, und der Steinmetz Sebastiano di Francesco ward mit dem Geleitsbrief an ihn abgesandt. Gegen den 20. November kehrte Michelangelo von Venedig, wo er, ungeachtet der ihm vom Dogen und den Vornehmen zugedachten Ehrenbezeugungen, in grösster Einfachheit und Zurückgezogenheit auf der Giudecca wohnte und angeblich einen Entwurf für die Rialtobrücke gemacht hat, auf die zur Eile mahnenden Briefe Battistas della Palla hin nach Florenz heim. Die angedrohte Bestrafung wurde auf eine Geldbusse und Ausschluss aus dem Grossen Rath auf drei Jahre herabgemindert.

Ob er in der folgenden Zeit der Belagerung der Stadt in den Diensten der Republik verwendet wurde, ist nicht bekannt. Eine vereinzelte Nachricht besagt, dass er am 22. Februar 1530 die Domkuppel zu besteigen die Genehmigung erhielt. Nach schwersten Prüfungen, die in dem von Malatesta Baglioni ausgeübten Verrath gipfelten, musste Florenz sich endlich am 12. August unterwerfen, und eine furchtbare Rache wurde von dem siegreichen Medici an der Stadt ausgeübt. Todesurtheile, Kerker und ewige Verbannung waren die Strafen, welche alle Gegner des Papstes trafen. Michelangelo gehörte zu Denen, welche sich verborgen hielten, bis er erfahren durfte, dass Clemens VII. über dem Künstler den Republikaner vergass. Des Papstes Bevoll-

mächtigter Baccio Valori, für welchen Michelangelo die nie
ganz vollendete, heute im Museo nazionale zu Florenz aufbewahrte Statue eines den Pfeil aus dem Köcher ziehenden
Apollo anfertigte, wusste alle Hindernisse einer Versöhnung
zu beseitigen. Am 11. November wurde dem Meister, der
inzwischen die Arbeit an den Medicigräbern wieder aufgenommen hatte, sein Monatsgehalt von Neuem ausgesetzt.
Damals auch kam es zur Vollendung eines Gemäldes:
Leda mit dem Schwane, welches für Alfonso von Ferrara
bestimmt war, aber infolge des albernen Auftretens von
Dessen Abgesandten nicht dem Besteller überschickt, sondern
von Michelangelo seinem Hausgenossen Antonio Mini geschenkt wurde. Ob das durch Diesen mit nach Frankreich
genommene Original bis auf unsere Zeit sich erhalten hat,
blieb bis jetzt fraglich. Für ein anderes Bild, vom Marchese
del Vasto erbeten: „die Erscheinung Christi vor Magdalena",
wie für eine Venus mit Amor entwarf er nur den Karton
und überliess die Ausführung Jacopo Pontormo. Der Wunsch
des Marchese von Mantua aber, für den Palazzo del Te ein
Werk zu erhalten (1531), sowie des Kardinals Jacopo Salviati
Ersuchen um ein Gemälde (1531) blieb unerfüllt, wie vermuthlich auch der Auftrag, welchen ihm Kardinal Cybo
(1531) auf die Zeichnung eines Grabmales ertheilte.

Die Thätigkeit in der Sakristei während der folgenden
Jahre bis 1533 sollte keine ungestörte sein. Unablässig seine
Sammlung hindernd, bedrängten ihn die Mahnungen der
Erben Julius' II., auf die Erfüllung seiner Verpflichtungen
bedacht zu sein. Von dem inneren Widerspruch, in den er
hierdurch versetzt wurde, aufgerieben, verfiel er im Sommer
1531 in eine schwere Krankheit, welche die Freunde besorgt
um sein Leben machte. Ein Breve des Papstes (vom 21. November) mit der Verfügung, dass der Meister fortan nur an
den Medicigräbern arbeiten solle, brachte keine Lösung.
Im Frühjahr 1532 ging er selbst nach Rom, wo am 29. April
ein neuer Kontrakt mit den Rovere aufgesetzt wurde. In
diesem versprach Michelangelo, seine Zeit zwischen S. Lorenzo
und dem Juliusdenkmal, zwischen Florenz und Rom, zu theilen.
In letzterer Stadt, in welcher er damals die für sein ganzes

Thode, Michelangelo I.   3

späteres Leben bedeutungsvolle Freundschaft mit dem jungen
Tommaso dei Cavalieri schloss, verbrachte er den Winter
von 1532 33. Im Juni kehrte er in seine Vaterstadt zurück
und blieb hier, von einem Ausflug nach S. Miniato al Tedesco,
wo er mit dem Papst zusammentraf (22. September), abgesehen,
bis Ende Oktober, zugleich der Sakristei, der Libreria und
einer Reliquientribüne in San Lorenzo sich widmend. Als
Mitarbeiter an den Statuen der Gräber gewinnt er Agnolo
Montorsoli und Niccolò Tribolo und überträgt Giovanni da
Udine die Ausführung von Mosaiken an der Decke. Für Cavalieri entstehen Zeichnungen des Phaeton, Tityos, Ganymed u. a. Der folgende Winter führt ihn wieder nach Rom, und
erst Ende Mai 1534 trifft er abermals in Florenz ein, kurz vor
dem ihn tief erschütternden Tode seines Vaters. Dieser Aufenthalt sollte der letzte überhaupt in seiner Heimath sein. Am
zweiten auf seine Rückkehr nach Rom folgenden Tage, dem
25. September, starb Clemens VII., und dieser Tod bedeutete für Michelangelo den Abschied von seinen Arbeiten
in S. Lorenzo. Unvollendet blieb der Schmuck der Sakristei,
für welche nur sieben Statuen: die beiden Porträtfiguren, die
vier Allegorieen der Tageszeiten und eine Madonna von der
Hand des Meisters selbst theils begonnen, theils ausgeführt
worden waren, unvollendet der Bau der Bibliothek zurück.

Was ihn zunächst in Rom erwartete, waren wiederum
Schwierigkeiten in den Angelegenheiten des Juliusgrabmales.
Der neue Papst Paul III. verlangte die Dienste des Künstlers
allein für sich und setzte seinen Willen durch, obgleich Dieser,
um seinen alten Verpflichtungen nachzukommen, bereits den
Plan gefasst, in einer Abtei des Bischofs von Aleria im Genuesischen oder in Urbino stille Zuflucht und die Möglichkeit
des Schaffens zu suchen. Es gelang, den Herzog von Urbino
zur Nachgiebigkeit zu bewegen, und im April 1535 konnte
Michelangelo an die Gestaltung des Planes, welchen Paul III.,
anknüpfend an einen schon 1532 von Clemens gefassten
Gedanken, ihm vorlegte, an das Riesengemälde des Jüngsten
Gerichtes auf der Altarwand der Sixtinischen Kapelle gehen.
Bis zum Jahre 1541, in dem es am 31. Oktober enthüllt
wurde, ist des Meisters Geist und Hand unausgesetzt mit

ihm beschäftigt gewesen. Von anderen Arbeiten ist nur die
jetzt in Florenz aufbewahrte Büste des Brutus, die er wohl
im Gedenken der Ermordung des Alessandro Medici durch
Lorenzino (1537) für den Kardinal Ridolfi ausführte, und der
Entwurf eines für den Herzog von Urbino bestimmten, reich
verzierten silbernen Salzfasses aus dieser Zeit zu erwähnen
(1537). Zu Lebenshöhen emporgestiegen, wie vor ihm wohl
nur ein einziger Künstler der Renaissance: Raphael, vom Papste
durch ein Breve (1. September 1535) zum Architekten, Maler
und Bildhauer des Vatikans ernannt und zugleich mit dem freilich sich als sehr zweifelhaft erweisenden Benefiz der Einnahmen eines Flusszolles bei Piacenza ausgestattet, im Verkehr
mit den edelsten und vornehmsten Männern Roms, welche
seinen Umgang suchten, hat der Mann, welcher in ungeheuren
Gestalten seine durch tiefstes Leiden erworbene Erkenntniss
von der Tragik des menschlichen Lebens mahnend der Welt
verkündete, von allem Äusseren mehr und mehr sich abwendend
nur noch im Inneren sein Heil gesucht. Das religiöse Sehnen,
welches seit seinen Jugendtagen, da er Savonarolas Worten
gelauscht, in ihm lebte, erhielt während eben jener Jahre des
Jüngsten Gerichtes eine wunderbare Bestärkung. Es war im
Herbste 1538, dass er die Freundschaft mit Vittoria Colonna
schloss, deren von reformatorischen Bestrebungen angeregter
Geist und deren Glaubensinbrunst seinem Denken und Fühlen
eine bestimmende Richtung gab und sein poetisches Vermögen,
welches bereits durch die Beziehung zu Cavalieri gesteigert
worden war, zu freiester Bethätigung entfesselte. Fortan
wetteifert das dichterische Schaffen mit dem bildnerischen!
    Kaum war die Malerei in der Sixtinischen Kapelle be-
endigt, als die Verhandlungen mit dem Herzog von Urbino
wieder aufgenommen wurden. Am 27. Februar 1542 zieht
der Künstler zur Mitarbeit an dem nun auf ganz bescheidene
Verhältnisse eingeschränkten Juliusdenkmal Raffaelo da Montelupo hinzu. Michelangelo wollte seinerseits drei Statuen liefern,
Raffaelo drei andere. Dann am 20. August im letzten
IV. Vertrage werden ihm noch weitere Erleichterungen gewährt,
für welche sich unter Anderen sein Freund Luigi del Riccio,
für dessen Liebling Cecchino dei Bracci er 1544 ein Grab-

3*

mal entwarf, verwendet hatte, und im Laufe einiger Jahre
kam es endlich zur nothdürftigen Vollendung des Werkes,
welches, 1545 in S. Pietro in vincoli aufgestellt, ausser dem
Moses nur noch die Gestalten der Rahel und Lea von des
Meisters Hand erhielt. Abermals waren Wünsche des Papstes
erschwerend schon 1542 eingetreten. Die neuerbaute Kapelle
Paolina im Vatikan sollte zwei Fresken: die Bekehrung Pauli
und die Kreuzigung Petri erhalten. Es sind die letzten in
den folgenden Jahren bis 1550 ausgeführten Gemälde, welche
Michelangelo — zweimal, in den Jahren 1544 und 1546, erkrankt — geschaffen hat, da die von Einigen in diese Zeit
verlegte „Grablegung Christi" in der Londoner Nationalgalerie
offenbar viel früher, etwa um 1508, entstanden ist. Zahlreiche Zeichnungen, wie die für Vittoria Colonna angefertigten des Gekreuzigten, der Beweinung Christi und der
Samariterin, und sonstige religiöse Entwürfe, zugleich aber
auch die zwei plastischen Darstellungen der Pietà beweisen,
dass er seine künstlerische Aufgabe fast nur noch in der
Verherrlichung des Leidens Christi erkannt hat. Die eine
jener Gruppen der Pietà, von ihm selbst halb wieder zerstört,
später von Tiberio Calcagni zusammengesetzt, kam aus dem
Besitze der Familie Bandino in den florentiner Dom, wo sie
hinter dem Hochaltar ihren Standort erhielt, die andere, nur
aus dem Rohen gehauen, wird im Hofe des Palazzo Rondanini in Rom aufbewahrt. Aus eigenem seelischen Bedürfnisse heraus entstanden diese Werke — Aufforderungen
von fremder Seite, wie den 1546 ausgesprochenen Wunsch
Franz' I., ein Werk von seiner Hand zu erhalten, und eine
andere von Katharina von Medici 1559 geäusserte Bitte, die
Reiterstatue Heinrichs II. zu machen, übernahm er nicht.
Als Pius IV. das Denkmal für seinen Bruder, den Marchese
di Marignano, bei ihm bestellte, begnügte er sich, eine Skizze
zu verfertigen, die von Leone Leoni für das im Mailänder
Dom befindliche Monument benutzt ward.

Seit dem Jahre 1547 endlich hat er im Dienste der Öffent-
lichkeit sich fast nur noch als Architekt bethätigt. Eine kleinere
Aufgabe solcher Art war schon 1546 an ihn herangetreten. Als
Antonio da San Gallo den Palazzo Farnese bis zum Kranz-

gesims aufgeführt hatte, kam es betreffs des letzteren zu
Berathungen und Abfassung von Gutachten. Michelangelo,
welcher Antonios Modell missbilligte, wurde mit der Lösung
der schwierigen Frage betraut und bekrönte den Pallast mit
einem von ihm entworfenen Gesims. Nach Sangallos Tode
vollendete er an demselben Gebäude das obere Geschoss
des Hofes. Dann am 1. Januar 1547, kurze Zeit bevor Vittoria
Colonna ihm durch den Tod entrissen ward, wurde er ein
Nachfolger jenes Meisters auch an dem Werke, welches zu
fördern seit den Zeiten Julius' II. von den Päpsten als eine
ihrer wichtigsten Aufgaben betrachtet worden war, ohne dass
es doch wesentliche Fortschritte seit Bramante gemacht hätte:
an dem Bau von St. Peter. Nur Gott zur Ehre übernahm
er hochbetagt die nach einander von Giuliano da San Gallo,
Fra Giocondo, Raphael, Baldassare Peruzzi und zuletzt Antonio innegehabte Stellung, und nur das Bewusstsein solcher
religiösen Pflicht, die er sich auferlegt, vermochte ihm die
Kraft zu geben, trotz nie endender Widerwärtigkeiten und
Feindseligkeiten, welche die- ihm ertheilte unumschränkte
Vollmacht und seine unerbittliche Rechtlichkeit hervorrief,
bis an sein Lebensende bei dem Werke auszuharren. Alle
Versuche des Herzogs Cosimo, ihn für Florenz wieder-
zugewinnen, scheiterten an der Treue, die der Greis — nach
Pauls III. Tode (1549) den Wechsel der Regierung von vier
Päpsten: Julius III., Marcellus II., Paul IV. und Pius IV. er-
lebend — dem Unternehmen geweiht hatte. An Bramantes
Idee einer zentralen Anlage anknüpfend, aber diese in neuer
Weise gestaltend, entwarf er die Pläne der Kuppel, deren
Modell er auf Wunsch der Freunde 1558 bis 1561 selbst
noch anfertigen liess, und überwachte, von seinem Maulthier
nach dem Petersplatz getragen, die seinen Wünschen freilich
wenig entsprechende Bauthätigkeit.

Auf St. Peter aber blieb seine Wirksamkeit als Baumeister
nicht beschränkt. Nahm er berathend überhaupt an allen
grösseren architektonischen Unternehmungen, namentlich den
Befestigungserweiterungen des Borgo schon seit 1545, theil,
so machte er für einzelne besonders wichtige, wie die Anlage des Platzes, der Gebäude und Treppen am Kapitol, die

Umgestaltung des grossen Saales der Diocletiansthermen in
die Kirche S. Maria degli Angeli und die Porta Pia (1561/62)
die Entwürfe. Den auf die Begründung einer Nationalkirche
in Rom gerichteten Gedanken der Florentiner entsprach er
durch ein grossartiges Projekt (1559), welches aber das Schicksal so vieler seiner kühnsten Ideen, nämlich unverwirklicht
zu bleiben, hatte, und in demselben Jahre schickte er das
Modell der Treppe für die Laurenziana in seine Heimath.
Einzig der Tod konnte dem Schaffensbedürfniss seines
Geistes ein Ende setzen. Aber der Mensch selbst schien schon
lange nicht mehr dieser Welt anzugehören — er wandelte
durch sie wie der Schatten eines verklärten, höheren Daseins.
Vereinsamt, nur des Verkehres mit wenigen Freunden noch
pflegend, die ihn aufsuchten und für ihn sorgten, lebte er
dahin, mitten in der vielbewegten Stadt den Einsiedlern gleich,
deren Loos er während eines Herbstaufenthaltes in Spoleto
(1536) glücklich gepriesen hatte. Was galt es ihm, dass er
zum Haupt der neugegründeten Akademie von Florenz erwählt wurde (31. Jan. 1563), dass Fürsten und Grosse es als
eine Ehre betrachteten, ihn sehen und hören zu dürfen,
dass man seinen Namen wie den eines Überirdischen in ganz
Italien aussprach — seine Seele weilte längst in dem entrückten Reiche des Friedens, aus dem sie sich der Erde
nur zuwendete, wenn sie von der künstlerischen Pflicht oder
der Sorge für die Seinen gerufen wurde.

Fast ein Jahrhundert war seit jenem Augenblicke, da sein
Auge in dieser Welt das Ewige zu schauen begann, vor-
übergegangen, eine Epoche des raschesten Wechsels und
Wandels menschlicher Bestrebungen, Sitten und Meinungen,
als er am 18. Februar 1564 die ersehnte Erlösung von den
irdischen Banden fand. Seine sterblichen Reste wurden heimlich, da man sie in Rom zu behalten wünschte, am 12. März
nach Florenz gebracht und mit Feierlichkeiten, deren Pomp
dem Leben eines Königs, nicht aber dem seinen entsprach,
in S. Croce beigesetzt.

I. BUCH

DAS GENIE UND DIE WELT

Darum schätzen auch in Rom Die,
welche Euch kennen, die Person Michelangelos höher als seine Werke, während
Diejenigen, welche Euch nicht persönlich
kennen, nur Euer geringeres Theil, nämlich Werke Eurer Hände, hochhalten.
(Aus einem Gespräche Vittoria Colonnas
mit Michelangelo, mitgetheilt von Francesco de Hollanda.)

D er Ueberbringer dieses Briefes", so schreibt am 27. November der Gonfaloniere von Florenz, Piero Soderini, an den Kardinal von Volterra, „ist Michelangelo, ein Bildhauer, welchen wir senden, um Seiner Heiligkeit zu Gefallen zu sein und genug zu thun. Wir versichern, dass er ein ausgezeichneter junger Mann ist und in seiner Kunst ohne Gleichen in Italien, ja vielleicht in der Welt. Wir können ihn nicht dringend genug empfehlen. Seine Natur ist von der Art, dass er, giebt man ihm gute Worte und Freundlichkeit, Alles thut; man muss ihm Liebe zeigen und ihn freundlich behandeln, dann wird er Werke schaffen, die ein Wunder der ganzen Welt sein werden."

Diese Worte klingen wie eine Antwort auf die vom Papst Julius II. geäusserte und von den Zeitgenossen allgemein getheilte Meinung: „Michelangelo ist furchtbar (terribile), man kann Nichts mit ihm anfangen".

Hätten wir nur diese beiden Zeugnisse, sie könnten genügen, uns von der Wesensbeschaffenheit des Künstlers eine klare Anschauung zu geben. Mit Bestimmtheit weisen sie darauf hin, dass seine Eigenart in der Verbindung eines zugleich höchst sensitiven und höchst leidenschaftlichen Temperaments mit einem durch Güte und Adel ausgezeichneten Gemüthe zu suchen ist. Ja der Ahnungsvolle würde vielleicht, da dieser so geartete gewaltige Mensch ein künstlerischer Genius war, zugleich ohne weiteres einen allgemeinen Schluss auf Michelangelos intellektuelle Anlagen und auf das Verhältniss, in welchem sie zu einander standen, ziehen, indem

er ein starkes Vorwalten der Phantasie über die Verstandes-
thätigkeit voraussetzte.

Auch eine nähere Beschäftigung mit dem Leben des
Meisters kann schliesslich diese Auffassung nur bestätigen, da
alles sein Thun und Leiden in ihr seine zureichende Erklärung findet. Ein verzehrendes Verlangen nach Liebe,
dessen auch nur augenblickliche Befriedigung durch die jähe
Heftigkeit des Temperamentes, das in Konflikt mit der
Aussenwelt geräth, häufig genug vereitelt wird, eine bis zum
Äussersten erregbare Einbildungskraft, die, alle Erscheinungen
und Erfahrungen des Lebens über das Maass steigernd und
sie umwandelnd, der Vernunft die Herrschaft über den Willen
nimmt, unablässig Ahnungen, Hoffnungen und Beängstigungen
in der Seele hervorruft und zu plötzlichen Entschlüssen fort-
reisst, eine Feinfühligkeit, in welcher der Quell reinster künstlerischer Entzückung, aber auch ungezählter seelischer Qualen
sich erschliesst – von solchen Mächten beherrscht, musste
sein Dasein im Wechsel gewaltsamer entgegengesetzter, nimmer
zur Ausgleichung gelangender Bewegungen sich vollziehen.
Enthusiastischer Glaube an die Menschen und gramvoller
Zweifel, kindlich liebevolles Vertrauen und scheuer Argwohn,
rückhaltlose Bewunderung und heftige Verurtheilung, kühne
Entschlossenheit und fieberhafte Angst, überlegener Humor
und bittere Ironie füllen Michelangelos vom Gefühl beherrsch-
tes Leben aus und schliessen sein Leiden, den Widerstreit
seines Wesens mit der Welt und dem Schicksal, in sich ein.

Wollen wir das In- und Durcheinanderwirken der seelischen
und geistigen Kräfte dieser ungeheuren Natur gewahren lernen,
so bleibt uns kein anderer Weg, als durch die Wesensäusserungen
hindurch das Wesen selbst zu ergründen, und dies vermögen
wir nur durch die Zurückführung der mannigfach zusammen-
gesetzten Erscheinungen auf die in ihnen enthaltenen seelischen
Urelemente. Die Einheit, so dürfen wir hoffen, wird sich
dem Miterlebenden trotz der bei einer solchen Untersuchung un-
umgänglichen Sonderung immer wieder von selbst herstellen.
Er wird, auch wenn nur ein einzelner Ton angeschlagen wird,
den mitklingenden Obertönen die Harmonie entnehmen.

Auf einen Dreiklang denn seien unsere Betrachtungen

gestimmt! In drei Gesamtanschauungen wollen wir die entscheidenden Faktoren in Michelangelos Wesen und seine Erfahrungen zu begreifen versuchen, indem wir erstens die
Urkräfte seines Gemüthes als Liebe und Stolz erkennen,
zweitens die Einwirkung der Phantasie auf das Gefühlsleben,
wie sie sich in Schwärmerei und Humor, in Argwohn und
Ironie äussert, feststellen, und drittens uns in das Temperament, in die Leidenschaft, den hohen Muth und die Schwermuth des mit den Verhältnissen Ringenden versetzen.

Damit uns aber auch die Vorstellung des Äusseren, wie es
uns in vielen, in den „Kritischen Untersuchungen" zu betrachten-
den Bildnissen erhalten ist, nicht fehle, möge die von Condivi 1553 entworfene Schilderung hier ihren Platz finden:

„Michelangelo ist von guter Leibesbeschaffenheit, eher
sehnig und knochig, als fleischig und fett, vor allem gesund,
sowohl von Natur aus als infolge von körperlichen Übungen
und dank seiner Enthaltsamkeit in sinnlichen Genüssen, obwohl er als Kind kränklich und Zufällen ausgesetzt war und
im Mannesalter zwei Krankheiten durchgemacht hat."

„Er hat immer gute Gesichtsfarbe gehabt und seine Statur
ist folgender Art: er ist von mässiger Grösse, breit in den
Schultern; im Verhältniss zu diesen sind die anderen Körper-
theile eher zart. Die Kopfform von vorne gesehen ist rund,
derart, dass der Theil über den Ohren etwas, nämlich ein
Sechstel, grösser als eine Halbkugel ist. So treten die Schläfen
etwas mehr als die Ohren heraus und die Ohren mehr als
die Wangen und diese mehr als das übrige, so dass man
im Vergleich zum Gesicht den Kopf gross nennen muss. Die
Stirne, von vorne gesehen, ist quadratisch, die Nase ein wenig
gequetscht, nicht von Natur, sondern weil ihm, als er ein
Knabe war, Einer mit Namen Torrigiano dei Torrigiani, ein
bestialischer und hochmüthiger Mensch, mit der Faust bei-
nahe den Knorpel der Nase abschlug, so dass er für todt
nach Hause gebracht wurde. Welcher Torrigiano übrigens
dann, dieserhalb aus Florenz verbannt, ein übles Ende genommen hat. Übrigens steht die Nase, so wie sie ist, in
richtigem Verhältniss zur Stirn und zum Rest des Gesichtes.
Die Lippen sind fein, die Unterlippe ist etwas dicker, so dass

sie, wenn man das Antlitz im Profil sieht, ein wenig vortritt,
Das Kinn stimmt wohl zu den erwähnten Zügen. Von der
Seite gesehen, tritt die Stirn fast weiter vor als die Nase,
und diese wäre gerade zu nennen, wenn sie nicht in der Mitte
einen kleinen Buckel hätte. Die Augenbrauen haben wenig
Haare, die Augen könnte man eher als klein bezeichnen, von
Hornfarbe, aber veränderlich und mit gelblichen und bläulichen
Flecken gesprenkelt. Die Ohren sind wohl gebildet, die
Haare schwarz und ebenso der Bart, freilich in diesem seinen
Alter von 79 Jahren reichlich mit Grau durchsetzt. Der
Bart ist gegabelt, vier bis fünf Zoll lang und nicht sehr dicht,
wie man annähernd in seinem Bildniss sehen kann."

I. ABSCHNITT

DIE KRÄFTE DES GEMÜTHES

Von allen Menschen, die je geboren
worden sind, ist Keiner von der Natur
so zur Liebe veranlagt worden, wie ich.
(Michelangelo in einem von Donato
Giannotti mitgetheilten Gespräch.)

Der Kern und die treibende Kraft der Seele Michelangelos ist die Liebe. Nur in ihr offenbart sich ganz das Geheimniss seines Wesens, denn in ihr beruht dessen Einheit. Was überschwänglichen und unerschöpflichen Ausdruck in seinen Gedichten findet und alle seine geistigen Anschauungen, wie später erst ersichtlich werden wird, durchdringt, macht den Hauptinhalt seines inneren Lebens aus, bestimmt sein Verhältniss zu der sichtbaren und unsichtbaren Welt, verursacht ihm nie endende Leiden, aber verleiht ihm auch die Flügel zum Aufschwung über Qual und Elend des Daseins. Ein übermächtiger Drang, sich hinzugeben, ein nie zu befriedigendes Sehnen, in dem Anderen aufzugehen, sich zu verlieren in einer grossen Gemeinsamkeit des Fühlens, treibt ihn als einen immerdar Suchenden zu den Menschen und macht ihn zugleich zum Fremdling unter ihnen. „Denn sie sind ohne Liebe", so fasst er selbst einmal die trüben Erfahrungen von menschlicher Schwäche und Bosheit zusammen.

„Dass die Liebe nicht geliebt wird", — auch er hätte in solchem Klageruf seiner Erkenntniss von der Tragik der Welt Worte verleihen können. An der Lieblosigkeit der Menschheit hat, so lange es schlug, sein überbedürftiges Herz gekrankt. Es ist, wie sein sich abringender „Sklave", in Fesseln geschlagen, gequält von der Tyrannei der allherrschenden blinden Eigensucht, und sein Verzweiflungsschrei verhallt unverstanden. Unverstanden, weil ein solches Liebeverlangen nach seinem ganzen Umfang eben nur von seltensten wenigen Liebestarken nachempfunden werden kann, unverstanden aber

auch in dem täglichen persönlichen Verkehr, weil alle
schwachen und selbstgefälligen Naturen — und heisst das
nicht so viel als fast alle? — durch die Erregbarkeit seines
Wesens und dessen heftige Aufwallungen erschreckt, verletzt
und an eben dieser seiner Güte und seinem Bedürfniss, geliebt zu werden, irre gemacht wurden. Seine Leidenschaft,
derselbe feurige Pulsschlag, der seinem Gemüth unbezwingliche
Kraft gab, versperrte diesem den Weg zu den Menschen. Ein
schnell auflodendes Wort, ein stürmischer Ausbruch, hervorgerufen durch die Wahrnehmung von Unwahrhaftigkeit, Un-
lauterkeit, Untreue, Gefühllosigkeit entfremdete ihm die klein-
müthigen Herzen, welche unfähig sind, die Hoheit eines stets
dem Erhabenen zugewandten Wollens selbst in scheinbar
persönlichen ungestümen Auslassungen zu erkennen. Dem
beschränkten Geist bleibt es ja immer unfassbar, dass eine
leidenschaftliche grosse Seele, deren Heimath und Reich die
ethische Weltordnung ist, jeden Eingriff in diese als eine un-
erträgliche Störung der Harmonie empfindet, ja für einen
Augenblick durch ihn ganz ausser Fassung gesetzt wird, um
ihn dann mit Empörung abzuwehren. So geduldig und nachsichtig
gegen menschliche Schwächen, so empfindlich ist sie gegen
Alles, und mag es noch so geringfügig dünken, was gegen den
Geist der Liebe, der Wahrheit und der Redlichkeit verstösst.
Ihre Erregung gilt nicht eigentlich der Person, sondern dem
in dieser wirkenden Verderblichen. Die Erwiderung aber, die
ihr von dem Betroffenen zu theil wird, ist in mildem Falle
Widerstand und Misstrauen, im schlimmeren Hass und Bosheit.

Und alle solche zahllosen Erfahrungen, missverstanden zu
sein, die durch die Hingebung vereinzelter guter und treuer
Menschen nicht aufgehoben werden konnten, mussten nur,
indem sie Michelangelos Liebe die Wege versperrten, sein
Liebesbedürfniss verstärken. Zurückgeworfen auf sich selbst,
bedroht von der fühllosen Welt, bedarf das ach! so offene
Gemüth, will es die Kraft sich wahren und im eigenen Inneren
das einzig Muth und Freudigkeit spendende Bild menschlichen
Ideales sich erhalten, eines Schutzes. Seine Wehr wird
der Stolz, die andere, neben der Liebe hervorstechende
Eigenschaft der Michelangeloschen Seele. Nur von Unver-

ständigen mit Hochmuth, welchen er doch geradezu aus-
schliesst, verwechselt, bedeutet der Stolz, ein Quell der
edelsten Tugenden, vielmehr das untrügliche Gefühlsbewusst-
sein von der Würde und Verantwortlichkeit reinen Menschen-
thums, bedeutet er die ethische Macht, welche da, wo der
Liebe ihr heiliges Amt zu erfüllen verwehrt ist, die Wahrhaftigkeit und Redlichkeit als Wahrer des Sittlichen eintreten lässt.

Dem Wirken und den Äusserungen dieser beiden Seelen-
mächte, Liebe und Stolz, in dem Leben des Meisters gilt
unsere erste Betrachtung.

1

LIEBE

„Die Liebe ist langmüthig und freundlich, die Liebe
eifert nicht, die Liebe treibt nicht Muthwillen, sie blähet
sich nicht, sie stellet sich nicht ungeberdig, sie suchet nicht
das Ihre, sie lässt sich nicht erbittern, sie trachtet nicht
nach Schaden, sie freuet sich nicht der Ungerechtigkeit,
sie freuet sich aber der Wahrheit, sie verträgt Alles, sie
glaubt Alles, sie hoffet Alles, sie duldet Alles."
Was in des Apostels Hochgesang von Äusserung und
Wirkung der Liebe mit Engelszunge gepriesen ward, wir
finden es — selbst das: „sie verträgt Alles, sie duldet Alles",
halten wir nur den Blick auf das Grosse und Innerliche gerichtet — in Michelangelos langem Lebenswandel bestätigt.
Seine Güte offenbart sich uns in der sorgenden Theilnahme und zarten Rücksicht für Andere, in Barmherzigkeit
und Grossherzigkeit, in Zuvorkommenheit und Verbindlichkeit,
in Selbstverleugnung und Demuth, in Geduld und Versöhnlich-
keit. Nicht alle von solchen Gesinnungen Zeugniss ablegende
Äusserungen freilich können hier ihre Besprechung finden,
da dies ja hiesse, des Meisters ganze Lebensgeschichte im
Hinblick auf jene seelischen Momente zu erzählen, nur
die Grundthatsachen seiner Beziehungen zu den Menschen:
zu seiner Familie, zu seinen Untergebenen und Hausgenossen, zu den Künstlern und zu der vornehmen Welt
haben uns zu beschäftigen, da in ihnen das Bedeutsame
zu Tage tritt.
Weitaus die meisten Beweise für die unerschöpfliche Güte

und Langmuth seines Herzens sind in der Korrespondenz mit den Seinigen zu finden. Die Sorge für alle Angehörigen: den Vater Lodovico, die Brüder Buonarroto, Giovan Simone und Sigismondo, den Neffen Lionardo und die Nichte Francesca, beschäftigt ihn von Jugend an bis in sein spätes Alter: inmitten selbst der Zeiten angespanntester Thätigkeit, grösster Mühsale und Schwierigkeiten leiht er den Bitten und Klagen dieser ihm Nächststehenden, welche mit immer neuen Anforderungen an ihn herantreten, freundliches Gehör. Er verschafft ihnen Stellungen, unterstützt sie in grossmüthigster Weise mit Geld, häufig genug mit dem letzten, was noch in seinem Besitze ist, giebt ihnen Rathschläge, die sich bis auf die geringfügigsten Angelegenheiten erstrecken, und lässt sich durch keinen Undank abschrecken, ihnen stets die gleiche treue Theilnahme zu bewahren und in jedem Augenblicke für sie einzutreten. Und leicht ist ihm dies wahrlich nicht gemacht worden, denn Keiner von ihnen Allen ist im Stande, die Grösse seines Wesens zu erfassen, sie kennen ihn so wenig, wie die meisten Anderen, zeigen ihm Misstrauen, glauben verleumderischen Zuflüsterungen, — aber hören nicht auf, ihn mit Wünschen und Forderungen zu belästigen. Kein Wunder, dass ihm die augenblickliche Empörung über Lieblosigkeiten, der Ärger über rücksichtslos ihm aufgebürdete Lasten dann und wann in heftigen Worten entfährt! Solchen Ausbrüchen aber folgt immer die Zusicherung des Gewünschten und oft auch ein Wort, in welchem die Unerschütterlichkeit seiner Gesinnung in ergreifender Weise zur Äusserung gelangt.

In welchem Verhältniss kindlicher Ehrfurcht und Unterwürfigkeit er zu seinem Vater, der zur Zeit seiner Geburt Podestà von Caprese war und später bis zur Vertreibung der Medici eine kleine Stelle am Zollamt in Florenz inne hatte, gestanden, mögen einzelne den Briefen entnommene Stellen zeigen.

Schon im Jahre 1497 gewährt er ihm durch seine Arbeit Lebensunterhalt.

„Ihr müsst mir glauben, dass auch ich Geldausgaben und

4*

Mühen habe; dennoch werde ich Euch schicken, was Ihr verlangt und sollte ich gezwungen sein, mich als Sklaven zu verkaufen." (Lettere S. 4.) Und in demselben von Rom aus am 19. August gesendeten Schreiben:

„Wundert Euch nicht, dass ich Euch zuweilen so ärgerlich geschrieben habe, denn ich gerathe bisweilen in grosse Leidenschaft aus vielen Ursachen, wie sie Einer, der ferne von der Heimath ist, hat."

Lodovico hat den Reden zweier, von Michelangelo aus seinem Atelier in Bologna wegen Ungehörigkeiten fortgesandter Gehülfen Glauben geschenkt und macht dem Sohne Vorwürfe. Letzterer antwortet:

„Ich halte es werth, dass Ihr mich tadelt, da ich als ein armseliger Sünder verdiene, getadelt zu werden, so gut wie Andere und vielleicht noch mehr. Aber wisset, dass ich in diesem Falle, dessentwegen Ihr mir Vorwürfe macht, kein Unrecht begangen habe, weder an ihnen, noch an irgend einem Anderen, es sei denn, dass ich mehr gethan, als wozu ich verpflichtet war." (Lett. S. 8.) Worauf er mit grösster Gewissenhaftigkeit Rechenschaft über die Vorgänge ablegt und die Unredlichkeit jener Beiden nachweist.

In Bezug auf ein Grundstück, welches der Vater in seinem Auftrage gekauft, sagt er in einem Briefe von Rom (Frühjahr 1509): „Ich wünsche, dass Ihr dessen gewiss seid, dass alle Mühen, die ich je erduldet, nicht weniger in Eurem, als in meinem Interesse geschehen sind, und jenes Grundstück, das ich gekauft habe, kaufte ich in der Absicht, dass es Euch gehöre, so lange Ihr lebt, denn wäret Ihr nicht gewesen, hätte ich es nicht gekauft. Daher, wenn es Euch gefällt, das Haus zu vermiethen und das Land zu verpachten, so thut es nach Eurem Belieben; mit den Einkünften hieraus und mit dem, was ich Euch geben werde, werdet Ihr wie ein Herr leben. Und wenn nicht der Sommer käme, würde ich Euch sagen, es jetzt zu thun und hierher zu kommen, um bei mir zu leben. . . . Was das Geld anbetrifft, das für die Ausgaben nöthig ist, so werde ich es, solange ich selbst Etwas habe, daran nicht fehlen lassen. So ängstigt Euch nicht, denn das sind nicht Dinge, bei denen es an's Leben geht." (Lett. S. 13.)

Und ähnlich in einem andern Briefe: „Es thut mir weh, dass Ihr in solcher Angst lebt; daher ermahne ich Euch, mit guter Überlegung Euch gegen ihre Macht zu wappnen, und dann nicht mehr daran zu denken; denn wenn auch Alles Euch genommen würde, was Ihr in der Welt habt, so wird Euch doch nichts zum Leben und Wohlbefinden fehlen, wäre auch kein Anderer als ich da. Daher seid guten Muthes.... Wenn Ihr Geld gebraucht, so geht zum Spedalingo und lasst Euch bis zu fünfzehn Dukaten geben und benachrichtigt mich davon, wie viel übrig bleibt. Dieser Tage ist jener Maler Jacopo von hier abgereist, den ich hatte hierher kommen lassen. Und da er sich hier über mich beklagt hat, so achte ich, dass er sich auch dort beklagen wird. Macht Ohren, wie die Kaufleute: und damit gut, denn er hat tausendmal Unrecht und ich hätte mich gross über ihn zu beklagen. Thut, als sähet Ihr ihn nicht!" (27. Jan. 1509. Lett. S. 17.)

Schwierigkeiten bei dem Erwerb eines neuen Grundstückes machen dem Vater Sorgen:

„Ich sehe aus Eurem letzten Schreiben, wie die Sache steht; es quält mich sehr, ich kann Euch nicht wohl helfen: aber erschreckt Euch nicht darüber und macht Euch auch nicht eine Unze von Schwermuth, denn wenn man seine Sachen verliert, so verliert man damit doch noch nicht das Leben. Ich werde so viel für Euch thun, dass es mehr ist, als was Ihr verliert: aber ich ermahne Euch, solche Dinge nicht zu hoch zu achten, denn sie sind trügerisch. Wohl aber setzt Euren Fleiss daran und dankt Gott, dass, wenn diese Prüfung kommen musste, sie zu einer Zeit gekommen sei, da Ihr Euch besser helfen könnt, als früher. Gedenkt zu leben und lasst lieber Besitz fahren, als dass Ihr Euch Ungemach schüfet. Denn ich bin lieber arm und weiss Euch am Leben, als dass ich alles Gold der Welt hätte und Ihr wäret todt. Und wenn jene Schwätzer oder irgend ein Anderer Euch tadelt, so lasst sie reden, denn es sind erkenntnisslose Menschen und ohne Liebe." (Lett. S. 32. 15. Sept. 1509.)

Alle Bemühungen Michelangelos aber scheinen nicht im Stande gewesen zu sein, den Geist der Unzufriedenheit, welcher in seiner Familie herrschte, zu bannen. „Befleissigt

Euch zu leben", schreibt er im Oktober 1512, „und wenn Ihr nicht, wie die anderen Bürger, Ehren dieser Welt haben könnet, so sei es Euch genug, Euer Brot zu haben, und lebt mit Christus gut und arm, wie ich es hier thue; denn ich lebe armselig und kümmere mich weder um Leben noch Ehre, d. h. um die Welt, und lebe unter grössten Mühen und in tausendfachem Argwohn. Schon sind es fast fünfzehn Jahre, dass ich keine gute Stunde habe und Alles gethan habe, um Euch zu unterstützen, und nie habt Ihr es erkannt noch geglaubt. Gott verzeihe uns Allen. Ich bin bereit, auch fernerhin, so lange ich lebe, falls ich es nur immer kann, in gleicher Weise zu handeln." (Lett. S. 47.)

So schrieb der Mann, der soeben die Fresken der Sixtinischen Kapelle vollendet hatte! Seit 1516 dann wieder in Florenz angesessen, hat er, auch im persönlichen Verkehr mit seinem Vater, unfreundlichen Missverständnissen sich ausgesetzt gesehen. Der folgende Brief, aus welchem die Schönheit dieser liebestarken kindlichen Seele herrlicher vielleicht als aus irgend einem anderen uns entgegenstrahlt, weist auf einen durch irgend eine Quälerei hervorgerufenen Zornesausbruch hin:

„Theuerster Vater. Ich wunderte mich gestern, als ich Euch nicht zu Hause fand, sehr über das, was Euch zugestossen; und jetzt, da ich höre, dass Ihr Euch über mich beklagt und sagt, dass ich Euch aus dem Hause gejagt hätte, wundere ich mich noch mehr; denn ich weiss gewiss, dass niemals seit dem Tage meiner Geburt ich beabsichtigt habe, sei es im Kleinen oder Grossen, etwas zu thun, was wider Euch gewesen wäre, und immer hatte ich alle Mühen, die ich ertragen, aus Liebe zu Euch ertragen: und seitdem ich von Rom nach Florenz zurückgekehrt bin, habe ich, das wisst Ihr, immer für Euch Parthei genommen und Ihr wisst auch, dass in Allem, was ich habe, ich Euch bestätigt habe. Sind es nicht wenige Tage erst, dass ich Euch, als Ihr nicht wohl waret, sagte und versprach, niemals es an mir fehlen zu lassen mit allen meinen Kräften, so lange ich lebe, und dies bekräftige ich von neuem. Nun wundere ich mich, dass Ihr so schnell Alles vergessen habt. Ihr habt auch schon seit dreissig Jahren Erfahrungen an mir gemacht, Ihr und Eure Söhne, und wisst, dass ich immer, so viel ich nur konnte, in Gedanken und Thaten gut für Euch gewesen bin. Wie geht Ihr nun und sagt, dass ich Euch fortgejagt habe? Seht Ihr denn nicht, welchen Ruf Ihr mir macht, dass man sagt, ich habe Euch weggejagt? Weiter fehlt mir Nichts, neben allen meinen anderen Sorgen · und alle die habe ich aus Liebe zu Euch! Ihr lohnt mir wohl dafür. Aber sei es, wie es wolle: ich will mich selbst glauben machen, Euch immer nur Schande und Schaden gebracht zu haben; und so, als hätte ich es gethan, bitte ich Euch um Verzeihung. Verzeiht mir wie einem Sohne, der immer schlecht gelebt und Euch alles Böse, was man in dieser Welt thun kann, angethan hat. Und so von neuem bitte ich Euch, dass Ihr mir verzeiht, wie einem Armseligen, der ich bin, und thut es mir nicht an, mich in diesen Ruf zu bringen, ich hätte Euch weggejagt, denn es liegt mir mehr an ihm, als Ihr glaubt: trotz Allem bin ich doch Euer Sohn." (Lett. S. 49. 1521.)

Selbst eine solche Sprache hat jedoch der Herzlosigkeit und dem Unverstand des Vaters gegenüber keine dauernde Wirkung hervorbringen können, noch der letzte an Diesen gerichtete Brief Michelangelos (Juni 1523) enthält eine Vertheidigung gegen ein unwürdiges Misstrauen. Lodovico beklagt sich auf lügnerische Gerüchte hin, sein Sohn habe Anordnungen gegeben, ihm nicht mehr die bewilligten Gelder auszuzahlen. Michelangelo weist das Irrige dieser Behauptung und dass er im Gegentheil ihm den Niessnutz eines Vermögens kontraktlich bestimmt habe, nach und fährt dann fort:

„Ich weiss nicht mehr, was Ihr von mir wollt. Wenn es Euch lästig ist, dass ich lebe, so habt Ihr den Weg gefunden, diesen Schaden gut zu machen, und werdet den Schlüssel des Schatzes, von dem Ihr behauptet, dass ich ihn habe, erben. Und Ihr werdet gut daran thun, weiss doch ganz Florenz, dass Ihr ein schwerreicher Mann waret und dass ich Euch immer bestohlen habe und daher die Strafe verdiene. Ihr werdet hoch gelobt werden. Schreibt und sagt von mir, was Ihr wollt, aber schreibt mir nicht mehr, denn Ihr lasst

mich nicht arbeiten, und ich müsste gar noch herzählen, was
Ihr von mir seit fünfundzwanzig Jahren empfangen habt. Das
möchte ich Euch nicht sagen: aber ich werde es schliesslich
sagen müssen. Tragt Sorge und hütet Euch vor dem, vor
dem Ihr Euch zu hüten habt, denn man stirbt nicht mehr
als einmal und kehrt nicht zurück, das Unrecht, was man
gethan, wieder gut zu machen. Ihr habt es bis zum Tode
aufgeschoben, solche Dinge zu thun. Gott helfe Euch!
Michelangelo." (Lett. S. 55.)

Wer aber die Schuld an solchen Zwistigkeiten trotz allem
Vorangehenden Michelangelo geben möchte, Der lese den
Brief, vom 23. November 1516, an den Bruder Buonarroto
von Carrara aus gerichtet:

„Aus deinem letzten Schreiben habe ich ersehen, dass
Lodovico auf den Tod gelegen, und dass als letztes der Arzt
sagt, er sei, wenn nicht Anderes eintrete, ausser Gefahr. Da
es so stehet, werde ich nicht nach dort kommen, da es mir
sehr wenig passt. Jedoch, wäre Gefahr vorhanden, so wünschte
ich auf jede Weise, ihn vor seinem Tode zu sehen, und wenn
ich mit ihm sterben müsste; aber ich lebe guter Hoffnung,
dass sein Zustand sich bessern wird, und daher komme ich
nicht: und wenn es trotzdem sich ereignete, dass er einen
Rückfall hätte, wovor Gott ihn und uns bewahren möge, so
sorge, dass seiner Seele nichts fehle und er die Sakramente
der Kirche empfange und lass ihn entscheiden, ob er will,
dass wir etwas für seine Seele thun: was aber die für den
Körper nöthigen Dinge betrifft, so mache, dass ihm nichts
fehle: denn nur für ihn habe ich mich abgemüht, ihn in seinen
Bedürfnissen zu unterstützen vor seinem Tode, und mache,
dass deine Frau ihn mit Liebe, so viel nöthig ist, pflege, denn
ich werde es ihr und euch Allen, falls nöthig, wiederersetzen.
Nehmt keine Rücksicht, und sollte Alles daran gesetzt werden, was wir haben. Ich habe nichts weiter zu sagen. Seid
in Frieden und gebt mir Nachricht, denn ich bin in grosser
Erregung und Furcht." (Lett. S. 132.)

Der Vater sollte sich von dieser Krankheit wieder erholen;
erst im Jahre 1534, nachdem ihm sein einer Sohn Buonarroto im Tode vorangegangen war, ist er gestorben. Ein

längeres Gedicht, ein nicht vollendetes „Capitolo", ist uns erhalten, in welchem Michelangelo seinem Schmerze Ausdruck
giebt:

Obgleich so sehr mein Herz mich schon bedrückte,
So glaubt' ich doch, es habe sich befreit
Der grosse Schmerz in Thränen und in Klagen;

Nun aber giebt das Schicksal düngend Nahrung
Den Wurzeladern an des Nasses Quell,
Durch kein gering'res Leid, nein! neuen Tod.

Du bist von uns geschieden, und ich muss
Fortan gesondert Thränen, Worte, Verse
Dem Tode deines Sohns, dem deinen weih'n.

Er war mir Bruder, Vater warst du mir,
Mich kettet Lieb' an ihn, an dich die Pflicht,
Ich weiss nicht, welches Leid mich mehr bekümmert.

Noch malt Erinn'rung mir des Bruders Bild,
Dich meisselt sie lebendig mir ins Herz
Und bleicher färbt das Mitleid mir die Wangen.

Und doch beschwichtigt mich, dass du bejahrt
Den Zoll bezahlt, den er noch unreif zahlte,
Denn ob des Greises Tod soll man nicht klagen.

Viel minder hart bedünkt den Trauernden
Ja ein Verlust, wenn die Natur ihn will:
Vor Sinnestrug ist sich'rer dann die Wahrheit.

Wen aber gäb's, der nicht den Tod beweinte
Des theuren Vaters? — nie ja sieht er wieder
Ihn, den er so unendlich oft doch sah.

Nach unsres Fühlens Kraft ist unser Wehe,
Sind unsre Schmerzen schwächer oder stärker:
Was sie in mir vermögen, Herr! Du weisst es!

Und hört die Seele auch auf die Vernunft,
Bewirkt Beherrschung doch nur dies, dass heft'ger
Das Leid mich überwältigt, weicht der Zwang.

Vertiefte ich mich nicht in den Gedanken,
Dass, wer ein gutes Ende fand, dort lacht
Ob Todesfurcht, die hier auf Erden herrscht,

So wüchs' mein Leid, doch wird der Schmerzensschrei
Gedämpft durch die Gewissheit festen Glaubens:
Wer gut gelebt, hat sterbend bess're Heimath.

Von schwachem Fleische ach! ist unser Geist
So sehr bedrängt, dass Tod ihm umsomehr
Missfällt, je mehr er falschem Wahne traut.

Es hat die Sonne ihre lichte Fackel
Im Ocean gebadet neunzig Mal,
Eh' du in Gottes Frieden eingegangen:

Enthob der Himmel unsrem Elend dich,
Bedaure mich, der ich ein Todter lebe,
Durch dich ja schenkte mir der Himmel Leben.

Dem Sterben starbst du ab und wurdest göttlich,
Nicht mehr in Furcht ob Seins- und Wunscheswechsel,
Fast kann ich's ohne Neid nicht niederschreiben.

Geschick und Zeit, die zweifelhafte Freude
Und sich'res Wehe nur uns Andren bringen,
Sie wagen nicht zu kreuzen eure Schwelle.

Von Wolken nicht wird euer Licht verdunkelt,
Der Stunden Folge thut euch nicht Gewalt an,
Euch führt Nothwendigkeit und Zufall nicht.

Die Nacht verlöscht nicht euern hellen Glanz,
Der nicht vom Tag, so hell er ist, erhöht wird,
Selbst nicht zur Zeit der höchsten Gluth der Sonne.

Von deinem Sterben lerne ich zu sterben,
Mein theurer Vater, dich im Geiste seh' ich,
Wohin die Welt uns selten nur entlässt.

Nicht ist, wie Manche glauben, Tod das Schlimmste
Für Den, dess' letzter Tag ein erster wird
Aus Gnade, dort beim ew'gen Gottesthron.

Dort wähn' und such' ich dich durch Gottes Gnade
Und hoffe dich zu sehen, wenn mein Geist
Mein kaltes Herz aus ird'schem Schlamme zieht.

Wie alle Tugend wird auch höchste Liebe
Im Himmel wachsen zwischen Sohn und Vater.

(Guasti S, 297. Frey I.VIII.
Übers. hier, wie überall, vom Verf.)

Auch die Brüder, wie der Vater, haben der Liebe Michelangelos eine gefestigte Existenz verdankt. Die an sie gerichteten zahlreichen Briefe enthalten fast nichts Anderes, als
beständige Zusicherungen pekuniärer Unterstützung, welche
ohne ein Gefühl der Dankbarkeit bereitwillig angenommen
ward, und weise Rathschläge für eine geregelte Lebens-
führung, die nicht befolgt wurden. Verhältnissmässig am
besten noch hielt sich der älteste: Buonarroto, der anfangs
eine Stellung im Waarenhaus der Strozzi inne hatte und
später in Gemeinschaft mit dem jüngeren Giovan Simone
ein Tuchgeschäft aus den von Michelangelo hergegebenen
Mitteln begründete. Dieser Giovan Simone aber war es,
welcher sich der ihm vom Bruder gewährten Hülfe, von der
schon in einem Briefe Lodovicos vom 19. Dezember 1500
die Rede ist, in jeder Weise unwerth erwies. Mit dem
dritten: Gismondo, der anfangs Soldat war und später ein
Bauernleben in Settignano führte, stand der Künstler in
weniger naher Beziehung.

„Giovan Simone, ich benachrichtige dich hiermit, dass
meine Sache bisher gut hier geht", so schreibt mitten aus
der drängenden Arbeit an der Bronzestatue Julius' II. Michelangelo im April 1507, „und so hoffe ich, dass sie, wenn es

Gott gefällt, ein gutes Ende haben wird; und wenn dem so ist, so werde ich sogleich nach dort zurückkehren und Alles, was ich euch Allen versprochen habe, erfüllen, nämlich euch mit dem, was ich habe, unterstützen, ganz so wie ihr es wünscht und wie es unser Vater will. Darum beharre bei deinem guten Willen und betreibe das Geschäft, wie oder so gut du nur kannst, denn ich hoffe, bald werdet ihr selbst und mit euren Mitteln einen Laden halten: und wenn ihr das Handwerk versteht und wisst, was zu thun ist, so wird es euch von grossem Nutzen sein. Darum sei eifrig mit Liebe." (Lett. S. 147.) Und kurze Zeit darauf:

„Ich schreibe dir nicht eingehend von meiner Absicht, noch davon, wie gross mein Verlangen, euch zu helfen, ist, weil ich nicht will, dass Andere von unseren Angelegenheiten wissen: aber bleib' guten Willens, denn es ist für dich etwas Grösseres oder vielmehr Besseres, als du glaubst, in Vorbereitung." (Lett. S. 149.)

So schnell, wie Michelangelo es sich gedacht, liessen sich die Verhältnisse der zwei Brüder nicht ordnen. Im Sommer 1508 finden wir Giovan Simone bei ihm in Rom und hören von den Sorgen, welche Dessen Erkrankung ihm bereitet. Zu gleicher Zeit verlangt Buonarroto, dass der Meister ihm eine Anstellung suche, und erhält die Aufforderung, demnächst selbst nach Rom zu kommen und sich zu bemühen, da Michelangelo nichts zu finden wisse. Wie es scheint, sind dann neue Schritte von ihm gemacht worden, das Geschäftliche in Florenz zu regeln: mit welchem Erfolge, zeigt ein Brief an den Vater (Frühjahr 1509):

„Ich habe aus Eurem letzten Schreiben ersehen, wie die Dinge dort stehen und wie Giovan Simone sich beträgt. Eine schlechtere Nachricht habe ich seit zehn Jahren nicht gehabt, als die, welche ich gestern Abend in Eurem Briefe las, denn ich glaubte, ihre Angelegenheiten derart geordnet zu haben, dass sie mit meiner Unterstützung ein gutes Geschäft zu begründen hoffen dürften, wie ich es ihnen versprochen, und dass sie in dieser Hoffnung sich befleissigten, thätig zu sein und zu lernen, um dann, wenn die Zeit gekommen, es auch betreiben zu können. Jetzt sehe ich, dass sie das Gegentheil thun, namentlich Giovan Simone; woraus ich ersehen habe, dass ihnen Gutes zu thun von keinem Nutzen ist. Und hätte ich nur gekonnt, so wäre ich an dem Tage, an welchem ich Euren Brief empfing, zu Pferde gestiegen und hätte Alles jetzt in Ordnung gebracht. Da ich es aber nicht kann, so schreibe ich ihm einen Brief, wie ich die Dinge ansehe, und wenn er daraufhin nicht seine Natur ändert oder aus dem Hause auch nur einen Zahnstocher herausnimmt oder etwas Anderes thut, was Euch missfällt, so bitte ich Euch, mich zu benachrichtigen, — und ich werde mir Urlaub vom Papst zu erlangen suchen und nach dort kommen und ihm seinen Irrthum weisen." (Lett. S. 13.)

Das erwähnte Schreiben an den Bruder aber lautet folgendermaassen:

„Giovan Simone. Man sagt, dass wer dem Guten Gutes thut, ihn besser macht, dass aber Wohlthaten den Schlechten schlechter machen. Viele Jahre sind es schon, dass ich mit guten Worten und Handlungen versucht habe, dich dahin zurückzubringen, dass du gut und in Frieden mit deinem Vater und uns Anderen lebst: und du wirst immer schlimmer. Ich sage dir nicht, dass du ein Erbärmlicher bist, aber du benimmst dich so, dass du weder mir noch den Anderen mehr gefällst. Ich könnte dir einen langen Vortrag über deine Angelegenheiten halten, aber das wären Worte, wie die, welche ich früher zu dir gesprochen. Um kurz zu sein, kann ich dir für gewiss sagen, dass du nichts auf der Welt besitzst, denn den Lebensunterhalt gebe ich dir und habe ihn dir schon seit einiger Zeit aus Liebe zu Gott gegeben, wie ich auch deine Heimkehr nach Hause bezahlt habe, weil ich glaubte, du wärest mein Bruder wie die Andern. Jetzt aber bin ich gewiss, dass du nicht mein Bruder bist, denn wärest du es, so hättest du nicht meinen Vater bedroht. Du bist vielmehr eine Bestie, und wie eine Bestie werde ich dich behandeln. Wisse, dass, wer seinen Vater bedroht oder schlecht behandelt sieht, verpflichtet ist, sein Leben daran zu setzen — genug davon! Ich sage dir, dass du nichts auf der Welt besitzst: und sobald ich nur das Geringste über dich höre, so werde ich mit der Post nach dort kommen und dir

deinen Irrthum weisen und dich lehren, dein Gut zu vergeuden und Feuer im Hause und im Grundstück, welche du
nicht erworben hast, anzulegen : du bist nicht, wo du glaubst.
Wenn ich dorthin komme, so werde ich dir etwas zeigen,
dass du heisse Thränen darüber weinen und erkennen sollst,
worauf du deinen Hochmuth gründest."

„Von neuem aber habe ich dir noch dies zu sagen : willst
du dich befleissigen, gut zu sein und deinem Vater mit Ehrfurcht unterthänig zu sein, so werde ich dir wie den Anderen
helfen und binnen Kurzem dir zu einem guten Laden verhelfen. Wenn du aber nicht so thust, so werde ich nach dort
kommen und deine Angelegenheiten in einer Weise ordnen,
dass du und zwar besser als je erkennen wirst, wer du bist,
und genau wissen, was du auf der Welt dein eigen nennst,
und überall, wohin du auch gehst, es gewahren. Nichts
weiter. Wo ich es an Worten fehlen lasse, werde ich mit
der That eintreten. — Michelangelo in Rom."

„Ich kann nicht anders, als dir noch zwei Verse
schreiben und zwar dies: seit zwölf Jahren bin ich darbend
durch ganz Italien gezogen, habe jede Schmach ertragen,
jede Noth erduldet, meinen Körper durch Anstrengungen
zerfleischt, das eigene Leben tausend Gefahren ausgesetzt,
einzig und allein, um meiner Familie zu helfen — und
jetzt, da ich begonnen habe, sie ein wenig aufzurichten,
willst du allein es sein, der in einer Stunde zersprengt und
zerstört, was ich in so vielen Jahren und unter so grossen
Mühen zu Stande gebracht: beim Leichnam Christi, das wird
nicht der Fall sein! Denn ich bin der Mann dazu, Tausend
deinesgleichen zu zersprengen, wenn es Noth thut. Darum
sei weise und fordere nicht Einen heraus, der ganz anders
leidenschaftlich ist, als du." (Lett. S. 150.)

Diese Sprache scheint für einige Zeit wenigstens gewirkt zu
haben. „Es freut mich", heisst es in einem Briefe vom 12. Oktober 1509, „dass Giovan Simone sich anlässt, gut zu thun: seid bedacht, das, was ihr habt, sorgfältig wachsen zu lassen oder wenigstens zu erhalten, damit ihr dann auch Grösseres beherrschen
lernt, denn ich habe Hoffnung, komme ich zu euch, euch selbstständig zu machen, falls ihr dazu im Stande seid." (Lett. S. 97.)

In jener Zeit meldet sich der dritte Bruder: Gismondo. „Von Gismondo höre ich, dass er hierher kommt, um seine Angelegenheit zu betreiben. Sage ihm von mir, dass er nicht auf mich rechne, nicht etwa, weil ich ihn nicht wie einen Bruder liebte, sondern weil ich nicht im Stande bin, ihn in irgend einer Weise zu unterstützen. Ich befinde mich hier in grossen Sorgen und in grössten körperlichen Anstrengungen" — (es ist die Zeit der Ausmalung der Sixtinischen Kapelle) — „und habe keine Freunde irgend welcher Art, verlange sie mir auch nicht; und ich habe nicht so viel Zeit, nach Bedürfniss essen zu können: darum sollte mir kein weiterer Verdruss gegeben werden, denn ich könnte auch nicht eine Unze mehr ertragen." (Lett. S. 97.)

Bald darauf erhalten die Brüder, da Michelangelo „Tag und Nacht an nichts Anderes denkt", hundert Golddukaten zur Begründung ihres Geschäftes und die Verheissung weiterer Unterstützungen. Zugleich aber warnt Michelangelo Buonarroto vor einer Heirath, welche Dieser ins Auge gefasst hat:

„Du sagst mir, eine gewisse Persönlichkeit wolle dir eine seiner Töchter zur Frau geben, und ich sage dir, dass alle Anerbietungen, welche er dir macht, ausbleiben werden, die Frau ausgenommen, hat er sie dir erst auf den Rücken geladen; und von Der wirst du mehr haben, als dir wünschenswerth erscheinen wird. Auch sage ich dir, es gefällt mir nicht, dass du aus Habsucht dich mit Leuten einlässest, die ein gut Theil niedriger sind als du: Habsucht ist eine sehr grosse Sünde, und kein Ding, an dem Sünde haftet, kann ein gutes Ende haben. Mir scheint, du solltest gute Worte geben und die Sache hinziehen, bis ich hier fertig geworden bin." (Lett. S. 102.)

Buonarroto hat den Rathschlägen des für das Glück der Seinen so besorgten Bruders diesmal Gehör gegeben. Erst 1516 hat er sich verheirathet. Briefe aus den Jahren 1512 und 1513 zeigen, dass die Familie mit der Erlaubniss ihres grossmüthigen Erhalters, in der Zeit politischer Wirren, welche damals Florenz bedrohten, das von ihm dort niedergelegte Kapital anzugreifen, Missbrauch getrieben haben.

„Ich habe nicht einen Grosso und bin so zu sagen barfüssig
und nackt und leide grosse Unbequemlichkeit und Mühen....
darum, so lange ihr euch mit eurem Gelde helfen könnt,
nehmt mir nicht von dem meinigen, ausser im Fall der Gefahr, wie ich euch gesagt habe." (Lett. S. 108.) Im Sommer
1513 sucht Buonarroto wieder Hülfe bei ihm — bald darauf
schreibt ihm Michelangelo:

„Besagter Michele hat mir gesagt, du hättest ihm kund-
gethan, ungefähr sechzig Dukaten von deinem Gelde in
Settignano (der Farm, wo der Vater lebte) ausgegeben zu
haben. Ich erinnere mich, dass du mir das auch hier bei
Tisch gesagt hast, dass du viele Dukaten von deinem Vermögen ausgegeben. Ich gab vor, dich nicht zu verstehen,
und wunderte mich in keiner Weise, weil ich dich kenne.
Ich vermuthe, du hast die Summe aufgeschrieben und führst
Rechnung darüber, um sie eines Tages von mir zu verlangen.
Ich möchte wohl von deiner Undankbarkeit wissen, mit Wessen
Geld du sie gewonnen hast; auch das Andere möchte ich
wissen, ob du Rechnung führst über jene 228 Dukaten,
welche ihr mir aus (meinem Depot von) S. Maria nuova genommen habt, und die vielen anderen Hunderte, welche ich
auf unser Haus und euch gewendet habe, und über die Nöthe
und Sorgen, welche ich gehabt habe, um euch zu unterstützen.
Ich möchte wissen, ob du auch darüber Rechnung führst.
Wenn du so viel Verstand hättest, die Wahrheit zu erkennen,
würdest du nicht sagen: ich habe so und so viel von dem
Meinen ausgegeben, und wärst auch nicht hierher gekommen, eure Angelegenheiten hier bei mir zu betreiben,
eingedenk dessen, wie ich mich bisher euch gegenüber benommen habe. Vielmehr hättest du gesagt: Michelangelo
weiss, was er uns geschrieben hat, und wenn er es nicht
jetzt thut, so muss er durch irgend Etwas, was wir nicht
wissen, verhindert sein; so wollen wir Geduld haben, denn
es thut nicht gut, ein Pferd, welches läuft, so sehr es kann,
anzuspornen, dass es schneller laufe, als es kann. Aber
ihr habt mich nie gekannt und kennt mich heute nicht.
Gott verzeihe es euch! Denn er ist es, der mir die Gnade
erwiesen, über Etwas zu verfügen, damit ihr Unterstützung

fändet. Aber ihr werdet es einst erkennen, wenn ihr mich nicht mehr habt."

„Ich lasse dich wissen, dass ich nicht glaube, diesen September nach dort kommen zu können, weil ich in einer Weise in Anspruch genommen bin, dass ich nicht die Zeit zum Essen finden kann. Gott wolle, dass ich frei verfügen könnte: denn ich will, sobald ich kann, die Prokura für Lodovico machen, wie ich geschrieben habe: denn niemals habe ich das vergessen, und will euch tausend Dukaten in die Hand geben, wie ich versprochen, damit ihr, die anderen, die ihr habt, dazugeschlagen, beginnt, selbstständig zu sein. Ich will nichts von eurem Gewinn, will aber vergewissert sein, nach zehn Jahren, falls ich lebe, in Waare oder in Geld diese tausend Dukaten zurückzuerhalten, sollte ich sie wiederhaben wollen — denn ich glaube, das wird nicht der Fall sein! Aber wenn ich sie gebrauchte, dass ich sie dann, wie gesagt, wiederhaben könnte. Und dies wird ein Zaum für euch sein, dass ihr nicht leichtsinnig damit umgeht: bedenkt es, berathet euch und schreibt mir, was ihr thun wollt! Die vierhundert Dukaten, die ihr von mir habt, wünsche ich, sollen in vier Theile getheilt werden, und Jeder einen Theil erhalten: so mache ich sie euch zum Geschenk. Hundert an Lodovico, Hundert an dich, Hundert an Giovan Simone und Hundert an Gismondo, unter der Bedingung, dass ihr sie in eurem Geschäft anlegt." (Lett. S. 109.)

Eine von der Hand des Vaters gemachte Randbemerkung besagt, dass er niemals sein Theil von den Söhnen erhalten. Der warnende Brief eines Unbekannten vom 10. Nov. 1513, welchen Frey (Dicht. S. 503) mittheilt und in dem es heisst: „Deine Brüder beabsichtigen, wenn du ihnen den Laden öffnest, dir weder Gewinn noch Kapital je herauszugeben", kam zu spät.

Es hiesse nur immer das Gleiche wiederholen, wollte man alle weiteren, die Sorge für die Brüder betreffenden Stellen in Michelangelos Briefen anführen. Bis zu ihrem Tode hat er nicht abgelassen, ihnen zu helfen und zu rathen. Alle drei sind vor ihm gestorben: Buonarroto 1528, Giovan Simone 1548 und Gismondo 1555. Auf die Nachricht vom

Ende Giovan Simones bricht er in folgende Worte aus: „Dein
letztes Schreiben bringt mir die Kunde vom Tode Giovan
Simones. Sie hat mich in grösste Erregung und Schmerz
versetzt, denn ich hoffte, obgleich alt, ihn vor seinem und
meinem Tode noch zu sehen. Es hat Gott so gefallen: Geduld! Es wäre mir lieb, eingehend zu hören, wie er gestorben
ist und ob er gebeichtet und nach aller Ordnung der Kirche
das Abendmahl genommen hat. Wäre dies der Fall und
wüsste ich es, so würde ich weniger leiden." (Lett. S. 217.)

Und weiter: „er war mein Bruder, und wie er auch gewesen sein mag, so schmerzt mich sein Tod, und ich will,
dass Gutes für seine Seele geschieht, wie ich es für die
Seele meines Vaters gethan habe." (Lett. S. 218.) —

In dem Jahre 1540 beginnt die Korrespondenz mit Buonarrotos Sohn: Lionardo, für welchen, als den Stammhalter
der Familie — die Schwester, Francesca, liess er bis zu ihrer
Verheirathung auf seine Kosten in einem Kloster erziehen
und leben — er, der Greis, eine ganz väterliche Fürsorge
und Liebe hegt, die schon 1528 dem Kinde gegenüber sich
zeigt. Der junge Mann giebt seinem Oheim zwar manche
Veranlassung zu augenblicklichem Ärger, aber das uner-
schütterliche Wohlwollen, das Dieser für ihn hat, spricht
nicht minder aus den polternden Vorwürfen und Ermahnun-
gen, als aus den gütigen Rathschlägen, mit denen er aus
Lionardo einen, den Namen der Simoni mit Ehren tragenden
Mann zu machen bemüht ist.

„Befleissige dich, einen guten Menschen aus dir zu machen,
behalte im Gedächtniss, was dein Vater dir hinterlassen hat
und was du jetzt hast, und danke Gott dafür!" (Lett. S. 166.)

Die vielen Erfahrungen, die er an seinen Brüdern gemacht, haben ihn und zwar nicht ohne Grund argwöhnisch
werden lassen. So schreibt er im Juli 1544:

„Lionardo! Ich bin krank gewesen und du bist zu Ser
Giovan Francesco ins Haus gelaufen, um mir den Garaus zu
machen und zu sehen, ob ich nichts hinterlasse. Ist denn
nicht genug Geld von mir in Florenz, dass es dir genügte?
Du kannst nicht leugnen, ganz deinem Vater zu gleichen,
der mich in Florenz aus meinem eigenen Hause vertrieb.

Wisse, dass ich ein Testament gemacht habe derart, dass du an Das, was ich in Rom habe, nicht mehr zu denken hast. Daher geh' mit Gott und komme mir nicht vor die Augen und schreibe mir niemals mehr, und mach' es wie der Priester! Michelangelo." (Lett. S. 174.)

Wenige Monate darauf treffen mit freundlichen Worten 200 Goldskudi in Florenz für den Neffen ein! Weitere Geldsendungen folgen im Laufe des Jahres 1545. Das Versprechen eines Geschenkes von 3000 Skudi veranlasst Lionardo nach Rom zu gehen — nicht aus Dankbarkeit, wie es scheint, denn Michelangelo äussert sich darüber wie folgt:

„Was das anbetrifft, dass du mit solcher rasenden Eile nach Rom gekommen, so weiss ich nicht, ob du so schnell gekommen wärest, wenn ich mich im Elend befunden und mir das Brot gefehlt hätte. Genug! Du wirfst das Geld weg, das du nicht erworben hast. Solchen Eifer hattest du, diese Erbschaft nicht zu verlieren! Und du sagst, es wäre deine Pflicht gewesen, zu kommen, aus Liebe für mich: die Liebe eines Holzwurms! Hättest du Liebe für mich gehabt, so würdest du mir jetzt geschrieben haben: Michelangelo, gebt die dreitausend Skudi doch für Euch aus, denn Ihr habt uns so viel gegeben, dass es uns genügt: uns ist Euer Leben theurer, als unser Besitz."

„Schon vierzig Jahre habt ihr von mir gelebt und niemals habe ich von euch auch nur ein gutes Wort erhalten. S'ist wahr, dass ich im vergangenen Jahre dir so gepredigt und dich derart getadelt habe, dass du aus Scham mir ein Fässchen Trebbiano geschickt hast: ach! hättest du ihn lieber nicht geschickt!" (Lett. S. 187.)

Schnell aber verfliegt der Groll, und der selbst in den einfachsten Verhältnissen lebende Künstler sorgt dafür, dass die Familie sich ein stattliches Haus in Florenz kaufen und zugleich Lionardo ein eigenes Geschäft begründen kann. Zahlreiche Briefe besprechen diese Angelegenheiten mit einer Gewissenhaftigkeit und einem Eingehen auf alle Vorschläge und Wünsche der Seinigen, als handle es sich um die Gestaltung seiner eigenen Zukunft. Aber mehr noch, auch der Verheirathung des Neffen nimmt er sich mit grösstem Eifer an.

5*

„Betreffs des Heirathens, so ist mir hier von mehreren Personen gesprochen worden: die Eine hat mir gefallen, die Andere nicht. Ich vermuthe, dass auch dir davon geredet worden ist. Wenn du daran denkst, so benachrichtige mich, auch falls du zu Einer mehr Lust hast, als zu einer Anderen. Ich werde dir dann meine Ansicht sagen." (1547. Lett. S. 202.)

„Messer Giovan Francesco könnte hierin guten Rath geben, da er alt und erfahren ist: empfiehl mich ihm. Aber vor Allem bedarf es göttlichen Rathes, denn es ist ein grosser Entschluss: und bedenke auch, dass zwischen Mann und Frau immer ein Altersunterschied von zehn Jahren sein sollte und sei bedacht, dass sie nicht allein gut, sondern auch gesund ist." (Lett. S. 208.)

„Ich sprach dir von Dreien, von denen man mir hier gesprochen hat; du hast mir nicht darauf geantwortet: es steht dir frei, Eine zu nehmen oder nicht, oder Eine der Anderen vorzuziehen, vorausgesetzt, dass sie adlig und wohlerzogen sei, und lieber ohne Mitgift, als mit grosser Mitgift, um in Frieden zu leben." (Lett. S. 202.)

Die guten Rathschläge werden dann und wann durch ein heftiges Wort über die schlechte Schrift des Neffen, welcher keine Rücksicht auf die schwachen Augen des alten Mannes nimmt, unterbrochen.

„Niemals empfange ich einen Brief von dir, dass mir nicht, bevor ich ihn lesen kann, das Fieber kommt. Ich weiss nicht, wo du das Schreiben gelernt hast! Wenig Liebe!" (Lett. S. 210.) „Ich glaube, dass du, wenn du dem grössten Esel der Welt zu schreiben hättest, mit mehr Sorgfalt schreiben würdest." (Lett. S. 194.)

„Deinen letzten Brief habe ich, weil ich ihn nicht lesen konnte, ins Feuer geworfen: daher kann ich dir darauf gar nichts antworten. Ich habe dir schon mehrere Male geschrieben, dass jedesmal, wenn ich einen Brief von dir erhalte, mir das Fieber kommt, ehe ich ihn zu lesen lerne. Daher sage ich dir, schreibe mir von nun an überhaupt nicht mehr, und willst du mich etwas wissen lassen, so nimm Einen, der zu schreiben versteht, denn ich habe den Kopf

für Anderes nöthig, als meine Zeit mit deinen Briefen zu
vergeuden. Messer Giovan Francesco schreibt mir, du
wollest für einige Tage nach Rom kommen: ich habe mich
darüber gewundert, dass du von dort fortgehen kannst, da
du doch, wie du mir schriebest, die geschäftliche Kompagnie
begründet hast. Gieb Acht, das Geld, welches ich dir gesandt, nicht wegzuwerfen: und in gleicher Weise soll auch
Gismondo bedacht sein, denn wer nicht Geld erworben hat,
kennt dessen Werth nicht; und man weiss aus Erfahrung, dass
der grösste Theil Derjenigen, welche in Reichthum geboren
sind, ihn vergeuden und ruinirt sterben. Daher habe die
Augen offen und denke daran und erkenne es wohl, in
welchem Elend und unter welchen Mühen ich, so alt wie ich
bin, lebe. In diesen Tagen ist ein Florentiner zu mir gekommen, um mir von einem Mädchen aus dem Hause der
Ginori zu reden, von der, wie er sagt, man dir dort gesprochen hat und die dir gefalle. Ich glaube nicht, dass
dies wahr sei, weiss dir darin auch keinen Rath zu geben,
da ich nicht näher unterrichtet bin. Aber es gefällt mir
nicht, dass du Eine zur Frau nimmst, die der Vater dir
nicht geben würde, hätte er selbst genug, ihr eine anständige
Mitgift zu geben. Ich wünschte, dass Der, welcher dir eine
Frau geben will, die Absicht hätte, sie dir, und nicht deinem
Besitze, zu geben. Mir scheint, es sollte mehr von dir ab-
hängen, bei der Wahl deiner Frau auf keine grosse Mitgift
auszugehen, als von einem Anderen, sie dir geben zu wollen,
weil sie keine Mitgift hat. Du hast einzig auf Gesundheit
der Seele und des Körpers und auf Vornehmheit des Blutes
und der Sitten zu sehen und darauf, was für Verwandte sie
hat, denn das ist von grosser Wichtigkeit. Weiter habe ich
dir nichts zu sagen. Empfiehl mich Messer Giovan Francesco. — Michelangelo Buonarroti in Rom." (Lett. S. 230.)

An Anerbietungen von Seiten auch vornehmer Familien
konnte es nicht fehlen: wusste man doch, dass dieser Lionardo der Erbe eines Mannes war, dessen Name von Allen
den grössten Klang in Italien hatte, ja den man als den
„Divino" jeder Namenshaft enthob. So hat Michelangelo
denn auch beständig von neuen Möglichkeiten dem Neffen

zu reden, ohne je irgend welchen Zwang auf ihn ausüben zu wollen, vielmehr Dessen freier Wahl die Entscheidung überlassend. Um ihm volle Beruhigung über die Zukunft zu gewähren, theilte er ihm am 5. April 1549 mit, dass er sein Testament aufgesetzt habe.

„Und das Testament ist dieses: Gismondo und dir Alles, was ich habe, zu hinterlassen und zwar in der Weise, dass mein Bruder Gismondo, wie du, mein Neffe, gleichen Anspruch darauf habt, und dass Keiner ohne die Zustimmung des Anderen über meinen Besitz eine Verfügung treffen kann." (Lett. S. 245.)

Bald darauf kommt er noch einmal auf jene Tochter des Lionardo Ginori zurück: „Was ich dir damals schrieb, geschah, weil ich Angst habe vor der Prunksucht und den Narrheiten, welche diese Familien haben, und weil du nicht der Sklave einer Frau werden sollst. Immerhin, wenn dir die Sache zusagt, so kehre dich nicht an mein Schreiben, denn ich bin in gänzlicher Unkenntniss über die florentiner Bürger." (Lett. S. 249.)

Dann wieder tritt eine Vermittlerin mit neuen Vorschlägen auf, in deren Formulirung sie gerade nicht glücklich gewesen sein muss, denn Michelangelo schreibt darüber: „Sie hat mir eine lange Bibel mit einer ordentlichen kleinen Predigt geschrieben, darin sie mich ermahnt hat, zu lieben und Almosen zu geben. Und sie sagt, dich ermahnt zu haben, als Christ zu leben, und von Gott inspirirt zu sein, dir besagtes Mädchen zu geben. Ich aber sagte, es wäre mir lieber, sie beschäftigte sich mit Weben und Stricken, als herumzugehen und solche Heiligkeit feilzubieten." (Lett. S. 256.)

Jahre gehen über der Angelegenheit hin, nicht ganz zur Zufriedenheit Michelangelos, welcher den dringenden Wunsch hat, seine Familie erhalten zu wissen. „Es ist nothwendig", schreibt er zu wiederholten Malen und bleibt immer bei seinem Rathe, nicht auf die Mitgift, sondern auf Gesundheit, Güte und edle Geburt zu sehen. „Was die Schönheit anbetrifft, nun, so bist du auch gerade nicht der schönste Jüngling von Florenz — kümmere dich darum also nicht, wenn sie nur nicht verkrüppelt oder abstossend ist." (Lett. S. 270.)

Endlich scheint ein Mädchen gefunden, welches dem Neffen, wie dem Oheim, gefällt. Da stellt sich aber wiederum eine Schwierigkeit ein.

„Aus deinem letzten Briefe erfahre ich von ihrer Kurzsichtigkeit, die mir ein nicht kleiner Fehler scheint, daher antworte ich dir, dass ich hier noch nichts versprochen habe, und da auch du dort nichts versprochen hast, so meine ich, du liessest dich, bist du der Sache gewiss, nicht darauf ein." (Lett. S. 277.) Gesundheit! dies scheint ihm eine Hauptsache, daneben wünscht er Einfachheit. „Gieb dir Mühe, Eine zu finden, welche sich nicht schämt, im Nothfall auch die Schüsseln aufzuwaschen und auch häusliche Dinge zu verrichten." (Lett. S. 281.)

„Man hat dir gesagt", schreibt er ein anderes Mal, „dass ich grosses Verlangen trüge, dich verheirathet zu sehen. Das kannst du aus meinen Briefen sehen, und ich bekräftige wieder: es ist gut, damit unser Sein hier nicht ein Ende nehme. Obgleich desswegen ja die Welt noch nicht zu Grunde ginge, so strebt doch jedes Thier, seine Gattung zu erhalten. Desswegen wünsche ich, dass du dich verheirathest . . . . solltest du dich aber nicht gesund genug fühlen, so meine ich: es ist besser, sich zu bemühen zu leben, als durch den eigenen Untergang Andere zur Welt zu bringen." (Lett. S. 282.)

Endlich im Mai 1553, als Michelangelo beginnt, der ewigen Anfragen, Zweifel und Verhandlungen überdrüssig zu werden — „seit sechzig Jahren habe ich mich mit euren Angelegenheiten beschäftigt, jetzt bin ich alt und muss an die meinigen denken" —, kommt die Nachricht, dass der Neffe seine Wahl getroffen und eine Tochter des Donato Ridolfi, Cassandra, in sein Haus geführt habe. Herzlich erfreut sendet der Onkel seine Segenswünsche und verspricht eine Mitgift von 1500 Dukaten.

„Ich erfahre durch deinen letzten Brief, dass du die Frau in deinem Hause bei dir hast, und dass du sehr zufrieden bist und mir Grüsse von ihr sendest und die Mitgift noch nicht verbürgt hast. Ich habe die grösste Freude über deine Zufriedenheit und ich meine, wir hätten Gott ohn'

Unterlass zu danken, so gut es der Mensch nur weiss und kann. Hast du die Mitgift noch nicht verbürgt, so thue es nicht und halte die Augen offen, denn in diesen Geldangelegenheiten entsteht immer eine Uneinigkeit. Ich verstehe mich nicht auf diese Dinge, aber mir scheint, du hättest Alles regeln sollen, bevor du die Frau in dein Haus führtest. Was ihre Grüsse anbetrifft, so danke ihr und mache ihr in meinem Namen alle Anerbietungen, die sich besser mündlich sagen, als ich sie schreiben könnte. Ich wünsche, dass man sehe, sie sei die Frau eines Neffen von mir, doch konnte ich noch kein Zeichen hiervon senden, da Urbino (der Diener) nicht hier war. Vor zwei Tagen ist er zurückgekehrt: daher denke ich nun irgend eine Kundgebung zu machen. Man hat mir gesagt, ein schönes und werthvolles Halsband von Perlen würde ihr gut stehen. Ich habe nach einem Goldschmied, Freund Urbinos, gesandt und hoffe es zu finden, aber sage ihr noch nichts. Und wünschst du, dass ich etwas Anderes thue, so benachrichtige mich. Weiter habe ich nichts zu sagen. Mach' dass du lebst und bedenke und erwäge es, denn die Zahl der Witwen ist immer grösser als die der Witwer. Michelangelo." (Lett. S. 293.)

An Stelle des Halsbandes trafen dann im Juli zwei Ringe, der eine mit einem Diamanten, der andere mit einem Rubin, in Florenz ein. Cassandra erwidert die Freundlichkeit mit einer Sendung Hemden:

„Sie sind schön, namentlich die Leinwand: und sie sind mir sehr theuer. Aber es thut mir Leid, dass ihr sie euch nehmt, denn mir fehlt nichts. Danke der Cassandra in meinem Namen und ich biete mich an, ihr zu senden, was ich hier haben kann: römische Sachen oder Anderes. Ich werde es gewiss nicht an mir fehlen lassen. Ich erhielt die Empfangsbescheinigung der zwei Ringe mit der Angabe dessen, was sie geschätzt worden sind: das freut mich, weil ich sicher bin, nicht betrogen worden zu sein. Diesmal habe ich nur eine Kleinigkeit gesandt, ein anderes Mal werden wir mit irgend einem Gegenstand, zu dem sie Lust hat, es besser machen. Benachrichtige mich nur!" (Lett. S. 296.)

Im Jahre 1554 hat Cassandra ihren ersten Sohn, welcher

auf Michelangelos Wunsch Buonarroto genannt wird. „Ich habe die grösste Freude. Gott sei gedankt: mache ihn zu einem guten Menschen, dass er uns Ehre mache und die Familie erhalte." (Lett. S. 300.) Dem zweiten, im folgenden Jahre geborenen Kinde wird der Name Michelangelo gegeben, doch stirbt es kurze Zeit darauf.

„Ich erfuhr durch deinen letzten Brief von dem Tode Michelangelos, und so gross meine Freude war, so gross ist mein Schmerz, ja viel grösser noch. Es heisst sich bescheiden und achten, es sei so besser, als dass er in hohem Alter gestorben." (Lett. S. 305.)

Bis zu seinem Tode hat das innige väterliche Verhältniss zu Lionardo und Cassandra angedauert. So kurz auch die Briefe in seinen spätesten Lebensjahren werden, so erklingt doch aus jeder Zeile warme Theilnahme an ihren Erlebnissen und immer erneute Fürsorge. Wiederholt bei ihm in Rom, ist im letzten entscheidenden Augenblicke Lionardo zu spät gekommen, um dem Meister, der bei allem der Menschheit geweihten Schaffen es doch, wie er öfters gesagt hat, als die Hauptaufgabe seines Lebens betrachtete, für die Existenz und das Glück seiner Verwandten zu sorgen, die Augen zudrücken zu können.

Bestimmend wie die Herzensgüte Michelangelos für sein Verhalten gegen die Familie war, ist sie es auch für die Beziehungen zu seinen Untergebenen, zu Künstlern und Freunden gewesen. Nicht seine Schuld war es, wenn er schlimme Erfahrungen mit so manchen jungen Leuten, die bei ihm lernten und ihm häusliche Dienste verrichteten, gemacht hat und es zu vielfachen Ärgernissen mit ihnen gekommen ist. Das Missverhältniss, welches sich bei intimem Verkehr zwischen dem Genie und dem gewöhnlichen Menschen immer herausstellt, ist nicht etwa in übergrossen intellektuellen Anforderungen begründet, die der geistig Überlegene an den ihm Untergebenen richtet, sondern, seinem Wesen entsprechend, darin, dass er ein stärkeres Gewicht auf die von ihm deutlich erkannten Grundbedingungen der Arbeit und des Lebens: Redlichkeit, Wahrhaftigkeit und Gewissenhaftigkeit legt und

diese seltensten Eigenschaften von vornherein als natürlich
nothwendige voraussetzt. Nachsichtig in allem anderen, unerbittlich in diesen Stücken, leidet er und zwar viel stärker,
als der Alltagsmensch, weil er wahre menschliche Theilnahme für die ihm Anvertrauten hat, unter beständigen
Enttäuschungen, die ein lebhaftes Temperament zu schnellen
Entschlüssen drängen können.

Michelangelo aber, auf den diese allgemeine Betrachtung
besonders anzuwenden ist, scheint zudem ein grosses Missgeschick in der Wahl seiner Hausgenossen gehabt zu haben.
Vasari spricht bloss von den Künstlern, wenn er sagt: „er
hatte Unglück mit Denen, welche in seinem Hause waren,
da er auf Leute traf, die wenig geeignet waren, ihn nachzuahmen, denn Pietro Urbano von Pistoja, sein Geschöpf,
war eine Person von Geist, wollte sich aber nie anstrengen.
Antonio Mino hätte wohl gewollt, aber hatte kein fähiges
Gehirn, und wenn das Wachs hart ist, kann man es nicht
gut bearbeiten; Ascanio della Ripa Transone gab sich Mühe,
brachte es aber nie zu etwas Fertigem." Aber auch die
Diener und Mägde, von welch' letzteren er einmal sagt:
„sie seien alle liederlich und schmutzig", haben ihm, wie
man aus den „Ricordi" schliessen kann, mehr Ärger als
Freude bereitet, den Einen, Francesco d'Amadore, genannt
Urbino, Sohn des Guido di Colonello von Castel Durante,
ausgenommen, von dessen Thätigkeit als Maler zwei Briefe
des Herzogs von Urbino (Gualandi I, 48 von 1557) Zeugniss
ablegen. Welcher Art sein Verhältniss zu diesem Treuesten
war, sagen die Zeilen an Lionardo, in denen er den Tod
des Dieners meldet (4. Dezember 1555):

„Ich benachrichtige dich, dass gestern Abend am 3. Dezember um 4 Uhr Francesco, genannt Urbino, aus diesem Leben
geschieden ist, zu meiner grössten Betrübniss. Und er hat
mich in grosser Betrübniss und Niedergeschlagenheit zurück-
gelassen, so dass es mir süsser gewesen wäre, mit ihm zu
sterben, der Liebe halber, die ich zu ihm trug. Und er verdiente nicht weniger, denn er hatte aus sich einen wackeren
Menschen gemacht, voll Treue und Redlichkeit. Daher ist
mir zu Muthe, als hätte mich sein Tod des Lebens beraubt:

und ich kann keinen Frieden finden. Es wäre mir lieb, dich
zu sehen, aber ich weiss nicht, ob die Liebe zu deiner Frau
dir gestattet, von dort wegzugehen." (Lett. S. 314.)

Noch Monate später, im Februar des folgenden Jahres,
hat er keinen anderen Gedanken als den an Urbino:

„Messer Giorgio, theurer Freund", schreibt er an Vasari,
„ich kann schlecht schreiben, will aber doch, um Euren
Brief zu beantworten, Euch einiges Wenige sagen. Ihr wisst,
dass Urbino gestorben ist: damit ist mir von Gott grösste
Gnade geschehen, aber zu meinem schwersten Schaden und
unermesslichen Leide. Die Gnade war dies, dass er, der
lebend mich am Leben hielt, sterbend mich zu sterben lehrte,
nicht mit Widerwillen, sondern mit Sehnsucht nach dem Tode.
Sechsundzwanzig Jahre habe ich ihn gehabt, und habe ihn
immer als einen Redlichsten und Treuen erfunden; und nun,
da ich ihn reich gemacht und erwartete, er werde der Stab
und die Zuflucht meines Alters sein, ist er mir entschwunden;
und keine andere Hoffnung ist mir geblieben, als ihn im
Paradiese wiederzusehen. Davon hat mir Gott ein Zeichen
in dem seligen Tod, den er erlitten, gegeben. Mehr als das
Sterben, hat es ihn betrübt, mich allein in dieser verrätherischen
Welt zu lassen, in so grossen Sorgen; obgleich mein grösstes
Theil ist mit ihm geschieden, und nichts bleibt mir als un-
endliches Elend. Und ich empfehle mich Euch und bitte
Euch, mich, falls es Euch nicht belästigt, bei Messer Benvenuto zu entschuldigen, dass ich ihm nicht geantwortet habe,
aber das Leid überwältigt mich derart mit solchen Gedanken,
dass ich nicht schreiben kann; und empfehlt mich ihm, und
ich empfehle mich Euch."

„Euer Michelangelo Buonarroti in Rom." (Lett. S. 539.)

Es sind dieselben Gedanken, welche zugleich ihren poetischen Ausdruck in dem an den Erzbischof von Ragusa, Lodovico
Beccadelli, gerichteten Sonette finden:

Durch Kreuz und Gnade und so manche Leiden werden
Wir uns, ich bin's gewiss, im Himmel finden, Herr:
Doch eh' der letzte Ring der Kette abgelaufen,
Schien schön es mir, auf Erden uns noch zu geniessen.

91

Hält uns durch Berge und durch's Meer die rauhe Strasse
Auch fern einand', so fürchtet doch des Geistes Sehnsucht
Kein Hinderniss von Schnee und Eis, es fürchtet nicht
Beflügelt der Gedanke Schlingen oder Ketten.

So weile ich, gedenkend alter Zeit, bei Euch
Und spreche weinend von Urbino Euch, dem todten,
Der, lebt er noch, mit mir zu Euch gekommen wäre,

Wie in Gedanken ich's gehabt — nun aber dränget
Sein Tod mich, eine andre Strasse hinzuziehen,
Wo mein' er wartet, dass ich mit ihm Herberg finde.

                     (Guasti S. 235. Frey CLXII.)

Als Lionardo und Cassandra, in grosser Besorgniss den
wiederholten Bitten des in tiefe Schwermuth Versunkenen
Folge leistend, nach Rom kamen, fanden sie ihn „sehr abgenommen". Der Neffe muss ihm versprechen, schwarzes
Tuch als Gabe für die Witwe Urbinos, Cornelia, der er
schon in früheren Jahren öfters von Florenz aus hatte Geschenke zugehen lassen, zu verschaffen. Wie ernstlich er sich
die Pflicht, für die Hinterlassenen zu sorgen, zu Herzen nahm,
geht aus der ausführlichen Besprechung der Angelegenheiten mit einem Pier Filippo Vandini in zahlreichen, von Frey
publizirten Briefen, sowie aus einem Schreiben hervor, das
er am 28. März 1557 an Cornelia sandte:

„Ich hatte wohl bemerkt, dass du böse auf mich warst,
aber ich konnte die Ursache nicht finden. Aus deinem
letzten Schreiben glaube ich das: Warum? zu ersehen. Als
du mir den Käse schicktest, schriebst du mir, du wolltest
mir noch andere Dinge schicken, die Taschentücher aber
seien noch nicht fertig, und ich, damit du nicht meinetwegen
dich in Kosten stürztest, schrieb dir, du solltest mir nichts mehr
schicken, vielmehr dir etwas ausbitten, womit du mir die
grösste Freude machen würdest, da du von der Liebe,
welche ich für Urbino und die Seinigen auch nach seinem
Tode im Herzen trage, weisst, ja ihrer gewiss bist. Was
aber das betrifft, dass ich nach dort kommen solle, die
Kinder zu sehen, oder Michelangelo (ihr Kind, sein Pathchen)

hierher zu senden, so muss ich dir schreiben, in welcher Lage ich mich befinde. Michelangelo hierher zu senden ist nicht angebracht, weil ich ohne weibliche Dienstboten und Fürsorge bin, und der Knabe noch zu zart ist. Daraus könnte etwas entstehen, was mir sehr Leid wäre: und dann kommt auch das noch hinzu, dass der Herzog von Florenz seit einem Monate in seiner Gnade grosse Anstrengungen macht, dass ich unter grössten Versprechungen nach Florenz zurückkehre. Ich habe ihn nur um so viel Zeit gebeten, meine Angelegenheiten hier zu ordnen und den Bau von S. Peter bis zu einem bestimmten guten Abschluss zu bringen. So werde ich den ganzen Sommer hier bleiben, und nachdem ich meine und eure Angelegenheiten am Monte della Fede geregelt habe, diesen Winter für immer nach Florenz gehen, denn ich bin alt und habe keine Zeit mehr, nach Rom zurückzukehren. Dann werde ich bei dir vorüberkommen, und willst du mir dann Michelangelo geben, so werde ich ihn in Florenz bei mir behalten, und ihm mehr Liebe als selbst den Kindern meines Neffen Lionardo bezeugen, und werde ihn Alles lehren, was, wie ich weiss, sein Vater wünschte, dass er lerne. Gestern am 27. März hatte ich deinen letzten Brief. — Michelangelo B. in Rom." (Lett. S. 542.)

Gleicher treuer Liebe hat sich früher eine andere seinem Schutz Befohlene, die Dienerin seines Vaters, mona Margarita, erfreut. „Da mein Vater mir sie im Tode anempfohlen, werde ich sie niemals im Stiche lassen", schreibt er 1533 an Giovan Simone und sieben Jahre später, als er von ihrem Ende hört, an Lionardo: „Ich habe von dem Tode der mona Margarita vernommen und grösstes Leid darüber empfunden, mehr, als wäre sie eine Schwester gewesen, denn sie war eine gute Frau, und ich hatte die Absicht, da sie in unserem Hause alt geworden und von unserem Vater mir empfohlen worden war, ihr bald etwas Gutes anzuthun, Gott weiss es! Es hat ihm nicht gefallen, das abzuwarten: da heisst es in Geduld sich fügen." (Lett. S. 163.)

Dass des Hausherrn Güte sich auch auf die Thiere erstreckte, möchte man für gewiss halten. Aber nur eine kleine Notiz ist uns in einem Briefe gegeben, den Angiolini

1553 an Michelangelo schreibt: „die Hennen und Messer der Hahn triumphiren, und die Katzen beklagen sich über Eure Abwesenheit, obgleich es ihnen nicht an Futter fehlt."

Wenden wir uns von diesen nächsten Hausgenossen und Untergebenen zu den künstlerischen Gehülfen, unter denen als erster ein von ihm „wie ein Sohn geliebter" Piero di Giannotto 1500 genannt wird, so begegnet uns der Name eben jenes Pietro Urbano, der nicht arbeiten wollte, in einer kleinen versteckten Bemerkung der „Ricordi", der Aufzeichnungen seiner Ausgaben (S. 578), welche sehr beredt ist. Da schreibt Michelangelo am 12. September 1519:

„Wenige Tage früher war ich nach Carrara zurückgekehrt, um Pietro, der bei mir beschäftigt ist, zu sehen, weil er auf den Tod daniederlag: ich hatte ihn mit Geld a conto der Figuren der Fassade von S. Lorenzo dorthin geschickt. Für meine Fahrt in der Post, für den Arzt und Medizin, für seinen Transport von Carrara nach Seravezza, wohin er von Männern getragen wurde, habe ich, zehn Dukaten eingerechnet, welche ich ihm in Seravezza liess, $33^1/_2$ Dukaten ausgegeben."
Am 18. September dankt ihm Pietro für übersandte Kleidungsstücke. Kein Wunder, dass er den Meister in einem Schreiben anredet: „Theurer mir wie der beste Vater." Väterlich wohlwollend bei aller Knappheit klingen auch die an Urbano gerichteten Briefe. Einer derselben (Lett. S. 388) enthält nichts wie kurze Befehle: kaufe dies, zahle jenes — so heisst es hintereinander — dann aber steht zu lesen: „geh' zur Beichte, lerne fleissig und hab' Acht auf's Haus." Selbst eine Fingerverletzung des jungen Mannes findet einmal theilnahmvolle Erwähnung. Als Pietro später durch sein Ungeschick die Statue des Christus in der Minerva entstellte, hat dies der Innigkeit des Verhältnisses freilich Abbruch gethan. Und dasselbe Wohlwollen, wie Urbano, haben auch alle anderen Gehülfen, ja selbst Fremde, wie jener Maler-Barbier, dem er als noch junger Mann den Karton einer „Stigmatisation des Franz" in Rom zeichnete, von ihrem Meister empfangen, dies beweisen zahlreiche Briefe im Archiv Buonarroti. Ein Pietro Bettino in Castel Durante spricht mit

warmen Dankesausdrücken von der Liebe, welche Michelangelo seinem Sohne Cesare zu Theil werden lässt. (Symonds II, 340.) In ähnlicher Weise bezeugt Amilcare Anguissola in Cremona seine Erkenntlichkeit für die Dienste, die der Künstler seiner Tochter, der bekannten Malerin Sofonisba, angedeihen liess. Silvio Falcone, welcher fortgeschickt worden war, schreibt 1517:

„Ich bin und werde immer Euer guter Diener sein, wo immer ich auch mich befinden werde, und wollet nicht meiner Thorheit in jenen vergangenen Vorfällen gedenken. Ich weiss, dass Ihr, als ein weiser Mann, sie nicht auffasst, als seien sie aus Bosheit hervorgegangen. Glaubtet Ihr dies, so würde ich den grössten Schmerz empfinden, denn ich ersehne nichts Anderes, als in Euren Gnaden zu stehen, und hätte ich nichts Anderes in der Welt als diese, so würde es mir genügen." (Frey: Briefe S. 84.)

„Verlöre ich Alles in der Welt und könnte wieder bei Euch sein, so würde ich mich für den Ersten unter den Menschen halten" — ruft Silvio di Giovanni Cepparello aus, welcher, nachdem er Michelangelo verlassen hatte, in den Diensten Andrea Dorias thätig war. Er bittet seinen Lehrer, ihn wieder zu sich zu rufen: „denn ich fühle, welch' grösste Verpflichtungen ich Euch für die in vergangenen Zeiten empfangenen Wohlthaten schulde. Denn, wenn ich mich an die Liebe erinnere, welche Ihr mir bezeugt habt, solange ich in Eurem Dienste war, so scheint es mir unmöglich, dass ich sie Euch je vergelten könnte. Und ich sage Euch, dass einzig und allein, weil ich in Eurem Dienste gestanden, mir allerorten, wo ich mich befinde, Ehre und Höflichkeit erwiesen wird. Und dies verdanke ich nur Eurem Ruhm und nicht meinem eigenen Verdienst." (Symonds II, 342.)

So bestätigt sich, was Condivi sagt: „es ist nicht wahr, was Viele ihm anhängen, dass er nicht habe unterrichten wollen, im Gegentheil hat er dies gern gethan. Ich selbst habe das an mir erfahren, dem er alle seine Geheimnisse, die zu dieser Kunst gehören, eröffnet hat; aber das Unglück hat es gewollt, dass er entweder auf wenig fähige Subjekte gestossen ist oder auf Solche, die, wenn auch befähigt, keine

Ausdauer hatten, sondern, nachdem sie wenige Monate in seiner Lehre gewesen waren, sich schon für Meister hielten. Und obgleich er es bereitwillig gethan hat, war es ihm doch nicht angenehm, dass man es wisse, weil er lieber Gutes thun, als Gutes zu thun scheinen wollte."

In einem erst kürzlich aufgefundenen Schreiben verleiht derselbe Condivi seinen Gefühlen unmittelbare Sprache:

„Einziger Herr und mein höchst zu verehrender Meister!"

„Ich habe Euch schon zwei Briefe geschrieben und fürchte fast, dass sie nicht in Eure Hände gelangt sind, da ich keine Nachricht seither von Euch gehabt habe. Dies schreibe ich nur, damit Ihr daran denkt, mir zu befehlen und sich nicht allein meiner, sondern meines ganzen Hauses zu bedienen, denn wir sind Alle Eure Diener. In Gnaden, mein hochverehrtester Meister, geruht über mich zu verfügen und mit mir zu verfahren, wie man es pflegt mit dem geringsten Diener. Und Ihr habt das Recht dazu, denn ich schulde Euch mehr als meinem eigenen Vater und will durch Thaten es Euch vergelten. Ich will das Schreiben endigen, um Euch nicht zu belästigen, und empfehle mich Euch demüthig und bitte Euch, Ihr wollet geruhen, mich zu beruhigen darüber, dass es Euch wohl geht, denn einen grösseren Trost könnte ich nicht erhalten. Lebt wohl."

„Euer Diener in Ewigkeit, Ascanio Condivi." (Frey, Briefe S. 350.)

Es ist dieselbe überschwängliche Ausdrucksform für das leidenschaftliche Gefühl der Liebe und Verehrung, welche auch für die von Condivi gewählte Fassung der Einleitung zur Biographie bezeichnend ist:

„Von der Stunde an, in welcher Gott der Herr durch seine besondere Gnade mich würdigte nicht nur des Anblickes (zu welchem gelangen zu können ich kaum gehofft hätte), sondern der Liebe, des Gesprächs und des vertrauten Umganges des Michelangelo Buonarroti, des einzigen Malers und Bildhauers, habe ich, eine solche Wohlthat erkennend und als Liebhaber seiner Kunst, sowie seiner Trefflichkeit, mich mit aller Aufmerksamkeit und aller Hingebung bemüht, nicht nur die Vorschriften zu beobachten und zusammen-

zustellen, die er mir über die Kunst ertheilte, sondern auch
seine Reden, Handlungen und Gewohnheiten, sowie Alles, was
mir in seinem ganzen Leben entweder des Lobes oder der
Bewunderung oder der Nacheiferung würdig schien, und zwar
in der Absicht, seiner Zeit darüber zu schreiben, sowohl um
ihm einigen Dank abzustatten für die unendlichen Verpflichtungen, die ich ihm schulde, als auch um Anderen
durch die Bemerkungen und das Beispiel eines solchen Mannes
förderlich zu sein."

In dieser Seele hat die Liebe des grossen Lehrmeisters
und väterlichen Freundes den vollen, enthusiastischen Wieder-
hall gefunden, und Keiner hat, wie er, in der reinen Hin-
gabe seines kindlichen Herzens das innerste Wesen Michelangelos erkannt, selbst Vasari nicht, welcher bei aller Bewunderung und Dankbarkeit doch sich selber nie ganz zu
vergessen vermochte und in der Biographie seines Lehrers zugleich deren Autor ein Denkmal zu setzen bedacht war. Seiner
Eitelkeit verdanken wir die Erhaltung der von Michelangelo
an ihn gerichteten Schreiben, durch deren Veröffentlichung er
der Welt zeigen wollte, dass nicht Condivi, sondern er,
Vasari, der Liebling und Vertraute des Meisters gewesen sei.
In diesen Briefen, deren Anrede durchweg lautet: „Messer
Giorgio, theurer Freund", stehen freilich Dinge, auf welche
stolz zu sein der Empfänger ein Recht hatte, doch ziehen
wir aus ihnen vielmehr einen Schluss auf die Güte und die
Demuth des Mannes, der solch' anmuthig bescheidene und
erkenntliche Antwort auf die von Vasari ihm dargebrachten
schmeichelnden Huldigungen fand, als auf die Grösse der
seelischen Eigenschaften des Letzteren.

„Was Eure drei letzten Schreiben anbetrifft", so äussert
sich Michelangelo am 1. August 1550, „so habe ich die Feder
nicht, solchen erhabenen Dingen zu antworten; aber wenn
ich es wünschte, in irgend einer Beziehung Das zu sein, wozu
Ihr mich macht, so wünschte ich es nur aus dem Grunde,
dass Ihr einen Diener hättet, der etwas werth ist. Aber ich
wundere mich nicht, dass Ihr, der Ihr ein Wiedererwecker
der Todten seid (Anspielung auf die damals erschienene
I. Ausgabe der Künstlerbiographieen von Vasari), auch den

Lebenden das Leben verlängert oder vielmehr die Schlecht-
lebenden für ewige Zeiten dem Tode stehlt. Um kurz zu
sein: wie ich auch bin, bin ich ganz der Eurige." (Lett. S. 529.)
Die Anerkennung für Vasaris litterarische Leistung fasst
Michelangelo in ein Sonett:

Habt mit dem Griffel Ihr und mit den Farben
Die Kunst zur Höhe der Natur erhoben,
Ja dieser selbst den Ruhm zum Theil genommen,
Da ihre Schönheit schöner Ihr uns schenkt,

Nun würdigerer Arbeit zugewandt,
Mit weiser Hand des Buches Seiten füllend,
Nehmt Ihr, was die Natur ihr Vorrecht rühmte,
Für Euch in Anspruch: Leben zu verleihen!

Schuf schöne Werke jemals ein Jahrhundert
Mit ihr im Wettstreit, musst' es unterliegen,
Da ihm das Ende ja voraus bestimmt!

Doch Ihr erweckt jetzt, der Natur zum Trotz,
Erlosch'nes und bewirkt, dass neu erstanden
Es ewig lebe und mit ihm Ihr selbst.
(Guasti S. 167. Frey cxxxiii.)

In einem anderen Schreiben an Vasari vom 22. August
1550 liest man:
„Es sind schon viele Tage her, dass ich Euren Brief erhielt:
ich antwortete nicht sogleich, um nicht wie ein Kaufmann
zu erscheinen. Nun aber sage ich Euch: verdiente ich von
den vielen Lobsprüchen, die Ihr mir spendet, auch nur einen,
so würde ich glauben, gäbe ich Euch auch Leib und Seele,
doch nur ein Kleines gegeben und in ganz geringem Grade
Euch meine Schuld abgetragen zu haben. Nun bin ich aber
alt und glaube, nicht mehr in diesem Leben, sondern nur in
einem anderen die Rechnung ausgleichen zu können: daher
bitte ich Euch um Geduld." (Lett. S. 530.)
Äussert sich in solchen Zeilen bei höchster Verbindlichkeit ein liebenswürdiges Zurückweisen ihm dargebrachter

Huldigungen, an denen er nur die freundliche Absicht schätzt, so sprechen des Meisters Briefe an den ihm fanatisch ergebenen, aus Venedig stammenden Sebastiano del Piombo, der ihm seine angesehene Stellung in Rom zum grössten Theile verdankte, von offener Bewunderung und zugleich von der Herzensfreude, seiner Anerkennung warme Worte zu verleihen. Ein solcher sei hier wiedergegeben. Ein Bild von der Hand Sebastianos ist in Florenz eingetroffen, und der Meister schreibt daraufhin im Mai 1525 an den Freund in Rom:

„Mein theuerster Sebastiano. Gestern Abend hatten unser Freund Capitano Cuio und gewisse andere Edelleute die Güte zu wünschen, dass ich mit ihnen zu Abend speiste. Hierüber hatte ich die grösste Freude, denn ich kam dadurch etwas aus meiner Melancholie oder vielmehr meiner Verrücktheit heraus: und nicht allein hatte ich Freude an dem Abendessen, das sehr angenehm war, sondern noch viel mehr an den dabei gepflegten Unterhaltungen. Und mehr noch wuchs meine Freude an der Unterhaltung, als ich von besagtem Capitano Cuio Euren Namen erwähnen hörte: und auch das war noch nicht genug: noch mehr, ja unendlich erfreute ich mich, als ich in Sachen der Kunst den Capitano äussern hörte, Ihr seiet einzig in der Welt und in Rom dafür gehalten. Und wahrhaftig, hätte ich nur überhaupt noch mehr Freude haben können, so hätte ich sie gehabt, da ich sah, dass mein Urtheil nicht falsch ist. Daher leugnet es mir nicht mehr, dass Ihr einzig seid, wenn ich es Euch schreibe, denn ich habe zu viele Zeugen dafür — und hier ist auch ein Gemälde, Gott sei Dank, welches bei Jedem, der nur die Augen offen hat, für meine Meinung spricht." (Lett. S. 446.)

Worte der Bewunderung für Benvenuto Cellini sind uns in einem an Diesen gerichteten kurzen Schreiben enthalten, welches lautet:

„Mein Benvenuto. So viele Jahre schon kenne ich Euch als den grössten Goldschmied, von dem man jemals erfahren, und nun soll ich Euch auch als Bildhauer in gleicher Weise kennen lernen. Wisst, dass Messer Bindo Altoviti mich zu seinem Bildniss in Bronze führte und mir sagte, es sei von

6*

Eurer Hand. Ich hatte grosse Freude daran, leider aber war
es in schlechtes Licht gestellt: denn erst, wenn es sein ihm
gebührendes Licht hätte, würde es sich zeigen, welch' schönes
Werk es ist." (Lett. S. 532.)

Gerne erinnert man sich bei dieser Gelegenheit der er-
muthigenden Theilnahme, welche Michelangelo, nach Cellinis
eigener Schilderung in seiner Autobiographie, dem jungen
Künstler, als sich Dieser nach der Plünderung Roms in Florenz
aufhielt, angedeihen liess.

„Zu der Zeit war ein Saneser, Mazzetti genannt, aus der
Türkei, wo er sich lange aufgehalten hatte, nach Florenz ge-
kommen. Er bestellte bei mir eine goldene Medaille, am
Hute zu tragen. Er war ein Mann von lebhaftem Geist und
verlangte, ich solle ihm einen Herkules machen, der dem
Löwen den Rachen aufreisst. Ich schritt zum Werke, und
Michel Agnolo Buonarroti kam, meine Arbeit zu sehen, und
theils weil ich mir alle Mühe gegeben hatte, die Stellung der
Figur und die Bravour des Löwen auf eine ganz andere
Weise als meine Vorgänger abzubilden, theils auch weil die
Art zu arbeiten dem göttlichen Michel Agnolo gänzlich un-
bekannt war, rühmte er mein Werk auf's höchste, so dass
bei mir das Verlangen, etwas Wichtiges zu machen, auf das
Aeusserste vermehrt wurde. Darüber ward mir das Juwelen-
fassen verleidet, so viel Geld es auch eintrug."

„Nach meinem Wunsche bestellte bei mir ein junger Mann,
Namens Friedrich Ginori, gleichfalls eine Medaille. Er war
von erhabenem Geiste, war viele Jahre in Neapel gewesen,
und hatte sich daselbst, als ein Mann von schöner Gestalt
und Gegenwart, in eine Prinzessin verliebt. Er wollte den
Atlas mit der Himmelskugel auf dem Rücken vorgestellt
haben und bat den göttlichsten Michel Agnolo, ihm eine kleine
Zeichnung zu machen. Dieser sagte: geht zu einem gewissen
jungen Goldschmied, der Benvenuto heisst, der Euch gut bedienen wird und einer Zeichnung nicht bedarf! Damit Ihr
aber nicht denkt, dass ich in einer solchen Kleinigkeit un-
gefällig sein könne, will ich Euch eine Zeichnung machen;
Benvenuto mag indessen ein Modell bossiren, und das Beste
kann man alsdann ins Werk setzen. Friedrich Ginori kam

zu mir und sagte mir seinen Willen, zugleich auch, wie sehr
Michel Agnolo mich gelobt hatte. Da ich nun vernahm, dass
ich ein Wachsmodell machen sollte, indessen der treffliche
Mann zeichnete, gab mir das einen solchen Trieb, dass ich
mit der grössten Sorgfalt mich an die Arbeit machte. Da
sie geendigt war, brachte mir ein genauer Freund des Michel
Agnolo, der Maler Bugiardini, die Zeichnung des Atlas, alsdann wies ich ihm und Julian mein Modell, das ganz verschieden von der Zeichnung des grossen Mannes war, und
Beide beschlossen, dass das Werk nach meinem Modell gemacht werden sollte. So fing ich es an, Michel Agnolo sah
es und ertheilte mir und meinem Werke das grösste Lob."
(In der Goethe'schen Übersetzung.)

Man lese ferner das von Frey veröffentliche Schreiben
Angelo Bronzinos vom 3. Mai 1561, in welchem Dieser für
die ihm übersandten Grüsse dankt und seiner unbegrenzten
Verehrung für des Meisters „cortesissimo et amorevolissimo
animo" Ausdruck giebt, und den von grossen Wohlthaten,
die Michelangelo ihm erwiesen hat, sprechenden Brief des
Francesco da San Gallo (September 1534), der sich über
die Entziehung der Gunst beklagt.

Von Künstlern, mit denen der Meister in besonders nahem
Verkehr stand, nennt Vasari noch Francesco Granacci, Giuliano
Bugiardini, Jacopo Sansovino, Aristotele da Sangallo, den
Rosso, Pontormo und Daniele da Volterra. Wer immer
vertrauensvoll und empfänglich sich ihm nahte, konnte der
Belehrung, Unterstützung und Ermuthigung sicher sein, für
welche vor allen Anderen wohl Daniele da Volterra, Montorsoli, Vasari, Guglielmo della Porta und Leone Leoni ihm
Dank schuldeten. Die falschen Gerüchte, die ihn als lieblos
verschlossen und hochmüthig zurückhaltend darstellten, sind
von Feinden, namentlich auch von Solchen ausgesprengt
worden, welche eine Zeit lang als Mitarbeiter ihm zugesellt
waren, dann aber von ihm entlassen wurden.

Gleichwohl ist die neuerdings von Justi besonders scharf
hervorgehobene Thatsache, dass er eine gemeinsame Thätigkeit mit Männern von Bedeutung, wie z. B. Andrea Sansovino,
Domenico Fancelli, Benedetto von Rovezzano, Baccio d'Agnolo,

Jacopo Sansovino nicht geliebt, sondern nur mit unbedeutenden Gesellen gearbeitet habe, nicht zu leugnen. Wer ihm
aber mit Justi hieraus einen Vorwurf machen und die Erklärung darin suchen wollte, dass Michelangelos reizbarer Natur
das Vermögen der Anpassung gefehlt, ja dass „sein aristo-
kratisches Wesen nur Familiaren von bedientenhafter Unterwürfigkeit geduldet habe", würde den Standpunkt für die
Beurtheilung des Genius zu niedrig nehmen. Welcher andere
grosse Künstler der Renaissance hätte sich denn auf ein
solches Zusammenarbeiten mit anderen selbstständigen Meistern eingelassen? Jeder schöpferische Geist, und nun gar
einer von so weitaus Alle überragender Grösse, wie Michelangelo, konnte für die Verwirklichung seiner Ideen doch nur
Gehülfen und Schüler gebrauchen, die sich ihm gegenüber
dienend verhielten, nicht Männer, welche ihre inferiore Selbst-
ständigkeit, und zwar, wie dies immer der Fall: mit Anmaassung, seinem höheren Wollen zum Trotz aufrecht zu
halten trachteten. Dies ist der einfache Grund, weswegen er
solcher bisweilen versuchter Mitarbeiterschaft bald ein Ende
machen musste.

Von den daraus entstandenen Konflikten soll später noch
ausführlich die Rede sein. Hier gilt es nur hervorzuheben,
dass selbst bitterste Erfahrungen des Meisters Einsichten nicht
zu beeinflussen und zu trüben vermochten. Ein von Liebe
und Stolz getragener hoher Geist erhebt sich über jede persönliche Empfindlichkeit zu der Freiheit gerechter Würdigung
alles Bedeutenden. Nicht bloss des Vergangenen in der Verehrung und Bewunderung grosser Vorgänger — Vasari erwähnt
im Besonderen Aussagen Michelangelos über Giotto, Masaccio,
Donatello, Brunellesco, Ghiberti, Fra Filippo Lippi, Antonio
Rossellino und Luca Signorelli —, sondern auch der Mitlebenden.

„Niemals war er eifersüchtig auf die Hervorbringungen
Anderer, selbst nicht in seiner Kunst", sagt Condivi, und fügt
mit feinem Verständniss hinzu: „mehr aus natürlicher Güte, als
in Folge einer hohen Meinung, die er von sich selbst gehabt.
Vielmehr hat er immer und ohne Ausnahme Alle gelobt."

Wenn immer er sich aber zu einem in irgend welchem Sinne
abfälligen Urtheil bewogen sah, wie z. B. über Raphael, An-

tonio da San Gallo und Tizian, dem er, bei aller Anerkennung
der hohen malerischen Kunst, einen Mangel an Kenntniss der
Zeichnung vorwarf, so sprach hieraus, legt man auf augenblickliche gereizte Äusserungen kein Gewicht, künstlerische
Überzeugung. Und gerade, was Raphael anbetrifft, zu dem
er in Folge der Feindschaft Bramantes kein Verhältniss gewann und gegen Den ihn übereifrige Anhänger, wie Sebastiano
del Piombo, aufzustacheln versuchten, erfahren wir ja von
Condivi, dass er auch ihn gelobt, „obgleich es zwischen Beiden
dereinst in der Malerei einen Konflikt gegeben. Nur habe
ich ihn sagen hören, dass Raphael seine Kunst nicht von Natur
aus besass, sondern sie durch langes Studium erworben.“
    Die Gewissheit solcher Unpartheilichkeit — nicht allein
seiner künstlerischen Überlegenheit — hatte zur Folge, dass
man sich bemühte, in wichtigen Fragen sein Gutachten zu
erhalten. Schlimme Erfahrungen freilich veranlassten ihn im
Laufe der Zeit, derartige Aufforderungen abzulehnen. So hören
wir davon, dass er sich im Jahre 1553 weigert, seine Meinung
über ein Bild von Daniele da Volterra in S. Trinità zu sagen
(Bertolotti: Artisti ferraresi 42), und Girolamo da Ponte sah
die Möglichkeit, ein Urtheil von ihm über des Livio Agresti
Fresken in S. Spirito zu erlangen, nur in einer Intervention
Cavalieris (Campori: Artisti Estensi S. 3).
    Das schönste Zeugniss für Michelangelos Gerechtigkeits-
gefühl ist in einem Schreiben aus dem Jahre 1555 an Bartolommeo Ammanati, welches den Bau der Peterskuppel behandelt, enthalten:
    „Man kann nicht leugnen, dass Bramante in der Archi-
tektur so bedeutend war, wie kein Anderer seit der Antike.
Er entwarf den ersten Plan von S. Pietro, frei von jeder Verwirrung, klar und einfach, licht und ringsum isolirt, so dass
er in keiner Weise dem Pallast (des Vatikan) Schaden that,
und er wurde für ein schönes Werk gehalten, wie auch heute
noch offenkundig ist, so dass Jeder, der sich von besagtem
Gedanken Bramantes entfernt hat, wie z. B. Sangallo, sich
von der Wahrheit entfernt hat.“ (Lett. S. 535.)
    Man bedenke, dass Bramante der Mann war, der durch
seine, die Ausführung des Juliusdenkmales gleich beim Anfang

hemmenden Intriguen einen verhängnissvollen Einfluss auf Michelangelos ganzes Leben ausgeübt hat. Und doch spricht Dieser mit derselben Unbedingtheit über den einstigen Rivalen sich aus, wie er es in einem anderen Fall über Brunellesco, dessen Bau von S. Lorenzo er die Sakristei der Medici hinzuzufügen hatte, that. Da wies er eine offenbar schmeichlerische Bemerkung: „Ihr werdet die Laterne der Kuppel freilich ganz anders machen müssen, als Brunellesco sie gemacht", zurück mit den Worten: „anders lässt sie sich wohl machen, aber besser nicht."

Am bezeichnendsten vielleicht für die Unerschütterlichkeit seines Gefühles für Das, was recht und billig, ist sein Verhalten bei dem Misslingen des unter grössten Mühen vorbereiteten Gusses der Statue Julius' II. in Bologna (1507). Er schreibt an den Bruder Buonarroto:

„Wisse denn, dass wir meine Figur gegossen haben, und dass ich hierbei kein Glück gehabt habe. Und das geschah, weil Meister Bernardino, sei es aus Mangel an Kenntniss oder aus Missgeschick, die Materie nicht gut geschmolzen hat. Das Wie wäre zu lang zu schreiben: genug, meine Figur ist nur bis zum Gürtel herausgekommen; der Rest der Materie, d. h. die Hälfte des Metalles, ist, weil sie nicht geschmolzen war, im Ofen geblieben, derart, dass ich, wollte ich sie herausbringen, den Ofen zerstören müsste: und so thue ich und werde ihn noch in dieser Woche wieder aufbauen lassen. Dann werde ich von neuem den oberen Theil giessen und die Form ganz ausfüllen, und ich glaube, dass die Sache sich vom Schlimmen zum Guten wenden wird, wenn auch nicht ohne grösste Aufregung, Mühe und Kosten. Ich hätte geglaubt, dass Meister Bernardino im Stande sei, auch ohne Feuer zu schmelzen, solchen Glauben hatte ich an ihn; das macht aber doch nicht, dass er nicht ein guter Meister ist und nicht mit Liebe gearbeitet hat. Aber wer handelt, fehlt auch!" (Lett. S. 79.) Und in einem folgenden Briefe fügt er hinzu: „Maestro Bernardino ist gestern von hier fortgegangen. Sollte er auf die Sache anspielen, so mach' ihm ein freundliches Gesicht." (Lett. S. 80.)

So mannigfach und eingehend Michelangelos Beziehungen zu den Künstlern waren, so hat er den Verkehr, der seinem Geiste und seinem Wesen entsprach, doch, von einigen vertrauten Annäherungen abgesehen, vorzugsweise in den Kreisen ausgezeichneter Gelehrter, Dichter und Litteraten, und in dem der vornehmen Welt gefunden. Aber freilich, ohne dass er eigentlich Geselligkeit gepflegt hätte. Wohl erfahren wir, dass er während seines früheren römischen Aufenthaltes (1514, 1515) einer Verbindung von Florentinern — Canigiani, Giovanni Speciale, Bartolommeo Verrazzano, Giovanni Gellesi, Domenico Boninsegni, Leonardo sellajo — angehörte, die sich zu gemeinsamen Mahlzeiten versammelte und in der es zwanglos heiter zuging (Frey: Briefe 23), und später in den vierziger Jahren hat er intimen Umgang mit Luigi del Riccio und Donato Giannotti gepflogen, im Ganzen aber gilt doch, was Condivi sagt: „die Liebe zur künstlerischen Arbeit und deren beständige Ausübung machten ihn einsam."

Eine Bestätigung dessen bringen Aussprüche des Meisters selbst, die Francisco de Hollanda 1538 von ihm gehört und in seinen „Gesprächen über die Malerei", dem Inhalte nach gewiss richtig, wiedergegeben hat. Der Portugiese war durch den gelehrten und edlen Lattanzio Tolomei mit dem Meister und mit Vittoria Colonna, die eine warme Theilnahme für ihn bezeugte, bekannt geworden. Die hohe Frau verschafft ihm die erschnte Möglichkeit, in S. Silvestro auf dem Monte Cavallo Michelangelos Ansichten über die Malerei in ausführlichen Diskussionen zu erfahren. Ihr Bote hat den Künstler in der Nähe getroffen, wie er auf der Esquilinischen Strasse „mit seinem Urbino" philosophirend daherging. Auf kluge Weise versteht die Marchesa ihn dahin zu bringen, dass er seinen Gedanken über die Kunst freien Lauf lässt. Sie rühmt seine weise Zurückhaltung:

„Ich selber aber lobe es nicht minder, dass Ihr Euch so vielfach zurückzieht, unsere nutzlosen Gespräche fliehend, und anstatt jeglichen Fürsten zu malen, der Euch darum angeht, fast Euer ganzes Leben an einem einzigen grossen Werke arbeitet, wie Ihr gethan habt."

„Hohe Frau", entgegnete darauf Michelangelo, „Ihr preist

mich wahrlich mehr, als ich verdiene! Da aber die Rede
einmal darauf gekommen ist, so möchte ich vor Euch eine
Klage erheben, die sich gegen nicht Wenige richtet — in
meinem eigenen Namen und in dem einiger anderer Maler,
die in gleicher Lage sind —, zu denen übrigens ja auch der
hier gegenwärtige Messer Francisco gehört."

„Man verbreitet nämlich tausend nichtige und falsche
Lügenmährchen über die berühmten Maler. Sie seien wunder-
lich und im Verkehr unzugänglich und unleidlich, während
sie doch in Wahrheit von Menschenart sind. Nur die Thörichten, nicht aber die Verständigen, halten sie für phanta-
stisch und launenhaft, und vermögen nicht mit ihnen fertig
zu werden — — —. Im Unrecht aber sind eitle Müssiggänger,
die von einem nützlich und viel beschäftigten Künstler überflüssige Komplimente verlangen, während doch ganz wenigen
Sterblichen Zeit genug zur Verfügung steht, um auch nur
Dasjenige in befriedigender Weise zu vollenden, was ihres
Amtes ist; und sicherlich erreicht das keiner von jenen unzufriedenen Anklägern. Mit nichten sind tüchtige Maler aus
Stolz unzugänglich, sondern (den schon berührten Zeitmangel
abgerechnet) entweder, weil sie Wenige finden, die Sinn und
Verständniss für die Malerei haben, oder weil sie durch das
eitle Geschwätz von Müssiggängern ihren Geist von den
hohen Gedanken, von denen sie beständig erfüllt sind, nicht
abgelenkt und zu alltäglichen Dingen herabgezogen wissen
wollen."

„Ich versichere Euch, hohe Frau, dass selbst Seine Heiligkeit der Papst mich bisweilen langweilt und ärgert, wenn er
mit mir redet und mich so oft und eindringlich fragt: ‚Warum
ich mich nicht sehen lasse?‘, während ich mir doch bewusst
bin, ihm besser zu dienen, wenn ich nach freiem Belieben
bei mir zu Hause für ihn arbeite und, trotz seines Geheisses,
zu kommen unterlasse, falls ich dazu nicht aufgelegt bin. Und
das spreche ich auch offen vor ihm aus, dass Michelangelo
ihm auf solche Weise mehr nützt, als wenn er den ganzen
Tag über stehenden Fusses vor ihm aufwarten müsste, wie die
Übrigen."

„O glücklicher Michelangelo," rief ich bei diesen Worten

aus. „Ob wohl auch ein anderer Fürst, der nicht Papst ist, eine solche Sünde verzeihen kann?"

„Solche Sünden, Messer Francisco, sind es gerade, welche Könige verzeihen müssen", sprach er und fügte hinzu: „Weiter sage ich Euch, dass gerade mein schwer wiegender Künstlerberuf mir bisweilen so grosse Vorrechte gewährt, dass ich, im Gespräch mit dem Papste, diesen Filzhut hier auf den Kopf setze, ohne viel darauf zu achten, und ganz frei heraus zu ihm rede. Er aber lässt mich darum nicht tödten, sondern hat mir vielmehr das Leben ermöglicht. Ich lege mir, wie gesagt, mehr nothwendige dienstliche Rücksichten als überflüssige persönliche ihm gegenüber auf."

„Zudem scheint es mir höchst tadelnswerth, so man Jemanden darum angreifen wollte, weil er blind genug ist, sich etwas so Sinnloses und Verkehrtes in den Sinn kommen zu lassen, wie es doch wäre, wenn Einer, selbstzufrieden, sich absichtlich von allen Anderen so abschlösse, dass er der Freunde verlustig ginge und sie sich alle zu Feinden machte. Ist aber Einer von Natur einmal derartig veranlagt und durch Erziehung so geworden, dass er Formelwesen hasst und Heuchelei verachtet, wäre es nicht ein Widersinn, ihn nicht leben zu lassen, wie es ihm geziemt? Und ist er noch dazu so anspruchslos, dass er euren Umgang nicht sucht, wozu sucht ihr den seinen? Weshalb wollt ihr ihn zu jenen Nichtigkeiten herabziehen, die zu seiner Weltabkehr nicht passen? Wisst ihr nicht, dass es Wissenschaften giebt, die einen Mann ganz in Anspruch nehmen, ohne irgend Etwas von ihm unbeschäftigt und für eure Müssiggängerei frei zu lassen? Hat er hingegen so wenig zu thun, wie ihr, dann macht ihm den Garaus, falls er eure Lebensweise nicht mitmacht oder eure Komplimentirerei nicht noch besser betreibt als ihr selber! Jene weltscheuen Sonderlinge werdet ihr freilich nicht in ihrem wahren Werthe erkennen, und sie höchstens loben, um euch selber Ehre zu erweisen, weil es euch eben freut, mit Einem zu sprechen, der mit Papst und Kaiser spricht. Ich aber möchte behaupten, dass Der kein hervorragender Mensch ist, der lieber Dummköpfen als seinem Berufe genügt; noch solch Einer, an dem gar nichts Wunder-

liches oder Absonderliches ist, oder wie ihr das sonst benennen
möget. Die nichtssagenden Alltagsmenschen, die findet man
ohne Laterne an allen Marktflecken dieser Welt." (Francisco
de Hollanda: Gespräche, S. 21—25. Vasconcellos.)

Die beglückenden Erfahrungen, die Francisco de Hollanda
selber machen durfte, gaben ihm das Recht, später Don
Giulio Clovio zu versichern: „der Umgang mit dem Meister
ist keineswegs so schwer, wie die Leute glauben." (S. 129.)

Was Michelangelo im Verkehr suchte: Freiheit der An-
schauungen und Verständniss für alle tiefen Probleme, die
Leben, Wissenschaft und Kunst dem Geiste stellen, hat er in
Sonderheit, wie Condivi, Vasari und Briefe aussagen, bei
folgenden Persönlichkeiten gefunden: den Kardinälen Gaddi,
Salviati, Ridolfi, welcher, wie Giannotti in seinen Dialoghi
(S. 35) sagt, „grössten Werth darauf legte, in jeder, selbst
der kleinsten Sache, Michelangelo sich gefällig zu erweisen",
Santa Croce, Crispo, Maffei, dem als grösster Dichter gefeierten Pietro Bembo und dem Engländer Pole, dem Freunde
Vittoria Colonnas „dessen Tugend und Güte sein Herz ganz
in Liebe entbrennen machte", bei dem gelehrten Kommen-
tator des Vitruv, Monsignore Claudio Tolomei, bei Lodovico
Beccadelli, Erzbischof von Ragusa, bei den Litteraten: Annibale Caro, von dem er gesagt hat, „es sei ihm leid, dass er
nicht schon früher mit ihm umgegangen sei, da er ihn sehr
nach seinem Geschmacke gefunden habe", Donato Giannotti
und Benedetto Varchi, ferner bei Giovanni Francesco Lottini
von Volterra, Leonardo Malespini, Lorenzo Ridolfi, Battista
della Palla, und endlich, wie schon erwähnt, bei Luigi del
Riccio und Tommaso Cavalieri, von denen noch ausführlicher
gehandelt werden wird. Fast alle Diese sind uns noch heute
wohlbekannt als Vertreter der jene Zeit verklärenden hohen
Geisteskultur und der zarten Formenbildung, welche, vor den
meisten anderen Künstlern ihn auszeichnend, seit den Jugendjahren, da er in Lorenzo Medicis Haus lebte, in höchstem
Sinne Michelangelo selbst zu eigen waren und in denen er
einzig geselliges Genüge finden konnte. Andere, wie Francesco Peri, Giovanni Fattucci (Kanonikus von S. Maria del
Fiore), Bartolommeo Angiolini, Giovanni Spina und Manche

sonst standen mit ihm in vertrauterem geschäftlichen und gemüthlichen Verkehr.

Warme Herzlichkeit und heitere Ausgelassenheit, wie wir sie schon aus den familiären Briefen kennen gelernt haben, kennzeichnen den Umgang mit den näheren Freunden, rücksichtsvolle Verbindlichkeit und ausgesuchte Höflichkeit jenen mit den Fernerstehenden. So bewährte er Dantes Wort:

Amore e cor gentil sono una cosa.

„Er ist eine Persönlichkeit von so feiner Sitte und so gewinnenden Formen, wie es wohl kaum eine zweite in Europa jetzt giebt," schreibt Donna Argentina Malaspina 1516 an ihren Bruder. (Frey: Briefe, S. 28.)

Den besten Aufschluss hierüber geben wiederum die Briefe, in denen uns allerorten Sätze wie diese begegnen: „Für alle Dienste, die Ihr mir geleistet und Mühsal, die Ihr mit mir gehabt, bleibe ich Euch ewig verpflichtet und biete mich Euch, so wenig ich auch bin, mit Allem, was ich habe und kann, dar." Was in jener Zeit bereits zu einem blossen „Formelwesen" in der Korrespondenz entartet war: die gewählte Ausdrucksweise, entspricht bei ihm stets der Gesinnung.

Als charakteristisch für die edle und geistvolle Fassung liebenswürdigen Empfindens, und das bisher Mitgetheilte zu ergänzen geeignet, seien einige solche Schreiben hier gegeben. Zunächst jenes, das er in Beantwortung eines für die Gestaltung des „Jüngsten Gerichtes" Vorschläge machenden Briefes an den ebenso durch seinen Geist, wie durch seine Unverschämtheit ausgezeichneten Litteraten Pietro Aretino in Venedig richtet:

„Erlauchter Herr Pietro, mein Herr und Bruder! Beim Empfange Eures Briefes habe ich Freude und Schmerz zu gleicher Zeit empfunden: erfreut wurde ich dadurch, dass er von Euch, der Ihr einzig an Begabung in der Welt seid, kam, zugleich aber habe ich bedauert, da ich schon einen grossen Theil meines Gemäldes beendigt habe, nicht mehr Eure Phantasie verwirklichen zu können, welche von solcher Beschaffenheit ist, dass, wäre der Tag des Gerichtes schon gewesen und Ihr hättet ihn persönlich mit erlebt, Eure Worte ihn nicht besser hätten schildern können. Um jetzt aber bezüglich dessen zu antworten, dass Ihr über mich schreiben wollt, so sage ich, dass mir dies nicht nur sehr werth ist, sondern flehe Euch an, es zu thun, denn Könige und Kaiser betrachten es als grösste Gunst, von Eurer Feder genannt zu werden. Einstweilen, wenn ich irgend Etwas habe, was Euch gefalle, so biete ich es Euch aus ganzem Herzen an. Und schliesslich brecht nicht Euren Entschluss, nicht nach Rom zu kommen, bloss aus Rücksicht darauf, das Gemälde, welches ich mache, sehen zu wollen. Das wäre zu viel der Ehre. Ich empfehle mich Euch. — Michel Agnolo Buonarroti." (Lett. S. 472.)

Mit mehr Grazie kann man nicht einem gefährlichen Aufdringlichen begegnen. Als später Aretino durch Drohungen ein Geschenk von dem Künstler erzwingen wollte, hat Dieser, sonst so freigebig, seine Hand verschlossen gehalten, wofür sich der erbärmliche Mann mit hämischen Verdächtigungen gerächt hat.

Einen Dank drückt der folgende an Messer Niccolò Martini adressirte Brief aus (20. Januar 1542).

„Ich habe von Messer Vincenzo Perini einen Brief von Euch mit zwei Sonetten und einem Madrigal erhalten. Der an mich gerichtete Brief und das Sonett sind so bewundernswürdig, dass Keiner so „korrekt" sein könnte, in ihnen etwas zu finden, das zu korrigiren wäre. Wahr ist es, sie ertheilen mir so hohes Lob, dass, trüge ich das Paradies selbst im Busen, viel weniger Lobsprüche schon genügen würden. Ich sehe, Ihr habt Euch ein Bild von mir gemacht, als sei ich Der, den Gott hätte aus mir machen wollen. Ich bin ein armer Mensch und von wenig Werth und gehe dahin und mühe mich ab in der Kunst, die Gott mir gegeben hat, um mein Leben, so sehr ich kann, zu verlängern, und so wie ich bin, bin ich Euer und des ganzen Hauses Martelli Diener; und für den Brief und die Sonette danke ich Euch, aber nicht so sehr, als ich verpflichtet wäre, denn zu so hoher Verbindlichkeit reiche ich nicht hinan. Ich bin immer der Eure. Michelagniolo Buonarroti." (Lett. S. 473.)

Dichterische Form gewinnt der Dank für ein reiches von einem uns unbekannten Geber gemachtes Geschenk:

Durch Zucker, Kerzen und dazu ein Maulthier,
Auch eine grosse Flasche Malvasir,
Werd' über alles Maass ich so beschenkt,
Dass ich Sankt Michael die Waage lasse.

Zu gutes Wetter macht mir schlaff die Segel,
Und ohne Wind verliert mein schwacher Kahn
Den Weg im Meer: mir däucht, als sei er nur
Ein Hälmchen auf den grausam rauhen Fluthen.

Im Anblick solcher Huld, so grosser Gabe:
Der Speise, des Getränks, der Gehbeförd'rung,
Die jegliches Bedürfniss liebreich stillen,

Wohl wär' es Nichts, mein theurer Herr, zum Lohne
Mich selber, wie ich bin, Euch ganz zu geben,
Denn seine Schuld bezahlen, heisst nicht schenken.
(Guasti S. 164; Frey CLXI.)

Ein Schreiben an Luca Martini dankt für den Kommentar, den Benedetto Varchi zu einem Sonette Michelangelos gemacht hat (1549).

„Erlauchter Messer Luca. — Ich habe von Messer Bartolommeo Bettini Euer Schreiben mit einem Büchlein, das einen Kommentar über eines meiner Sonette enthält, empfangen. Das Sonett kommt wohl von mir, aber der Kommentar kommt vom Himmel. Er ist wahrlich bewundernswürdig: das ist nicht mein Urtheil, sondern dasjenige von bedeutenden Männern und namentlich von Donato Giannotti, der nicht müde wird, ihn zu lesen und sich Euch empfiehlt. Was das Sonett anbetrifft, so weiss ich wohl, was es werth ist; aber wie es auch sei, kann ich doch nicht umhin, ein wenig Eitelkeit zu empfinden, Veranlassung zu einem so schönen und gelehrten Kommentar gegeben zu haben. Und da ich aus den Worten und Lobsprüchen des Autors ersehe, dass er Das ist, was ich nicht bin, so bitte ich Euch, für mich die Worte ihm gegenüber zu finden, wie sie so grosser Liebe, Wohlwollen und Verbindlichkeit entsprechen. Ich bitte Euch hierum, da ich meinen geringen Werth fühle; und wer in gutem Rufe steht, soll nicht das Schicksal versuchen. Besser ist es zu schweigen, als von der Höhe herabzustürzen. Ich bin alt und der Tod hat mir die Gedanken der Jugend genommen; und wer nicht weiss, was das Alter ist, habe Geduld, bis er es erreicht, denn früher kann er es nicht kennen. Empfehlt mich, wie gesagt, dem Varchi als Einen, der ihm und seiner Tugend in Liebe ganz ergeben ist und zu seinen Diensten, wo immer es ist, bereit."

„Der Eure und Euch zu Diensten in allen nur möglichen Dingen. Michelagniolo Buonarroti in Rom." (Lett. S. 524.)

An letzter Stelle stehe das Schreiben, mit welchem der Meister eine Bitte des Königs von Frankreich, Franz' I., beantwortet (26. April 1546).

„Heilige Majestät. — Ich weiss nicht, was grösser sei, meine Dankbarkeit oder meine Verwunderung darüber, dass Euere Majestät geruht haben, an Einen meinesgleichen zu schreiben, und mehr noch: von mir eine Arbeit zu verlangen, die doch des Namens Euerer Majestät nicht würdig ist: aber wie es auch sei, so möge Euere Majestät doch wissen, dass ich schon seit langer Zeit gewünscht habe, Derselben dienen zu können, es aber nicht vermocht habe, da keine Gelegenheit sich meiner Kunst bot, sintemalen Euere Majestät nicht nach Italien kam. Jetzt bin ich alt und für mehrere Monate noch mit Aufträgen des Papstes Paul beschäftigt; wenn mir aber nach diesen Geschäften noch eine Frist Zeit bleibt, so werde ich mich bemühen, Das, was ich, wie gesagt, schon seit lange für Euere Majestät zu machen ersehnt habe, zur Ausführung zu bringen, nämlich ein Werk von Marmor, eines von Bronze, ein Gemälde. Und wenn der Tod diesen meinen Wunsch vereitelt und man in einem andren Leben meisseln oder malen kann, so werde ich dort, wo man nicht mehr altert, es nicht an mir fehlen lassen. Ich bitte Gott, dass er Euerer Majestät ein langes und glückliches Leben gebe."

Euerer Christlichen Majestät unterthänigster Diener Michelagniolo Buonarroti." (Lett. S. 519.)

Verborgene Wege der Liebesbethätigung sind es, auf denen wir Michelangelo zu folgen haben, wollen wir den ganzen Kreis der Herzensbeziehungen durchmessen, die er, Gemeinschaft suchend, zu den Menschen gewann — Wege, welche zu der Armuth und dem Elend führten. So geheim hat er die Werke der Wohlthätigkeit, die er im Stillen ausübte, selbst gehalten, dass auch die nächsten Verwandten wohl nur um diejenigen wussten, die sie selbst zu vermitteln hatten. Freunden, die an seinem Leben Theil nehmen durften, konnte freilich seine Barmherzigkeit nicht verborgen bleiben, und als die Verleumdung es wagte, ihn geizig zu schelten, bloss weil er in höchster Einfachheit lebte, erhoben Condivi und Vasari in Empörung ihre Stimme. Er geizig, der den Geiz „die grösste Sünde" nannte, der seine Familie, seine Schüler mit seiner Hände Arbeit unterhielt und freudig sein Lebenlang die eigenen Kunstwerke an Freunde verschenkte!

„Es giebt Leute, welche ihn für geizig gehalten haben", schreibt Vasari, der wohl im Besonderen hierbei an die giftige Zunge Pietro Aretinos denken mochte, „aber sie täuschen sich, denn sowohl in Bezug auf seine Kunstwerke, als auf sein Vermögen hat er das Gegentheil bewiesen. Was die Kunstwerke anbetrifft, so hat er, wie schon früher gesagt wurde, an Messer Tommaso de' Cavalieri, Messer Bindo und an Fra Bastiano Zeichnungen geschenkt, die einen hohen Werth hatten; an Antonio Mino, sein Geschöpf, alle Zeichnungen, alle Kartons, das Gemälde der Leda, alle seine Modelle, sowohl die in Wachs als die in Thon, die er je gemacht, was Alles, wie gesagt, in Frankreich blieb; an Gherardo Perini, einen florentinischen Edelmann, seinen vertrautesten Freund, einige göttlich schöne Köpfe mit schwarzem Stift auf drei Kartons gezeichnet, welche später in den Besitz des erlauchtesten Don Francesco, Fürsten von Florenz, der sie verdientermaassen wie Kleinodien schätzt, gelangten. Dem Bartolommeo Bettini schenkte er den Karton einer Venus mit einem Cupido, der sie küsst, ein göttliches Werk, heute im Besitz der Erben in Florenz; und für den Marchese del Vasto machte er einen Karton mit dem „Noli me tangere",

Thode, Michelangelo I.   7

ein seltenes Werk: beide Kartons führte dann Pontormo ausgezeichnet in Malerei aus. Die zwei „Gefangenen" schenkte
er an Herrn Roberto Strozzi, und an seinen Diener Antonio
und an Francesco Bandini die Pietà aus Marmor, welche zerbrach. Ich weiss nicht, wie man diesen Mann, der solche
Werke im Werthe von Tausenden von Skudi verschenkt, des
Geizes zeihen darf? .... Aber kommen wir zu dem Gelde,
das er mit seinem Schweiss, nicht durch Einkünfte oder
Wechsel, sondern durch seine Mühe und Arbeit gewonnen
hat: kann man Den geizig nennen, der, wie er, viele Arme
unterstützte und heimlich eine grosse Zahl von Mädchen ver-
heirathete und Jeden bereicherte, der ihn bei seinen Werken
unterstützte und ihm diente: wie Urbino, seinen Diener, den
er sehr reich gemacht hat! Der war sein Geschöpf und
hatte ihm lange Zeit gedient, da sagte Michelangelo zu ihm:
‚Was wirst du thun, wenn ich sterbe?‘ Er antwortete:
einem Anderen dienen! ‚O du Armer‘, sagte Michelangelo
zu ihm, ‚ich will deinem Elend abhelfen‘, und gab ihm zwei-
tausend Skudi auf einmal: ein Geschenk, wie es die Kaiser
und Päpste zu machen pflegen. Ohne zu erwähnen, dass er
dem Neffen einmal drei-, ein anderes Mal viertausend Skudi
gegeben und ihm am Ende zehntausend Skudi, die Werke,
die er in Rom hatte, nicht gerechnet, hinterlassen hat."
    Die Angaben Vasaris haben durch die Briefe und Doku-
mente ihre volle Bestätigung gefunden: es sind besonders
verschämte Arme aus vornehmen Häusern und arme Mädchen,
denen der Meister Hülfe angedeihen lässt. Die uns erhaltenen
näheren Nachrichten beziehen sich alle auf geheime Wohlthaten, welche er in Florenz ausgeübt: über Das, was er
persönlich in Rom gethan, sind uns wenige Aufzeichnungen
hinterlassen, da er derartige Ausgaben in seinen Ricordi
nicht niederschrieb. Das früheste Zeugniss von seiner Mild-
thätigkeit, das uns erhalten ist, findet sich in einem Briefe
vom Jahre 1508 an seinen Vater:
    „Ich habe in diesen Tagen einen Brief von einer Nonne
erhalten, welche behauptet, unsere Tante zu sein, und sich
mir empfiehlt und sagt, sie sei sehr arm und in grösster
Noth und mich um ein Almosen bittet. Anbei sende ich

Euch fünf grosse Dukaten, von denen Ihr ihr aus Liebe zu
Gott vier und einen halben geben sollt, und von dem halben,
der übrig bleibt, bittet Buonarroto oder Francesco Granacci
oder irgend einen anderen Maler, eine Unze Lack oder, so
viel man für das Geld erhält, zu kaufen, vom besten, der
sich in Florenz findet; und wenn nicht sehr schöner sich
findet, lasst es dabei bewenden. Besagte Nonne, unsere
Tante, befindet sich, glaube ich, im Kloster von S. Giuliano.
Ich bitte Euch, unterrichtet Euch darüber, ob es wahr ist,
dass sie in so grosser Noth sei, denn sie schreibt es mir in
einer gewissen Art, die mir nicht gefällt. Daher ich Zweifel
habe, ob es nicht irgend eine andere Nonne sei, und daher
besser nicht geschehe. Seht Ihr, dass es nicht wahr ist, so
nehmt das Geld für Euch." (Lett. S. 15.)

Von seiner Nichte Francesca (Cecca), welche er im
Kloster von Boldrone untergebracht hatte, spricht eine Notiz
über einen dort 1533 gemachten Besuch: ich gab der Äbtissin drei Goldskudi a conto der Provision, welche ich besagtem Kloster für die Cecca gebe." Weitere Angaben seien
im Folgenden aneinandergereiht.

„Was das Almosen anbetrifft, so genügt es mir, dessen
gewiss zu sein, dass ihr es gemacht habt, und es genügt,
die Empfangsbescheinigung des Klosters zu haben, und von
mir habt ihr keinerlei Erwähnung zu machen." (1547. Lett.
S. 205.) — „Mir scheint, du (Lionardo) verabsäumst das
Almosen zu sehr: wenn du nicht von dem meinigen für die
Seele deines Vaters giebst, so wirst du es noch viel weniger
von dem deinigen thun." (Lett. S. 206.)

„Gieb von dem, was ich dir senden werde, an jene Frau,
was dir gut dünkt." (Lett. S. 211.) „Ich erhielt die Empfangsbescheinigung über die 550 Goldskudi. Du schreibst
mir, dass du hiervon vier Goldskudi an jene Frau aus Liebe
zu Gott geben willst: das gefällt mir. Von dem Übrigen
wünsche ich, dass noch bis 50 Skudi aus Liebe zu Gott verschenkt werden, theils für die Seele deines Vaters Buonarroto,
theils für die meinige. Trachte daher danach, von irgend
einem bedürftigen Bürger zu hören, welcher Töchter zu verheirathen oder ins Kloster zu bringen hat, und gieb ihm das

7*

Geld, aber heimlich, und gieb Acht, nicht betrogen zu werden, und lass dir eine Empfangsbescheinigung geben und sende sie mir, denn ich spreche von Bürgern und von Solchen, welche in der Noth sich schämen, betteln zu gehen." (1547. Lett. 213.)

„Ich habe heute, am 29. März 1549, durch Urbino an Bartolommeo Bettini 50 Golddukaten geschickt, damit er damit thue, was ich dir geschrieben habe. Du hast mir von Einem der Cerretani Nachricht gegeben, der eine Tochter ins Kloster zu bringen hat: ich habe davon keine nähere Kenntniss. Gieb Acht, dort zu geben, wo es Noth thut, und nicht aus Freundschaft, aus Verwandtschaft, sondern bloss aus Liebe zu Gott, und lasse dir eine Bescheinigung geben, und sag' nicht, woher das Geld kommt." (Lett. S. 244.)

„Es wäre mir lieb, wenn du irgend einen edlen Bürger in der grössten Noth wüsstest, namentlich einen, der Töchter im Hause hat, und mich davon benachrichtigest, da ich ihm eine Wohlthat für meine Seele erweisen möchte." (1550. Lett. S. 270.)

„Ich erhielt einen Brief von der Francesca, in dem sie mich bittet, ein Almosen von zehn Skudi an ihren Beichtvater für ein armes Mädchen zu machen, welches er in das Kloster von S. Lucia bringt. Ich will es aus Liebe zu Francesca thun, denn ich weiss, sie würde mich nicht darum bitten, wenn es nicht ein wohlangebrachtes Almosen wäre." (1556. Lett. S. 321.)

„Bezüglich des Trebbianoweines, von dem du mir schreibst, brauchst du dich nicht zu entschuldigen: aber ein anderes Mal wäre es mir lieber, du gäbest das Geld, welches du für solche Sendung ausgiebst, den Armen aus Liebe zu Gott, denn ich glaube, es herrscht dort Noth und, wie man hier sagt, habt ihr Theuerung." (1558. Lett. S. 343.)

„Und jetzt, da ich alt bin, wie du weisst, möchte ich dort für meine Seele irgend eine Wohlthat in Almosen thun. Denn auf andere Weise kann ich und weiss ich nicht Gutes zu thun. Zu diesem Zwecke möchte ich in Florenz eine gewisse Summe von Skudi auszahlen lassen, die du dort vertheiltest oder vielmehr als Almosen gäbest, wo es am meisten Noth thut. Es werden etwa 300 Skudi sein." (1561. Lett. S. 361.)

Solche grossartige Freigebigkeit ist aber nicht auf Florenz beschränkt geblieben, sondern auch in Rom hatte die Ar-

muth an Michelangelo einen treuen Freund; hiervon sind uns
wenigstens zwei Zeugnisse erhalten. Das eine bei Vasari,
welcher erzählt, wie der Meister gelegentlich des Gerüstauf-
baues in der Sixtinischen Kapelle einem armen Schreiner die
Mitgift für eine seiner Töchter schenkte, das andere in folgendem Ricordo:

„Es sei zu wissen gethan, dass ich Michelagniolo Buonarroti am heutigen Tage, dem 1. Januar 1554, mit der Absicht
sie zu verheirathen, eine Tochter des Krämers Michele vom
Macello dei Corvi, Namens Vincenzia, in mein Haus genommen habe, unter dieser Bedingung, dass nach Ablauf von
vier Jahren, falls sie seelisch und körperlich sich wohl beträgt,
ich verpflichtet sei, ihr eine Mitgift von fünfzig Skudi in
Gold zu geben; so verspreche ich es unter der Bedingung,
dass besagte Mitgift sicher angelegt werde, und zur Beglaubigung dessen habe ich, Michelagniolo, dies mit eigener
Hand ausgestellt." (Ricordi S. 606.)

Eine Hinzufügung zeigt, dass des Künstlers gute Absicht
durch Vincenzias Familie selbst vereitelt worden ist:

„Heute, am 6. September 1555, ist Jacopo, Bruder der
Vincenzia, in mein Haus gekommen und hat, Urbino, der
krank im Bette lag, mit Gewalt bedrohend, sie aus dem
Hause genommen und weggeführt."

Eine herrschende Kraft nur ist es, deren verschiedene
Ausstrahlungen alle jene Grundeigenschaften der Seele sind,
welche für das Verhältniss Michelangelos zu den Menschen
entscheidend waren: die Liebe! Treue und Langmuth, Milde
und Gerechtigkeit, Barmherzigkeit und Demuth: in diesen
Tugenden, die sein Handeln und Meinen bestimmen, werden
die feurigen Impulse seines Gemüthes zu einer sein ganzes
Wesen durchdringenden und erwärmenden Macht. Er selbst
hat es, wie in Donato Giannottis Dialog zu lesen ist, ausgesprochen: „von allen Menschen, die je geboren worden
sind, ist keiner von der Natur so zur Liebe veranlagt worden wie ich!"

STOLZ

Es ist schon oben angedeutet worden, in welch tiefem, geheimnissvollem Zusammenhange mit der Güte einer edlen Seele der Stolz steht, wie in ihm nichts Anderes als die einer feindlichen Welt gegenüber sich selbst aufrecht erhaltende Kraft der Liebe und zugleich des Glaubens zu gewahren ist. Auch des Glaubens, denn der Stolz wurzelt in dem starken Gefühl für die ewige Bedeutung des Sittlichen und für die Verpflichtung des Einzelnen, sich ein Gesetz zu schaffen, welches die Willkür des Egoismus hemmt und der freien Bethätigung der Liebe die Bahnen öffnet. Folgte die Welt einzig dem Herrscherwort der Liebe, so hätte der Stolz sein Recht verloren: inmitten der Lieblosigkeit aber wird er Stütze und Werkzeug der Seele, die nach dem Vollkommenen in sich und nach der Harmonie allgemein menschlicher Ordnung strebt. Wahrhaftigkeit, Redlichkeit und Keuschheit, Grossmuth, Selbstvertrauen und Unabhängigkeitsgefühl sind die in ihm begründeten Tugenden.

Einzelne Zeugnisse für die unbeirrbare Wahrhaftigkeit und unantastbare Lauterkeit des Charakters Michelangelos beibringen wollen, hiesse dem Andenken des erhabenen Mannes, welcher von sich sagen durfte: „in allen meinen Dingen bin ich nur auf Wahrheit bedacht", zu nahe treten. Sein ganzes Leben, dessen Thätigkeit unter den unerhört schwierigsten Verhältnissen und Verwirrungen zu leiden hatte, ist ein grosses Zeugniss! Seine Briefe und seine Ricordi lassen die strenge Gewissenhaftigkeit, mit welcher er das Grösste wie das Kleinste behandelte, in hellem Lichte erscheinen. Man lese nur Stellen wie die in einem Briefe aus Rom 1509: „seit einem Jahre habe ich keinen Groschen vom Papst gehabt und verlange es auch nicht, weil meine Arbeit nicht so vorwärts schreitet, dass ich glaubte, ein Recht darauf zu haben" (Lett. S. 17) — oder in jenen Zeilen vom Jahre 1561, welche darum bitten, ihm den mit dem Kardinal Francesco Piccolomini 1501 abgeschlossenen Kontrakt, betreffend die für den Dom von Siena bestimmten Statuen, zu suchen und zu schicken, weil er diese wegen gewisser Meinungsverschiedenheiten fünfzig Jahre lang im Stich gelassenen Arbeiten ausführen wolle (Lett. S. 362) — oder die Worte in einem Schreiben (1518) über den Christus der Minerva, welchen Metello Varj bei ihm bestellt hatte: „ich habe Varj nicht mehr geantwortet und werde auch Euch nicht mehr schreiben, bis ich die Arbeit nicht begonnen habe, denn ich sterbe vor Schmerz darüber und komme mir selbst wie ein Gauner vor" (Lett. S. 398) — oder das Anerbieten, welches der Meister später Varj macht, an Stelle der von Urbano ungeschickt vollendeten Statue eine neue anzufertigen. Eben diese Gewissenhaftigkeit wird freilich häufig Veranlassung zu Leiden. Kleinste Unfälle, die ihm bei der Arbeit begegnen, wie das Zerbrechen einer Säule in Seravezza 1518, daran er selbst Schuld zu haben meint, können ihn ausser sich bringen. Vornehmlich aber treibt das Gefühl der Verantwortlichkeit ihn dazu, Alles selbst machen zu wollen. Jahre seines Lebens, wie die in den Steinbrüchen verbrachten, sind seiner künstlerischen Arbeit verloren gegangen, bloss weil er in jenem, dem Starken besonders eigenen, fast übertriebenen Pflichtgefühl zu Vieles auf seine Schultern nehmen wollte. Dies ist zu beklagen, aber statt zum Vorwurfe, wie Einige wollen, gereicht es seinem Wesen zur höchsten Ehre.

Trotz solcher Erfahrungen, die ein Jeder, der mit Michelangelo zu thun hatte, machte, durfte die Verleumdung es wagen, seine integre Rechtlichkeit anzugreifen und ihn an der Stelle zu verwunden, welche die empfindlichste war. Man benutzte den Konflikt, in welchen ihn die Medici bezüglich der Ausführung des Juliusdenkmals mit den Erben Julius' II. und mit sich selbst versetzt hatten, um wider ihn die offene Anklage, sei es der Trägheit, wovon uns die Briefe der Freunde in

Rom 1518 berichten, sei es der Unredlichkeit zu erheben. Anschuldigungen, denen freilich ein Mann, wie der Kardinal Aginensis, ein Vertrauen gegenübersetzte, das sich in folgenden Worten eines Briefes (23. Oktober 1518) ausdrückt: „Wir glauben einem einzigen kleinsten Worte von Euch mehr, als dem Gegentheil, und wenn es die ganze übrige Welt behauptete." (Frey: Briefe, S. 122.) Das Vertheidigungsschreiben, welches Michelangelo später an eine vornehme Person des päpstlichen Hofes zu richten sich genöthigt sah, ist uns erhalten und lehrt uns in der einfachen klaren Darlegung aller Thatsachen die ganze Leidensgeschichte, wie er in seinem grössten künstlerischen Vorhaben durch Neid und durch Ungunst des Schicksales während Jahrzehnten gehemmt und dabei doch mit immer neuen Verpflichtungen an dasselbe gefesselt ward, kennen.

„Jener Gesandte", so beginnt die Schilderung, „hat gesagt, ich hätte das Geld des Papstes Julius auf Zinsen ausgeliehen und mich mit denselben bereichert: als hätte Papst Julius mir die 8000 Dukaten pränumerando ausgezahlt." Es folgt der Nachweis der Unwahrheit dieser Behauptung. Dann fährt er fort: „eine Schuld aber will ich Euerer Herrlichkeit beichten: als ich mich dreizehn Monate lang wegen jenes Grabmales in Carrara aufhielt und mir das nöthige Geld fehlte, habe ich 1000 Skudi, welche mir Papst Leo für die Fassade von S. Lorenzo oder vielmehr, um mich für sich beschäftigt zu erhalten, gesandt hatte, für die Marmorblöcke an jenem Werke verwendet: und zugleich hielt ich ihn mit Worten hin und zeigte mich schwierig: das that ich aus Liebe zu jenem Werk. Und dafür zahlt man mich jetzt, indem Ignoranten, die damals gar nicht auf der Welt waren, sagen, ich sei ein Dieb und Wucherer."

„Ich schreibe diese Geschichte Euerer Herrlichkeit, weil mir daran liegt, mich vor Ihnen zu rechtfertigen, gleichsam wie vor dem Papste selbst, dem man schlecht von mir gesprochen hat, wie mir Messer Piergiovanni schreibt, welcher sagt, er habe mich zu vertheidigen gehabt; und falls Euere Herrlichkeit die Gelegenheit findet, zu meiner Vertheidigung ein Wort zu sagen, so thuen Sie es, denn ich schreibe die

Wahrheit: vor den Menschen, ich sage nicht vor Gott, halte ich mich für einen rechtschaffenen Menschen, denn ich habe nie Jemand betrogen: soll ich mich aber vor Schurken vertheidigen, so muss ich wohl manchmal, wie Ihr seht, zum Narren werden. Ich bitte Euere Herrlichkeit, wenn Sie Zeit haben, diese Geschichte zu lesen und zu wissen, dass für die meisten der angegebenen Thatsachen noch Zeugen vorhanden sind. Auch wäre es mir lieb, dass der Papst sie sähe, ja die ganze Welt, denn ich schreibe die Wahrheit und zwar viel weniger, als zu sagen wäre, und ich bin kein Dieb und Wucherer, sondern ein florentinischer Bürger, edelgeboren und Sohn eines ehrlichen Mannes und stamme nicht von Cagli."

„Als ich fertig geschrieben hatte, kam eine Botschaft von dem Gesandten von Urbino, des Inhalts, ich solle, falls ich eine Rechtfertigung zu erhalten wünsche, vorher mein Gewissen reinigen. Ich aber sage: er hat sich in seinem Herzen einen Michelagniolo gemacht von dem Stoffe, aus dem sein eigenes Herz besteht." (Lett. S. 489 ff.)

Dasselbe Wort: „sie haben sich einen Michelangelo gemacht aus der Schlechtigkeit ihres eigenen Herzens heraus" kann man auch auf alle Diejenigen, Pietro Aretino an der Spitze, anwenden, welche sich nicht entblödeten, Verdächtigungen über die Sittlichkeit des Künstlers zu verbreiten. Was die Bosheit ausstreute, wurde von niedrig Gesinnten aufgefangen und gewann doch so viel Boden, dass Condivi seinen Meister vertheidigen zu müssen glaubte. Wie erbärmlich nichtig diese Anschuldigungen gewesen, wie mehr als in anderen gerade in ihnen sich die gänzliche Unfähigkeit kleiner Seelen, die höchsten künstlerischen Erregungen des Genies nachzuempfinden, verräth, dies wird uns noch später beschäftigen. An dieser Stelle mögen Condivis Worte genügen: „Ich habe den Michel Angelo zu öfteren Malen selber über die Liebe sprechen und sich unterreden hören, und habe dann auch von Jenen gehört, die anwesend waren, dass er von der Liebe nicht anders gesprochen, als davon im Platon geschrieben steht. Ich meinestheils weiss nicht, was Platon darüber sagt, aber ich weiss wohl, dass ich, nachdem ich

so lange und innig mit ihm verkehrt habe, aus seinem
Munde Nichts als die ehrbarsten Reden habe hervorgehen
gehört, welche wohl die Macht hatten, in der Jugend jede
wüste und zügellose Begierde auszulöschen, die in derselben
entstehen mochte."

Welchem Missverständnisse aber Michelangelo sein Wesen
auch ausgesetzt sah: in sich selbst, in dem Bewusstsein des
reinen hohen Willens, der durch ihn wirkte, hat er nach
kurzer Empörung immer wieder die Ruhe und das Gleichgewicht gefunden. Was wussten die Anderen von der Seligkeit der Stunden, in welchen er, ewige Werke planend, die
Kraft sie auch zu verwirklichen in sich fühlte, von Augenblicken, wie jenen, die ihn in die Worte über das Juliusdenkmal ausbrechen liessen: „es soll ein schönes Werk werden,
ja ich bin dessen gewiss, dass seinesgleichen nicht auf der
ganzen Welt zu finden sein wird" (Lett. S. 378), oder über die
Fassade von S. Lorenzo: „es wird das schönste Werk, das jemals in Italien entstanden, werden, so Gott mir hilft — ein
Spiegel der Architektur und Skulptur für ganz Italien." (Lett.
S. 394, 383.)

Wer solches von sich sagen konnte, wer sich als aus-
erkorenen Verkündiger höchster künstlerischer Ideale betrachten und von niedrigen Gegnern (Nanni di Baccio) sagen
durfte, „es lohne sich nicht mit ihnen zu kämpfen, denn der
Sieg habe keine Bedeutung", Der hatte nicht sich selbst,
sondern die Würde der Kunst vor Schmach und Unbill der
Welt zu retten. In jedem Augenblicke seines Lebens ist sich
Michelangelo der Verantwortlichkeit, welche sein Genie ihm
auferlegte, bewusst gewesen. Vor den Geringsten sich de-
müthigend als schwacher, irrender Mensch, hat er, ein Wahrer
und Vertreter des Künstlerthumes, mit Päpsten verkehrt, als
seien sie seinesgleichen. Scheu, ja ängstlich und hülflos
gegenüber den Intriguen einer vom Eigennutz getriebenen,
gewaltthätigen Gesellschaft, tritt er mit rückhaltlosem Frei-
muth und mit Kühnheit allen Forderungen entgegen, in denen
er, von zartester Empfindlichkeit des Ehrgefühles, eine Be-
leidigung der freien Mannes- und Künstlerehre gewahrt. „Ich
weiss nicht, was schwerer wiegt, Tadel oder Tod!" (Lett.

S. 520), „Ehre gilt mehr als Vermögen", solche Sätze
kehren in seinen Briefen häufig wieder und kennzeichnen sein
Verhalten in allen entscheidenden Situationen.

Keinem Anderen gegenüber aber hat sich sein Selbst-
gefühl in so drastischer Weise geäussert, wie dem Papste
Julius II., dessen Leidenschaft und Rücksichtslosigkeit häufig
in heftigen Äusserungen und Handlungen ausbrach, dessen
Theilnahme und Bewunderung für den Künstler aber andrerseits im bedeutenden Moment immer wieder durch Wort und
That zum Ausdruck kam. Bekannt ist der Bruch zwischen
den beiden Männern im Jahre 1506. Julius II. hatte Michelangelo die Ausführung seines Denkmales übertragen, liess
aber, kaum dass der Meister zu arbeiten begonnen, den Plan
fallen, um Bramantes Unternehmen des Neubaues der Peterskirche zu befördern. Die Art, wie die Dinge zu einer plötzlichen Entscheidung gelangten, schildert Michelangelo selbst:
„Da ich den Papst drängte, so viel wie möglich die Sache
zu betreiben, liess er mich eines Morgens, als ich ihn in
dieser Angelegenheit sprechen wollte, durch einen Reitknecht
fortschicken. Ein Bischof von Lucca, der dies sah, sagte
zu dem Reitknecht: ,Ihr kennt wohl Diesen nicht?' Der
Reitknecht sagte zu mir: ,verzeiht mir, Herr, aber ich habe
Auftrag, so zu handeln.' Ich ging nach Hause und schrieb
Folgendes an den Papst: ,Heiliger Vater: ich bin heute
Morgen im Auftrag von Euerer Herrlichkeit aus dem Pallaste
gejagt worden; in Folge dessen thue ich Euch zu wissen,
dass Ihr mich von jetzt an, falls Ihr mich wollt, anderswo
als in Rom suchen könnt.' Und sandte diesen Brief an den
Marschall Messer Agostino, dass er ihn dem Papste gäbe;
und zu Hause rief ich einen Zimmermann Cosimo, der bei
mir wohnte und die Geräthe für mein Haus machte, und
einen Steinmetz, der heute noch am Leben ist und auch bei
mir wohnte, und sagte ihnen: ,sucht einen Juden und verkauft, was in meinem Hause ist und kommt nach Florenz.'
Und ich ging und stieg in die Post und fuhr fort nach
Florenz zu. Der Papst, der meinen Brief erhalten hatte,
sandte mir fünf Reiter nach, die mich ungefähr um 3 Uhr
Nachts in Poggibonsi erreichten und mir vom Papste einen

Brief übergaben, welcher sagte: ‚sofort nach Empfang Dieses
hast du, unter Strafe Unsrer Ungnade, nach Rom zurückzukehren.‘ Die Reiter wollten eine Antwort von mir, zum
Zeichen, dass sie mich gefunden. Ich erwiderte dem Papste,
dass ich zurückkehren würde, sobald er aufrecht erhielte, wozu
er sich mir verpflichtet, andernfalls solle er nicht hoffen,
mich je wieder zu haben. Während ich in Florenz war, sandte
Julius drei Breves an die Signoria. Nach Empfang des letzten
sandte die Signoria zu mir und sagte: ‚du hast dem Papst
ein Stücklein aufgespielt, wie es der König von Frankreich
nicht gethan hätte (so bei Condivi). Wir wollen nicht
deinetwegen in Krieg mit Papst Julius gerathen: so ist es
nothwendig, dass du zu ihm gehest, und willst du zu ihm
zurückkehren, so werden wir dir Briefe von solchem Gewicht
geben, dass jedes Unrecht, welches er dir anthäte, dieser
Signoria geschähe.‘ Und so thaten sie, und ich kehrte zu
dem Papste zurück." (Lett. S. 493.)

Die Schilderung des Empfanges, den der Künstler in
Bologna fand, verdient, weil sie des Papstes Verständniss, ja
Hochachtung für das Ehrgefühl Michelangelos zeigt, mit den
Worten Condivis jenem Berichte angereiht zu werden:

„Wie er nun eines Morgens in Bologna eingetroffen war
und in die Sankt Petroniuskirche ging, die Messe zu hören,
kam der Reitknecht des Papstes daher, der ihn erkannte und
ihn vor Seine Heiligkeit, die zur Tafel im Pallast der Sedici
war, führte. Der Papst, da er ihn in seiner Gegenwart erblickte,
sagte ihm mit erzürntem Gesichte: ‚An dir war es, zu
kommen und Uns aufzusuchen und du hast gewartet, dass Wir
kommen, dich zu finden‘, womit er zu verstehen gab, dass,
weil Seine Heiligkeit nach Bologna gekommen war, welcher
Ort viel näher bei Florenz liegt als Rom, der Papst gleichsam
gekommen wäre, ihn aufzusuchen. Michel Angelo kniete
nieder und bat ihn mit lauter Stimme um Vergebung, sich
entschuldigend, dass er nicht aus Bosheit gefehlt hätte, sondern aus Zorn, dieweil er es nicht hätte ertragen können, so
weggejagt zu werden, wie ihm geschehen war. Der Papst
sass da, den Kopf gesenkt, ohne Etwas zu erwidern, mit ganz
erregtem Gesicht, als ein Monsignore, den der Soderini ab-

geschickt hatte, um Michel Angelo zu entschuldigen und zu empfehlen, sich dazwischen legen wollte und sagte: ‚Eure Heiligkeit möge nicht auf seine Fehler schauen, da er aus Unwissenheit gefehlt hat. Die Maler, ausserhalb ihrer Kunst, sind alle so.' Welchem der Papst ergrimmt antwortete: ‚du sagst ihm eine Grobheit, wie Wir sie ihm nicht gesagt. Der Unwissende bist du und der Unnütze, nicht er. Geh' mir aus den Augen und·hol' dich der Henker.' Und als Der nicht ging, wurde er von den Dienern des Papstes mit tollen Püffen, wie Michel Angelo zu sagen pflegt, hinausgetrieben. Da nun der Papst seinen grössten Zorn an dem Bischofe ausgelassen hatte, rief er den Michel Angelo näher heran und verzieh ihm."

Es fehlte nicht viel, dass es später gelegentlich der Ausmalung der Sixtinischen Kapelle zu einer Wiederholung jenes Bruches in Rom gekommen wäre. Condivi erzählt: „da Michel Angelo auf Sankt Johannes nach Florenz gehen wollte, verlangte er Geld vom Papste, und als ihn Dieser frug, wann er die Kapelle fertig machen werde, antwortete ihm Michel Angelo nach seiner Gewohnheit: ‚Wann ich kann.' Der Papst, der von Natur rasch war, schlug ihn mit einem Stocke, den er in der Hand hielt, indem er sagte: ‚Wann ich kann! Wann ich kann!' Darauf kehrte Michel Angelo nach Hause zurück und machte sich bereit, ohne weiteres nach Florenz zu gehen, als Accursio dazu kam, ein sehr beliebter junger Mann, den der Papst geschickt; der brachte ihm 500 Dukaten und besänftigte ihn, so gut er konnte, und entschuldigte den Papst. Michel Angelo liess die Entschuldigung gelten und ging nach Florenz."

Ein anderes Mal war es der Künstler, welcher einem Konflikt vorbog. „Es ist wahr, dass ich Michel Angelo habe sagen hören, das Werk (die Sixtinische Kapelle) sei nicht so vollendet, als er es gewünscht hätte, weil ihn die Eile des Papstes verhinderte, welcher, da er ihn eines Tages frug, wann er diese Kapelle fertig machen würde, und er ihm antwortete: ‚Wann ich kann', ihm zornig erwiderte: ‚Du hast wohl Lust, dass ich dich von diesem Gerüste herabwerfen lasse?' Wie das Michel Angelo hörte, sprach er zu sich:

‚Herabwerfen wirst du mich nicht lassen‘, und als Jener fort
war, liess er das Gerüst auseinandernehmen und deckte das
Werk auf, am Allerheiligentage."

Nicht wenig hat solch' stolzes und selbstbewusstes Auftreten dazu beigetragen, binnen Kurzem dem Künstler eine
Stellung in Rom, ja in ganz Italien zu sichern, wie sie
vor ihm kein Zweiter inne gehabt. Gleich Julius II. haben
Leo X. und Clemens VII. erfahren, dass dieser Mann, der
einmal zu Vasari sagte: „Diejenigen, welche frühzeitig beginnen, sich zu Packeseln der Fürsten zu machen, für die
ist bis über den Tod hinaus der Sack bereit gehalten"
(Vasari, lettere S. 310), anders, wie alle sonstigen Untergebenen behandelt sein wollte, und gelernt, ihm zu begegnen,
wie seine Würde es verlangte, und ihrem Beispiel sind die
hohen Würdenträger der Kirche und die Fürsten gefolgt.

Sein ganzes Auftreten in Wort und Schrift sticht von
demjenigen aller zeitgenössischen Künstler merkwürdig ab.

Stets darauf bedacht, wie wir gesehen haben, die grösste
Höflichkeit und Zuvorkommenheit Jedem gegenüber zu wahren,
äussert er sich doch überall, wo es sich um seine Thätigkeit
und Stellung handelt, in einer alle Ausflüchte und Umschrei-
bungen verachtenden, sicheren Weise; als ein freier Mann,
der Verträge eingeht und sich durch sie gebunden weiss,
sich aber nicht befehlen lässt und das Recht der offenen
Rede für sich in Anspruch nimmt. ·

Als Beispiel hierfür diene der Brief, welchen er im Jahre
1524 von Florenz aus in Sachen der Mediceergräber an den
Papst Clemens VII. richtet:

„Heiligster Vater. Da die Vermittler häufig Ursache
grossen Ärgernisses sind, habe ich es gewagt, ohne dieselben,
direkt Euerer Heiligkeit über die Grabdenkmäler hier in
S. Lorenzo zu schreiben. Ich sage: ich weiss nicht, was
besser sei: das Schlechte, welches nützt, oder das Gute,
welches schadet. Aber ich bin dessen gewiss, verrückt und
schlecht wie ich bin, dass, hätte man mich, wie ich angefangen hatte, fortfahren lassen, heute alle die Marmorblöcke
für besagtes Werk in Florenz lägen und mit geringeren
Kosten, als es nun geschehen ist, zweckmässig behauen wären;

ja sie wären bewundernswerth, wie die, welche ich hierher geführt habe. Jetzt aber sehe ich die Sache sich in die Länge ziehen und weiss, wie es gehen wird. Daher entschuldige ich mich bei Euerer Heiligkeit, da ich, falls sich etwas ereignete, was Derselben nicht gefiele, nach meinem Ermessen keine Schuld daran trage, da ich nicht die Oberleitung gehabt habe. Und ich bitte Euere Heiligkeit, falls Dieselbe wünscht, dass ich irgend etwas mache, mir in meiner Kunst Niemand überzuordnen und mir Glauben zu schenken und freie Verfügung zu gewähren; und Euere Heiligkeit wird dann sehen, was ich ausrichten und welche Rechenschaft über mich selbst ich ablegen werde."

„Euerer Heiligkeit Diener Michelagniolo, Bildhauer in Florenz." (Lett. S. 424.)

Nur Einer, welcher seine Kunst nicht des Gewinnes, sondern höherer, rein ideeller Zwecke wegen betrieb, durfte eine solche Sprache führen. „Ich suche nicht meinen Nutzen in derartigen Dingen, sondern den Nutzen und die Ehre der Auftraggeber und des Vaterlandes", sagt er anlässlich des Baues einer Strasse, dessen Oberaufsicht er erbittet, „und ich habe die Leitung nicht verlangt, um Gewinn daraus zu ziehen, denn an dergleichen denke ich nicht, vielmehr bitte ich, die Ausführung dem Meister Donato zu übertragen, weil er tüchtig in solchen Arbeiten und treu ist." (Lett. S. 134.) So wenig auf Erwerb bedacht ist er gewesen, dass er, wie bereits mitgetheilt wurde, seine Werke in freigebigster Weise verschenkte, ja ohne jeden Lohn für die zwanzig letzten Lebensjahre nur zu Gottes Ehre die fast übermenschliche Pflicht des Baues der Peterskuppel auf sich nahm. Wer aber andrerseits mit ihm feilschen wollte, Dem ging es, wie jenem Agnolo Doni, der bei ihm, als er noch ein ganz junger Künstler war, ein Madonnenbild bestellt hatte. Michelangelo hatte 70 Dukaten gefordert. „Dem Agnolo, welcher ein sparsamer Mann war, erschien es sonderbar, so viel für ein Bild auszugeben, obgleich er wohl einsah, dass es das werth war. Er sagte dem Überbringer: 40 Dukaten seien genug, und gab sie ihm, worauf Michelangelo sie zurücksandte und ihm sagen liess, Doni solle ihm entweder 100 Dukaten oder das

Bild zurückschicken. Nun meinte Agnolo, dem das Werk
gefiel: ich werde ihm jene 70 geben. Damit war aber
Michelangelo nicht zufrieden, vielmehr wollte er nun wegen
Agnolos geringer Redlichkeit das Doppelte von dem, was
er erst verlangt hatte, so dass Agnolo, wünschte er das Bild,
140 Dukaten zu schicken gezwungen war." (Vasari.)

Wie in diesem Falle den Geiz, bestrafte er ein anderes
Mal die Unverschämtheit eines Hofmannes, welcher vom
Herzog von Ferrara gesandt war, die für Diesen gemalte
„Leda" abzuholen. „Als Jener in das Haus des Michelangelo
gekommen war und das Bild gesehen hatte, sagte er: ‚Oh!
das ist ein armseliges Ding!' Und als ihn Michelangelo frug,
was für eine Kunst er betriebe (weil er wusste, dass Jeder
am besten über die Kunst urtheilt, die er ausübt), antwortete
er spöttisch lachend: ‚Ich bin Kaufmann', vielleicht weil ihn
die Frage geärgert, und dass er nicht als Edelmann erkannt
worden, zugleich weil er den Gewerbfleiss der florentinischen
Bürger verachtete, die sich zum grössten Theile dem Handel
zugewandt haben, als ob er sagen wollte: ‚du fragst mich,
was für eine Kunst ich treibe? solltest du nicht gar glauben,
dass ich Kaufmann sei?', worauf Michelangelo, die Rede des
Edelmannes aufnehmend, sagte: ‚Ihr versteht es schlecht,
Handel zu treiben für Euren Herrn, hebt Euch weg.' Nachdem
er so den herzoglichen Boten davongeschickt hatte, gab er
bald darauf das Bild einem seiner Gesellen, der zwei Schwestern
verheirathen wollte und sich ihm empfohlen hatte." (Condivi.)

Keine andere Geschichte vielleicht verräth so deutlich,
wie diese, welch' eine hohe Auffassung von der Freiheit
künstlerischen Schaffens Michelangelo besass. „Er wollte aus
eigenem Willen, nicht auf Befehl arbeiten", sagt Berni, und
sein Streben war immer darauf gerichtet, sich möglichst allen
durch Verbindlichkeiten ihm auferlegten Verpflichtungen zu
entziehen. So lehnte er bei seinem Aufenthalte in Ferrara
die Einladung des Herzogs, im Schlosse zu wohnen, ab,
ebenso wie er in Venedig die ihm angebotene Gastfreundschaft der Signoria zurückwies und sich ein bescheidenes
Quartier auf der Giudecca miethete. Ja, selbst die einfachsten
Geschenke, wie sie ihm von seinem Neffen und ganz nahe-

stehenden Freunden dargeboten wurden, anzunehmen, war ihm peinlich, und mit dem Danke verbindet sich jedesmal die Bitte, ihm doch lieber nichts zu senden, falls er nicht selber einen Wunsch ausspreche.

Aus diesem ihn ganz beherrschenden Drange nach Unabhängigkeit und aus einer hiermit zusammenhängenden Reizbarkeit seines Ehrgefühles sind fast alle jene Äusserungen hervorgegangen, welche ihn in den Ruf der „terribilità" und der „pazzia", der Unumgänglichkeit und Absonderlichkeit gebracht haben. Die von dem frühen Mittelalter her geläufige und selbst im XV. Jahrhundert noch nicht beseitigte Auffassung, der Künstler sei Handwerker, dem man nach Belieben Aufträge giebt und der sich den Launen des Bestellers zu fügen hat, liess sich auf diesen Meister nicht anwenden, „der nicht verpflichtet sein, sondern nur aus Liebe dienen wollte" (Lett. S. 129) und seine Werke als freie Liebesgaben betrachtete. Vielleicht als der Erste in der modernen Welt hat er die Menschheit gelehrt, den Begriff des Künstlerthumes in seiner erhabensten Bedeutung zu fassen. Aber den Zeitgenossen war es um Andres zu thun. „Was würde Michelangelo sagen", so schreibt Vasari (Lett. S. 405) im Jahre 1566, mit Bezug auf Leone Leoni, „wenn er sähe, wie man jetzt lebt? Er würde sagen, dass die Kunst, welche ihn zu einem solchen Einsiedler gemacht, eine andere geworden sei, da jetzt diese Meister nicht mehr Philosophen, sondern Fürsten sind."

Suchen wir nach einer Erklärung jener für das volle Verständniss Michelangelos entscheidenden Thatsache, so haben wir sie gewiss in der tiefsten Wesensanlage, in dem eingeborenen Stolz einer unvergleichlich starken Seele zu entdecken. Daneben aber dürfen wir einen Umstand nicht übersehen, welcher den Äusserungen dieses Selbstbewusstseins einen ganz bestimmten Charakter verlieh: Michelangelo gehörte einer alten, vornehmen florentiner Familie an! Mit dem Stolz auf sein Künstlerthum verband sich der Stolz auf eine edle Geburt, ja dieser letztere bildet gleichsam den festen Grund, auf welchem seine künstlerische Freiheit ruht.

Er fühlte sich als Vertreter eines alten Geschlechts Jedem, selbst dem Vornehmsten, gleichberechtigt! Die Buonarroti Simoni, denn dies war der aus beständiger Wiederholung und Vererbung der Vornamen entstandene Familienname des Künstlers, sind schon im XII. Jahrhundert, in welchem (1197) ein Bonarrota, Sohn des Michael, als Mitkämpfer bei einem Streite zwischen den Laien und den Kanonikern genannt wird, in Florenz nachzuweisen. (Davidsohn: Gesch. von Florenz I, S. 612, auch S. 790.) Ein Bernardo wird als vor 1228 gestorben erwähnt. Wir sind heute in der Lage, den Stammbaum wenigstens in den Hauptlinien zu rekonstruiren (Gotti II. Tav. 1). Michelangelo selbst aber wusste offenbar nur von einzelnen Ahnen, welche sich besonders ausgezeichnet hatten. Er schreibt darüber im Jahre 1546:

„Vor einem Jahre ungefähr kam mir ein Manuskript, ein Buch der florentinischen Chroniken, in die Hände, in dem ich, wenn ich mich recht erinnere, vor ungefähr 200 Jahren einen Buonarroto Simoni, der mehrmals zu den Signori gehörte, dann einen Simone Buonarroti, ferner einen Michele di Buonarroto Simoni, endlich einen Francesco Buonarroti fand. Lionardo, den Vater unseres Vaters, der auch unter den Signori war, fand ich nicht, weil das Buch nicht so weit auf unsere Zeiten herabging. Daher meine ich, solltest du dich Lionardo di Buonarroto Buonarroti Simoni schreiben." (Lett. S. 198.)

Was er hier von dem Neffen, wohl im Hinblick auf künftige Generationen, wünscht, dass er nämlich den vollen Geschlechtsnamen trage, hat er selbst nicht gethan, sondern sich Zeit seines Lebens einfach Michelagniolo Buonarroti unterschrieben, während er seinem Vater, seinen Brüdern und Lionardo auf den Adressen der Briefe stets das „Simoni" beilegte. Alle Beziehungen zu seinen Angehörigen sind von dem Wunsche getragen, jedes Mitglied der Familie möge dieses alten Namens sich würdig erweisen, und er ist bedacht, den Traditionen des Geschlechtes durch einen Hausbesitz in Florenz Nachdruck zu geben: „ein ehrenvolles Haus in der Stadt macht grosse Ehre, denn man sieht es mehr, als

die Besitzungen auf dem Lande, und wir sind ja Bürger von
edelstem Geschlecht herstammend. Ich habe mich immer
bemüht, unseren Stamm wieder zu erwecken, habe aber nicht
die Brüder danach gehabt. Daher beeifert euch zu thun,
was ich euch schreibe, und dass Gismondo nach Florenz
heimkehre und dort wohne, damit man nicht mehr zu meiner
Schande hier sage, ich hätte einen Bruder in Settignano,
der hinter den Ochsen hergeht." (Lett. S. 197.) Später
wünscht er an dem gekauften Hause den Namen Simoni angebracht. (Lett. S. 214.) Wo sich aber sein Eifer für die
würdige Erhaltung der Familie ganz besonders zeigt, ist in
der lebhaften Theilnahme, welche er an der Verheirathung
Lionardos, des Stammhalters, nimmt. Aus verschiedenen
früher mitgetheilten Stellen seiner Briefe haben wir dieses
sorgende Interesse bereits kennen gelernt: auf dessen Kern
stossen wir in den folgenden am 1. Februar 1549 geschriebenen
Zeilen:

„Ich glaube, dass es in Florenz viele vornehme, arme
Familien giebt, mit denen sich zu verschwägern denselben
eine Wohlthat erweisen hiesse. Wenn auch keine Mitgift
da wäre, das schadete nichts, denn dann wäre auch kein
Hochmuth da. Du bedarfst einer Frau, welche sich an dich
hält und der du befehlen kannst, und nicht Einer, welche
in Pracht leben und jeden Tag zu Gastmählern und Hoch-
zeiten gehen will; denn wo man den Hof macht, da wird
Eine leicht zur Dirne, namentlich wenn sie ohne Verwandtschaft ist. Und auf das Gerede, du wolltest dich adeln, gieb
nicht Acht, denn es ist bekannt, dass wir alte florentiner
Bürger und von Adel sind, so gut wie irgend ein Geschlecht;
daher empfehle dich Gott und bitte, dass er dir verschafft,
was dir Noth thut." (Lett. S. 237.)

Adel der Gesinnung und Adel der Geburt: nur in der
Verbindung von beiden sieht Michelangelo eine Gewähr des
Glückes. Mit Schmerz hört er später von dem Tod der
Kinder, erkennt darin aber ein über den Simoni seit alten
Zeiten herrschendes Verhängniss: „denn es hat in unsrer
Familie immer nur Einen auf einmal gegeben."

Bestärkt in dem Bewusstsein seiner edlen Abkunft wurde

8*

der Künstler im Jahre 1520 durch einen Brief, welchen der
Graf Alessandro da Canossa an ihn richtete. Michelangelo
hatte Diesem einen Maler Giovanni da Reggio empfohlen.
Canossa antwortet, er bedaure, dass der Meister nicht selbst
gekommen sei, „sein Stammhaus und seine Familie" kennen
zu lernen. Er redet ihn als einen Verwandten an und erklärt
dies, indem er sagt: „bei der Durchsicht alter Papiere habe
ich entdeckt, dass ein Messer Simone von Canossa Podestà
von Florenz war", und behauptet, die Simoni stammten von
Diesem ab. (Gotti I, 4.) Daraufhin fasste Michelangelo den
Gedanken, das Kastell Canossa zu erwerben, er erkundigte
sich nach dessen Einkünften und lässt die Sache auch in Rom
betreiben. Nicht allein Kastelle, sondern ganze Städte werde
er erhalten, meint scherzend Sebastiano (Oktober 1520. Frey:
Briefe S. 160; Milanesi: Les corresp. 20.) Dieser Plan wurde
dann fallen gelassen, nicht aber das Gedächtniss an die
Mittheilungen Canossas. Noch im Jahre 1544 schreibt er an
Lionardo: „in dem Buch der Verträge ist ein Brief vom
Grafen Alessandro da Canossa, den ich dieser Tage in meinem
Hause gefunden; der Graf ist früher einmal nach Rom gekommen, um mich als Verwandten zu besuchen. Gieb Acht auf
den Brief." (Lett. S. 216.)

Wie es scheint, hat er den Vermuthungen Alessandros wohl
eine gewisse Bedeutung zuerkannt, ohne jedoch ein grosses
Gewicht auf sie zu legen und sie auf Treu und Glauben anzunehmen. Er kommt ausser in den angeführten Zeilen niemals in seinen Familienbriefen darauf zu sprechen, und Vasari
fügt seiner Angabe über die Herkunft Michelangelos von
den Canossa ein: „wie man sagt" hinzu, was er nicht gethan haben würde, hätte sein Meister ihm von derselben als
einer Thatsache gesprochen. Dagegen verbreitet sich Condivi
in seinem enthusiastischen Wunsche, den Meister zu verherrlichen, des weiteren über die Angelegenheit, indem er von
Beatrice, der Schwester Heinrichs II., welche sich mit dem Grafen
Bonifacius von Canossa vermählte, und von Deren Tochter,
der Gräfin Mathilde, als den berühmtesten Ahnen des Geschlechtes fabelt und dann fortfährt: „als nun aus einer
solchen Familie ein Herr Simon im Jahre 1250 nach Florenz

als Podestà kam, verdiente er durch seine Tüchtigkeit, dass
man ihn zum Bürger jener Stadt und zum capo di sestiere
machte; denn in Sechstel war damals die Stadt getheilt,
die heute aus Vierteln besteht. Und da in Florenz die
Parthei der Guelfen herrschte, wurde er, wegen der vielen
Wohlthaten, die er von derselben empfangen, aus einem
Ghibellinen, der er war, ein Guelfe und änderte zugleich die
Farben seines Wappens, das, während es früher ein weisser
Hund im rothen Felde gewesen, steigend und einen Knochen
im Maule, jetzt ein goldener Hund im himmelblauen Felde
wurde, und von der Signoria wurden ihm später fünf rothe
Lilien auf einem Rost gegeben, sowie eine Helmzier mit
zwei Stierhörnern, eines golden und das andere himmelblau,
wie man es bis heute auf ihren alten Wappenschilden gemalt sehen kann. Das alte Wappen des Herrn Simon sieht
man im Pallaste des Podestà, wo er es in Marmor herstellen
liess, wie es der grösste Theil Derjenigen zu thun pflegte,
die ein solches Amt inne gehabt." Nachdem Condivi dann
aus florentinischem Brauche erklärt, wie an Stelle des Namens
Canossa später derjenige der Buonarroti Simoni getreten,
erwähnt er noch, dass das Landgut, welches die Familie in
Settignano besass und wo Michelangelo seine erste Kindheit
verbrachte, „zu den ersten Dingen gehörte, welche Herr
Simon von Canossa in jenem Lande gekauft hatte".

Die neuere Forschung hat die Richtigkeit dieser Angaben
nicht bestätigen können, denn es hat keinen Podestà von
Florenz des Namens Simone Canossa gegeben, und das
Wappen der Simoni, welches ursprünglich, wie anzunehmen,
bloss zwei goldene Schrägbalken auf blauem Felde zeigte
und später, vermuthlich durch Buonarrota di Simone, Haupt-
mann der Guelfischen Partei 1392, mit drei goldnen Lilien in
vierzackigem Steg bereichert wurde, scheint irgend welcher
genealogischen Beziehung der Simoni zu den Canossa eher
zu widersprechen, als sie zu beweisen. Was den ersten Anlass zu dieser Herleitung der einen Familie von der anderen
gegeben, bleibt dunkel. Des Grafen Brief klingt, als habe
er den Hinweis auf die Verwandtschaft von Seiten Michelangelos, gelegentlich jenes Besuches von Giovanni da Reggio,

erhalten und daraufhin in seinem Archive den Namen des
Simone entdeckt. Vielleicht lässt sich die Beschäftigung des
Künstlers mit diesen Dingen auf die von Leo X. zur Zeit
des Aufenthaltes 1515 in Florenz dem Buonarroto verliehene
Bereicherung des Wappens mit der Mediceerkugel zurückführen. Irgend eine Anknüpfung der Familiengeschichte an
die Canossa — ein Rolandino conte di Canossa war 1283
capitano del popolo — muss sich ergeben und die Anfrage
beim Grafen Alessandro hervorgerufen haben.

Nach der rein menschlichen Seite aber, nicht wie bei
vielen Edlen seiner florentinischen Zeitgenossen nach der
politischen, bewährt sich bei Michelangelo das Bewusstsein
der Pflichten, welche vornehme Abstammung auferlegt. Seine
künstlerischen Aufgaben, nicht politische Freiheitsideale bestimmten im Wesentlichen sein Verhalten in jener Zeit ge-
schichtlicher Entscheidung, als Florenz die Unabhängigkeit
verlor und die Herrschaft der Medici dauernd begründet
wurde. Wohl widmet er seine Kräfte in den denkwürdigen
Momenten des letzten verzweifelten Kampfes der Florentiner
der Sache der Republik als Oberleiter der Befestigungsbauten,
als aber das Herzogthum begründet war, schloss er sich
nicht der Parthei der gegen dieses konspirirenden Verbannten an, sondern hielt sich deren Bestrebungen dauernd
ferne. Er selber hat sich einmal darüber ausgesprochen.
Während einer Krankheit 1544 hatte er bei L. Riccio im
Hause der Strozzi, der erbittertsten Feinde der Medici,
Aufnahme gefunden. Vier Jahre später hätte ihm dies fast
Unannehmlichkeiten zugezogen. Zu dieser Zeit nämlich
erliess Cosimo I. ein, grausame Strafen verhängendes Gesetz
(La Polverina) gegen alle Verschwörer, Verbannten und deren
Abkommen, und die Feinde des Künstlers in Florenz scheinen
Anklagen gegen ihn erhoben oder doch wenigstens Gerüchte
über seinen intimen Verkehr mit den Gegnern des Fürsten
verbreitet zu haben, welche der Familie gefährlich werden
konnten. Michelangelo schreibt an Lionardo:

„Es ist mir lieb, dass du mich von der Verordnung unterrichtet hast, denn, habe ich mich bisher schon in Acht ge-

nommen, mit Verbannten zu sprechen und Verkehr zu pflegen, so werde ich mich davor in Zukunft noch mehr hüten. Was das anbetrifft, dass ich im Hause der Strozzi krank gelegen bin, so sehe ich dies nicht so an, als wäre ich in ihrem Hause gewesen, sondern vielmehr in dem Zimmer des Luigi del Riccio, der mir sehr befreundet war, und seitdem Bartolommeo Angelini todt ist, habe ich keinen Menschen gefunden, der besser und treuer als er meine Geschäfte besorgt; und seitdem er gestorben ist, habe ich in besagtem Hause nicht mehr verkehrt, wovon ganz Rom Zeugniss ablegen kann, sowie auch davon, in welcher Weise ich lebe, denn ich bin immer allein, gehe wenig aus und spreche mit Niemand, namentlich nicht mit Florentinern, und wenn ich auf der Strasse gegrüsst werde, so kann ich doch nicht umhin, mit freundlichen Worten zu erwidern, und gehe weiter: und wenn ich wüsste, wer die Verbannten sind, so würde ich in keiner Weise antworten; und wie gesagt, von jetzt an werde ich mich sehr wohl in Acht nehmen, vor Allem desswegen, weil ich so viele andere Gedanken im Kopfe trage, dass ich Mühe habe, zu leben." (Lett. S. 221.)

Aus diesen Zeilen, welche er offenbar, in grosser Sorge für die Seinigen, mit Absicht beruhigend abgefasst hatte, geht deutlich hervor, dass er mit der Politik nichts zu thun haben wollte, aber über seine Gesinnung kann ebensowenig ein Zweifel sein. In jenem Jahre, als er im Hause der Strozzi krank daniederlag, sandte er auf eine von Ruberto Strozzi aus Frankreich an ihn ergangene freundliche Erkundigung nach seinem Befinden, Jenem die folgende Botschaft durch Riccio: „würde der König von Frankreich Florenz zur Freiheit verhelfen, so wäre er bereit, eine Reiterstatue des Königs aus Bronze auf seine eigenen Kosten anzufertigen und sie auf der Piazza aufzustellen." War hiervon etwas in Florenz laut geworden? Des Künstlers innere Sympathien waren für die Republik und nicht für die Medici, aber er befand sich in der eigenthümlichen Lage, den Letzteren doch seit seiner Kindheit verpflichtet zu sein, und der Konflikt solcher Empfindungen hätte zu tragischen Entscheidungen unbedingt führen müssen, wäre er sich nicht dessen bewusst gewesen, dass sein für die Menschheit arbeitender Genius mit politischen Dingen nichts zu thun habe. In erregten Augenblicken blitzt sein ideales Gefühl für Freiheit auf, bald aber kehrt die Besonnenheit wieder, welche ihn auf die nicht durch andere Rücksichten zu durchkreuzenden Aufgaben seines Künstlerlebens hinweist. Wie er es auch in jenem Briefe sagt: „ich habe viele andere Gedanken im Kopf", und in einem Schreiben (1547) an Lionardo: „jener wackere Mann, welcher Fattucci antwortete: ich sei kein Staatsmann, muss artig und verständig sein, denn er sagte die Wahrheit; wenn nur auch meine Arbeiten in Rom mir so wenig Gedanken machten, wie die Angelegenheiten der Staaten!" (Lett. S. 210.) Was seine Seele aber in Momenten, wie der Veröffentlichung jenes Gesetzes erregte, fand seinen geheimen Ausdruck in zwei Gedichten. Das erste bringt ein Zwiegespräch zwischen Florenz und den verbannten Florentinern:

„Für Viele, ja für tausend Liebende
Wardst du geboren, engelgleiche Frau.
Nun aber scheint's, dass man im Himmel schläft,
Nimmt sich ein Einz'ger, was geschenkt so Vielen.
O wende unsren Klagen zu von Neuem
Der Augen Sonne, die ihr Licht verweigert
Uns, die in solchem Elend sind geboren."

Ach! trübet euer heil'ges Sehnen nicht:
Denn Jener, der mich euch zu rauben scheint,
Geniesst sein gross Verbrechen nicht vor Angst,
Und mind'res Glück ist für den Liebenden
Genusses Fülle, die den Wunsch erstickt,
Als Elend, das der Hoffnung Fülle birgt.
(Guasti S. 25. Frey cix, 48.)

In dem zweiten Madrigal wendet sich Michelangelo (Zeile 1—6) — denn nur diese Auffassung ergiebt einen Sinn — an einen verbannten Florentiner aus vornehmem Geschlecht, dessen Patriotismus aber selbst den Trost einer edelsten Rache zurückweist (Zeile 9—11):

„Ich sag', so lang ihr, Göttergleiche, wandelt
Auf Erden, gilt's zu dulden Missgeschick!
Doch sterbt ihr einst, erliegend
Der tausendfachen Unbill,
Dann, wann die Vaterstadt dich liebt, wie jetzt
Für sie du glühst, kannst du gerecht dich rächen."

„„„Weh' mir, von allzulangem Warten müde!
Zu spät gelang' ich zu der Rache Trost.
Und dann — weisst du es nicht?
Ein edles, stolzes Herz in seiner Grossmuth
Verzeiht und bietet Liebe dem Beleid'ger.""""
(Guasti S. 107. Frey CIX, 64.)

Das Mitempfinden der Sehnsucht nach der Heimath drückt
eine der Grabschriften auf Cecchino Bracci, dessen Vater zu
den verbannt in Rom lebenden Florentinern gehörte, aus:

Ein Bracci war ich und im Bild nur, baar der Seele,
Bleib' ich auf Erden, aber theuer ist der Tod mir,
Denn solchem Werk dank' ich das gnäd'ge Loos, gemalt
Der Heimath nun zu nah'n, was lebend mir verwehrt.
(Guasti S. 12, No. 22. Frey 24.)

Bezeichnend endlich für die freiheitliche und patriotische
Gesinnung des Künstlers sind die Auslassungen, welche ihm
Giannotti in seinen Dialoghi in den Mund legt. Einmal
äussert er sich da über die Ursache der politischen Um-
wälzungen, welche er in der partikularistischen Zersplitterung
erkennt, scherzhaft anknüpfend an das Beiseitegehen von
Luigi del Riccio und Donato Giannotti gelegentlich seiner
und Giannottis Begegnung mit den Freunden Riccio und
Antonio Petreo:
„Besteht (wie ihr sagt) das Glück dieses Tages für euch
darin, unsere Gesellschaft zu geniessen, so habt ihr es gefunden, denn wir wollen mit euch kommen. Ich verspreche
es auch für Messer Donato, welcher, wie ich sehe, schon ein
Separatkonto (um im Kaufmannsstile zu sprechen) mit Messer
Luigi abgeschlossen hat, um ihn ganz besonders für sich zu

geniessen, nicht zufrieden mit dem Vergnügen, welches er gemeinschaftlich mit uns an ihm haben könnte. Das ist etwas sehr Eingreifendes, was wir fast an uns Allen gewahren können: dass nur selten Einer billigt, was der Andere thut. Und wenn immer Viele sich zusammenfinden, über irgend. eine Sache zu berathen, machen sie tausend Unterschiede, und von solchen Geistern sind vielleicht die Veränderungen, ja der Ruin unseres Toskanas verursacht worden. Daher kann ich nur die Antwort loben, welche einer unsrer Bürger, ein Edelmann, einem andren gab, der ihn aufforderte, in einen gewissen, von einigen Aufrührern gemachten Bund einzutreten."

Antonio: „Was antwortete er?"

Michelangelo: „Er antwortete: es genüge ihm, dem Bunde des grossen Rathes anzugehören, welcher ihm ein sehr erlauchter und ehrenvoller Bund dünke."

Antonio: „Gewiss eine schöne Antwort, würdig eines guten und klugen Bürgers. Ihr lacht?"

Luigi: „Wir lachen darüber, dass Michelangelo auf gewisse Betrachtungen sich einlässt, die er allzusehr liebt; und lassen wir ihn allzusehr verweilen, so werden wir während dieses ganzen Morgens nichts Anderes zu hören bekommen, als Jammer und Klage über unsere Zeiten." (Giannotti: Dialoghi S. 3 ff.)

Wichtiger als diese immerhin charakteristische Äusserung, ist die längere Ausführung, welche Michelangelo am Schlusse der, Dantes Divina Commedia betreffenden Dialoge der Frage angedeihen lässt, warum der Dichter die Freiheitshelden Brutus und Cassius in die tiefste Hölle, den Tyrannen Caesar aber in die Vorhölle versetzt habe. Aus den, gewiss auf persönliche Äusserungen des Künstlers zurückgehenden Darlegungen leuchtet die freie geschichtliche und politische Auffassung eines, die menschlichen Dinge von hohem Standpunkte weise und gerecht abwägenden Geistes hervor. Zunächst wird die Frage von der einen, man möchte sagen prinzipiell allgemeinen Seite betrachtet und der Tyrannenmord gebilligt:

„Hättet ihr die erste Cantica sorgfältig gelesen, so würdet ihr gesehen haben, dass Dante nur allzugut die Natur der

Tyrannen gekannt und gewusst hat, mit welchen Strafen sie von Gott und den Menschen gestraft zu werden verdienen. Desshalb versetzt er sie unter die „Gewaltthätigen gegen den Nächsten", welche er im ersten Kreis der VII Bolge in siedendem Blut strafen lässt.... Und da Dante, wie gesagt, dies Alles erkannt hat, so ist nicht anzunehmen, dass er nicht erkannt hätte, Caesar sei der Tyrann seines Vaterlandes gewesen und Brutus und Cassius hätten ihn mit Recht ermordet, da alle Gesetze der Welt, wie ihr sagt, den Tyrannenmördern ehrenvollsten Lohn versprechen, sintemalen man behaupten kann, dass, wer einen Tyrannen ermordet, nicht einen Menschen, sondern eine Bestie in Gestalt eines Menschen tödtet. Denn da alle Tyrannen der Liebe baar sind, welche von Natur Jeder für seinen Nächsten hegen muss, besitzen sie die menschlichen Regungen nicht und sind daher nicht Menschen mehr, sondern Bestien. Dass die Tyrannen keine Liebe zum Nächsten besitzen, ist offenkundig, denn sonst würden sie nicht Das, was Anderen gehört, genommen und nicht durch Bewältigung der Anderen Tyrannen geworden sein. Und merkt wohl, dass ich von jenen Menschen, welche Tyrannen sind, und nicht von jenen Fürsten, welche in langer Herrschaftsfolge ihren Staat besitzen oder wirklich mit Willen des Volkes zu Herren gemacht worden sind und im Einverständniss mit dem Volke ihre Stadt regieren, spreche. Und dies sage ich, damit ihr nicht meine Worte böslich auslegt. So ist es denn klar, dass, wer einen Tyrannen tödtet, nicht einen Menschenmord begeht, da er nicht einen Menschen, sondern eine Bestie tödtet. So thaten also Brutus und Cassius nicht Unrecht, als sie Caesar ermordeten. Erstens weil sie einen Mann tödteten, welchem das Leben zu nehmen jeder römische Bürger durch den Befehl der Gesetze verpflichtet war. Zweitens, weil sie nicht einen Menschen, sondern eine Bestie in Menschengestalt tödteten."

Wenn Dante, so führt Michelangelo seinen Gedanken weiter aus, Brutus und Cassius trotzdem in die tiefste Hölle versetzte, so that er es, weil er sie als deutlichste Typen des Verrätherthums an der Majestät des Römischen Imperiums, welches er in Caesar personifizirte, auffasste.

Dann aber, als Giannotti sich noch nicht zufrieden giebt, lässt der Künstler jene allgemeine Betrachtung des Tyrannenmordes fahren und stellt sich auf einen anderen Standpunkt, von dem aus er den besonderen Fall in's Auge fasst.
„Ich sehe, dass ich mich umsonst abmühe. Denn bei eurer Hartnäckigkeit nützt nichts, was ich sage. Aber ich will doch noch dies sagen: was wisst ihr denn, ob Dante nicht der Ansicht gewesen ist, dass Brutus und Cassius Unrecht thaten, Caesar zu ermorden? Wisst ihr nicht, welch' Verderben durch diesen Tod in die Welt kam? Seht ihr nicht, welch' unselige Nachfolge von Kaisern er hatte? War es nicht besser, dass er am Leben blieb und seine Gedanken verwirklichte?"

Donato: „Die Gedanken, welche er hatte, waren die: er wollte König genannt werden."

Michelangelo: „Ich gebe das zu, aber war dies nicht ein geringeres Übel, als das, was folgte? Was wisst ihr, ob er, mit der Zeit des Herrschens satt geworden, nicht das Gleiche, wie Sulla, gethan hätte? nämlich dem Vaterland die Freiheit wiedergegeben und die Republik eingesetzt hätte? Nun wohl, hätte er lebend dies noch gethan, würden dann nicht Brutus und Cassius ein grosses Unrecht begangen haben, ihn zu ermorden? Es ist eine grosse Anmaassung, es zu wagen, den Vorstand einer öffentlichen Verwaltung, sei er gerecht oder ungerecht, zu ermorden, da man nicht sicher wissen kann, ob aus seinem Tode irgend etwas Gutes entspringt, sich wohl aber von seinem Leben etwas Gutes erhoffen liesse. Darum sind mir gewisse Menschen sehr beschwerlich und lästig, welche glauben, das Gute liesse sich nicht herbeiführen, wenn man nicht mit dem Schlechten, d. h. dem Todtschlag anfinge: und sie denken nicht daran, dass die Zeiten wechseln, neue Ereignisse eintreten, die Wünsche sich ändern, die Menschen ermatten, doch oft wider Erwarten und Hinzuthun und Gefahr einer Person das Gute entsteht, welches man immer ersehnt hat. Glaubt ihr nicht, dass zur Zeit des Sulla gar Viele waren, welche die Freiheit Roms gewünscht und gewollt hätten, dass Sulla ermordet worden wäre? Als sie aber sahen, dass Sulla freiwillig die Diktatur

aufgab und die Freiheit wiederherstellte, meint ihr nicht, dass
sie eine grosse Freude hatten, mit der Republik Frieden und
Ruhe für jeden Einzelnen wiederhergestellt zu sehen? Und
haben sie nicht jenen früher gehegten Wunsch, dass Sulla
ermordet wäre, sehr getadelt? Wäre Caesar also am Leben
geblieben und hätte er das Gleiche, wie Sulla gethan, so
hätte Jeder, der früher daran gedacht hätte, ihn zu tödten,
das grösste Unrecht begangen. Und daher ist Dante vielleicht
der Meinung gewesen, Caesar würde Sulla nachgeahmt haben,
und hat dementsprechend geurtheilt, dass Brutus und Cassius
im Irrthum gewesen und aus diesem Grunde die Strafe ver-
dienten, welche er über sie verhängt hatte." (Giannotti:
Dialoghi S. 57 ff.)

Unzweifelhaft muss auf diese zweite Darlegung, will man
Michelangelos wahre Meinung über solche politische Gewalt-
thaten kennen lernen, ein stärkeres Gewicht, als auf die erste,
gelegt werden. In einem besonderen Falle aber mag er wohl
mit vielen anderen Patrioten einen Tyrannen für eine Bestie
und dessen Mörder für einen Befreier gehalten haben. Noch
lebte in dem Herzen jedes Florentiners zur Zeit, in welcher
dieser Dialog spielt: 1545, die Erinnerung an die 1536
erfolgte Ermordung Alessandros de' Medici durch Lorenzino
de' Medici, welcher bei seinem Tode 1539 als zweiter Brutus
gefeiert wurde, und auf Betreiben eben jenes Donato Giannotti, der diese Gespräche verzeichnet hat, hatte der
Meister eine Büste des Brutus gemeisselt, in welcher er die Entschlossenheit des fanatischen Patrioten gewaltig zum Ausdruck
brachte. Alessandro Medici war eben kein Caesar, sondern
ein seinen Lüsten hingegebener, verachtungswürdiger Schwäch-
ling — oder dürfen wir gerade auch aus diesem Werke
herauslesen, dass die Frevelthat trotz dessen dem Künstler
furchtbar und abschreckend erschien?

Dem Künstler, das heisst dem Menschen, dessen Wesen
und Schaffen in reinster sittlicher Weltanschauung wurzelte
und dessen tieferem Sinnen, wenn er auch im Momente
auflodernder Empörung den Tyrannenmord als gerechte
Fügung empfand, jeder gewaltsame Eingriff in die Weltordnung ein Frevel und die Vernichtung eines höheren Ge-

setzes bedeuten musste! Nur darin, dass ihm der hehre
Beruf verliehen war, den Kämpfen der Wirklichkeit das
Friedensreich der Ideen gegenüberzustellen, liegt es begründet, dass er, der heftig Erregbare, in jenen stürmischen
Zeiten, welche alle Verhältnisse Italiens von Grund aus sich
verändern sahen, kein Politiker wurde, sondern, die Hoffnungs-
losigkeit des patriotischen Wahnes mit Schwermuth erkennend,
seinen Freiheitsdrang auf andere innere Ziele lenkte.

Er war und blieb Künstler, und als Künstler empfand er
mit Genugthuung jene vom Grafen Canossa ihm bestätigte
Abstammung von einem erlauchten Geschlecht. Es war die
ehrwürdige Tradition von Würde und Rechtlichkeit in seiner
Familie, welche ihn mit Stolz erfüllte. Und eben die Erkenntniss der Bedeutung vererbter Tugenden für die eigene
Tüchtigkeit liess ihn, welcher in der Kunstausübung ein von
Gott anvertrautes heiliges Amt sah und mit Trauer erleben
musste, wie wenig die Künstler seiner Zeit durch Sittlichkeit
und Redlichkeit sich ihrer Begabung werth erwiesen, die
Meinung aussprechen, wie Condivi erzählt, „dass die Kunst
von adeligen Personen, wie im Alterthum, betrieben werden
sollte, und nicht von plebejischen".

Aus solchem stolzen Bewusstsein von den hohen Rechten
und Pflichten des Schaffenden heraus musste er im Laufe seines
Lebens immer mehr dazu gelangen, den weiten Abstand
zwischen sich und den meisten anderen Künstlern, welche
ihre Thätigkeit als ein Gewerbe betrieben, zu gewahren,
und es kam der Augenblick, in dem er die Gleichstellung
mit ihnen, auch in rein äusserlicher Beziehung, als unthunlich,
weil seinem ganzen Wesen und seiner Stellung nicht entsprechend, empfand. Schon im Jahre 1543 wehrt er sich
dagegen, dass man ihn auf der Adresse der Briefe: „Bildhauer" nenne, ausführlicher äussert er sich 1548 darüber:
„Sage dem Priester", schreibt er an Lionardo, „dass er nicht
mehr an den »Bildhauer Michelagniolo« schreibe, denn ich
bin hier nur als Michelagniolo Buonarroti bekannt, und wenn
ein florentiner Bürger eine Altartafel gemalt haben will, so
soll er einen Maler suchen: denn ich bin niemals in dem
Sinne Maler oder Bildhauer gewesen, dass ich einen Laden

gehalten hätte. Davor habe ich mich stets zu Ehren meines Vaters und meiner Brüder bewahrt, wenn ich auch den Päpsten gedient habe; aber das geschah aus Zwang." (Lett. S. 225.)

Wie das letzte Glied in einer Kette schliessen diese Worte den Ring unserer Betrachtungen ab: von den Zeugnissen der reichsten Güte, welcher vor allem Anderen Wohlstand und Glück der Seinen als Ziel und Zweck des Schaffens galt, sind wir zu dem Bekenntniss gelangt, dass in dem Streben, die Ehre der Familie und des Künstlerthumes zu wahren, der Stolz zur Schutzwehr dieses Lebens ward. Liebe und Stolz — diese beiden bis zum höchsten Grade der Kraft gesteigerten Gefühlsmächte füllen das Gemüth Michelangelos aus. Unmerklich aber, wie wir die eine und die andere in ihren Wirkungen verfolgen, scheinen ihre Grenzen sich zu verwischen, und wir meinen zu ahnen, dass in ihrem wechselseitigen Sichbedingen und Durchdringen nur die verschiedene Bewegung eines einzigen, Alles beherrschenden Verlangens zu erkennen ist: — der Liebe!

DIE PHANTASIE
UND DIE WIRKLICHKEIT.

> Phantasie ist düster oder frei, und unser
> guter Genius oder Dämon. . . . Sie ist die
> Quelle aller unserer entzückendsten Freu-
> den, im gleichen unserer Leiden.
>
> (Im. Kant: Reflexionen.)

Eine andere Ordnung der Dinge, einen anderen Zusammenhang der Erscheinungen, als sie vom gewöhnlich begabten Menschen wahrgenommen werden, erfasst der Künstler. Haben bei Jenem alle Sinneseindrücke nur insofern Bedeutung, als sie dem Verstande zu seiner Auffassung der Welt nach Ursache und Wirkung das nothwendige Material liefern, so liegt ihr Werth für den Künstler in der reinen Anschauung und in der Anregung, welche sie der Phantasie geben. Der sondernden, trennenden Thätigkeit des Verstandes, dem kritischen Vermögen, tritt die verbindende, einigende der Einbildungskraft, das künstlerische Vermögen, gegenüber. In dem unendlich verschiedenartigen Verhältniss, in welchem beide Fähigkeiten zu einander und beide wiederum zur Vernunft stehen, ist die unendlich verschiedene Art der Intelligenz der Individuen begründet: Vorwiegen des Verstandes kennzeichnet den praktischen, Vorwiegen der Phantasie den künstlerischen Menschen — höchst lebhafte und zugleich in ihren Bildern höchst anschaulich bestimmte Phantasie das Genie. Auch für die Eigenart des einzelnen Genius aber ist die Relation, in welcher die Bethätigung des Verstandes zu der ihrerseits wieder vom Temperament beeinflussten Einbildungskraft steht, entscheidend und verlangt neben der Besonderheit der künstlerischen Anlage und des Temperamentes Beachtung, sobald wir eine Erklärung für das individuell so Unterschiedene der ihrer Weltanschauung und ihrem Schöpferwesen nach doch so verwandten grossen Künstler suchen.

Kann uns Geist und Natur eines Genius, wie Lionardo da Vinci, nur begreiflich werden, wenn wir bei ihm die Schärfe des Verstandes in einem der Lebhaftigkeit der Phan-

tasie fast gleich hohem Grade entwickelt, also eine annähernde
Harmonie zwischen dem Walten der beiden geistigen Kräfte
voraussetzen, so müssen wir bei Michelangelo ein sehr bedeutendes Übergewicht der Phantasiethätigkeit über diejenige
des Verstandes annehmen und die Ursache hierfür zugleich
in der Geistesart und in dem leidenschaftlichen Temperament
gewahren.

Die Frage, in welcher Weise diese Anlage in seinem
bildenden Gestalten ihren charakteristischen Ausdruck findet,
wird uns später beschäftigen. Hier handelt es sich nur um
die Darlegung der in ihr begründeten, sein inneres Leben
und seine Beziehungen zu Anderen bestimmenden Wesens-
eigenthümlichkeiten.

Nicht eigentlich die Welt der Wirklichkeit ist es, mit
welcher er, in allen, vom künstlerischen Schaffen nicht erfüllten
Augenblicken, wenn die praktischen Anforderungen des Daseins und der Verhältnisse an ihn herantreten, zu thun hat, sondern die Welt seiner mit unwiderstehlicher Eindringlichkeit
ihn beherrschenden Vorstellungen. Aus einem nach Liebe
verlangendem starken Herzen heraus an die Liebe der
Anderen glaubend und sie ersehnend, überträgt seine Phantasie den Reichthum eigener Seelenbewegung auf die Menschen, mit denen er zusammenkommt, und schafft sich ein
weit über die Realität erhobenes Bild von ihnen. In solchen
Fiktionen befangen, ist er bereit, ja genöthigt, zu bewundern,
zu verehren und sich in einer Freundschaftsgesinnung hinzugeben, die sich, wo immer der Einbildungskraft von Schönheit oder Begabung ein besonders starker Anreiz gegeben
wird, zu einem hohen Kultus steigert. Und andrerseits führt
die künstlerische Lebhaftigkeit der Phantasie zu jenem über-
legenen, bilderreichen Spiel mit den Lebenserscheinungen,
welches deren Widersprüche voll heiteren Kraftbewusstseins
im Humor auflöst.

Allen Illusionen aber tritt vernichtend fast jede Erfahrung
entgegen, die immer von neuem darüber belehrt, dass statt
der Liebe nur Eigennutz, Neid und Hass die Triebfedern
des Handelns sind, und dass es in Wirklichkeit keine Aufhebung der Gegensätze giebt. Aus dem einen Extrem, aus

rückhaltlosem, kindlichem Vertrauen und siegreichem Humor
flüchtet sich die Phantasie in das andere, in quälenden Argwohn und Ironie. Mit derselben Eindringlichkeit machen
sich nun übertriebene Vorstellungen von den selbstsüchtigen
und boshaften Absichten der Menschen geltend, deren feindseligen Angriffen vorzubeugen oder zu entfliehen die Pflicht
der Selbsterhaltung gebeut. Verstrickt in die Wirren der
Affekte und in seinem Urtheile getrübt, begiebt sich der
Intellekt seines Herrscherrechtes. Und so kommt es zur
ruhelosen Bewegung der sich gegenseitig erregenden Mächte
der Phantasie und des Gefühles: in leidenbringendem Wechsel
beherrschen Schwärmerei und Misstrauen, Humor und Ironie
die Seele.

I

SCHWÄRMEREI.

Innere Erlebnisse unvergleichlicher Art mussten einem Manne
von dieser Leidenschaft und von dieser Schöpferlust der
Einbildungskraft beschieden sein, wenn seinem glühenden
Liebesverlangen Erscheinungen begegneten, die durch Schönheit und Geist dem Ideale seiner Vorstellung zu entsprechen
schienen. Sie bemächtigten sich seiner Seele mit solcher Gewalt,
dass sein Wesen wie in Flammen stand. In den Gluthen —
wie oft hat er, nach Worten ringend, es dichterisch auszudrücken versucht! — verzehrte sich alles selbstische Begehren, verflüchtete sich alles Persönliche des Gegenstandes
seiner inbrünstigen Verehrung. Die Schranken des Individuellen durchbrechend, auf den Schwingen der Entzückung über
Raum und Zeit hinaus der Schönheit entgegengetragen, fand
und erkannte die Liebe sich im Ewigen wieder.

Aber nur aus Schmerzenswehen, nur aus dem bangen Streite
zwischen Sinnlichkeit und Geist, nur aus den Enttäuschungen, welche die Wirklichkeit dem idealen Drange bereitete,
konnte die Freiheit geboren werden: in jeder einzelnen der
immer wieder sich erneuernden Erfahrungen, wie in dem
ganzen Verfolg dieses erhabenen Seherlebens.

Wohl kärglich ist die Kunde, die uns von den Jugend-
zeiten des Meisters ward, doch dürfen wir es ahnen, wie
Sehnsucht, Beseligung und Entsagung vom ersten Liebes-
erglühen an seine nie weichenden Begleiter auf der leidensvollen Wanderung durch die Wirren dieser Welt geworden
sind. Gehen wir fehl, wenn wir annehmen, dass ihm in der
ersten Hälfte seines Lebens die Liebe weckende Schönheit
in der Frau, dann, als sein Geist sich mehr und mehr über
das Vergängliche zum Ideenbereich erhob, in dem jugendlichen

Manne erschien, bis auch das letzte Irdische abfiel und im unendlichen Schauen ewiger Liebe die Welt hinter ihm blieb? Unsere späteren, seinen Dichtungen gewidmeten Betrachtungen dürften keinen Zweifel hierüber lassen. Michelangelo ist nicht verheirathet gewesen. Auf die Frage: wesshalb, hat er einmal geantwortet, er besitze schon eine Frau, für die er sich sein Lebenlang genug abgemüht: die Kunst, und die Kinder, die er hinterliesse, seien seine Werke! Von näheren Beziehungen, die er zu Frauen gehabt — jene eine auf Gemeinsamkeit religiöser Anschauungen begründete Freundschaft mit Vittoria Colonna, von welcher erst in unsrem zweiten Bande ausführlich die Rede sein wird, ausgenommen — ist Bestimmtes nicht bekannt. Dies hat Einige zur Annahme verführt, der Künstler habe keine Hinneigung zum weiblichen Geschlecht besessen und sich ihm ferngehalten. Etwas Wahres mag an dieser Auffassung sein, sie gilt aber doch nur in sehr bedingtem Sinne. Wer Michelangelo für einen den Reizen der Frauenschönheit und des Verkehres mit Frauen Unzugänglichen hielt, verkannte ebensowohl sein Liebesbedürfniss, als die Erregbarkeit seiner Phantasie. Man sah in ihm einen im Gedankenhaften aufgehenden, den unmittelbaren sinnlichen Eindrücken sich entziehenden Geist, indem man die nur dem Inneren zugewandte, in tiefsten Spekulationen sich genügende Anschauungsweise, welche ihm in höherem Alter, in jener Zeit, da er die meisten seiner erhaltenen Gedichte schrieb, eigenthümlich war, als ein für sein ganzes Leben Charakteristisches hinstellte. Gewiss war der Hang zu dieser Abwendung von der Welt von jeher in seinem Wesen begründet, aber diese Welt barg einen unwiderstehlichen Zauber für den Künstler: die Schönheit! Wie konnte man es wagen, ihn, der die ganze Fülle des Lebens in sich trug, zu einem bleichen Schattenbilde machen zu wollen!

Und zudem fehlt es denn an Zeugnissen? Gehört nicht dieser Künstler, mögen die Bilder und die Sprache, deren er sich bediente, auch unserem heutigen Empfinden vielfach fremd erscheinen, zu den grössten Liebesdichtern? Ist nicht die Frau, ihre Schönheit und ihre Tugend und das in Liebes-

leiden sich verzehrende eigene Herz der immer und immer
wieder behandelte Gegenstand seiner Poesien? „Nur um die
Idee der Frau, ihre Schönheit, ihre Tugend, nur um Fiktionen der Liebe und des Leidens handelt es sich, nicht
um den Ausdruck persönlich durchlebter Empfindung", so
wollen es die Vertreter jener Meinung. Also, ein blosses
geistiges Spiel mit Formen und Vorstellungen, wie es freilich
in jener die Ideale Dantes und Petrarcas verwerthenden Periode
allgemein zur Beschäftigung des Gebildeten gehörte, wäre
diese Dichtung? Bisweilen wohl, aber in den meisten Fällen
gewiss nicht. Unterscheidet nicht gerade die Wahrhaftigkeit
seelischer Erregung sein Dichten von dem der Zeitgenossen?

In welcher Weise persönliches Gefühl zu mehr oder
weniger abstrakten poetischen Gestaltungen von Michelangelo
umgewandelt ward, dies wird uns erst später, wenn wir
seine dichterische Eigenart im Zusammenhange betrachten
werden, beschäftigen. Dass aber selbst die weitestgehenden
Abstraktionen doch ihren Quell in wirklichem Lieben und
Leiden gehabt haben, musste schon hier betont werden, wo
die Frage nach dem Verhältniss des Künstlers zu den Frauen
sich eingestellt hat. Jeder, welcher ein Ohr für die Sprache
der Leidenschaft hat, wird sie, nicht bloss in den zwei
gemeinhin als Ausnahme bezeichneten Liedern der Jugend-
zeit, sondern in einer grösseren Anzahl von Madrigalen und
Sonetten, die den unmittelbaren Ausdruck stärksten Gefühles
enthalten, vernehmen.

Man höre aber zunächst das in höherem Alter vom
Künstler in einem Sonett abgelegte Bekenntniss:

Schon tausendmal ward ich in vielen Jahren
Gelähmt, besiegt, verwundet, ja getödtet
Von dir, durch eig'ne Schuld! Und wieder glaubt' ich
Trotz weissem Haar dem thörichten Versprechen?

Wie oft hast du die grambeschwerten Glieder
Gebunden mir, wie oft gelöst! Die Flanke
Gestachelt mit dem Sporn, dass zu mir selbst
Ich kaum gelangt', in Thränen ganz gebadet!

Ich klage, Amor, über dich, dich mein' ich,
Dein Schmeicheln rührt mich nicht — was nützt es,
Mit wildem Bogen in das Nichts zu zielen?

Verbranntem Holze naht nicht Wurm noch Säge,
Und zu verfolgen Einen, der gehemmt
Durch Unbeweglichkeit, ist grosse Schande.

(Guasti S. 257. Frey cxi.)

Nicht minder beredt ist das Fragment eines Sonetts (nach
Frey: 1524), das wie das vorige an Petrarca'sche Lieder ge-
mahnt:

„Flieht, Liebende, die Liebe, flieht das Feuer,
Die Gluth ist scharf und tödtlich ist die Wunde:
Denn nach dem ersten Ansturm nützt euch nimmer
Gewalt, noch Klugheit, noch des Orts Veränd'rung.

Drum flieht, mein Beispiel kann euch deutlich lehren,
Wie stark ihr Arm ist und wie scharf ihr Pfeil:
In meinem Antlitz leset eure Leiden,
Erbarmungslos und gottlos ist ihr Spiel.

O flieht, und zögert nicht beim ersten Blicke,
Auch ich war in dem Wahne, Zeit zu haben —
Nun fühl' ich's und ihr seht: in Flammen steh' ich.

(Guasti S. 249. Frey xxiv.)

In einer Canzone heisst es:

O weh mir, weh! vergang'ner Zeit gedenkend,
Nicht find' ich auch nur einen einz'gen Tag,
Der unter allen ganz mein eigen war.
Betrügerische Hoffnung, eitles Sehnen,
In Weinen, Lieben, Glühen, Seufzen wurden
Sie meiner Herr — ich hab's erkannt, erprobet,
Denn Nichts, was menschlich, ist mir fern geblieben.
Der Wahrheit ferngerückt
Vergeh' ich in Gefahren,
Da kürzer wird die Zeit, die mir noch bleibt;
Doch währt' sie länger auch, nie würd' ich's müde.

(Guasti S. 348. Frey xlix.)

Die Entscheidung darüber, welche der Liebesgedichte an
eine Frau gerichtet sind, ist in vielen Fällen nicht leicht zu
gewinnen. Doch verdanken wir Freys sorgfältigen Untersuchungen gewisse Aufklärungen, welche es ermöglichen,
wenigstens einige Erlebnisse des Künstlers zeitlich zu bestimmen. Das frühest nachzuweisende dürfte in den florentiner Aufenthalt 1504 zu versetzen sein. Folgendes Sonett
giebt davon Kunde:

Wie lebt' ich glücklich, da es mir vergönnt,
O Liebe! siegreich deiner Wuth zu widersteh'n —
Jetzt elend netz' mit Thränen ich den Busen
Ganz wider Willen, deine Kraft erfuhr ich.

Einst kamen deine schädlichen Geschosse
Nie meinem Herzen, deinem Ziele, nahe,
Nun kannst du dich durch diese schönen Augen
Mit Streichen rächen, die mich tödtlich treffen.

Entgeht beschwingt ein Vöglein vielen Schlingen
Und vielen Netzen durch des Schicksals Bosheit
Durch Jahre, um dann schlimm'ren Tod zu finden,

O seht! so hat auch mich, ihr Frauen, Liebe
Entkommen lassen lange Zeit, ich seh's,
Damit ich unter ärg'ren Qualen sterbe.

(Frey II.)

Ob die folgenden zwei Madrigale, die zwischen 1504 und
1511 entstanden sein müssen, auf dieselbe Persönlichkeit oder
eine andere sich beziehen, bleibe dahingestellt. Heftiger
bricht in ihnen die Leidenschaft hervor:

Wer ist's, der mit Gewalt mich zu dir führt,
O wehe, wehe, weh mir!
Wer hat mich Freien ach! so eng gefesselt?
Wenn ohne Ketten du in Ketten schlägst,
Mich fingest ohne Arme, ohne Hände,
Wer schützet mich vor deinem schönen Antlitz?

(Guasti S. 90. Frey v.)

Wie kann's doch sein, dass ich nicht mehr mein eigen?
O Gott! O Gott! O Gott!
Wer nahm mich selber mir?
Wer ist's, der näher mir
Und mehr vermag in mir als ich?
O Gott! O Gott! O Gott!
Was drang in's Herz mir ein,
Ohn' dass es mich berührte?
Was ist es, Liebe, sprich,
Was durch die Augen eintritt
Und drinnen wächst im engen Raum des Herzens,
Je mehr es strömt nach aussen?
(Guasti S. 50. Frey vi.)

Nach Bologna im Jahre 1507 führt uns jenes zarte, anmuthige Sonett, welches die Erscheinung einer Frau, wie sie Botticelli in seinem „Frühling" geträumt hat, vor die Augen zaubert. Michelangelo erschaute sie in den Tagen, da er mit der Bronzestatue Julius' II. beschäftigt war.

Wie freut sich, heiter und von Blumen schön
Gewunden, auf dem goldnen Haar der Kranz,
Wie drängt sich Blüthe neben Blüthe vor,
Als erste ihr die Stirne sanft zu küssen.

Den Tag hindurch, wie dankbar ist das Kleid,
Die Brust ihr zu umfah'n, hinabzuwallen,
Und nimmer müde wird das Goldgewebe,
Die Wangen und den Hals ihr zu berühren.

Doch gröss're Freude scheint dem Band zu werden,
Das, goldgesäumt, den Busen, den es hüllet,
Mit leisem Drucke lind berühren darf.

Der schlichte Gürtel, wie er sich verknüpft,
Zu sagen scheint: will ewig sie umfangen!
Was würden da erst meine Arme thun?
(Guasti S. 178. Frey vii.)

Der verwandten Vorstellung wegen hat man mit diesen
entzückenden Strophen gerne ein zweites, freilich viel später
(1535) entstandenes und mehr gedankenhaftes Sonett, das
mir, trotz Freys anderer Meinung, doch an eine Frau gerichtet zu sein scheint, zusammengestellt.

Mit Andern mitleidsvoll und gegen sich nur grausam
Entsteht ein niedres Thier, das unter süssen Qualen
Der Hülle sich beraubt, um Menschenhand zu kleiden,
Und so im Sterben zeigt ein edeles Geschick.

Wär' so vom Schicksal, meinem Herrn, es mir bestimmt,
Mit todter Hülle sie die Lebende zu kleiden,
Dann dürft' ich, gleich der Schlange, die am Fels die Haut
Sich abstreift, sterbend neues Leben mir bereiten.

O wäre nur mein eigen jenes flock'ge Fell,
Aus dessen Fasern dieses Kleid gewoben ward,
Das ihren schönen Busen glückbeseelt umschliesst,

So wär' sie doch am Tage mein, o wär' der Schuh ich,
Der ihrem Leibe wie der Säule Basis dient,
Dann dürft' ich wenigstens zwei schnee'ge Füsse tragen!
(Guasti S. 179. Frey LXVI.)

Auf jene ersten Neigungen in Florenz und in Bologna
scheint eine neue etwa in dem Jahre 1516 oder 1517 gefolgt
zu sein. Wir erfahren von ihr durch ein Madrigal, das
Michelangelo beim Abschied von der geliebten Frau geschrieben hat und das (vor 1518) von Tromboncino kom-
ponirt worden ist. Es lautet:

Wie werd' den Muth ich finden
Zu leben ohne dich, mein höchstes Gut,
Kann scheidend deine Hülf' ich nicht erfleh'n?
Mein Schluchzen, ach! die Thränen und die Seufzer,
Mit denen Euch gefolgt dies arme Herz,
Die haben grausam, Herrin, Euch gezeigt
Mein Leiden und wie nahe mir der Tod.

Doch ist es wahr, dass selbst Entfernung nimmer
Euch meine treuen Dienste lässt vergessen,
So bleibt mein Herz bei Euch, nicht mehr mein eigen.
(Guasti S. 49. Frey XI.)

Töne heftigerer Leidenschaft, ja tiefen Schmerzes erklingen
aus einigen Liedern, die im Anfange der zwanziger Jahre
in Florenz entstanden sind.

Oh wie viel wen'ger Schmerz doch, rasch zu sterben,
Als stündlich tausend Tode zu erfahren,
Da sie statt Liebe meinen Tod verlangt.
Ach! unermess'nes Leid,
Das tief ich fühle, kehrt mir's in den Sinn,
Dass sie, die so ich liebe, mich nicht liebt!
Wie leb' ich weiter doch?
Denn sagt sie nicht, mir gröss'res Leid zu wecken,
Dass sie sich selbst nicht liebt, und glauben muss ich's.
Wie kann ich hoffen, dass sie mich beklagt,
Wenn sie sich selbst nicht liebt: o traurig Loos,
So würde es doch wahr, — ich muss d'ran sterben?
(Guasti S. 106. Frey XIII.)

Was ich auch sehe, räth mir, bittet mich
Und zwingt mich, dir zu folgen, dich zu lieben,
Denn was nicht du bist, ist kein Gut für mich.
Die Liebe, die verschmäht jed' andres Wunder,
Sie will's zu meinem Heile, dass ich einzig
Dich einzig sehnend suche, hoher Hoffnung
Und jeder Kraft der Seele mich beraubend.
Ja, sie will mehr, nicht du allein
Sollst mich entflammen, nein, wer immer nur
Dir in den Augen, in den Wimpern gleicht.
O Augen, ihr mein Leben, wer von euch
Sich trennt, dem leuchtet keine Sonne mehr,
Denn dort nur ist der Himmel, wo ihr seid.
(Guasti S. 84. Frey CIX, 10.)

In Qualen verzehrt sich die Seele, die Worte fehlen, nur
in einer Strophe, die wieder die Erinnerung an Petrarca'sche

Sonette besonders lebhaft erweckt, findet das Herz Befreiung:

Nur ich allein, ich bleib' zurück im Schatten glühend,
Wenn ihren Strahl die Sonne dieser Welt entzieht;
Ein Jeder ruht befriedigt, und nur ich, in Schmerzen
Zur Erde hingestreckt, muss jammern über mich und weinen.
                              (Guasti S. 279. Frey XXII.)

Dann wieder im Jahre 1529 oder 1530 finden wir in zwei
Sonetten (Guasti S. 182, 183. Frey XXXI, XXXII) eine Frau gefeiert, aber freilich in einer Weise, die mehr auf Bewunderung, als auf feuriges Empfinden schliessen lässt. Es folgt
die Zeit der Verherrlichung der Liebe zur Schönheit, wie
sie in den Gedichten an Cavalieri ihren Ausdruck erhält.
Und nur einmal noch in späteren Jahren, in denselben, die
ihm die Freundschaft Vittoria Colonnas brachten, scheint,
wie Frey nachzuweisen versucht hat (S. 401), ein weibliches
Wesen seine Leidenschaft erregt zu haben. Zwei von den
an diese „donna bella crudele" gerichteten Gedichten seien
hier mitgetheilt.

Die du vergeudest, deine Blicke,
Sie alle raubst du mir;
Und ist's kein Diebstahl, sie verweigern,
So ist es Mord, der ohne Unterlass
Mich in den Tod treibt, wenn mit ihnen
Den Pöbel du und Hässliche erlabst,
Mich aber ihrer ganz beraubst.
O Liebe, sag', warum erlaubt
Dein güt'ger Sinn,
Dass Dem, der sie ersehnt und fühlet,
Die Schönheit hier genommen
Und thör'gem Volke wird zu Theil?
Ich flehe: schaffe Jene neu
Voll Mitleid innen, aber hässlich aussen,
Dass sie mir nicht gefalle, aber sich in mich verliebe.
                              (Guasti S. 69. Frey CIX, 63.)

Gieb, Fluss, gieb, Quelle, meinen Augen wieder
Die Fluthen, die, nicht euer, ewig fliessen
Und, wachsend, euch mit gröss'rer Fülle schwellen,
Als von Natur es eurem Lauf bestimmt.

Getrübte Luft, erfüllt von meinen Seufzern,
Die meinem Blicke du das Licht verschleierst,
Gieb sie dem müden Herz zurück, erheitre
Dein dunkles Antlitz, dass mein Aug' sich schärfe.

Gieb, Erde, meinem Fuss die Schritte wieder,
Dass neu die Pflanze spriesse, die er knickte,
Gieb, Echo, nicht mehr taub, mein Klagen wieder.

Gebt, heil'ge Augen, mir die Blicke wieder,
Dass and're Schönheit ich noch einmal liebe,
Da meine Liebe Dir ja nicht genügt.

(Guasti S. 197. Frey CIX, 91.)

Diese Beispiele, denen sich noch einige andere, welche
erst später ihren Platz finden werden, zugesellen liessen, genügen, wie mir dünkt, um zu zeigen, dass Michelangelo Wonne
und Weh der Liebe in sich erfahren hat, aber sie belehren
zugleich über die Art dieser Liebe. So stark und leidenschaftlich sein Gefühl ist, so zart, ja scheu ist es auch. Nicht
zu besitzen, nicht zu geniessen — geliebt zu werden, ist sein
Sehnen, sich der Geliebten hinzugeben, ihr allen Reichthum
seiner Seele darzubringen, sie über alle Erdenfrauen zu erheben, sein Verlangen. Es ist jene wundervolle, die Sinnlichkeit mit Geist und den Geist mit Sinnlichkeit durch-
dringende Gefühlskraft, die, nur den künstlerischen Menschen
zu eigen, ihre ewig typische Gestalt in Richard Wagners
Wolfram von Eschenbach gewonnen hat. Eine Kraft, deren un-
versiegliche Quelle in der lauteren Phantasie des Edlen strömt!
Hat Michelangelo aber zu den Beglückten gehört, deren
Hingebung in seligen Augenblicken Hingebung findet? Ist
er geliebt worden?
Die Antwort, welche die Gedichte auf diese Frage geben,
ist verneinend: sie alle enthalten nur den einen, gleichen

Ausdruck tiefer Klage, unerfüllten Sehnens, schmerzlicher Entsagung. Kein einziges, welches auch nur das Ahnen der Erfüllung heisser Wünsche verriethe, denn jenes herrliche, die Wunder gemeinsamen Fühlens und Denkens preisende Sonett (Guasti S. 190. Frey xliv):

„S'un casto amor, s'una pietà superna"

deutet auf ein Verhältniss höchster geistiger Art, wie es dasjenige zu Cavalieri war, nicht auf das Glück irdischer Liebesverbindung hin. Einsam mit seinem schwärmerischen liebeglühenden Herzen ist Michelangelo durch das Leben gegangen: der Segen der Ehe, der Familie blieb ihm versagt, und nur wie unerreichbare Traumgestalten, welche die Seele mit schwermüthiger Sehnsucht erfüllen, sind die Frauen an ihm vorübergeschwebt. Sie dem heiteren Schein des Lebens freudig zugewandt, und er in allem Schein nur das Wesen der Dinge suchend und erkennend. Sie so schön — und er „so hässlich".

Ist für dieses sein Verhältniss zu den Frauen neben der entrückenden Einbildungskraft noch ein Anderes von Einfluss gewesen, nämlich jene Verunstaltung, die sein Antlitz durch die Brutalität Torrigianis erlitt? Nicht sowohl in dem Sinne, als habe sie den Frauen verwehrt, ihn zu lieben, obgleich auch dies nicht ganz ohne Beachtung zu lassen ist, als vielmehr, indem sie ihm jene Sicherheit und jenes Vertrauen nahm, dem einzig die Kraft innewohnt, die Leidenschaft des Weibes zu erwecken? War es das peinigende Bewusstsein einer unnatürlichen Disharmonie in der eigenen Erscheinung, welches den Schöpfer und Verkündiger der Schönheit zu scheuer Zurückhaltung zwang, sein Gefühl im Inneren gefesselt hielt und an Stelle der Wirklichkeit ihm das Reich der Vorstellungen anwies? Dürften wir dies annehmen, dann wäre es ganz ersichtlich, wie schon in seinen Jugendjahren seine Leidenschaft, die Phantasie entflammend und zugleich in dieser die Beschwichtigung suchend, sich leidensvoll in sich selbst verzehrt. Nur ein Seufzer der Entsagung, ein Schrei der Noth ringt sich im Liede aus den Tiefen der Seele zum Lichte des Tages empor:

Come può esser ch'io non sia più mio?
O dio, o dio, o dio!

Und grösser und grösser wird mit den Jahren die Entfernung zwischen der Realität und den Ideen. Die in der
Jugend schon erkämpfte Entsagung zeitigt die innere Freiheit. Des Lebens „schweres Traumbild sinkt und sinkt und
sinkt". Aus der zehrenden Gluth des ewig jungen Herzens
schlägt himmelwärts auflodernde Flamme, und kindlich vertrauensvoll der Führerschaft einer vergötterten Freundin sich
überlassend, hebt sich die ahnungsvolle Seele durch die Nebel
des Purgatorio den Sphären himmlischer Liebe zu.

Aber dieser letzte Aufschwung stellt sich nicht unvermittelt
ein. Der zu fernen Höhen Wandernde kommt durch jene
geheimnissvollen Regionen, in denen Persönliches nur noch
wie ein zarter Schleier die Ideen verhüllt. An die Stelle
der Frau tritt als das Ziel schwärmerischen Aufblickes der
Jüngling, der Erdenrest irdischen Begehrens verschwindet,
und die reine Anschauung der Schönheit wird der Quell
unendlicher Liebesbegeisterung.

Eine gehemmte und zurückgedämmte Kraft bricht sich in
solchen Empfindungen Bahn: übermässig, wie der auferlegte
Zwang es war, ist die in Freiheit entfesselte Bewegung. Sie
ist die Erlösung des Gefühles aus tiefster Noth. Weit über
das Maass warmer Zuneigung und Bewunderung hinaus-
schiessend, wird die Liebe zu einer Vergötterung des Freundes.
„Es muss eine Wirklichkeit geben, die der künstlerischen
Vorstellung entspricht", in diesem Glauben macht sich die
Seele ein menschliches Wesen zum Gott. Nicht sinnliche
Erregung, wie schmähliche Verleumdung sich unterfangen
hat, heimtückisch zu behaupten, sondern einzig Phantasie-
entzückung ist es, welche in der Verbindung eines edlen
Geistes mit Schönheit der Gestalt das Vollkommene erkennt
und in der Blüthe der Manneserscheinung zu finden glaubt.
Ihm als der Inkarnation ewiger Harmonie errichtet der nach
dem Anblicke eines in Realität verwandelten Ideales sehnsüchtig verlangende, von den Lichtgebilden seiner beschwingten Einbildungskraft ganz beherrschte Künstler einen

Altar, auf dem er sich selbst mit Allem, was er ist, zum
Opfer bringen möchte.

Mysterien, in welche sich mitempfindend zu versenken
wohl den Wenigsten vergönnt ist! Ein Unfassliches, die
Traumeszeit hellenischen Künstlerthumes wieder hervorrufend,
bietet sich dem Blicke dar: dämonisch, wie der Prometheische
Drang, Menschen schaffen zu wollen, rührend, wie der
Glaube eines Kindes an die Seele seines Spielzeuges, erhaben,
wie die Selbstdemüthigung des Starken vor dem Schwachen!

Diese jungen angebeteten Männer: Febo von Poggio,
Gherardo Perini und Tommaso Cavalieri sind gleichsam nur
Objektivationen Michelangelo'scher Phantasiebilder. Was er
an ihnen bewundert und vergöttert, ist sein eigenes Werk,
wohl aber wird ihre Schönheit die Zauberformel, welche
seine Einbildungskraft zur Schöpfung des Ideales erregt, indem
sie ihr, der künstlerisch schaffenden, das Wunder der Eins-
werdung von Idee und Erscheinung vorspiegelt. Weit entfernt
also, sinnliches Begehren zu sein, ist diese Exaltation vielmehr
ein auf die Realität bezogenes höchstes und reines Erkennen
des in der Phantasie erschauten „Schönen und Guten"!

Nur aus einer solchen Auffassung gewinnen wir für den
eigenthümlichen Ausdruck, den des Künstlers Begeisterung
seinem „Idol", wie er es selber nennt, gegenüber findet,
Verständniss. Mit ehrfürchtiger Scheu naht er sich ihm, wie
der Priester dem Götterbild, und bringt seine Verehrung in
einer Sprache dar, deren Getragenheit die Würde feierlicher
Kultusformeln anstrebt. Dieses weihevolle Gebahren ist ebenso
entfernt von der Traulichkeit freundschaftlichen Umganges,
wie von der Heftigkeit sehnender Liebe: es gehört einem
der Welt entrückten Tempelbezirke an, in dem die Stimme
einen anderen, kälteren Klang hat.

Die früheste derartige Beziehung in des Meisters Leben,
von der wir Kenntniss haben, ist die zu einem Gherardo
Perini. Wenigstens sind wir berechtigt, dies anzunehmen, da
Pietro Aretino in einem Briefe mit hämischer Betonung
von den Gherardo's und Tommaso's Michelangelos spricht,
und Vasari erzählt, dass der Künstler jenem Perini, einem
Florentiner von Geburt, drei herrliche Zeichnungen in schwarzer

Kreide geschenkt habe. Näheres erfahren wir aber selbst
aus dem kurzen, an den „klugen Jüngling" gerichteten
Schreiben Michelangelos (Lett. S. 418, vom J. 1522), welches
die Antwort auf einen höflichen Brief Gherardos vom 31. Januar (Frey: Dicht. S. 504, s. auch zwei Briefe Perinis vom
6. und 19. Juli daselbst) ist, nicht. Wohl aber fällt an dem
Satze: „ich fühle meine Kraft zu schwach, Euren Brief zu
beantworten" und in der Unterschrift: „Euer treuester armer
Freund" die demüthige Ausdrucksweise auf.

Nicht viel besser sind wir über die Persönlichkeit eines Febo
von Poggio unterrichtet, an welchen Michelangelo im Dezember
1533 (nach Frey im September 1534) folgenden Brief sendet:
„Febo. Obgleich Ihr grössten Hass gegen mich hegt —
ich weiss nicht warum, denn ich glaube nicht: der Liebe
wegen, die ich für Euch hege, sondern in Folge der Worte
von Anderen, denen Ihr, da Ihr mich erprobt habt, keinen
Glauben schenken solltet —, so kann ich doch nicht anders,
als Euch dies schreiben. Ich reise morgen früh ab und gehe
nach Pescia, um dort den Kardinal von Cesis und Messer
Baldassare zu treffen: mit ihnen werde ich nach Pisa und
dann nach Rom gehen. Hierher kehre ich nicht mehr zurück.
Und ich thue Euch zu wissen, dass solange ich lebe und wo
immer ich sein werde, ich allezeit zu Euren Diensten bin in
Treue und Liebe, wie sie kein anderer Freund, den Ihr auf
der Welt habt, für Euch fühlt. Ich bitte Gott, er möge von
einer anderen Seite her Eure Augen öffnen, damit Ihr erkennt, dass Derjenige, welcher Euer Wohl mehr als sein
eigenes Heil ersehnt, nur zu lieben und nicht feindlich zu
hassen versteht." (Lett. S. 471.) Unter diesen Zeilen befindet
sich der Entwurf eines Gedichtes:

> Nur dich allein seh' ich mit meinem Tod zufrieden:
> Die Erde weint, der Himmel ist um mich bewegt,
> Doch dich rührt Mitleid schwächer nur, je mehr ich leide.

> O Sonne, welche rings die Erde du erwärmst,
> O Phoebus, ew'ges Licht der Sterblichen, warum
> Verdunkelst du dich mir allein und keinem Andern?

(Guasti S. 309.)

10*

Auch das Fragment eines anderen Sonettes, welches von
Symonds ganz mit Recht auf Febo, statt wie von Grimm,
Scheffler und Frey, auf Vittoria Colonna, bezogen wurde,
muss gelegentlich jenes Abschiedes entstanden sein. Die
früheren Übersetzungen ergeben keinen Sinn. Der Dichter
wendet sich an den Adler und gebraucht Poggio (auf deutsch:
Hügel) in doppeltem Sinne:

Wohl war der Himmel, der den Blick dir stählte,
Nur für zwei Augen, ach! für mich nur grausam,
Als er in seinem ew'gen, schnellen Kreisen
Nur Licht uns gab, doch dir den Flug vergönnte.

Glücksel'ger Vogel, dem solch' Vorzug ward:
Du siehst den Phoebus und sein schönes Antlitz,
Und mehr als grosses Schau'n, du darfst dich schwingen
Zum Hügel auf, von dem zerschellt ich sinke.
                                        (Guasti S. 262. Frey civ.)

Als drittes Gedicht ist ein, auch mit Vittoria Colonna in
Zusammenhang gebrachtes Sonett anzuführen, wenn gleich
die Einwände Freys hiergegen zu beachten sind:

Wohl hätt' ich mich, beglückt vom Schicksal, damals,
Als Phoebus noch den Hügel ganz bestrahlte,
Aufwärts erheben sollen, seine Federn,
Sie trugen mich, und süss war mir der Tod.

Jetzt schwand er mir, gab eiteles Versprechen,
Verzögernd froher Tage Flucht zu hemmen —
Kein Mitleid reicht der schuldbeladnen Seele
Die Retterhand, der Himmel sich verschliesst.

Die Federn waren Flügel mir, der Hügel Treppe,
Der Füsse Leuchte Phoebus, ja der Tod
Wär' mehr als Heil, wär Wunder mir gewesen:

Jetzt sterbend ohne ihn, fliegt himmelwärts
Die Seele nicht, nicht tröstet mich Erinnern —
Zu spät! Gescheh'n der Schaden! Nirgends Rath!
                                        (Guasti S. 228. Frey ciii.)

Wie ganz der in diesen Gedichten verherrlichte Febo
nur ein Phantasiebild Michelangelos war, zeigt ein vom
14. Januar 1534 datirter, mit sehr ungenügenden Kennt-
nissen der Orthographie und Grammatik geschriebener Brief
des Jünglings an den Künstler (nach Symonds II, 403):
„Erlauchter Messer Michelangelo, von mir verehrt wie
ein Vater! Gestern kehrte ich von Pisa zurück, wohin ich
gegangen war, meinen Vater zu sehen, und eingetroffen gab
mir sogleich jener Euer Freund, der an der Bank ist, ein
Schreiben von Euch, welches ich mit dem grössten Vergnügen gelesen habe, da ich daraus ersehe, dass es Euch wohl
geht. Das Gleiche gilt durch Gottes Gnade augenblicklich
von mir. Dann erfuhr ich, was Ihr darüber sagt, dass ich
böse auf Euch sei, Ihr wisst aber, dass ich gar nicht böse
auf Euch sein könnte, da ich Euch wie einen Vater betrachte, und dann ist auch Euer Benehmen nicht derart gegen
mich gewesen, dass ich so etwas thun könnte. Und denkt
daran, dass an dem Abend, auf dessen folgendem Morgen
Ihr abreistet, ich mich nicht von Messer Vincenzo losmachen
konnte, der das grösste Verlangen hatte, Euch zu sprechen.
Am Morgen kam ich in Euer Haus, und Ihr wart schon abgereist, da hatte ich grosse Betrübniss, dass Ihr abgereist
waret, ohne dass ich Euch geschen.“

„Ich befinde mich hier in Florenz, und als Ihr abreistet,
sagtet Ihr mir, dass, wenn ich irgend etwas gebrauchte, ich
es von Eurem Freunde verlangte, und da Messer G. nicht
hier ist, so bedarf ich Geld, sowohl um mich zu kleiden, als
auch auf den Monte zu gehen, um die Leute dort fechten
zu sehen, denn dort befindet sich Messer G. Daher ging
ich, Jenen von der Bank aufzusuchen, und Der sagte mir, er
habe keinen Auftrag von Euch, dass aber Einer heute Abend
abreise und dass er in fünf Tagen Antwort haben werde;
wenn Ihr ihm Auftrag gebt, wird er es an sich nicht fehlen
lassen. So bitte ich Euch, Ihr wollet so gut sein, für mich
zu sorgen und mich mit so Viel zu unterstützen, als Euch
gut dünkt, und vergesst nicht zu antworten.“

„Ich schreibe nichts weiter, ausser dass ich mit Allem, was
ich weiss und kann, mich Euch empfehle und Gott bitte, er

möge Euch vor jedem Übel bewahren. — Euer wie ein Sohn Febo von Poggio."

In der Begeisterung für einen dritten jungen Mann von grosser Schönheit und edler Begabung: Cecchino dei Bracci, traf sich Michelangelo mit einem in Rom angesessenen treuen Freunde, dem florentiner Kaufmann Luigi del Riccio, welcher nach dem Tode seines vertrauten Berathers Bartolommeo Angiolini (1541) sein Beistand in geschäftlichen Dingen geworden war. Auf Cecchino bezieht sich ein kurzer an Luigi gerichteter Brief:

„Dieses (Madrigal) sandte ich vor einiger Zeit nach Florenz. Jetzt, da ich es in mehr entsprechender Form neu gemacht habe, übersende ich es Euch, damit Ihr es, wenn es Euch gefällt, dem Feuer, nämlich demjenigen, das mich verbrennt, übergebt. Auch hätte ich noch eine andere Bitte an Euch, und diese ist, dass Ihr mir einen gewissen Zweifel löst, in welchen ich diese Nacht gerieth: als ich nämlich im Traume unser Idol begrüsste, schien es mir, dass es mich lachend bedrohte. Da ich nun nicht weiss, an welches der beiden Zeichen ich mich halten soll, so bitte ich Euch: erkundet es von ihm, und Sonntag, wenn wir uns wiedersehen, klärt mich darüber auf." (Lett. S. 474.)

Frühzeitig wurde der schöne Jüngling seinem Gönner durch den Tod entrissen, er starb am 8. Januar 1544. Luigi giebt seinem Schmerz in folgenden Zeilen an Donato Giannotti Ausdruck:

„Ach, mein Freund Donato! Unser Cecchino ist todt. Ganz Rom weint. Michelangelo macht für mich die Zeichnung zu einem schicklichen Marmorgrab; und ich bitte Euch, das Epitaph zu schreiben und mir mit einem tröstenden Brief, wenn Eure Zeit es erlaubt, zu senden, denn mein Kummer hat mich verwirrt. Geduld! Ich lebe mit tausend und abertausend Toden in jeder Stunde. O Gott! Wie hat Fortuna ihr Ansehen verändert."

Michelangelo hat Cecchino nur kurze Zeit gekannt und mehr aus Theilnahme an Luigis Empfindungen, als aus eigener Initiative, sich für ihn interessirt. Dies geht aus seinem an Riccio gerichteten Sonett hervor:

Kaum war's, dass ich die schönen Augen hab' geseh'n,
Das Paradies und Leben Eurer offnen Augen,
Als, schon geschlossen an dem Tag des letzten Scheidens,
Im Himmel er sie öffnete, um Gott zu schauen.

Ich seh's und weine, meine Schuld nicht war's,
Dass ich zu ihrer Schönheit spät mein Herz erhob,
Nein, Schuld vorzeit'gen Todes, der nicht Euch so sehr,
Als meinem glühenden Verlangen sie geraubt.

Drum wenn, Luigi, ich die einzige Gestalt
Cecchinos, den ich mein', verew'gen will im Steine,
Jetzt da er unter uns nur noch als Staub verweilt,

So muss ich, denn die Kunst enträth des Vorbilds nicht,
Da Eines sind der Liebende und der Geliebte,
Um ihn zu bilden, Euer eig'nes Bildniss machen.

(Guasti S. 162. Frey LXXIII, 15.)

Nicht weniger denn achtundvierzig als Grabschriften gedachte Epigramme, in welchen das Thema von Schönheit,
Jugend und Tod in immer neuen Variationen behandelt wird,
liess Michelangelo jenem Sonette als Geschenke folgen, hierin
mit manchem anderen dichterisch begabten Bekannten Luigis
wetteifernd. Nur einige der schönsten, unter denen das an
erster Stelle gebrachte einen im obigen Sonett ausgeführten
Gedanken wiederholt, folgen hier:

Dass hier ich schlafe vor der Zeit, mein Schicksal will es,
Doch bin ich todt nicht, hab' ich gleich vertauscht die
Wohnung,
Bleib' lebend ich in dir, der weinend mich betrachtet, —
Im Liebenden ja lebt der Liebende verwandelt.

(Guasti S. 9, No. 14. Frey LXXIII, 16.)

Die Schönheit, die hier liegt, besiegte in der Welt
So sehr das schönste unter allen den Geschöpfen,
Dass sie der Tod, um die Natur sich Freund zu machen,
Der er verhasst war, tödtete, den Glanz verlöschend.

(Guasti S. 6, No. 5. Frey LXXIII, 5.)

Hier liege ich begraben, und vor Kurzem erst
Ward ich geboren, ja, ich bin's, für den der Tod
So schnell und grausam war, dass meine nackte Seele
Es kaum bemerkt, dass schon ihr Sein verwandelt ist.
(Guasti S. 7, No. 7. Frey LXXIII, 7.)

Hat die Natur dem Tod auch unterliegen müssen
In diesem schönen Antlitz, Rache einst wird nehmen
Für diese Welt der Himmel, wenn er schöner
Als je die Götterhülle diesem Grab enthebt.
(Guasti S. 8, No. 10. Frey LXXIII, 10.)

Ein Bracci war ich von Geschlecht, beraubt der Seele
Ward meine Schönheit hier zu Erdenstaub und Knochen —
Sich nicht zu öffnen, fleh' den Stein ich, der mich birget,
Dass schön ich Dem verbleibe, der mich lebend liebte.
(Guasti S. 20, No. 45. Frey LXXIII, 47.)

Mit Braccis Sonne schliesse ich verlöscht für immer
Die Sonne der Natur hier ein in engem Raume:
Ohn' Schwert und Eisen hat der Tod ihn hingestreckt,
Denn leiser Wind schon knickt vorzeit'ge Winterblüthen.
(Guasti S. 17, No. 38. Frey LXXIII, 40.)

Man hält für todt mich, aber da zum Trost der Welt
Ich lebte und im Busen tausend Seelen trug
Von wahren Liebenden, so konnte ich verscheidend,
Da eine einz'ge nur geraubt mir ward, nicht sterben.
(Guasti S. 9, No. 12. Frey LXXIII, 12.)

Braccio liegt hier, kein schön'res Grabmal könnte bergen
Den Leib, und seine Seele waltet heil'gen Amtes.
Fand todt ein würdigeres Heim als lebend er
Auf Erden wie im Himmel, war ihm hold der Tod.
(Guasti S. 18, No. 41. Frey LXXIII, 43.)

Hier streckte Braccio hin der Tod, der unreif pflückte
Die Frucht, nein! eine Blüthe — fünfzehn Jahre zählt er!
Nur dieser Stein, der ihn besitzt, erfreut sich seiner:
Was sonst die Welt enthält, muss Alles ihn beweinen.
(Guasti S. 19, No. 42. Frey LXXIII, 49.)

Warum hast du vom Alter schon entstellte Züge,
O Tod, nicht heimgesucht und lässt mich Jungen sterben? —
„Weil auf zum Himmel nimmer steigt noch dort verweilet,
Was hier auf Erden alternd von der Welt befleckt.“
(Guasti S. 6, No. 3. Frey LXXIII, 3.)

Wie der Nachklang einer nur kurzwährenden sanften
Entzückung und Rührung ziehen diese an tiefen Gedanken
und ergreifenden Bildern reichen Epitaphiendichtungen an uns
vorüber. Von ganz anderer, gesteigerter Art war die Beziehung Michelangelos zu dem jungen Römer Tommaso
Cavalieri. In ihr nimmt seine Phantasieliebe den höchsten
Aufschwung. Lange Zeit ist dieses in des Meisters Leben tief
eingreifende Verhältniss vollständig im Dunkeln geblieben, da
der erste Herausgeber seiner Gedichte, sein Grossneffe, aus
dem Bestreben, jeder missverständlichen Auffassung vorzubeugen, die den Jüngling feiernden Gedichte in willkürlich
veränderter Form herausgegeben hatte, indem er an Stelle
des in ihnen angeredeten Mannes eine Frau setzte. Auch
Cesare Guasti, welcher den echten Text wiederherstellte,
glaubte doch, die gleiche Meinung durch seine Interpretation aufrecht erhalten zu müssen, und nahm an, Tommaso
Cavalieri sei nur eine vorgeschobene Persönlichkeit, hinter
welcher man Vittoria Colonna zu suchen habe. Dieser geliebten
Freundin gälten die dargebrachten Huldigungen. Erst durch
Scheffler und Symonds ist es in endgültiger Weise bewiesen
worden, dass Michelangelo an keinen Anderen als eben Tommaso Cavalieri selbst sich wendet, und damit ist uns auch
jenes geheimnissvolle Bereich des Schönheitskultus in Michelangelos Phantasie erst ganz erschlossen worden. Was oben zur
allgemeinen Erklärung und Charakteristik dieser Gefühle als
rein dem geistigen Leben angehöriger Exaltationen angeführt ward, findet in den an Tommaso gerichteten Briefen
und Sonetten seine volle Begründung.

„Unvergleichlich viel mehr, als alle die Anderen“, so steht
bei Vasari zu lesen, „liebte er Tommaso dei Cavalieri, einen
römischen Edelmann, für welchen, da er jung und den
Künsten ergeben war, Michelangelo viele erstaunliche Zeich-

nungen von wunderschönen Köpfen in schwarzer und rother Kreide machte, in dem Wunsche, ihn die Zeichenmethode zu lehren. Weiter aber zeichnete er für ihn einen durch Zeus' Adler gen Himmel getragenen Ganymed, einen Tityos mit dem an seinem Herzen sich nährenden Geier, den Sturz des Phaeton mit dem Sonnenwagen in den Po-Fluss und ein Kinderbacchanal; alles Werke von seltenster Schönheit, und Zeichnungen von solcher Vollendung, wie sie sonst nie gesehen worden sind. Michelangelo machte auf einem Karton auch ein Porträt von Messer Tommaso in Lebensgrösse, das einzige Porträt, welches er überhaupt je gezeichnet, da er es verabscheute, eine lebende Person nachzuahmen, ausser wenn sie von unvergleichlicher Schönheit war."

Nähere Angaben über den Jüngling bringt Varchi in dem Kommentar, welchen er zu zwei Sonetten des Künstlers gegeben hat, mit folgenden Worten: „das erste Sonett, welches ich vorführe, ist an Messer Tommaso Cavalieri gerichtet, einen jungen Römer von sehr edler Geburt, in dem ich während meines Aufenthaltes in Rom nicht allein unvergleichliche physische Schönheit, sondern so viel Anmuth der Sitte, einen so ausgezeichneten Geist und so liebenswürdiges Benehmen ersah, dass er wohl verdiente und noch verdient, um so viel mehr Liebe für sich zu gewinnen, je mehr man ihn kennt." (Varchi: due lezioni S. 47.)

Die Bekanntschaft mit Cavalieri scheint Michelangelo während des römischen Aufenthaltes im Herbst 1532 gemacht zu haben. In einem verloren gegangenen Briefe hat er ihm damals seine Huldigung dargebracht. In welcher Art, verräth uns das Antwortschreiben Tommasos. Es lautet:

„Ich habe einen Brief von Euch erhalten, welcher um so willkommener ist, als er ganz unerwartet war. Ich sage: unerwartet, weil ich mich solcher Herablassung eines Mannes von Eurer Ausserordentlichkeit für unwürdig erachte. In Bezug auf das, was Pierantonio Euch zu meinem Lobe gesagt hat, und auf jene meine Arbeiten, die Ihr gesehen habt und welche, wie Ihr sagt, in Euch eine nicht geringe Zuneigung für mich erweckt haben, so antworte ich darauf, dass sie nicht danach waren, einen Mann von solch' überirdischem

Genius, wie es keinen zweiten, geschweige denn einen Rivalen auf dieser Erde giebt, zu veranlassen, einen Jüngling, der erst gestern geboren wurde und daher so unwissend wie nur denkbar ist, anzureden. Und doch kann ich Euch nicht zu gleicher Zeit einen Lügner nennen. Ich glaube daher, nein, bin dessen gewiss, dass ich die Liebe, welche Ihr für mich hegt, dem verdanke, dass Ihr als ein in der Kunst höchst ausgezeichneter Mann, nein, als die Personifikation der Kunst selbst, gezwungen seid, Diejenigen, welche sie lieben und sich ihr widmen, zu lieben. Zu diesen gehöre auch ich, ja, stehe hierin, meinen Anlagen entsprechend, hinter Wenigen zurück. Ich verspreche Euch treulich, dass Ihr für Eure Freundlichkeit gleiche, ja vielleicht grössere Zuneigung im Austausch erhalten sollt: denn niemals liebte ich einen Mann mehr als Euch, noch verlangte ich mehr eine Freundschaft, als Eure. Hierin, mag auch mein Urtheil in anderen Dingen fehlen, irrt es nicht: und Ihr werdet den Beweis dafür sehen, nur dass Fortuna mir so feindlich ist, dass ich gerade jetzt, da ich Euch geniessen könnte, nichts weniger als wohl bin. Doch hoffe ich, falls sie nicht von Neuem mich zu quälen beginnt, binnen wenigen Tagen geheilt zu sein, und werde kommen, Euch persönlich meine Achtung zu bezeugen. Inzwischen werde ich wenigstens zwei Stunden täglich auf das Studium Eurer zwei Zeichnungen, welche Pierantonio mir brachte, verwenden; je mehr ich sie betrachte, desto mehr entzücken sie mich; und ich will meine Klagen versüssen, indem ich die Hoffnung pflege, welche mir Pierantonio erweckte, dass Ihr mich andere Werke von Euch sehen lasst. Um nicht lästig zu fallen, will ich nichts weiter schreiben. Ich bitte Euch nur, daran zu denken, bei Gelegenheit über mich zu verfügen; und empfehle mich Euch in Ewigkeit. — Euer ganz zugethaner Thomao Cavaliere." (Symonds II, 400. Frey: Dicht. S. 513.)

Die edle, bescheidene Fassung dieses Schreibens ist ein schönes Zeugniss für den jungen Mann, dem der grosse Meister so unerhörte Huldigung darbrachte. Noch an demselben Tage, dem 1. Januar 1533, antwortete Michelangelo mit einem Briefe, zu dem nicht weniger als drei Entwürfe

uns erhalten sind, in feierlich gerührten Worten und in einer
schwer verständlichen, gesuchten Bildersprache folgendermaassen:

„Unbedacht, Messer Tommaso, mein theuerster Herr, liess
ich mich bewegen, Eurer Herrlichkeit zu schreiben, nicht um
etwa eine Antwort auf irgend einen Brief, den ich von Euch
empfangen hätte, zu geben, sondern als der Erste, der den
Anfang mache, gleichsam als hielte ich mich für verpflichtet,
mit trockenen Füssen einen kleinen Fluss zu durchschreiten
oder eine durch wenig Wasser deutlich gewordene Furt. Nun
aber, da ich das Ufer verlassen habe, finde ich nicht einen
kleinen Fluss, sondern der Ocean mit sich thürmenden Wogen
erscheint vor meinen Augen, so dass ich, wenn ich es nur
vermöchte, um nicht ganz von ihnen verschlungen zu werden,
gerne zum Ufer zurückkehrte, von dem ich ausging. Da
ich nun aber einmal hier bin, will ich aus meinem Herzen
einen Felsen machen und vorwärts gehen; und wenn ich
nicht die Kunst besitze, durch die Meereswellen Eures
mächtigen Genius zu schiffen, so wird dieser mich entschuldigen und nicht mich verachten, weil ich mich ihm
nicht vergleichen kann, noch von mir verlangen, was ich nicht
besitze, denn wer einzig in allen Dingen ist, kann in keinem
seinesgleichen haben. Daher kann Eure Herrlichkeit, Licht
unseres Jahrhunderts, dem nichts in der Welt zu vergleichen
ist, nicht Genüge finden an dem Werke irgend eines Anderen,
da Niemand Euch gleich noch ähnlich ist. Und sollte dennoch eines von den Werken, welches ich zu machen hoffe
und verspreche, Euch gefallen, so werde ich es weit mehr
für vom Schicksal begünstigt, als für gut erachten. Und
könnte ich jemals, wie gesagt, dessen gewiss sein, in irgend
etwas Eurer Herrlichkeit zu Gefallen zu sein, so bin ich
bereit, Euch die Gegenwart mit Allem, was mir die Zukunft
verleihen mag, zu schenken; und es schmerzt mich sehr,
nicht auch die Vergangenheit wiedergewinnen zu können,
um Euch mit ihr länger dienen zu dürfen, als es die Zukunft gestattet, denn diese wird kurz sein, da ich zu alt bin.
Mehr habe ich nicht zu sagen. Lest das Herz und nicht den
Brief, denn die Feder kann den guten Willen nicht ereilen."

„Ich habe mich zu entschuldigen, dass ich mich in meinem ersten Schreiben so tief verwundert und erstaunt über Euren Genius, der wie ein Fremdling in dieser Welt ist, zeigte, und so entschuldige ich mich, weil ich später erkannte, in welchem Irrthum ich befangen war; denn man müsste sich gerade so gut darüber wundern, dass Gott Wunder that, als darüber, dass Rom göttliche Menschen hervorbringt. Das Weltall legt hierfür Zeugniss ab." (Lett. S. 462. Vgl. Annalen.)

In zweien der Entwürfe für dieses Schreiben findet sich ein räthselhaftes Postskriptum: „Es wäre wohl erlaubt, den Namen der Dinge, welche ein Mensch schenkt, Dem, der sie empfängt, zu geben; aber aus Rücksicht auf das, was sich geziemt, geschieht es nicht in diesem Briefe." Guasti glaubt, dass damit der Name „des Freundes" gemeint sei.

Im Juni 1533 kehrte Michelangelo nach Florenz zurück. Von dort grüsst er den Liebling und sendet ihm (nach einem Briefe Angiolinis) „quell' anima", offenbar, wie aus Späterem hervorgeht, „seine" Seele. Im Juli frägt Cavalieri an, ob der Meister ihn vergessen habe, was Diesen veranlasst, am 28. Juli dem vergötterten Jüngling zu antworten wie folgt:

„Mein theurer Herr. — Hätte ich nicht geglaubt, Euch der grössten, ja maasslosen Liebe, die ich für Euch hege, vergewissert zu haben, so wäre mir nicht seltsam noch verwunderlich erschienen, dass Ihr in Eurem Schreiben den Verdacht äussert, ich vergässe Euch, weil ich Euch nicht schreibe. Aber es ist nichts Neues noch zum Verwundern, dass, da so viele andere Dinge der Quere gehen, auch dies verkehrt zugehe: denn Das, was Eure Herrlichkeit mir sagt, hätte ich vielmehr Euch zu sagen: aber vielleicht thut Ihr es nur, um mich zu versuchen oder um ein neues und grösseres Feuer, wenn es ein grösseres überhaupt geben kann, anzustecken. Aber sei es wie es sei: ich weiss wohl, dass ich ebenso gut Euren Namen vergessen könnte, wie die Nahrung, von der ich lebe; ja ich kann eher die Nahrung, von der ich lebe, und die nur den Körper ohne Glück ernährt, vergessen als Euren Namen, welcher Körper und Seele ernährt und den einen wie die andere mit solcher Süssigkeit erfüllt, dass ich, solange ich Euch im Gedächtniss behalte, weder Leid noch Todesfurcht fühlen kann. Denkt, in welchem Zustande ich mich befinden würde, wenn auch dem Auge noch sein Recht geschähe." (Lett. S. 467.)

In einem Entwurfe zu diesem Briefe heisst es: „ich glaube nicht, obgleich ich sehr anmaassend spreche, da ich viel geringer bin als Ihr, dass irgend Etwas unsere Freundschaft stören könne."

Tommaso antwortete am 2. August:

„Mein einziger Herr. — Ich habe einen sehr willkommenen Brief von Euch erhalten, aus dem ich ersehe, dass Ihr nicht wenig betrübt darüber seid, dass ich Euch von ‚Vergessen‘ geschrieben habe. Ich antwortete darauf: dass ich dies nicht aus folgenden zwei Gründen that, nämlich, weil Ihr mir Nichts geschickt habt oder um die Flamme Eurer Zuneigung zu schüren. Ich schrieb es bloss, um Scherz mit Euch zu machen, was, wie ich sicher glaube, mir doch erlaubt ist. Daher seid nicht betrübt, denn ich bin ganz sicher, dass Ihr nicht im Stande sein werdet, mich zu vergessen. — — — — Ich habe nichts mehr zu schreiben, ausgenommen dass ich Euch bitte, schnell zurückzukehren. Wenn Ihr kommt, so werdet Ihr mich vom Gefängniss befreien, denn ich wünsche schlechte Gesellschaft zu vermeiden; und da ich diesen Wunsch habe, kann ich mit keinem Anderen als Euch verkehren. Ich empfehle mich Euch tausendmal, Euer, mehr als sein selbst, Thomao Cavaliere." (Symonds II, 491. Frey: Dicht. 518.)

Weitere Mittheilungen zwischen den Beiden vermittelte Bartolommeo Angiolini in Rom, dessen Briefe Symonds und Frey veröffentlicht haben. Folgende Stellen in ihnen belehren uns darüber, wie ängstlich besorgt Michelangelo sich um die Erhaltung der Liebe Tommasos zeigte: „Euer Brief lässt mich erkennen, wie gross die Liebe ist, die Ihr für ihn hegt, und in Wahrheit, so weit ich es gesehen habe, liebt er Euch nicht weniger, als Ihr ihn." (Symonds II, 392. Frey: Dicht. 516.) „Ich gab Euren Brief an Messer Thomao, der Euch sein freundlichstes Gedenken sendet und den heftigsten Wunsch nach Eurer Rückkunft hegt, denn er sagt: wenn er mit Euch

sei, sei er wirklich glücklich, weil er dann Alles besitze, was
er auf dieser Welt sich wünsche. So scheint mir denn, dass
während Ihr Euch beeilt, zurückzukehren, er vor Verlangen
danach, dass Ihr es thut, brennt. Warum beginnt Ihr nicht
ernstlich Pläne für das Verlassen von Florenz zu machen?
Es würde Euch und uns Allen Frieden bringen, wäret Ihr
hier. Ich habe Eure Seele gesehen, welche sich in guter
Gesundheit und unter guter Bewachung befindet. Der Körper
wartet auf Eure Ankunft." (Symonds II, 393. Frey: Dicht. 518.)

Letztere Bemerkung findet ihre Erklärung in einigen
Sätzen eines leider verstümmelt auf uns gekommenen Briefes
von Michelangelo an Bartolommeo Angiolini (11. Oktober
1533):

„Daher, wenn ich ohne Unterbrechung Tag und Nacht
mich sehne, dort zu sein, so geschieht das aus keinem anderen
Grunde als ins Leben zurückzukehren, was ohne die Seele
nicht möglich ist, denn da das Herz in Wahrheit das Haus
der Seele ist und das meinige in den Händen Dessen ist,
dem Ihr meine Seele gegeben habt, so will sie aus natürlicher Kraft an ihren Ort zurückkehren. Hättet Ihr es nur
mit dem Körper auch so machen können, wie willig wäre
er an denselben Ort und zu seiner Seele gegangen und be-
fände sich nicht hier in solchen Nöthen." (Lett. S. 469.)

An Sebastiano del Piombo aber äussert sich Michelangelo
folgendermaassen: „ich bitte Euch, wenn Ihr Messer T. Cavalieri seht, so empfehlt mich ihm unbegrenzt; und wenn Ihr
schreibt, so theilt mir etwas über ihn mit, um ihn in meinem
Gedächtniss zu erhalten: denn sollte ich ihn aus meinen Gedanken verlieren, ich glaube, so würde ich geradesweges todt
niederfallen." (Lett. S. 466.)

Den Zeichnungen des Phaeton, Tityos und Ganymed,
welche der Künstler seinem Liebling gab und von denen in
einem Briefe Dieses (vom September) die Rede ist, folgten
als Geschenke Sonette. „Ich habe den sehr willkommenen
Brief, den Ihr mir schriebt, erhalten", so bemerkt Angiolini
am 6. September, „und zugleich Euer anmuthiges und schönes
Sonett, das ich kopirt und dann an Messer Thomao weiter-
geschickt habe. Er war entzückt, es zu besitzen, verge-

wissert dadurch, dass Gott ihn gewürdigt habe, ihm die
Freundschaft eines mit so vielen edlen Gaben ausgestatteten
Mannes, wie Ihr es seid, zu schenken." (Symonds II, 396.
Frey: Dicht. 522.) Und im Oktober berichtet er von dem
Empfange weiterer Sonette, welche er an Den, für den sie
bestimmt waren, gesendet habe.

Zwei dieser Gedichte sind bald den literarischen Kreisen
Italiens bekannt geworden. Varchi hat sie in seinen Due
lezioni veröffentlicht.

Das eine, nach Scheffler frühere, welches in dem „Cavalier
armato" der letzten Zeile eine Anspielung auf Tommasos
Namen enthält, lautet:

Wozu doch soll ich länger dieses heisse Sehnen
Mit Klagen oder trüben Worten noch ersticken?
Der Himmel, der solch' Loos der Seele gab als Hülle,
Lässt Keinen sich ob früh ob spät davon befrei'n.

Was sehnt mein müdes Herz sich, länger noch zu schmachten,
Da uns der Tod gewiss? Dank diesen Augen müssen
Für mich die letzten Stunden wen'ger qualvoll sein,
Denn schwerer wiegt als jede Freude ja mein Leid.

Und kann ich auch dem Streich, den selbst ich jenen Augen
Entreiss' und raube, nicht entflieh'n, so trifft er mich
Doch mitten inne zwischen Süssigkeit und Schmerz.

Soll glücklich ich nur sein besiegt und überwältigt,
Welch' Wunder ist es, wenn ich unbewehrt und einsam
Gefang'ner werde eines waffenstarken Ritters!
(Guasti S. 189. Frey LXXVI.)

Der Sinn des Gedichtes ist im Einzelnen nicht leicht zu
fassen, da das in den zwei letzten Strophen gegebene Bild
des Kampfes zwischen dem Liebenden und dem Geliebten
nicht scharf durchgeführt erscheint. Der aus Liebesleid nach
dem Tod Verlangende, Wehrlose sucht in dem Blicke des
Geliebten den Todesstoss, den er zugleich als Glück und als
Liebe empfindet: dies ist, kurz zusammengefasst, die Vorstellung.

Aus solchem Bereich eines Spieles mit kalten, gekünstelten Gedanken aber erhebt sich der Dichter in dem zweiten Sonette, welches Scheffler das „schönste lyrische Gedicht, das überhaupt im XVI. Jahrhundert in Italien entstanden ist" nennt, zu freiem Fluge des Gefühles:

Mit deinen schönen Augen seh' ich süsses Licht,
Das ich mit meinen blinden nicht erschauen kann,
Mit deinen Füssen trag' auf mir ich eine Last,
Die zu ertragen meinen lahmen fehlt die Kraft.

Mit deinen Flügeln flieg' ich, selber unbefiedert,
Erhebe mich mit deinem Geist allzeit zum Himmel,
Nach deinem Willen werd' ich wechselnd bleich und roth,
Trotz Sonne kalt und warm im allerkält'sten Frost.

In deinem Wollen liegt allein mein Wünschen,
In deinem Herzen die Gedanken sich mir bilden,
Und meine Worte leben nur in deinem Athem.

Mir selber überlassen gleiche ich dem Mond,
Von dem am Himmel unsere Blicke nur gewahren,
So viel von ihm erhellt wird durch der Sonne Licht.
(Guasti S. 188. Frey cix, 19.)

Von den Cavalieri gewidmeten Madrigalen, die Michelangelo in seinem Briefe an Sebastiano erwähnt, wissen wir nichts Näheres, doch darf man mit grosser Wahrscheinlichkeit eines derselben in dem von Guasti als 52stes gebrachten erkennen, da einige Zeilen davon sich auf der Rückseite eines an Angiolini adressirten Briefes befinden. Das Gedicht ist in sechs verschiedenen Lesarten erhalten: die hier in Übersetzung gegebene, auf jenem Schreiben verzeichnete Stelle bildet den Schluss der fünften Fassung:

„Amor hält mich so gefangen und will, dass ich nichts Anderes ersehne, wenn es dir nicht gleicht; denn einzig von deinen Augenbrauen hängt alle Tugend, Ehre, Leben und Heil ab; nur sie erleuchten und enthüllen, was die Natur und der Himmel meiner beschwerten Seele verbirgt und verheimlicht." (Guasti S. 88.)

Thode, Michelangelo I.   11

Nicht mit voller Bestimmtheit, aber doch mit grosser
Wahrscheinlichkeit lassen sich aber ferner auf Cavalieri noch
eine Anzahl von Gedichten, welche Frey näher zu bestimmen
versucht hat, beziehen: sie werden später in anderem Zusammenhange betrachtet werden. Hier finden nur drei Sonette ihren Platz. Eines von ihnen scheint im Jahre 1532
entstanden:

> Du weisst, dass ich es weiss, mein Herr, du wissest wohl:
> Ich komm' hierher, um deiner Nähe mich zu freuen;
> Und weisst, dass ich es weiss, du weisst, ich blieb der Gleiche,
> Warum dann zögerst du noch länger, mich zu grüssen?

> Ist wahr die Hoffnung, die du selber mir gewährst,
> Ist wahr das edle Sehnen, das ich hegen darf,
> So falle zwischen uns die Mauer, die uns scheidet,
> Denn doppelt starke Kraft besitzt verhehltes Leiden.

> Wenn einzig ich an dir, mein theurer Herr, nur liebe,
> Was du an dir am meisten liebst, so zürne nicht,
> Denn lieben muss des Einen Geist den Geist des Andern:

> Was mich dein schönes, so ersehntes Antlitz lehrt,
> Kann wahrlich nicht von Menschenwitz verstanden werden —
> Wer es erkennen will, der muss zuvor erst sterben.
> (Guasti S. 217. Frey LV.)

Schwingt sich hier der Gedanke zu einem Platonischen
Erfassen der Idee der Schönheit in der individuellen Erscheinung auf, so findet in dem zweiten Sonett die im
Phaidros verherrlichte Seligkeit des Schauens der Schönheit
ihren Ausdruck:

> Verräth im Antlitz sich das Herz dem Auge,
> Dann kann sich heller wohl nicht offenbaren
> Die Flamme meiner Liebe: sie genüge
> Als Werbung, theurer Herr, um deine Huld.

> Vielleicht wird doch dein Geist voll stärk'ren Glaubens,
> Als ich es wähn', sieht er das keusche Feuer,
> Das mich entflammt, sich eifrig mein erbarmen!
> Wer redlich bittet, findet reiche Gnade!

Glücksel'ger Tag, der dess' gewiss mich machte,
Dann stehe still auf einmal Zeit und Stunde
Und Tag und Sonne auf der alten Bahn!

Auf dass ich, ohne mein Verdienst beglückt,
Den Heissersehnten, meinen süssen Herrn,
Sein unwerth, ewig in den Armen halte.

(Guasti S. 180. Frey l.)

Die Entdeckung des Göttlichen in dem geliebten schönen Jüngling, welches dem profanen Auge verborgen bleibt, ist es, die Glück und Schmerz mit sich bringt. Mit aller „heiligen Scheu vor dem die Schönheit Besitzenden", wie es im Phaidros heisst, verbindet sich die Sehnsucht, das eigene Gefühl im Geliebten wiederzufinden:

Ich fühl' ein holdes Antlitz gluthentzündet,
Das, frosterstarrt, von ferne mich entbrennt,
Ich spür' in schönen Armen eine Kraft,
Die, unbewegt, jed' andre Last bewegt.

Ich sehe selt'nen Geist, nur mir verständlich,
Der, selbst unsterblich, Andren Tod bereitet.
Ich finde einen Freien, der mich fesselt,
Und fühl' von Dem verletzt mich, der mir hilft.

Wie kann in mir, o Herr, ein schönes Antlitz
Das volle Gegentheil von sich bewirken,
Da man nur Eig'nes Andrem geben kann?

Der du des Lebens Freude mir genommen,
Du gleichst, verweigerst du sie mir, der Sonne,
Die rings die Welt erwärmt, selbst wärmelos.

(Guasti S. 194. Frey cix, 18.)

Auf Gehalt und Form dieser Dichtungen, welche erst durch eine nähere Beschäftigung mit Michelangelos philosophischen Anschauungen verständlich werden, näher einzugehen, ist hier noch nicht der Ort, wohl aber, darauf hinzuweisen, welche Bedeutung sie durch ihre Zurückführung auf ein bestimmtes persönliches Verhältniss für die Erkenntniss

11*

des tiefinnerlichen Zusammenhanges besitzen, in dem solche
dichterische Inspiration mit der Phantasieverklärung menschlich dem Meister nahetretender Erscheinungen steht. Konnte
der von jugendlicher Schönheit Begeisterte den mächtigen durch sie ausgeübten Zwang in dichterischer Form
auch nur mit dem so viel umschliessenden Worte „Liebe" bezeichnen und dementsprechend seine Bilder wählen, so drückt
sich in der Fassung der Verse wie der Briefe das Unpersönliche des Gefühles in so starker Weise aus, dass es nur
einem oberflächlich Lesenden entgehen dürfte. Wer aber
möchte angesichts der Verquickung eines voll Entzücken im
Geiste angeschauten Ideales mit einem wirklichen Wesen sich
darüber wundern, dass es unmöglich ist, hier Grenzen
zwischen dem Sinnlichen und dem Übersinnlichen zu bestimmen, wer es wagen, die Gefühlselemente sondern zu
wollen, die sich in des Künstlers Schwärmerei, denn nur mit
diesem, freilich durch falschen Gebrauch missverständlich gewordenen Wort kann die von uns nacherlebte seelische Erregung bezeichnet werden, gegenseitig innig durchdringen!

Dass solche Entzückungen von keiner langen Dauer sein
können, liegt in ihrem Wesen begründet. Das Traumbild
zerfliesst und die Seele starrt in schmerzlicher Einsamkeit
und zitternder Sehnsucht auf das Nichts. Ein seltenes Glück,
wenn in sanfter Wandlung die Schwärmerei zur Freundschaft werden darf! Neben zahllosen Enttäuschungen, die
Michelangelo erlitten haben muss, hat er doch auch Erfahrungen wie die mit Cavalieri gemacht, der ihn, von seinem
Altar herabgestiegen, in inniger Treue, wie ein Sohn den
Vater, auf dem ferneren Lebenswege begleitet hat. Mit
tiefem Vertrauen ward er belohnt, so dass er als der Einzige betrachtet werden durfte, welcher Einfluss auf den
Meister hatte, und daher auch häufig genug als Vermittler
ihrer Wünsche von Anderen erkoren wurde. Cavalieri ist es
gewesen, welcher den greisen Künstler dazu bestimmen konnte,
das Holzmodell der Kuppel von S. Peter anzufertigen, und
dadurch die Verewigung des göttlichen Gedankens sicherte.
Cavalieri war es, welcher den Plänen Michelangelos für die
Kapitolinischen Bauten Gestaltung verliehen hat. Und als das

grosse Leben seinem Ende entgegenging, hat die Liebe
Cavalieris es mit zarter Hand jenen Höhen zugeleitet, deren
Schönheit das lichtentzündete Auge des Sehers einst in des
jungen Freundes Zügen wiederscheinen sah.

Nur von einigen wenigen, freilich aber vor allen Anderen
bevorzugten Lieblingen Michelangelos haben wir Kunde
erhalten. Was in dem Verhältniss zu ihnen mit seltener
Kraft zum Ausdruck kam: das in lebhaftester Phantasiethätigkeit wurzelnde Bedürfniss, das Vollkommene schon in
dieser Welt zu erschauen und sich ihm rückhaltlos in Liebe
hinzugeben, hat sich, in geringerem Grade, aber immer und
überall geäussert, wo dem Gefühl nur irgend ein Anlass
zum Aufschwung gegeben ward. Michelangelos eigene Worte,
wie sie uns Donato Giannotti mittheilt, geben besseren Aufschluss darüber, als die längsten Auseinandersetzungen es
vermöchten. Halb im Scherz gesagt, enthalten sie doch die
volle Wahrheit. Luigi del Riccio hat in Gesellschaft von
Giannotti und Antonio Petrejo den Künstler zu Tische ein-
geladen, und Dieser begründet seine Absage in folgender
Weise:

„Wenn immer ich Einen, welcher ein Talent oder irgend
eine geistige Begabung besitzt, oder welcher etwas richtiger
zu thun und zu sagen versteht, als die übrige Welt, gewahre,
so bin ich gezwungen, mich in ihn zu verlieben; und dann
gebe ich mich ihm so vollständig hin, dass ich nicht länger
mir selbst, sondern ganz ihm angehöre. . . . . Würde ich die
Einladung annehmen, so würde, da ihr ja alle mit Talenten
und anmuthigen Gaben geschmückt seid, Jeder von euch
ein Stück von mir nehmen, und ebenso auch der Tänzer
und der Lautenschläger, wenn Männer, die durch Begabung
in diesen Künsten ausgezeichnet sind, zugegen wären. Jede
Person würde einen Theil von mir rauben, und anstatt er-
frischt und gesund und heiter gemacht zu werden, wie Ihr
sagt, würde ich so völlig verwirrt und zerstreut werden, dass
ich während vieler kommender Tage nicht wissen würde,
in welcher Welt ich mich bewege." (Giannotti: Dialoghi S. 32.)

2

HUMOR

Dieselbe Kraft der Phantasie, welche sich in der vergöttlichenden Auffassung irdischer Schönheit bethätigte, tritt in andrer Äusserung als ein freies Spiel mit den Erscheinungen menschlicher Schwäche und Unvollkommenheit auf. Der überlegene Geist, zur Ruhe einer von allem persönlichen Begehren gelösten Betrachtung sich erhebend, findet sich mit dem Unbedeutenden und dem Unsinnigen der Wirklichkeit, das anmaasslich naiv sich ihm aufdrängt, ab, indem er ihm den Humor entgegensetzt und so das Recht seiner Souveränetät ausübt, durch phantastische Steigerung Nichtssagendem Bedeutung und dem Widerspruche zwischen Ideen und Realität heitere anschauliche Gestalt zu verleihen.

Wie den meisten künstlerisch schöpferischen, starken Menschen, ist auch Michelangelo Humor und zugleich Witz zu eigen gewesen, eine Thatsache, die gerade, weil sein Leben ein so leidensvolles war, mit besonderem Nachdruck hervorgehoben werden muss. Ja, wer diese Seite seines Geistes nicht erfasst, wird zahlreiche Äusserungen in seinen Briefen nicht verstehen, denn selbst in dem Ausdruck heftigen Verdrusses, in polternden Drohungen und derbem Schelten, wie sie namentlich der Verkehr mit dem Neffen Lionardo aufweist, ist ein gut Theil harmloser Heiterkeit mit enthalten. Sie blickt durch alle Erregung hindurch, wie die Sonne durch Wolken, und nimmt den scharfen oder wilden Worten, die seltenen Fälle, wo tiefe sittliche Entrüstung sich Bahn bricht, ausgenommen, das Kränkende.

Zahlreiche Beispiele hiervon sind uns in der Korrespondenz schon begegnet: so in den Verhandlungen über die Verheirathung Lionardos und in den Anmerkungen über Dessen schlechte Schrift, wie andere uns noch späterhin begegnen werden. Besonders angeführt seien hier nur einzelne charakteristische Vorfälle und Äusserungen.

Mancherlei derart steht im Zusammenhange mit seinen künstlerischen Arbeiten, wie denn von jeher die Unvereinbarkeit der Künstleranschauung mit den Gedanken und Wünschen der Auftraggeber oder Kritiker den Schaffenden Anlass zu überlegenem Lachen gegeben hat.

Auf welche Quellen der Meister sein Bildnerthum selbst zurückzuführen liebte, zeigt der Ausspruch, den er scherzend zu Vasari that: „Giorgio, wenn meine Begabung etwas werth ist, so kommt das daher, dass ich in der scharfen Luft Eurer Gegend von Arezzo geboren bin, wie ich denn auch mit der Milch meiner (aus der Heimath der Steinmetzen: Settignano stammenden) Amme schon Meissel und Hammer, mit denen ich die Statuen mache, eingesogen habe."

Als im Jahre 1504 der gigantische David auf der Piazza in Florenz aufgestellt worden war, „geschah es, dass Pier Soderini (der Gonfaloniere der Republik), dem er sehr gefiel, zu Michelangelo, während Dieser die Statue an einigen Stellen überarbeitete, sagte: die Nase der Gestalt erschiene ihm zu dick. Michelangelo, welcher bemerkte, dass der Gonfaloniere gerade unter dem Giganten stand, und dass ihm sein Gesichtspunkt nicht, was vor sich ging, zu gewahren gestattete, stieg, um ihn zu befriedigen, auf das Gerüst, welches neben den Schultern war, nahm schnell einen Meissel und ein wenig Marmorstaub, der auf den Brettern des Gerüstes lag, in die linke Hand und liess, während er leicht den Meissel bewegte, den Staub nach und nach fallen, berührte aber die Nase gar nicht, sondern liess sie, wie sie war. Dann blickte er zum Gonfaloniere, welcher zuschaute, herab und sagte: ‚Betrachtet es jetzt.' ‚Jetzt gefällt es mir viel besser,' erwiderte der Gonfaloniere, ‚Ihr habt ihm das Leben geschenkt.' Worauf Michelangelo herunterstieg und still für sich lachte, aus Mitleid mit Denen, welche, um ihre Kennerschaft zu zeigen, sinnlos darauf losreden." (Vasari.)

Weniger gefälliges Entgegenkommen, als Soderini, erfuhr auf eine offenbar witzig gemeinte Anfrage: „was grösser sei,

die Statue des Papstes oder ein Paar Ochsen", ein bologne-
sischer Edelmann, denn die Antwort lautete: „das hängt von
den Ochsen ab, meint Ihr die bolognesischen, oh, so sind ohne
Zweifel die unsrigen in Florenz kleiner", mit welchem scharfen
Urtheil eine Äusserung in einem an Giovan Simone gerichteten Briefe (Lett. S. 147) zu vergleichen ist: „Du schreibst
mir von einem gewissen Arzt, deinem Freunde, welcher dir
gesagt hat, dass die Pestilenz eine böse Krankheit ist und
dass man daran stirbt. Es war mir werthvoll, dies zu erfahren, denn hier herrscht sie sehr, und diese Bolognesen
haben noch nicht bemerkt, dass man daran stirbt. Daher
wäre es gut, der Arzt käme hierher, damit er es ihnen
durch die Erfahrung lehre, was ihnen sehr nützen würde."
     Witze wie diese müssen den Papst Julius II., welcher
selber wie in der Leidenschaft so auch im Humor dem
Künstler verwandt war, sehr erheitert und veranlasst haben,
Dessen schlagfertige Bemerkungen hervorzulocken. Es war
in Bologna, dass Seine Heiligkeit bei einem Besuche des
Ateliers angesichts seiner Statue, welche mit stolzer Bewegung die rechte Hand erhob, die Frage stellte, ob er den
Segen oder den Fluch ertheile. Michelangelo antwortete, er
fordere das Volk von Bologna auf, weise zu sein. Als er
dann seinerseits den Papst befrug, ob er ihm ein Buch in
die Linke geben solle, erwiderte Dieser: „Gieb mir ein
Schwert, denn ich verstehe nichts von Litteratur."
     Zu welch' eigenthümlichen Szenen es während der
Ausmalung der Sixtinischen Kapelle zwischen den beiden
heftigen und freimüthigen Naturen kam, wurde bereits geschildert, doch verdient noch eine kleine, von Vasari mitgetheilte Episode Erwähnung. Der Papst, welcher Michelangelo häufig sah, sagte zu ihm: „die Kapelle muss reicher
an Farben und Gold werden, denn so wirkt sie arm." Michelangelo antwortete in vertraulicher Weise: „Heiliger Vater, in
jener Zeit trugen die Leute kein Gold auf sich, und Die,
welche ich gemalt habe, waren niemals besonders reich, sondern heilige Männer, weil sie den Reichthum verachteten."
     Mitten aus der furchtbar anstrengenden Arbeit an der
Deckenwölbung heraus, und zwar offenbar zu jener Zeit, da

ihm die Freskotechnik zu missglücken schien, schildert er einem
Giovanni da Pistoja in einem Sonett die Wirkung, welche
das nur in liegender Stellung mögliche Malen auf ihn ausübe.

Schon hat mir einen Kropf gemacht die Mühsal,
Wie ihn das Wasser macht lombard'schen Katzen
(Auch sonst wohl noch in einem andern Lande),
Gewaltsam nähert sich dem Kinn der Bauch.

Gen Himmel hebt der Bart sich, auf dem Rücken
Fühl' ich den Schädel, zieh' harpyenartig
Die Brust herein, und auf dem Antlitz tropfend
Malt mir ein buntes Paviment der Pinsel.

Die Lenden sind bis in den Leib gedränget,
Dem Kreuz hält das Gesäss das Gleichgewicht,
Auf's Ungefähr, den Fuss nicht sehend, schreit' ich.

Verlängert sich die Haut mir vorn am Leibe,
Zusammenschrumpft vor Biegen sie mir hinten:
So bin gespannt ich wie ein syr'scher Bogen.

So wird auch trügerisch
Und seltsam mir im Geist die Urtheilskraft,
Denn übel schiesst sich's aus verkrümmtem Rohr.

Vertheidige drum, Giovanni,
Fortan mein todtes Malwerk, meine Ehre,
Nicht bin an gutem Ort ich, bin nicht Maler.
(Guasti S. 158. Frey IX.)

Vasari erwähnt die Drangsal, welche Michelangelo bei
jener Arbeit erlitt: „dieses Werk wurde unter grösster Unbequemlichkeit von ihm ausgeführt, da er nur, den Kopf
nach oben gerichtet, arbeiten konnte; und er hatte sich dadurch die Sehkraft so verdorben, dass er noch mehrere
Monate nachher nur mit nach oben gerichtetem Blicke Briefe
lesen und Zeichnungen betrachten konnte."
    Dass dem Künstler der Humor häufig als einziger Aus-
weg blieb, absonderliche an ihn gestellte Anforderungen ohne

weiteres zurückzuweisen, verräth ein an Fattucci im Herbst
1525 gerichteter Brief.   Clemens VII. hatte den unsinnigen
Einfall, auf der Piazza di S. Lorenzo eine Kolossalstatue errichten zu wollen, welche den Palazzo Medici-Riccardi an
Grösse überragen sollte, und wagte es, durch Vermittlung
des Fattucci Michelangelo diesen seinen Wunsch ans Herz
zu legen.   Letzterer, der damals mit den Mediceergräbern
beschäftigt war, schreibt:

„Hätte ich so viel Kraft, als ich Heiterkeit durch Euer
letztes Schreiben empfangen habe, so würde ich überzeugt
sein, alle die Dinge, von denen Ihr mir schreibt, und zwar
schnell ausführen zu können; aber da die Kraft nicht so gross
ist, werde ich thun, was ich vermag.“

„Was den 40 Ellen hohen Koloss anbetrifft, von dem
Ihr mir Mittheilung macht, welcher an die Ecke der Loggia
des Gartens der Medici gegenüber Messer Luigi della Stufa
wandern oder vielmehr dort aufgestellt werden soll, so habe
ich, und zwar nicht wenig, wie Ihr mir empfehlt, darüber
nachgedacht; und mir scheint, dass er an jener Ecke nicht
gut stehen würde, da er zu viel Platz von der Strasse ein-
nähme; aber an der andern Seite, da, wo der Laden des
Barbiers ist, würde er nach meiner Ansicht besser passen,
da er den Platz dort vor sich hat und der Strasse nicht so
hinderlich sein würde.   Und da es vielleicht nicht geduldet
würde, jenen Laden wegzunehmen, aus Liebe zu dem Mieth-
zins, den er einträgt, so habe ich daran gedacht, dass man
die Figur sitzend machen könnte.   Sie käme dann nämlich
so hoch zu sitzen, dass man sie, da sie ja aus einzelnen
Stücken aufgebaut werden muss, innen hohl machen und den
Barbierladen darunter anbringen könnte.   Auf diese Weise
ginge die Miethe nicht verloren.   Damit aber der Laden,
wie jetzt, einen Ausweg für den Rauch habe, so schiene es
mir gut, der Statue ein innen hohles Füllhorn in die Hand
zu geben, das als Schlot dienen könnte.   Da weiter aber auch
der Kopf der Statue, wie die anderen Glieder, innen hohl
wird, so könnte man, glaube ich, auch daraus Nutzen ziehen,
denn ich habe hier auf dem Platze einen Geflügelhändler zum
sehr lieben Freunde, der mir im Geheimen anvertraut hat, er

würde da drinnen einen schönen Taubenschlag anlegen. Auch habe ich noch einen andern, viel besseren Einfall, dann müsste man aber die Figur noch weit grösser machen: und möglich wäre das, denn aus einzelnen Stücken lässt sich ein Thurm aufbauen; und zwar wäre das Folgendes, der Kopf könnte als Glockenstube für die Lorenzokirche, die dessen sehr bedarf, dienen: und wenn man dann in ihm die Glocken läutete, und der Schall aus dem Munde herausklänge, so würde es den Eindruck machen, als ob der Koloss: „Misericordia" schreie, namentlich an Festtagen, wenn man häufiger und mit den grösseren Glocken läutet."

„Was aber den Transport der für die Statue bestimmten Marmorblöcke betrifft, den Niemand sehen soll, so würde ich vorschlagen, sie bei Nacht und gut verstöpselt kommen zu lassen, damit sie nicht gesehen werden. Eine kleine Gefahr wird freilich am Stadtthor eintreten; aber auch dafür wird gesorgt werden. Im schlimmsten Fall haben wir ja San Gallo (das Thor von San Gallo), welches das Einlassthürchen bis zu Tagesanbruch offen hält."—(Lett. S. 448.)

Auf dieses Schreiben hin wurde von dem Plan nichts weiter gehört.

Einige kleine Anekdoten von witzigen Urtheilen, welche der Meister über die künstlerische Thätigkeit Anderer gefällt, erzählen Condivi und Vasari. So soll er von einem Sohne Francias gesagt haben: Dessen Vater verstehe es besser lebende als gemalte Figuren zu machen. Einem florentiner Bürger, der ihn um seine Ansicht über die Statue des h. Marcus von Donatello gebeten, gab er zur Antwort, er habe niemals eine Gestalt gesehen, der in solchem Grade das Aussehen eines ehrlichen Menschen zu eigen sei, und wenn der h. Marcus so ausgesehen habe, so könne man ihm Alles glauben, was er geschrieben.

Ein Maler hatte mit grösster Sorgfalt und grossem Zeitaufwand ein Werk gemacht und dann viel Geld dafür erhalten. Michelangelo wurde gefragt, was ihm von dem Verfertiger des Werkes dünke. Er antwortete: „so sehr der gute Mann auch den Wunsch haben mag, reich zu werden, so wird er doch immer arm bleiben."

Als Sebastiano del Piombo in S. Pietro a Montorio einen
Mönch zu malen hatte, meinte Michelangelo, Der würde ihm
das ganze Werk ruiniren. Auf die Frage: „Warum?" erwiderte er: „haben die Mönche die Welt, die so gross ist,
verdorben, so wäre es nicht zu verwundern, wenn sie eine
so kleine Kapelle verdürben."

Über einen geschickten Nachahmer antiker Statuen, der
sich rühmte, die Alten zu übertreffen, fällte er das Urtheil:
„Wer hinter Anderen hergeht, kommt ihnen nie zuvor, und
wer nicht aus eigener Kraft zu schaffen weiss, kann von
Anderer Werke keinen Nutzen haben."

Übereifrigen Freunden eines Knaben, der kaum erst
zeichnen zu lernen angefangen, antwortete er auf Deren entschuldigende Bemerkung, der Knabe habe erst vor Kurzem
sich der Kunst gewidmet: „das ist nicht zu verkennen."

Eines Tages ging er, eine Skulptur anzusehen, welche, im
Atelier vollendet, auf einen freien Platz gebracht werden
sollte, und fand den Bildhauer, wie er sich damit abmühte,
das durch die Fenster einfallende Licht zu arrangiren, um
das Werk gut zu zeigen. „Bemühe dich nicht," sagte Michelangelo, „denn was von Wichtigkeit ist, ist das Licht auf dem
Platze," womit er andeuten wollte, dass, sobald Kunstwerke
öffentlich werden, das Volk darüber urtheilt, ob sie gut oder
schlecht sind.

In Rom war ein grosser Fürst, welcher die Laune hatte,
Architekt sein zu wollen, und gewisse Nischen hatte machen
lassen, um darin Statuen anzubringen. Diese Nischen waren
jede drei Quadern hoch und hatten oben einen Ring. Er
versuchte verschiedene Statuen darin aufzustellen, aber sie
wollten nicht gut passen. Da frug er Michelangelo, was
man wohl dort hinein stellen könne, und Dieser erwiderte:
„an den Ring aufgehängte Bündel von Aalen." Einen
anderen Fürsten von launischer Unbeständigkeit in seinen
Plänen charakterisirte er mit den Worten: „sein Gehirn ist
wie eine Wetterfahne, die jeder Wind, der hineinbläst, sich
drehen macht."

In die Oberleitung des S. Petersbaues war ein Herr aufgenommen worden, welcher sich eine Profession aus der Kennt-

niss des Vitruv und aus der Kritik der bereits geschehenen
Arbeiten machte. „Ihr habt Einen am Bau gehabt, der grossen
Geist hat," sagte man zu Michelangelo. „Ja, das ist wahr,"
versetzte Dieser, „aber wenig Verstand."
Ein Maler hatte ein Bild gemalt und von verschiedenen
Seiten her aus Zeichnungen und Gemälden viele Dinge ent-
nommen, ja es war in dem Werke nichts, das nicht entlehnt
war. Es wurde Michelangelo gezeigt, und ein vertrauter
Freund frug ihn, was er davon halte. Er antwortete: „Gut
hat er's gemacht; aber ich weiss nicht, wie am Tage des
Jüngsten Gerichtes, wenn alle Körper ihre Glieder wieder
annehmen werden, dieses Bild es machen wird, denn von ihm
wird ja nichts übrig bleiben."

Harmlose Heiterkeit scheint, nach der Korrespondenz zu
schliessen, der Grundton aller Beziehungen Michelangelos zu
dem kleinen Kreise vertrauter Freunde, von dem schon die
Rede war, gewesen zu sein. Gern wüsste man mehr von
solchen Zusammenkünften, wie sie uns z. B. in einem Briefe
Giovanni Gellesis vom 14. April 1515 und durch das auf
einem Billet Niccolinis (13. Mai 1517) vom Künstler verzeichnete Menu angedeutet werden, und von den hierbei gepflogenen Unterhaltungen, die für den grossen Mann eine
Erholung waren. Dass Dieser auch in Florenz während seiner
Thätigkeit für S. Lorenzo traulichen Verkehrs mit einigen
Wenigen sich erfreute, geht aus einem an den abwesenden
Perini geschriebenen Brief hervor:
„An den klugen Jüngling Gherardo Perini in Pesaro."
„Alle Eure Freunde, mein theuerster Gherardo, haben sich
mit mir sehr erfreut — und zwar am meisten diejenigen, von
denen Ihr wisst, dass sie Euch am meisten lieben, — als sie
mittelst des treuesten Zampiero durch Euren letzten Brief von
Eurer Gesundheit und Wohlsein hörten; und obgleich Eure
Menschenfreundlichkeit mich durch besagtes Schreiben zur
Antwort zwingt, so fühle ich mich doch nicht fähig, sie zu
geben: nur dies sage ich Euch, dass wir, Eure Freunde, in
gleicher Weise, nämlich gesund uns befinden und uns Alle
Euch empfehlen, namentlich Ser Giovan Francesco und der

Piloto; die Antwort aber hoffe ich, da Ihr bald hierher zurückkehrt, Euch ausführlicher mündlich zu geben und über
alle Einzelheiten Euch befriedigende Mittheilung zu machen,
denn daran liegt mir viel. — Am ich weiss nicht wie vielten
Februar, wie meine Magd sagt. — Euer treuester und armer
Freund." (Folgt statt des Namens die Zeichnung eines ge-
flügelten Engelskopfes.) (Lett. S. 418.)

Auch einer der Briefe, welche zwischen den Freunden
von Haus zu Haus in Florenz gewechselt wurden, und zwar
ein an Fattucci gerichteter, ist aus derselben Zeit (1522) erhalten:

„Mein theuerster Ser Giovan Francesco."

„Da mein erster Schneider, wie Ihr wisst, der Sache sich
nicht annehmen kann, und der letzte, den ich genommen
habe, Euer Freund ist, so bitte ich Euch, mich ihm zu empfehlen und ihm zu sagen, er solle es kommenden Sonntag
nicht machen wie am vergangenen, denn er ist damals nicht
gekommen, jenes Wamms sich anzusehen, wenn ich es anhabe:
sonst würde er es vielleicht so verändert haben, dass es mir
gut steht; denn während der wenigen Tage, dass ich es
getragen, hat es mich sehr stark, namentlich an der Brust
eingezwängt. Ich weiss nicht, ob er es so verdorben hat,
um mich zu bestehlen, denn er scheint mir ein Mensch, dem
man Vertrauen schenken kann. Mit dem Wamms ist es nun
einmal so: aber die andern Dinge betreffend, bitte ich Euch,
bringt ihm ein wenig meinen Zustand in Erinnerung, und
dass er ein anderes Mal, wenn er mir das Maass nimmt,
seine Augen mitbringt, denn ich möchte nicht noch öfter den
Laden wechseln. Ich habe volles Vertrauen zu Euch. Bereit
zu Gegendiensten. — Um die 23ste Stunde, und jede Stunde
scheint mir ein Jahr. — Euer treuester Bildhauer in der Via
Mozza nahe bei dem canto alla (folgt eine kleine Zeichnung
eines Mühlsteins = macina)." (Lett. S. 419.)

Die folgende kurze Mittheilung wendet sich an denselben
Fattucci, der damals in Rom ist:

„Um Euch etwas Neues zu erzählen, da es so lange her
ist, dass ich Euch nicht schrieb, so wisst, dass Guidotto, der,
wie Ihr wisst, tausend Dinge zu thun hatte, innerhalb weniger

Tage gestorben ist und Donato seinen Hund (libero) hinterlassen hat, und Donato hat als Trauerkleidung sich einen langen Rock aus melirtem Linnen gekauft, den Ihr sehen werdet, wenn er nach Rom kommt, denn für das Reiten geht er noch. — Andres fällt mir nicht ein. In meinen Angelegenheiten bitte ich Euch, da Ihr auf Wunsch des Papstes mein Prokurator seid, mich gut zu behandeln, wie Ihr es immer gethan habt, denn wisst, dass ich für alle empfangenen Wohlthaten Euch mehr Dank schulde, als, wie man in Florenz sagt, die Krucifixe von S. Maria del Fiore dem Schuster (und Vertreter Leo's X.) Noca." (Lett. S. 432.)

In Rom scheint es in späterer Zeit namentlich Luigi del Riccio gewesen zu sein, dessen Verständniss dem Künstler die Wohlthat freier und humoristischer Aussprache gestattete. Die Intimität der Beziehungen erwuchs zuerst wohl aus ihrer gemeinsamen Begeisterung für den schönen jungen Cecchino dei Bracci, fand dann aber ihre Vertiefung durch die beiderseitigen Neigungen zur Dichtkunst. Viele der an Ricci adressirten kurzen Briefe Michelangelos geben Gedichten Geleit, welche er dem Freunde zur Begutachtung vorlegt. Sie werden dann Abends im gastlichen Hause von Riccio, wo als geschätzter Freund neben Cecchino auch Donato Giannotti sich befindet, besprochen, auch wohl, — von Arkadelt, einem damals in Rom besonders beliebten vlämischen Musiker, in Töne gesetzt —, gesungen.

„Wer arm ist und keine Bedienung hat," so antwortet der Künstler verspätet auf eine Einladung, „begeht solche Unschicklichkeiten. Ich konnte gestern weder kommen noch auf Euer Schreiben Antwort senden, denn meine Gesellschaft kam erst Nachts nach Hause zurück." (Lett. S. 481.)

Ein anderes Mal sagt er: „was die Zusammenkunft morgen anbetrifft, so entschuldige ich mich bei Euch, denn das Wetter ist schlecht und ich habe zu Hause zu schaffen. Was wir morgen thun wollten, thun wir während dieser Fasten in Lunghezza (einer Villa der Strozzi) mit einer dicken Schleie." (Lett. S. 509.)

Die Gedichte selbst geben manchen Anlass zu heiteren Bemerkungen und Witzen. Da liest man: „sendet mir das

Sonett zurück, damit ich es korrigire und ihm, wie Ihr sagt, zwei Augen mache" (Lett. S. 475), oder mit Beziehung auf ein Sonett, in dem einige lateinische Worte zitirt werden: „Nicht zuweilen, wenn auch inkorrekt, lateinisch zu sprechen, würde für mich, als Euern Freund, eine Schande sein. Das Sonett Messer Donatos scheint mir schöner als irgend Etwas in unseren Zeiten zu sein; da ich aber schlechten Geschmack habe, so kann ich nicht umhin, ein neues Tuch, sei es auch aus der Romagna, nicht weniger zu schätzen, als alte Kleider aus Seide und Gold, die auch eine Schneiderpuppe schön erscheinen lassen würden. Schreibt ihm davon und sprecht ihm davon und gebt ihm davon und empfehlt mich ihm." (Lett. S. 504.) Oder: „Messer Luigi. Ihr, der Ihr den Geist der Poesie besitzt, ich bitte Euch, kürzt mir von diesem Madrigale dasjenige, was Euch am wenigsten schwach erscheint, und verbessert es, denn ich muss es einem unserer Freunde geben." (Lett. S. 478.) Als Arkadelt eines seiner Gedichte in Musik gesetzt hat, schreibt er an Luigi: „Messer Luigi, mein theurer Herr. Die Weise Arcadentes wird für sehr schön gehalten; und da er, nach seinen Reden zu schliessen, nicht glaubt, dass er mir ebensoviel Vergnügen damit gemacht hat, wie Euch, der Ihr ihn darum batet, so möchte ich für eine solche Gabe nicht undankbar sein. Daher bitte ich Euch, denkt auf irgend ein Geschenk in Stoffen oder in Geld und benachrichtigt mich davon; denn ich werde nichts scheuen, um das Geschenk zu machen. Anders habe ich nicht zu sagen: ich empfehle mich Euch und Messer Donato und dem Himmel und der Erde." (Lett. S. 479.)

Besonders charakteristisch für den Verkehr mit Riccio sind die kurzen Anmerkungen, welche manchen der auf Bracci gemachten Epigramme hinzugefügt sind. Der Freund konnte nicht genug der Grabschriften erhalten und ermunterte durch häufige Übersendung von allerlei ausgesuchten Gerichten und Leckerbissen den Künstler immer auf's neue zur dichterischen Thätigkeit. Dieser schreibt unter das Epigramm 16 (Frey): „Ich wollte es Euch nicht schicken, denn es ist ein sehr plumpes Ding; aber die Forellen und die Trüffeln würden den Himmel selbst zwingen. Ich empfehle mich Euch." Als

15 Gedichte gefertigt sind, heisst es: „jetzt ist das Versprechen der 15 Zettelchen erfüllt: zu mehr bin ich nicht verpflichtet, wenn nicht ein anderes aus dem Paradies kommt etc."
Nummer 18 erhält die begleitenden Worte: „für die ein-
gesalzenen Pilze, da Ihr es einmal nicht anders wollt",
Nummer 21: „dieses alberne Ding, das schon tausendmal gesagt ist, für den Fenchel", Nummer 23: „dies sagen die
Forellen, nicht ich: daher, wenn die Verse Euch nicht gefallen, so marinirt sie nicht mehr ohne Pfeffer", Nummer 28:
„mit dem Zettelchen schicke ich Euch die Melonen zurück,
aber noch nicht die Zeichnung: doch werde ich sie jedenfalls, so gut wie ich nur kann, zeichnen. Empfehlt mich Baccio
und sagt ihm: hätte ich hier von dem Ragout gehabt, das
er mir dort gab, so wäre ich heute ein zweiter Gratiano.
Und dankt ihm in meinem Namen." Unter Nummer 29 steht
zu lesen: „dies für die Turteltaube: für die Fische muss
Urbino eines machen, denn er hat sie gefressen." Unter 41:
„auf Wiedersehen am nächsten Martinstage, wenn es nicht
regnet." Als vier Epigramme auf einmal erscheinen, heisst
es: „da die Poesie heute Nacht sich in Windstille befand,
sende ich Euch diese vier Spritzkuchen für die drei Honig-
kuchen des Geizkragens und empfehle mich Euch." Einige-
male übt der Dichter Kritik an seinen eigenen Gebilden. Ein
Epitaph lautet:

War ich, ein Lebender, das Leben einst des Freundes,
Dem meine Schönheit jetzt zu Erde ist geworden,
So ist's ihm Tod nicht nur, nein wilde Eifersucht,
Dass vor ihm sterben könnt' aus Lieb' zu mir ein Andrer.

Darunter liest man: „albernes Zeug. Der Quell ist ver-
trocknet, es heisst abwarten, bis es regnet, und Ihr habt zu
grosse Eile." (Guasti S. 16. N. 31. Frey LXXIII, 33.)
Ebenso geht es einer andren Grabschrift:

Von seinem Glanz empfingt Ihr einstens Euer Leben:
Cecchino Braccis mein' ich, der nun todt hier ruht.
Wer ihn nicht sieht, verliert ihn nicht und lebt in Frieden,
Doch wer ihn sieht und stirbt nicht, büsst das Leben ein.

Thode, Michelangelo I. 12

„Albernes Zeug", sagt die Nachschrift, „aber da Ihr wollt, dass ich tausend mache, so müssen sich halt von jeder Art darunter befinden." (Guasti S. 16. N. 34. Frey LXXIII, 36.) Dass bei solcher von Ricci ausgehender Ermunterung die Zahl der Grabschriften, welche Michelangelo dichtete, bis auf 48 stieg, kann nicht verwundern. Der Kontrast zwischen dem Ernst der Verse und den sie geleitenden Worten ist gross. Bisweilen aber hat sich der Künstler auch damit unterhalten, seine heitere Laune selbst in dichterische Form zu bringen. Eines seiner humoristischen Gedichte: das Sonett über die Arbeit in der Sixtinischen Kapelle ward uns bereits bekannt. Bei einer späteren Gelegenheit scheinen die Stanzen entstanden zu sein, in welchen er, an die burlesken Einfälle von Florentinern, wie Luigi Pulci, Matteo Franco und Lorenzo Medici anknüpfend, eine Parodie der die Schönheit der Geliebten monoton verherrlichenden Kunstdichtung geben wollte. Ähnlich, wie es auch Francesco Berni in einem Sonett und Agnolo Firenzuola in seinem Capitolo sopra le bellezze della sua innamorata (worin übrigens, scheint es, in der III. Terzine auf Michelangelo Bezug genommen wird) gethan haben.

Du hast ein Antlitz süsser, als der Most,
'ne Schnecke scheint darüber hingegangen,
So hell erglänzt es, schöner als 'ne Rübe:
Wie Pastinake weiss sind deine Zähne,
So dass du selbst den Papst verliebt wohl machtest,
Des Theriaks Farbe haben deine Augen,
Und weiss wie Zwiebeln sind die blonden Haare,
D'rum würd' ich sterben, wenn du mir nicht beistehst!

Viel schöner scheint mir alle deine Schönheit,
Als an die Kirchenwand gemalt ein Mann,
Dein Mund, er dünkt mich einer Börse gleich,
Die voll von Bohnen ist, ganz wie die meine;
Gefärbt die Brauen, wie 'ne russ'ge Pfanne,
Und mehr geschwungen als ein syr'scher Bogen,
Und weiss und roth die Wangen, wenn du siehst,
Dem Mohn vergleichbar zwischen frischem Käse.

Die Lust, diese Reimereien fortzusetzen, scheint dem Künstler vergangen zu sein — von einer dritten Stanze ist nur der Schluss erhalten:

Die Hände, Arme, Hals und all das Übrige
Sind schöner als das Hässlichste an einer schönen Frau.
(Guasti S. 338. Frey xxxvii.)

Ein anderes längeres „Capitolo" führt uns in einen Kreis von Freunden ein, mit denen Michelangelo noch zu Lebzeiten Clemens' VII. in Rom nahe Beziehungen hatte, in den Verkehr mit dem zu allerlei Tollheiten aufgelegten Fra Sebastiano del Piombo und eben jenem Dichter, welcher die ältere Humoreske der Italiener zu einem künstlerischen Genre zu erheben bemüht war: Francesco Berni. Sebastiano hatte durch ein Beneficium die geistliche Fraterwürde erhalten, die für ihn selbst und für die Freunde das Ziel heiterer Auslassungen war. Berni, aus Rom fortgegangen, übersandte ihm eine Epistel, welche, der Verherrlichung Michelangelos gewidmet, folgendermaassen lautet:

O Pater, mir verehrter als die Andern,
Die aller Ehre würdigste man nennt,
Auf deren Würde ich mich nicht versteh'!

O Pater, Stolz und Ruhm du aller Mönche,
So viel die Welt sie trägt und jemals trug,
Bis zu den Jesuati, jenen Narren!

Was treibt Ihr dort, seitdem ich Euch verlassen,
Und Jener, dem so ganz wir sind ergeben,
Dass keine Frau es giebt, die mehr ich liebte?

Ich meine Michel Agnol Buonarroti,
Den, seh' ich ihn, die Lust mir kommt mit Weihrauch
Und Weihetafeln feierlich zu ehren:

Das, glaub' ich, wäre sicher frömm'res Werk,
Als wenn 'nen grauen oder weissen Leibrock
Sich Einer macht, geheilt von schwerer Krankheit.

12*

Denn Jener, mein' ich, ist Idee an sich
Der Bildnerei und ebenso der Baukunst,
Wie der Gerechtigkeit Idee: Astrea.

Und wer 'ne Bildgestalt verfert'gen wollte,
Die jene beiden Künste in sich schlösse,
Ihn selbst zu bilden wäre er gezwungen.

Ihr wisst es ja, wie er so ganz nur Güte,
Wie reich an Urtheil, Geist und Unterscheidung,
Wie er erkennt das Wahre, Schöne, Gute.

Auch manch' Poem hab' ich von ihm gesehen
Und meine, bin ich auch ein Ignorant,
Im Plato hätt' ich alle sie gelesen:

So sind Apelles und Apoll zugleich erstanden
In ihm, d'rum schweigt, ihr „blässlichen Violen",
Ihr „flüssigen Krystalle", „schnellen Sphären!"

Ihr sagt nur Worte, aber er sagt Dinge.
Ihr Künstler mit dem Meissel auch, die neuen,
So wie die alten, macht gesammt euch fort!

Doch sprech' ich nun von Euch, ehrwürd'ger Pater —
Wer Eure Kunst zu treiben wär' gesonnen,
Verkauft' den Frauen besser seine Farben.

Denn Ihr allein könnt neben Jenem stehen,
Und wahrlich wohl mit Recht, denn Euch verbindet
So selt'ne Freundschaft und so ganz vollkomm'ne.

Wohl thät' es Noth, den Kessel zu besitzen,
In dem Medea ihren Schwäher briet,
Um jenen Mann dem Alter zu entreissen:

O lebte die Geliebte des Ulysses,
Um alle Beide neu euch zu verjüngen,
Euch läng'res Leben, als Titons zu geben!

Auf keine Weise schickt es sich zu sagen,
Dass ihr, die Holz und Steine leben macht,
Ihr selber einmal gleich den Eseln sterbt.

Genug dass die Oliven, Eichen leben,
Die Raben, Krähen, Hirsche und die Hunde
Und tausend andre noch gering're Thiere.

Doch dies sind weiter Nichts wie Hirngespinnste,
D'rum lassen wir es gehn, dass man nicht sage,
Wir seien Mameluken, Lutheraner.

Ich bitt' Euch, Pater, sei's Euch nicht zu mühsam,
Mich meinem Michel Agnol zu empfehlen
Und sein Gedächtniss warm mir zu erhalten.

Scheint's gut Euch, sagt dem Papst auch, dass ich hier bin,
Ihn liebe und verehre und ihm diene,
Als meinem Herrn und Gottes Stellvertreter.

Und geht Ihr selbst einmal in's Konsistorium,
Wenn alle Kardinäle dort versammelt,
So sagt mein Lebewohl an Drei zugleich!

Aus Zartgefühl errathet, wen ich meine,
Nicht wünsche ich, dass Ihr mir sagt: du quälst mich!
Hier gilt's nur allgemeine Höflichkeit.

Dem Monsignor von Carnesecchi saget,
Ich hegte keinen Neid auf seine Schriften,
Noch auch auf Solche, die das Ohr ihm rauben,

Doch sehnt' ich mich nach dem geback'nen Kürbiss,
Den wir vergang'nes Jahr mit ihm verspeisten:
Der steht noch immer mir in's Aug' geheftet.

Auch, Pater, haltet ferner mich empfohlen
Dem argen Schelm von einem wack'ren Molza,
Der ohne Grund mich ganz vergessen hat.

Denn ohne ihn scheint mir ein Arm zu fehlen:
Und jeden Tag beginn' ich ihm zu schreiben,
Doch weil's plebejisch, reiss' ich's dann in Stücke.

Und sagt ihm, dass sein Herr, der auch der meine,
Und dem ich einst nicht diente, jetzund diene,
Ob nah ich oder fern, mir huldvoll sei.

Ihr aber bleibt gesund, seid nicht zu fleissig,
Nicht jedes Antlitz, das Ihr malt, macht schön!
Lebt, theurer Pater, wohl, Fra Sebastiano,
In Ostia seh'n wir uns beim ersten Maifisch!
                                        (Guasti S. 290.)

Michelangeio, an den das Capitolo ja im Wesentlichen
gerichtet ist, verfasste für Sebastiano die poetische Antwort,
wie aus der Überschrift der in der Sammlung Buonarroti erhaltenen alten Kopie des Gedichtes: „Antwort Buonarrotis im
Namen des Fra Bastiano" hervorgeht. Die deutsche Übersetzung ist nicht im Stande, alle Anspielungen in demselben
verständlich zu machen. Es genüge darauf hinzuweisen, dass
mit dem „grössten Medikus" Clemens VII., mit dem „heiligen
Manne" und „kleineren Medikus" der Kardinal Hippolyt von
Medici, mit dem „Geheimnisswahrer" Molza und mit dem
„Fleisch" der Protonotar Pietro Carnesecchi gemeint ist.

Als Euer Schreiben ich, mein Herr, empfangen,
Hielt Umschau ich bei allen Kardinälen,
Und sagte Dreien Lebewohl von Euch.

Dem grössten Medikus für unsre Leiden
Zeigt' ich den Brief, der so ihn lachen machte,
Dass auf der Nas' die Brill' ihm schier zerbrach.

Der theure heil'ge Mann, dem stets Ihr dienet
So hier wie dort, wie Ihr es selber schreibt,
Ergötzt' sich d'ran, dass er nicht minder lachte.

Doch Den, der die Geheimnisse bewahrt
Des klein'ren Medikus, sah ich noch nicht —
Ihm gält' die Botschaft auch, wär' er ein Priester.

Viel Andre giebt's, die Christus selbst verleugnen,
Weil Ihr nicht hier: es thut sie nicht beschweren,
Denn nicht zu glauben, gilt als höh're Weisheit.

Doch Allen werd' ich das Verlangen nehmen
Mit Eurem Brief, und wer sich nicht bescheidet,
Der geh' zum Henker, lasse sich erdrosseln!

Das Fleisch, das sich im Salze rein'gend abmüht,
Damit als Braten dienlich sich's erweist,
Denkt mehr an Euch, so scheint mir's, als an sich.

Und unsrer Buonarrot', der Euch verehret,
Scheint sich bei Eurer Botschaft, seh' ich recht,
Zum Himmel stündlich tausendmal zu schwingen:

Und sagt, es könne seines Marmors Leben
Unsterblich Euch nicht machen, wie er selbst
Es wird durch Eure göttlichen Gesänge,

Denn diesen schadet Sommer nicht noch Winter,
Da sie der Zeit entrückt und grausem Tod,
Der ew'gem Schaffensruhm nicht wehren kann.

Als treuer Freund uns Zwei'n ergeben, sprach er,
Die schönen Verse lesend: „Bilder sind es,
„Die man mit Kerzen ehrt und Weihetafeln.

„D'rum rechne ich mich auch zu solchen Bildern,
„Wie werthlos sie ein plumper Maler macht
„Mit seinem Pinsel und dem Farbenfläschchen.

„Bei meiner Liebe sagt dem Berni Dank,
„Der unter Vielen ganz allein mich kennt,
„Denn wer mich schätzt, verfällt in grossen Irrthum.

„Doch seine Lehre hellt mein Inn'res auf,
„Giebt mir Erkenntniss: grosses Wunder wär's,
„Entstünd' aus gutem Bild ein wahrer Mensch."

So sagt' er mir, und ich ihm ganz verbunden
Empfehl' ihn Euch, so gut ich weiss und kann,
Da er der Bringer sein wird dieses Schreibens.

Indess ich schreibe, steigt das Blut mir stärker
In's Angesicht, bedenk' ich, wem ich's schicke,
Da ich kein Dichter bin, nein plump und patzig.

Gleichwohl empfehle ich mich selber Euch
Und weiss Nichts mehr zu sagen, doch verbleibe
Ich jeder Zeit, in jeder Lage Euer.

Der ihr zum Seltensten gehört, Euch biet' ich
Mich an mit Allem: glaubt nicht, dass ich jemals,
So lang mich die Kapuze deckt, Euch untreu.

So sag', so schwör' ich's Euch, und seid gewiss,
Für mich nicht thu' so viel ich, wie für Euch.
Verdruss nicht heg't, dass ich ein Frate bin.
Befehlt mir nur und thut nach Eurem Wunsche.
(Guasti S. 287. Frey LVII.)

An Männer, welche einen derben Scherz liebten, wie
Sebastiano oder Berni, könnte man sich auch das Capitolo
gerichtet denken, in dem der Künstler die Leiden und Unannehmlichkeiten seines hohen Alters geschildert hat. Die humo-
ristische Übertreibung und die Drastik der Vergleiche geht
hier so weit, dass eine vollständige Wiedergabe der Verse
nicht wohl möglich ist. Durch alle Tollheit hindurch aber
klingt der ergreifende Ton dunkler Schwermuth und offenbart sich der tiefe Ernst der Welt- und Selbstbetrachtung
ähnlich, wie in jenen Strophen des an Berni gerichteten
Gedichtes, in denen er die Schmeichelei des Freundes zugleich so geistvoll und mit so grosser Demuth zurückweist.

Eng eingeschlossen, wie in seiner Rinde
Des Baumes Mark, leb' einsam ich und ärmlich,
Gleich einem Geist gebannt in die Phiole.

Mein Zimmer, dunkel wie ein Grab, verwehrt
Den Flug, doch Spinnen schaffen tausend Werke,
Sich selbst als Schiffchen nutzend bei dem Weben.

So lahm, geborsten und in Stück' zerbrochen
Bin ich von allen Müh'n, und meine Schenke,
Auf deren Zech' ich lebe, ist der Tod.

Melancholie nur dient mir als Erheit'rung,
Und als Erholung dienen die Beschwerden:
Wer Missgeschick sich wünscht, dem geb' es Gott!

Wer am Drei-Königsfeste mich gewahrte,
Der staunte wohl, und mehr noch, wer inmitten
So stolzer Bauten säh' mein kleines Haus.

Der Liebe Flamme blieb im Herzen nicht,
Denn gröss're Noth verjagt ja stets die klein're,
Beschnitten habe ich der Seele Flügel.

Im Folgenden vergleicht er seine Stimme dem Summsen
einer eingefangnen Wespe, seine Gestalt einem Ledersack mit
Knochen und Sehnen, seine Zähne den Tasten eines Instru-
mentes, je nach deren Bewegung der Ton erschallt oder ver-
stummt, seine Kleidung derjenigen einer Vogelscheuche. In
seinem einen Ohre habe eine Spinne gebrütet, im anderen
singe eine Grille die ganze Nacht hindurch. Der Katarrh,
der ihn röcheln mache, lasse ihn nicht schlafen. Seine Liebesgedichte und Zeichnungen seien zu Düten und Tamburins
verwendet worden:

Mich hat die hochgepries'ne Kunst, die einstens
Mir Ruhm verlieh, zu diesem End' geführt:
Ein Greis und arm und Andrer Herrschaft dienstbar,
Bin ich vernichtet, hilft nicht schnell der Tod.
(Guasti S. 294. Frey LXXXI.)

Burleske Gedichte, wie die angeführten, bestätigen, was
Condivi und Vasari von Michelangelos gern gepflegtem Um-
gang mit drollig und absonderlich sich benehmenden einfältigen
Menschen zu erzählen wissen. In harmloser und kräftiger
Heiterkeit, die ihm durch die Wahrnehmung menschlicher
Narrheit und Tollheit entfesselt ward, fand der von den

Stürmen und Leiden des Lebens erschütterte Geist immer
wieder augenblickliche Erholung, empfänglich für die Wohlthat der Selbstbefreiung in herzlichem Lachen, ja sie auf-
suchend, wo immer sie sich darbot.

„Er hatte grosses Vergnügen an gewissen Menschen, die
nach seinem Geschmacke waren; wie am Maler Menighella,
einem ungebildeten und tölpelhaften Mann aus Valdarno, einer
höchst unterhaltenden Persönlichkeit, welcher zuweilen zu
Michelangelo kam, damit Dieser ihm einen h. Rochus oder
h. Antonius zeichne, den er dann für die Bauern malte.
Michelangelo, der selbst mit Mühe nur dazu zu bringen war,
für Könige zu arbeiten, liess dann alles Andere stehen und
machte sich daran und verfertigte einfache Zeichnungen genau
nach der Weise, wie Menighella sie haben wollte; und unter
Andrem liess Dieser sich das Modell eines Kruzifixes anfertigen,
das wundervoll war, machte einen Abguss desselben, nahm in
Karton und anderem Material Kopieen davon und ging auf
dem Lande herum und verkaufte sie, worüber Michelangelo
vor Lachen barst, namentlich wenn Allerlei sich dabei ereignete: so als einmal ein Bauer, der sich einen h. Franz
malen liess und unzufrieden damit war, dass Menighella
ihm eine graue Kutte gemacht hatte, verlangte, sie solle
aus schöneren Farben sein, und Menighella darauf hin dem
Heiligen ein Pluviale aus Brokat malte, womit der Bauer
einverstanden war. Ebenso sehr liebte Michelangelo den
Steinmetz Topolino, welcher sich einbildete, ein ausgezeichneter Bildhauer zu sein, in der That aber höchst ungeschickt
war. Dieser war viele Jahre in den Bergen von Carrara, um
die Marmorblöcke an Michelangelo zu schicken; und niemals
hätte er eine beladene Barke abgehen lassen, ohne mit derselben zugleich drei oder vier mit eigner Hand modellirte
Figürchen zu übersenden, worüber Michelangelo vor Lachen
starb. Endlich zurückgekehrt machte sich Topolino daran,
einen Merkur, den er in Marmor angefangen hatte, zu vollenden; und eines Tages, als nur noch wenig daran fehlte,
wünschte er, dass Michelangelo ihn sähe, und drängte in ihn,
seine Meinung zu sagen. ‚Du bist ein Narr, Topolino, Figuren
machen zu wollen,‘ sagte Michelangelo zu ihm; ‚siehst du

nicht, dass diesem Merkur von den Knieen bis zu den Füssen mehr als ein Drittel Elle fehlt, und dass es ein Zwerg ist und du ihn verstümmelt hast?' — ‚O das ist Nichts,' meinte Topolino, ‚wenn es an nichts Anderem fehlt, dem werde ich schon abhelfen; lasst mich nur machen.' Von Neuem lachte Michelangelo über seine Einfältigkeit. Topolino ging fort, nahm ein Stück Marmor, schnitt dem Merkur ein Viertel unterhalb der Knie durch, fügte das Stück ein, passte es artig an und machte dem Merkur ein Paar Stiefeln, deren Abschluss die Fuge bildete, so dass die nöthige Länge der Beine erreicht war. Dann liess er Michelangelo kommen und zeigte ihm sein Werk. Der lachte von Neuem und wunderte sich darüber, dass solche Tölpel, von der Noth getrieben, Entschlüsse fassen, wie sie von begabten Menschen nicht gefasst werden."

„Während er mit den abschliessenden Arbeiten am Denkmal Julius' II. beschäftigt war, liess er von einem Marmorarbeiter eine Herme ausführen, um sie am Grabmal in S. Pietro in Vincola anzubringen, indem er sagte: ‚Nimm da ein Stück weg, ebne dies, glätte jenes,' derart, dass er ihn, ohne dass Jener es bemerkt hätte, eine Figur machen liess. Als sie fertig, betrachtete sie der Arbeiter mit grösstem Erstaunen. Michelangelo sagte: ‚Wie dünkt sie dir?' — ‚Sehr gut,' antwortete Jener, ‚und ich bin Euch sehr verpflichtet.' — ‚Warum?' frug Michelangelo. — ‚Weil ich mit Eurer Hülfe eine Begabung in mir entdeckt habe, von der ich nicht wusste, dass ich sie besitze.'"

Wie unter Umständen auch ein Kunstwerk der heitern Laune des Meisters seine Entstehung verdanken konnte, berichtet eine Anekdote, die in einem Briefe des Marchese Vincenzo Giustiniani an Teodoro Amideni (am Ende des XVI. Jahrhunderts) mitgetheilt wird. (Bottari VI, 33.)

„Ein Mann, Familienvater, brauchte einen Mörser für häusliche Zwecke. Er wandte sich an einen Steinmetz, den er täglich mit dem Meissel Marmor bearbeiten sah, und drängte ganz ehrlich in Denselben, ihm einen zu machen. Der Bildhauer, bedenklich darüber, ob das nicht ein Streich von einem übelwollenden Nebenbuhler sei, dachte ein wenig nach und

sagte dann: ‚Ich pflege keine Mörser zu machen, aber hier
daneben wohnt Einer, der das als Geschäft betreibt,‘ wobei
er auf das Haus Buonarrotis deutete. ‚Ihr könnt Euch an
ihn wenden, der Euch gerne bedienen wird.‘ Jener ging und
brachte Buonarroti sein Anliegen vor, ihm einen Mörser zu
machen. Dieser schöpfte denselben Verdacht wie jener Bildhauer und frug, wer ihn in sein Haus gewiesen hätte. Jener
antwortete: ‚Der gewisse Mann dort, der mit dem Meissel
Marmor bearbeitet,‘ und zeigte ihm das Haus. Da sah Michelangelo, dass diese Handlung aus Wetteifer, ja aus Neid hervorging, und übernahm den Auftrag, den Mörser zu einem
Preise zu machen, wie er dann geschätzt werden würde. Jener
war mit der Sache einverstanden und ging fort. Buonarroti
machte den Mörser in der Art und mit Ornamenten (Ara-
besken, Blattwerk, Masken und Grotesken), wie oben angegeben wurde. Dann gab er ihn dem Manne und sagte: ‚Geh'
zu dem Meister, der dich geschickt hat, und bitte ihn, zu
schätzen, wie viel der Mörser werth ist, und so viel zahlst du
mir dann in Bequemlichkeit.‘ —Er ging und zeigte dem Bildhauer den Mörser, und Dieser, im Herzen getroffen, weil er
wohl erkannte, dass Buonarroti durch die ausgesuchte Fein-
heit der Arbeit ohne jede Widerrede seiner Absicht entsprochen habe, sah sich genöthigt, dem Überbringer des
Mörsers zu sagen: ‚geh', gieb den Mörser Jenem, der ihn
dir gegeben, wieder, und sag' ihm in meinem Namen, für
deine Zwecke sei der Mörser nicht gut, er solle dir einen
andern gewöhnlichen, glatten machen und diesen für sich
behalten, weil er besser für seine als für deine Hände passt.‘“

Ausser Menighella und Topolino werden uns noch andere
Künstler genannt, deren Wesen und Einfälle Michelangelo so
belustigten, dass er gerne und oft mit ihnen verkehrte: so
jener Goldschmied Piloto, der ihn auf der Reise nach Venedig
begleitete und von Lasca „ein sehr unterhaltender und witziger
Bursche“ genannt wird, der Maler Indaco, dessen Leistungen
in der Sixtinischen Kapelle den Meister freilich wenig be-
friedigten, und Giuliano Bugiardini, dem er sehr zugethan
war. Von Indaco erzählt Vasari in Dessen Vita: „Er war
ein drolliger, angenehmer und bequemer Mensch, beherbergte

nur wenige Gedanken im Kopf und wollte nicht arbeiten,
ausser wenn er nichts Anderes thun konnte; er pflegte zu
sagen: ,nie etwas Anderes zu thun, als sich abzumühen, ohne
irgend ein Vergnügen in der Welt zu haben, sei eines Christen
unwürdig.' Er stand in häufigem vertrautem Verkehr mit
Michelangelo; denn diesem über alle Künstler der Welt ausgezeichneten Meister, wenn er sich von den beständigen
Studien und Anstrengungen des Körpers und Geistes erholen
wollte, war Niemand erwünschter noch seinem Humor mehr
entsprechend, als Indaco. — — — Genug, dass er ebenso
sehr wie er zu schwätzen liebte, die Arbeit und das Malen
hasste. Und da, wie gesagt, Michelangelo an seinem Geschwätz
und an den Possen, die er häufig trieb, Gefallen hatte, so
behielt er ihn fast immer zum Essen bei sich. Eines Tages
aber, als er seiner überdrüssig geworden war — wie denn
das meistens mit solchen Leuten bei ihren Freunden und
Gönnern einzutreten pflegt, da sie zu viel und häufig ohne
Zartgefühl und Takt schwatzen, denn von vernünftigem Reden
kann man bei ihnen, die meist weder Vernunft noch Urtheilskraft
besitzen, nicht sprechen — sandte ihn Michelangelo, vielleicht
weil er anderes in Gedanken hatte, um ihn los zu werden,
fort, mit dem Auftrag, Feigen zu kaufen. Und als Indaco
aus dem Hause gegangen war, versperrte Michelangelo die
Thüre hinter ihm, damit Jener, wenn er heimkomme, sie nicht
öffnen könne. Zurückgekehrt vom Platze bemerkte der Indaco,
nachdem er vergeblich geklopft hatte, dass Michelangelo nicht
öffnen wollte. Da kam ihm der Zorn, er nahm die Blätter
und Feigen, breitete dieselben schön auf der Thürschwelle
aus und ging davon. Ja viele Monate hindurch wollte er
nicht mit Michelangelo sprechen, bis er sich schliesslich
wieder besänftigte und ihm mehr als je Freund wurde."

Auch von dem Verkehr Michelangelos mit Giuliano Bugiardini weiss Vasari Einiges zu berichten:

„Giuliano war von einer gewissen natürlichen Güte und
hatte eine einfache Art zu leben, ohne jede Bosheit oder
Neid, was dem Buonarroti unendlich gefiel. Und er hatte
keinen anderen Fehler, als diesen, dass er zu sehr seine eigenen
Werke liebte. Und wenn dies auch ein allen Menschen

gemeinsamer Fehler ist, so ging er doch darin zu weit, mochte
nun die grosse Sorgfalt, welche er auf die Arbeit verwendete, oder irgend etwas Anderes die Schuld daran tragen.
Michelangelo aber pflegte ihn aus diesem Grunde glücklich
zu preisen, da er mit dem, was er zu machen verstand, befriedigt war, sich selbst aber nannte er unglücklich, weil er
sich mit keinem Werke volles Genüge thun könne. — — Einst
hatte Messer Ottaviano de' Medici heimlich Giuliano gebeten,
für ihn ein Porträt Michelangelos zu machen Er begann es,
und als Michelangelo zwei Stunden lang stille gesessen hatte,
da er sich an seiner Unterhaltung ergötzte, sagte Giuliano zu
ihm: ,Michelangelo, wollt Ihr Euch sehen, so steht auf; denn
das Allgemeine der Gesichtszüge habe ich schon.' Michelangelo erhob sich, und als er das Bildniss sah, sagte er
lachend zu Giuliano: ,was zum Teufel habt Ihr gemacht?
Ihr habt mir ja das eine Auge in die Schläfe hineingesetzt;
schaut doch zu.' Giuliano, als er das hörte, gerieth etwas ausser
sich, betrachtete vielmals das Bild und sein Modell und antwortete dann kühn: ,mir scheint es nicht, aber setzt Euch
wieder, und ich werde es ein wenig besser nach der Natur
machen, falls es nicht richtig ist.' Buonarroti, welcher wohl
wusste, woher der Fehler kam, und die geringe Urtheilskraft
Bugiardinis kannte, setzte sich mit ironischem Lächeln
wieder nieder; und Giuliano betrachtete vielmals abwechselnd
Michelangelo und das Gemälde. Endlich erhob er sich und
sagte: ,mir scheint es so, wie ich es gezeichnet habe, zu
sein; und die Natur zeigt es mir so.' ,Dann also,' meinte
Buonarroti, ,ist es ein Naturfehler, fahrt fort und schont
weder Pinsel noch Kunst.'"

Zwischen der Exaltation, welche Geist und Schönheit in
Michelangelos Seele entzündeten, und der Heiterkeit, welche
sich seiner angesichts der Ungereimtheiten menschlichen
Treibens bemächtigte — welche unüberbrückbare Kluft scheint
sich aufzuthun! Und doch sind jene Schwärmerei und dieser
Humor nur die verschiedenartigen Äusserungen der gleichen,
die Wirklichkeit sich unterwerfenden und nach freiem Be-

lieben mit ihr schaltenden künstlerischen Phantasie. Un-
wirklich die beiden Welten, ganz unterschieden in ihren Erscheinungen, die in der einen zum Gegenstand der Anbetung,
in der anderen zum Spielball der Laune werden — aber beide
ein Reich der Freiheit! Wie äusserte sich diese Phantasie
unter dem Zwange der Knechtschaft, die das Leben dem
Meister auferlegte?

3

ARGWOHN UND IRONIE

Missverständniss und Missgunst, unter denen jeder Grosse, und zwar um so mehr, je grösser er ist, zu leiden hat, zugleich aber auch die durch ein dunkles Verhängniss seinem Schaffen beschiedenen Hemmnisse schreckten Michelangelos kindlich vertrauensvolles Wesen in sich selbst zurück. Unfähig zur Gegenwehr, weil baar der Waffen, welche nur der Egoismus verleiht, erstrebte es auf anderem Wege seine Rettung. Dieselbe überlebendige Phantasie, welche einzelne geliebte Freunde zu Göttern erhob, sah sich, alle Verhältnisse vergrössernd und verstärkend, dem angeborenen Zug des Herzens zuwider, dazu gedrängt, in vielen Menschen feindliche Verfolger zu gewahren und den gefahrdrohenden Angriffen mit Vorbedachtsamkeit zu begegnen. Der Argwohn ist, allgemein genommen, eine Wache, durch welche sich der Mensch zu sichern sucht, aber sie kann von sehr verschiedener Bedeutung sein: ein Zeichen krankhafter Schwäche bei Demjenigen, welcher in lächerlicher Überschätzung der eigenen Wichtigkeit oder in zärtlicher Besorgtheit um sich selbst überall Phantome von Feinden gewahrt, ein Zeichen der Noth bei dem Starken, der, beständigen unerwarteten Angriffen in dunkler Kriegeszeit ausgesetzt, nicht sich selbst, sondern heilige ihm anvertraute Güter zu wahren und zu schützen hat. Bei Jenem eine angeborene Wesenseigenthümlichkeit, ist der Argwohn bei Diesem nur ein durch den Konflikt mit der Welt aufgezwungenes Accidentelles, woraus es sich ergiebt, dass der Widerspruch zwischen der einem Genie ureigensten Glaubens- und Vertrauenskraft und dem Hange zu misstrauischen Voraussetzungen nur ein scheinbarer ist, in gleicher

Weise, wie der im vorausgehenden Abschnitt besprochene zwischen Liebe und Stolz.

Unter vielen Erfahrungen, welche das in Michelangelos Seelenleben eine so grosse, leidenbringende Rolle spielende Misstrauen hervorgerufen haben, dürften an erster Stelle die des Knaben Seele verbitternden Lieblosigkeiten, denen er in seiner eigenen Familie ausgesetzt war, zu erwähnen sein. Nur mit schweren Opfern hat er die Erlaubniss, sich der Kunst zu widmen, erkauft. Condivi, der seine Mittheilungen ja aus Michelangelos eigenem Munde empfing, erzählt: „dieser (durch den Maler Granacci gegebene) Impuls, zu der Natur hinzugefügt, die ihn immer antrieb, vermochte so viel, dass er die Wissenschaften vollständig aufgab. Darüber wurde er vom Vater und den Brüdern des Vaters, die gegen eine solche Profession einen Hass hatten, übel angesehen und gar oft ausnehmend geschlagen, da es ihnen, aus Unkenntniss der Hoheit und des Adels der Kunst, eine Schande schien, diese in ihrem Hause zu haben." Der Eindruck, welchen solch'grausame, unsinnige Behandlung von Seiten der nächsten Angehörigen auf die in höchstem Grade erregbare, zartbesaitete Seele des Kindes hatte, muss von verhängnissvoller Wirkung gewesen sein. Die nie wieder gutzumachende Schuld, angeborene Kraft unschuldigen Vertrauens in ihrem tiefsten Grunde erschüttert zu haben, trifft den Vater, denselben Vater, dem bis zu seinem Tode Michelangelo der liebevollste, sich aufopfernde Sohn geblieben ist.

Ein zweites Erlebniss in seinen Jugendjahren kam hinzu, nicht minder verhängnissvoll, da es jene für alle Zeit bleibende äussere Entstellung der Erscheinung des Künstlers zur Folge hatte. Näheres über diesen Vorfall theilt Benvenuto Cellini in seiner Autobiographie (I, 13) mit, gelegentlich der Aufforderung, welche der Bildhauer Torrigiano dei Torrigiani an ihn richtete, mit ihm nach England zu gehen:

„Es war dieser Mann von der schönsten Gestalt und von dem kühnsten Betragen: er sah eher einem grossen Soldaten als einem Bildhauer ähnlich; seine entschiedenen Gebärden, seine klingende Stimme, das Runzeln seiner Augenbrauen hätten auch einen braven Mann erschrecken können, und alle

Tage sprach er von seinen Händeln mit den Bestien, den Engländern. So kam er auch einmal auf Michelagnolo Buonarroti zu reden, und zwar bei Gelegenheit einer Zeichnung, die ich nach dem Karton dieses göttlichen Mannes gemacht hatte. — — — Die Zeichnung in der Hand sagte er: ‚dieser Buonarroti und ich gingen als Knaben in die Kirche del Carmine, um in der Kapelle des Masaccio zu studiren, und Buonarroti hatte die Art, Alle zu foppen, die dort zeichneten. Eines Tages machte er sich unter Andern auch an mich, und es verdross mich mehr als sonst; ich ballte die Faust und schlug ihm so heftig auf die Nase, dass ich Knochen und Knorpel so mürbe fühlte, als wenn es eine Oblate gewesen wäre; und so habe ich ihn für sein ganzes Leben gezeichnet.'"

„Diese Worte," fügt Cellini hinzu, „erregten in mir einen solchen Hass, da ich die Arbeiten dieses unvergleichlichen Mannes vor Augen hatte, dass ich, weit entfernt, mit Torrigiani nach England zu gehen, ihn nicht wieder ansehen mochte."

Ist es zu gewagt, dieser Verletzung eine Wirkung auf das ganze Leben Michelangelos zuzuschreiben? Mir dünkt, sie muss eine grosse gewesen sein. Schon früher ist die Frage an uns herangetreten. Durch die von einem hitzigen Raufbold erlittene Unbill für alle Zeit in seinem Antlitz entstellt, wie hätte der von leidenschaftlicher Liebe zur Schönheit bis in den tiefsten Grund seines Wesens erfüllte Künstler solche an sich selbst wahrgenommene Störung der Harmonie nicht als einen Makel empfinden sollen? Man glaube nicht, dass ein grosser Geist über derlei Anfechtungen erhaben sei: gerade ihm, dem überall Vollkommenheit und Ebenmass suchenden und gestaltenden, muss ein Widernatürliches, Verzerrtes in seiner körperlichen Erscheinung peinlich, ja beschämend und qualvoll sein, wie ein nie sich auflösender Missklang; und das Bewusstsein hiervon mag mit der Zeit sich abschwächen, dürfte aber schwerlich je ganz schwinden. Den mit angeborenen körperlichen Fehlern behafteten, missgestalteten Menschen pflegt die gütige Natur in hochentwickelter und durch eigenthümliche Wahnvorstellungen genährter Selbstgefälligkeit einen

Glücksersatz zu gewähren — für willkürliche, zufällige Entstellungen hat sie kein linderndes Mittel.

Nur zweimal, in zwei Madrigalen, und scheinbar beiläufig
äussert Michelangelo das sonst schweigend im Innern ge-
tragene Leiden, das ihm aus seiner „Hässlichkeit" erwuchs,
aber die blosse Erwähnung genügt, uns einen Schmerz, wie
ihn die Berührung einer offenen Wunde erregt, nachempfinden
zu lassen. Das eine Gedicht lautet:

Wie du ja anders sein nicht kannst als schön,
Kann's nimmer sein, dass du nicht Mitleid hast,
Und bist du ganz mein eigen,
Kannst du nicht anders als mich ganz zerstören.
Vergönnst du mir dein Mitleid,
So lange als hier deine Schönheit währet,
So giebt der Schönheit Tod,
Mit dem die Liebe endet,
Auch meinem heissen Herzen Tod.
Dann, wenn der Geist befreit
Zu seinem Sterne kehrt,
Des Herrn sich zu erfreuen,
Der jeden todten Leib
Zu ew'gem Frieden oder Qual erweckt,
Dann fleh' ich, dass er meinen, ob auch hässlich,
Im Himmel, wie auf Erden, bei dir lasse,
Gilt doch ein liebend Herz so viel wie Schönheit.
(Guasti S. 83. Frey CIX, 12.)

Und in dem anderen Madrigale, welches gleichfalls die
Schönheit der Geliebten feiert, heisst es:
„Wohl scheint der Himmel sich darüber zu erzürnen, dass
in so schönen Augen ich mich selbst so hässlich erblicke
und dich in meinen hässlichen Augen so schön!" (Guasti
S. 115. Frey CIX, 43.)
Wir haben die Pein, die dem liebedürstigen Herzen durch
solche Gefühle verursacht wurde, schon mit einem scheuen
Blick gestreift. Der ungern gelüftete Schleier sinke wieder
hinab und verhülle, was zu betrachten man sich scheut!

13*

Andere Erlebnisse, welche den gefährlichen Hang der Einbildungskraft Michelangelos zu beängstigenden Vorstellungen verstärken mussten, haben unsere Theilnahme auf sich zu ziehen. Er selbst spricht es einmal aus: „lange Erfahrung hat mich argwöhnisch gemacht." Öfters kehrt in seinen Briefen der Ausspruch: „ich lebe in tausendfachem Argwohn" wieder, den Seinigen räth er in den häufig eintretenden Zeiten politischer Verwicklungen „Niemand zu trauen, mit offenen Augen zu schlafen", und, durch gewisse Vorfälle gewarnt, ist er besorgt, dass man nicht während seiner Abwesenheit (1510) seine Zeichnungen sehe.

In derselben Zeit, in welcher er das Opfer herzlosen Missverständnisses von Seiten seiner Angehörigen und brutaler von Seiten eines Altersgenossen ihm angethaner Gewalt wurde, sollte er, ein Knabe, auch zuerst gewahren, welche Rolle im künstlerischen Leben der Neid spielt. Die Missgunst, der Andere erst in reiferem Lebensalter begegnen, trat diesem Genius schon, als er noch ein halbes Kind war, in den Weg. Condivis Angaben sind durchweg, trotz Vasari, als so glaubwürdige zu betrachten, dass wir, wenn auch mit Vorbehalt, für denkbar halten müssen, was er von dem Verhalten Domenico Ghirlandajos gegen seinen Schüler berichtet. Schon die erste Arbeit des Letzteren, eine farbige Kopie nach Martin Schongauers heiligem Antonius, die allgemeine Verwunderung hervorrief, erregte die Eifersucht des Lehrers, „welcher, um das Werk weniger wunderbar erscheinen zu machen, zu sagen pflegte, es sei aus seiner Werkstatt hervorgegangen, gleichsam als ob er Theil daran gehabt hätte". „Und dieser Neid gab sich um so mehr kund, da er, eines Tages von Michelangelo um sein Zeichenbuch ersucht, worin Hirten mit ihren Schäflein und Hunden, Landschaften, Gebäude, Ruinen und ähnliche Dinge gemalt waren, es ihm nicht leihen wollte. Und in der That stand er im Rufe, etwas zu neidisch zu sein, weil er nicht nur gegen Michelangelo sich wenig höflich betrug, sondern auch gegen den eigenen Bruder, den er, als er ihn vorwärts kommen und grosse Hoffnungen erwecken sah, nach Frankreich schickte, nicht sowohl um Demselbigen zu nützen, wie Einige sagten, sondern um in Florenz selber der Erste in seiner Kunst zu bleiben. Davon habe ich Erwähnung thun wollen, weil mir gesagt wurde, dass der Sohn des Domenico die Vortrefflichkeit und Göttlichkeit des Michelangelo zum grossen Theil der Unterweisung des Vaters zuzuschreiben pflegte, da Dieser ihm doch keinerlei Hülfe geleistet, obgleich sich Michelangelo darüber nicht beklagt, im Gegentheil den Domenico lobt, sowohl der Kunst als den Sitten nach."

Die dem Künstler so in seiner Kindheit schon geraubt worden war: die sorglose Zuversicht in die Güte der Menschen, selbst ein friedliches, von keinen Angriffen gestörtes Leben hätte sie ihm nie ganz wieder schenken können. Nun aber musste die unvergleichliche Genialität, die alles Andere in Schatten rückende Grösse seiner ersten Meisterarbeiten, wie sie ihm begeisterte Freunde gewann, ihn zugleich dem Neid und Hass der künstlerischen Zeitgenossen aussetzen. Das früh in ihn gesäete Misstrauen wurde durch unzählige neue Wahrnehmungen genährt und verstärkt! Offene Feindseligkeiten, durch welche er sein Leben selbst bedroht glauben musste (wie diejenige eines Bildhauers, die ihn im Jahre 1495 aus Bologna vertrieb), geheime Intriguen, welche die Ausführung seiner künstlerischen Pläne hemmten, und gehässige Einflüsterungen, die Missverständniss zwischen seiner Familie und ihm hervorriefen, verfolgten ihn fortan bis zu seinem Tode. Seine Phantasie verführte ihn vielfach zu übertriebenen, ja unrichtigen Voraussetzungen, dies ist unzweifelhaft. Aber zwischen dem Thatsächlichen und dem Fingirten hierin genau zu unterscheiden, wird wohl für alle Zeit unmöglich sein. Kennen wir doch diese Vorfälle fast nur aus seinen eigenen Schilderungen oder denen leidenschaftlich partheiisch für ihn eingenommener Freunde. Dass die Letzteren sich eine billige Abwägung der für einzelne Konflikte entscheidenden Motive nicht am Herzen liegen liessen, begreift sich leicht, aber auch Michelangelo selbst, trotz seines hohen Gerechtigkeitsgefühles, welches den Feinden die Anerkennung nicht vorenthielt, konnte und musste sich täuschen, da seine beängstigte Seele unter dem Zwange eines nicht bloss momentan auftretenden, sondern eingewurzelten Argwohns stand.

213

War dieser einerseits die Ursache plötzlich erwachender
und ihn unwiderstehlich beherrschender Angstgefühle, die ihn
zur Flucht vor häufig wohl bloss eingebildeten Gefahren bewogen, so trübte er andrerseits die angeborene, zuversicht-
liche Heiterkeit seines den Menschen und Verhältnissen über-
legenen Geistes und raubte ihm für Augenblicke die Kraft
objektiver Betrachtung der Dinge. An Stelle des Humors
trat als ein Mittel der Abwehr wirklicher oder vorausgesetzter
Verkennung seines Wesens und seiner Absichten die Ironie;
kein Zweifel, dass diese, wo sie sich direkt gegen Andere
wendete, also einem argwöhnisch vermutheten Angriffe durch
einen Angriff zuvorzukommen suchte, dem Künstler Feindschaft erwecken und zu seiner Verkennung wesentlich bei-
tragen musste. Einzelne derartige Anwandlungen wurden uns
schon aus dem Briefwechsel des Meisters bekannt, besonders
bezeichnend aber für sie sind zwei Geschichten, welche die
Begegnung mit anderen Künstlern betreffen. Die eine, mitgetheilt von dem Anonymus Magliabecchianus, dürfte wohl ein
wirkliches Vorkommniss aus den Tagen, in denen Lionardo
da Vinci und Michelangelo gleichzeitig die Schlachtengemälde
für den Palazzo della Signoria entwarfen, erzählen.

„Lionardo war ein Mann von schöner Erscheinung, edlen
Verhältnissen, anmuthigem Benehmen und vornehmem Aussehen. Er war in eine bis zu den Knieen fallende Tunika
von rosa Farbe gekleidet, denn in jener Zeit war es Mode,
Gewänder von ziemlicher Länge zu tragen, und bis zur Mitte
seiner Brust fluthete ein schön gelockter und gefällig ange-
ordneter Bart. Mit einem Freund in der Nähe von S. Trinità lustwandelnd, wo eine Gesellschaft von anständigen Leuten
versammelt war und sich über eine Stelle im Dante unterhielt, wurde er von ihnen angerufen und gebeten, ihren Sinn
zu erklären. Es traf sich so, dass gerade in diesem Augenblick Michelangelo vorüberging, und da er von Einem der
Gesellschaft begrüsst wurde, sagte Lionardo: ‚da geht Michelangelo; er wird die Verse, nach denen Ihr fragt, inter-
pretiren.' Worauf Michelangelo, welcher glaubte, Jener wolle
ihn mit diesen Worten verspotten, ärgerlich erwiderte: ‚Er-
kläre du selbst sie, der du das Modell eines Pferdes für den

Bronzeguss machtest' — eine Anspielung auf die von Lionardo begonnene und nicht vollendete Reiterstatue des Francesco Sforza, — ,und den Guss nicht zu Stande brachtest, sondern zu deiner Schande damit stecken bliebest.' Mit diesen Worten wandte er der Gruppe den Rücken zu und ging seines Weges. Lionardo blieb dort stehen, roth im Gesicht wegen des ihm gemachten Vorwurfes; und Michelangelo, nicht befriedigt, sondern von dem Wunsche getrieben, ihn zu kränken, fügte noch hinzu: ,Und diese mailändischen Kapaune glaubten an deine Fähigkeit, das Werk zu machen.'"

Der Erzähler war offenbar kein Freund Michelangelos, und die Sache mag sich etwas anders zugetragen haben; manches Aufreizende wird gelegentlich dieses künstlerischen Wettstreites der beiden grossen Meister von Seiten ihrer Anhänger vorangegangen und eine erregte Stimmung erzeugt worden sein. Immerhin dürfte die Anekdote die Art von Äusserungen, zu welchen sich Michelangelo nicht selten durch misstrauische Empfindlichkeit hinreissen liess, in treffender Weise kennzeichnen. —

Der andere, von Vasari nicht ohne einen gewissen Vorbehalt mitgetheilte Vorfall betrifft eine Zurückweisung, welche Francesco Francia erfuhr.

„Man erzählt, dass während Michelangelo (in Bologna an der Papststatue) arbeitete, der Francia, ein höchst ausgezeichneter Goldschmied und Maler eintraf, um die Statue zu sehen, da er so viel von dem Lob und dem Ruhme Michelangelos und seiner Werke gehört und noch keines derselben kennen gelernt. Es wurden also Vermittler geschickt, dass er sie sehen könne, und er erhielt die Erlaubniss. Als er das Kunstwerk Michelangelos sah, staunte er. Und als er befragt wurde, was er von der Figur halte, antwortete Francia, es sei ein wunderschöner Guss und ein schönes Material. Worauf Michelangelo, dem es schien, er habe mehr die Bronze als die künstlerische Arbeit gelobt, sagte: ,ich habe dem Papst Julius, welcher mir das Material gegeben hat, gegenüber dieselbe Verpflichtung, wie Ihr den Krämern, welche Euch die Farben zum Malen geben,' und zornig, in Gegenwart jener Edelleute, sagte er: Jener sei ein Narr.'"

Wörtlich wahr ist diese Erzählung gewiss nicht. Vasari selbst bringt sie in seinen zwei Ausgaben der Biographieen verschieden: richtig wird nur der Kern sein, dass nämlich Michelangelo auf eine ungeschickte, ihn stutzig machende Bemerkung Francias heftig erwidert hat. Nicht das Urtheil über sein Werk, denn zahllose Zeugnisse beweisen seine fast unbegreifliche Bescheidenheit in Bezug auf das eigene künstlerische Schaffen, sondern das Gefühl, einer Lieblosigkeit und zugleich einer albernen Kritik zu begegnen, hat ihn aufbrausen lassen.

Selbst in eine so innige Beziehung, wie es diejenige zwischen dem Künstler und Tommaso Cavalieri war, hat ein, wie es scheint, durch böses Gerede veranlasster Verdacht einen freilich schnell vorüb erziehenden Schatten werfen können. Wir erfahren von dieser kurzen Störung in dem Verhältniss der beiden Männer durch einen von Tommaso 1561 geschriebenen Brief, dessen männlich gerader Ton das Missverständniss sogleich aufgehoben hat:

„Mein sehr erlauchter Herr."

„Seit einigen Tagen habe ich bemerkt, dass Ihr Etwas, ich weiss aber nicht was, gegen mich habt, aber gestern, als ich in Euer Haus kam, habe ich mich dessen vergewissert, und da ich mir den Grund nicht denken kann, habe ich Euch diesen Brief schreiben wollen, damit Ihr, wenn es Euch gefällt, mich darüber aufklären könnt, und ich bin mehr als gewiss, Euch niemals beleidigt zu haben, aber Ihr glaubt zu leicht, wenn Ihr am wenigsten glauben solltet, und vielleicht hat Euch irgend Einer eine Lüge gesagt, aus Angst, ich könnte eines Tages viele Schurkereien, welche unter Eurem Namen begangen werden und Eurer Ehre schaden, enthüllen. Und wenn Ihr sie wissen wollt, so sollt Ihr sie erfahren, aber ich kann, und selbst wenn ich es könnte, will mich nicht dazu zwingen, wohl aber sage ich Euch, wenn Ihr mich nicht zum Freunde wollt, so könnt Ihr das thun, aber Ihr werdet nie erreichen können, dass ich nicht Euer Freund sei und immer trachten werde, Euch dienlich zu sein. Und auch gestern kam ich, um Euch einen Brief vom Herzog von Florenz zu zeigen und Euch Ärgerlichkeiten zu ersparen,

wie ich es bisher immer gethan. Und wisst es für gewiss,
dass Ihr keinen besseren Freund als mich habt. Ich will mich
darüber nicht verbreiten, aber wenn es Euch jetzt anders
scheint, so hoffe ich, dass Ihr in kurzer Zeit, wenn Ihr wollt,
darüber im Klaren sein werdet, und ich weiss, Ihr wisst, dass
ich immer ohne jedes andere Interesse Euer Freund war.
Nun will ich aber Nichts weiter sagen, denn es könnte
scheinen, als wollte ich mich von Etwas reinwaschen, was
gar nicht ist. Auch kann ich mir gar nicht vorstellen und
keinen Reim darauf machen, was Ihr gegen mich habt, und
ich bitte und beschwöre Euch bei aller Liebe, die Ihr zu
Gott habt, Ihr wollet es mir sagen, damit ich Euch aus dem
Irrthume reissen kann, und da ich Nichts weiter zu sagen
habe, empfehle ich mich Euch. Eurer Herrlichkeit Diener
Thomao de Cavalieri." (Symonds II, 402.)

Handelt es sich hier um eine durch boshafte Nachreden
verursachte Stimmung, die, schnell wie sie gekommen, verging, so scheint an einer momentanen Entzweiung Michelangelos mit seinem lieben Freunde Luigi del Riccio, dem er
für die Pflege während seiner Krankheit sich herzlich verpflichtet fühlte, der Letztere selbst Schuld getragen zu haben.
Schon einmal hatte sich Michelangelo, in seinem Unabhängigkeitsgefühl kein Freund von Geschenken, in verbindlicher
Form gegen die allzugrosse Freigebigkeit Luigis gewehrt:

Da Gnade, noch so süss,
Doch allzulästig fällt,
Macht sie gefangen And're sich zur Beute,
So fühle Lieb' und Freiheit
Durch deine höchste Güte
Ich mehr bedroht, als wenn du mich bestohlen.
Vernunft will gleichen Schritt:
Doch giebt der Eine mehr, der And're wen'ger,
So kommt's mit Recht zum Streit,
Und siegt der Eine, nicht verzeiht's der And're.
(Guasti S. 29.)

Riccio hatte poetisch darauf geantwortet, Freunden sei
Alles gemeinsam, zwischen ihnen handle es sich nie um ein

Mehr oder Weniger. Nun kam es zu einem ernsteren Konflikt. Michelangelo hatte ihn gebeten, einen Druck — ob einen Stich nach einem Werke oder, wie Scheffler will, Gedichte? — zu vernichten. Riccio that dies nicht, sondern sandte ihm offenbar vielmehr ein Honorar dafür. Da schreibt ihm der Künstler folgenden Brief:

„Messer Luigi. — Ihr scheint anzunehmen, dass ich Euch antworten soll, so wie Ihr es wünscht, und statt dessen steht die Sache umgekehrt. Ihr gebt mir Das, was ich anzunehmen verweigert habe, und verweigert mir Das, worum ich selbst Euch bat. Und dass Ihr nicht aus Unwissenheit fehlt, zeigt Ihr, indem Ihr es mir durch Ercole sendet, da Ihr selbst Euch schämt, es mir zu geben. Wer mich dem Tode entrissen hat, hat auch das Recht mich zu tadeln; aber ich weiss nicht, was schwerer wiege: Tadel oder Tod. Daher bitte und beschwöre ich Euch bei der wahren Freundschaft, die zwischen uns ist, jenen Druck zu zerstören und die gedruckten Exemplare zu verbrennen; und wenn Ihr Handel mit mir treibt, so wollet doch nicht auch Andere dazu veranlassen; und wenn Ihr aus mir tausend Stücke macht, so werde ich es ebenso, zwar nicht mit Euch, aber mit Euren Sachen thun. — Michelagniolo Buonarroti."

„Nicht Maler, noch Bildhauer, noch Baumeister, sondern was Ihr wollt, nur nicht ein Betrunkener, wie ich Euch in Eurem Hause sagte." (Lett. S. 520.)

Die Art, in welcher solcher durch den Freund bereiteter Ärger aus Liebe zu Diesem in Schmerz und in das rührende Verlangen nach einer Wiederherstellung der alten Beziehungen sich verwandelt, zeigt das Sonett, welches Riccio bald darauf empfing:

In unbegrenzter Freundschaft süssem Glück
Verhehlt verborgen oft ein Angriff sich
Auf Ehr' und Leben! das belastet mich
So schwer, dass ich gesundet selbst noch leide.

Wenn uns Derselbe, der uns Flügel lieh,
Nach langem Flug verborg'ne Netze spannt,

Erlischt der Liebe Gluth, die Lieb' entflammte,
Dort, wo am meisten sie zu glüh'n verlangt.

D'rum, mein Luigi, lasst mir ferner leuchten
Die alte Gunst, der Leben ich verdanke,
Dass Wind noch Sturm sie nicht mehr trüben kann.

Denn Zorn macht alle Wohlthat schnell vergessen,
Und, bin mit wahrer Freundschaft ich bekannt,
Wiegt Freude tausendfach nicht eine Qual auf.
(Guasti S. 161. Frey LXXIV.)

Durch solche Gefühlsumkehr findet nach Verirrung in Bitterkeit und Ironie eine edle Seele sich selbst wieder. Mag auch
in erregten Momenten ein scharfes Wort Andere verletzt
haben — am meisten hat Michelangelo selbst unter seinem
Argwohn gelitten. Es ist die volle Wahrheit, wenn er von
seiner „sogenannten Laune oder Verrücktheit", die ihm die
Leute zum Vorwurf machen, sagt, sie schade Niemand, als
ihm selbst. So sind gewiss auch die ironischen Ausfälle
gegen Andere nur seltene gewesen, und hat er im Laufe
seines Lebens immer mehr in der Selbstironie, die man als
eine harmlose Entkräftung ungerechter oder falscher Voraussetzungen betrachten darf, seine Zuflucht gesucht. In vielen der
bereits mitgetheilten Briefe begegnet man derartigen Äusserungen, die aus dem quälenden Bewusstsein, missverstanden
oder verkannt zu werden, hervorgehen: Wendungen, wie
„verrückt und schlecht", „melancholisch und ein Narr", alt „und
thöricht wie ich bin". Am stärksten aber berührt uns diese
Sprache in einem an den Kardinal Bibbiena gerichteten
Schreiben, durch welches er Sebastiano del Piombo 1520
von Florenz aus empfiehlt und bittet, dass Dieser mit an
den, Raphaels Schülern in Auftrag gegebenen Malereien im
Vatikan beschäftigt werde.

„Monsignor. — Ich bitte Eure Hochwürdigste Signoria,
nicht als Freund oder Diener, weil ich weder das eine noch
das andere zu sein verdiene, sondern als ein niedriger, armer
und verrückter Mensch, zu bewirken, dass der Maler Bastiano
Veneziano, da Raphael gestorben ist, Antheil an den Arbeiten

im Pallaste erhalte: und wenn es Eurer Herrlichkeit dünkt, an Einen meinesgleichen hiesse dies, einen Dienst verschwenden, so meine ich, dass man ausnahmsweise auch darin eine Süssigkeit finden könne, Verrückten einen Dienst zu erweisen; so wie Einer, welcher der Kapaune überdrüssig ist, bloss dank dem Wechsel der Speise, auch an Zwiebeln Gefallen findet. Männern von Bedeutung erweist Ihr täglich Dienste; ich bitte Eure Herrlichkeit dies mir zu beweisen: es wird ein sehr grosser Dienst sein, denn besagter Bastiano ist ein tüchtiger Mensch: und wenn ein Dienst an mir verschwendet wird, so ist das doch bei Bastiano nicht der Fall, denn ich bin sicher, dass er Eurer Signoria Ehre machen wird." (Lett. S. 413.)

In Rom verkannte man durchaus die schmerzliche Stimmung, aus welcher heraus der gerade in jener Zeit durch das Aufgeben der Lorenzofassade tief betroffene Künstler dies Schreiben verfasst hatte. An dem lachlustigen, leichtfertigen Hofe gab man nur auf die witzige Ausdrucksweise Acht. Bis zu welchem Grade muss sich die bittere Erkenntnis der tiefen Kluft, welche ihn von dieser nichtigen Gesellschaft trennte, verschärft haben, als Michelangelo folgende Antwort Sebastianos erhielt:

„Ich trug jenen Brief zum Kardinal, welcher mir viel Freundlichkeiten erwies und Anerbietungen machte, aber bezüglich dessen, was ich verlangte, sagte er mir, der Papst habe den Saal der Päpste den Schülern Raphaels gegeben, und diese hätten als Muster eine Figur in Öl auf die Wand gemalt, welche sehr schön sei, so dass Niemand die Zimmer, welche Raphael bemalt hat, noch anschauen würde, und dass dieser Saal Alle staunen machen würde, und dass es kein schöneres Werk seit der Antike bis auf den heutigen Tag geben werde. Und dann frug er mich, ob ich Euren Brief gelesen habe. Ich erwiderte: nein. Er lachte sehr darüber, als mache er sich darüber lustig: und mit schönen Worten wurde ich entlassen. Dann habe ich von Baccino de Michelagnolo, der den Laokoon macht, gehört, dass der Kardinal ihm Euren Brief gezeigt und denselben auch dem Papste gezeigt hat: so dass man fast von nichts Anderem im Pallaste spricht, als von Eurem Briefe: und er macht alle Welt lachen."

Man frägt sich: was Anderes als Ironie stand einem Geiste wie demjenigen Michelangelos als Antwort an eine solche Welt, so lange er von ihr äusserlich abhängig war, zu Gebote? Doch sieht man hiervon ab und hält sich nur an die Übertreibungen, zu welchen seine Phantasie in ihrem Überschwange gelangen musste, giebt man zu, dass die Schuld an manchem Missverständniss und Konflikt eben seinem Misstrauen und aufbrausenden Temperament beizulegen ist, so bleibt es ebenso gewiss wahr, dass der grössere Vorwurf die Gegner trifft. Was ihnen, wie den Feinden jedes Genius, einzig zur Entschuldigung dient, ist der Mangel an Grösse, welcher sie unfähig machte, ein Wesen von der erhabenen Selbstlosigkeit Michelangelos zu verstehen. „Sie haben sich einen Michelangelo aus dem Stoffe ihres eigenen Herzens gemacht." Man höre, um nur ein Beispiel zu haben, den Brief, welchen ein so hoch begabter Künstler, wie Jacopo Sansovino, der gewiss nicht auf eine Stufe mit dem ähnlich sich äussernden gehässigen Baccio Bandinelli zu setzen ist, am 30. Juni 1517 an den Meister über die Fassade von S. Lorenzo schreibt:

„Der Papst, der Kardinal und Jacopo Salviati sind Männer, welche, wenn sie Ja sagen, so ist es so gut, wie ein geschriebener Kontrakt, da sie ihrem Worte treu bleiben, und sind nicht Das, wofür Ihr sie haltet. Ihr messt sie mit Eurem eignen Maass, denn weder Kontrakte noch gegebenes Wort gelten bei Euch, der Ihr, je nachdem Ihr es für vortheilhaft haltet, Ja oder Nein sagt. Ich muss Euch davon benachrichtigen, dass der Papst, und so auch Salviati, mir die Skulpturen versprachen, und sie sind Männer, welche mich in meinem Rechte aufrechterhalten werden. Was Euch betrifft, so habe ich Alles gethan, Eure Interessen und Eure Ehre zu befördern, da ich erst jetzt sehe, dass Ihr niemals irgend Jemandem eine Wohlthat zukommen lasst, und dass, um mit mir selbst den Anfang zu machen, von Euch Freundlichkeit zu erwarten, so viel wäre, als zu verlangen, dass Wasser nicht nass mache. Ich habe Grund, dies zu behaupten, da wir ja oft in vertrautem Umgang uns begegnet sind, und der Tag möge verflucht

sein, an dem Ihr jemals etwas Gutes über irgend Jemand
auf der Welt gesagt habt." (Frey: Briefe S. 73.)

Zufälliger Weise wissen wir, dass Michelangelo im Jahre 1524,
als er für das Grabmal des Herzogs von Sessa eine Skizze
entwarf, darum bat, die Ausführung des Werkes Sansovino
zu überlassen! Unter den Missvergnügten, welche sich Hoffnung darauf
gemacht hatten, die Fassade von S. Lorenzo in Auftrag zu erhalten, befand sich auch Baccio Bandinelli, der ehrgeizige und
neidische Bildhauer, welcher, obwohl ein Nachahmer Michelangelos, sein Leben lang von Hass gegen Diesen erfüllt
war. Mag die eine Geschichte, welche Vasari von Baccio,
den er verabscheute, berichtet, auch vielleicht nicht der Wahrheit entsprechen oder wenigstens übertreiben: dass erzählt
werden konnte, Bandinelli habe im Jahre 1512 Michelangelos
Karton der Schlacht bei Cascina in Stücke geschnitten, zeigt,
welche Dinge man Jenem, der in unwürdiger Weise sich in
die Gunst der Medici einzuschmeicheln wusste, zutraute,
ebenso wie die Vermuthung, welche später, als Michelangelos
Atelier in Florenz einmal bestohlen wurde, auftauchte: Baccio
habe den Einbruch verübt. Dessen bösen Einfluss fürchtete
Michelangelo schon 1525, nachdem er ihn als Mitarbeiter an
der Fassade von S. Lorenzo gegebenen Falles 1517 (21. Juni)
Sansovino vorgezogen hatte. Neid und der hochmüthige,
öffentlich ausgesprochene Wahn, mit dem Meister rivalisiren
zu können, führten Bandinelli so weit, es durch Intriguen
bei Clemens VII. zu erreichen, dass ein Marmorblock, welcher
bereits im Jahre 1508 Michelangelo zugewiesen worden war,
um daraus eine Gigantenfigur zu machen, und der ihm im
Jahre 1528 von Neuem übergeben wurde, damit er einen
Herkules mit Cacus oder, wie es ihm später besser
däuchte, einen Samson gestalte — dass dieser Block im
Jahre 1530 Michelangelo entzogen und ihm überlassen ward.
Der bei dem Fassadenbau von S. Lorenzo angestellte Rech-
nungsmeister Domenico Boninsegni, welcher gegen Michelangelo einen tiefen Hass gefasst, weil Dieser seine betrüge-
rischen Absichten durchkreuzt hatte, soll nach Vasari den
Spiessgesellen Baccios bei der unsauberen Angelegenheit

gespielt haben, indem er dem Papst vorhielt, dass er bei
solcher Konkurrenz der beiden Meister gut fahren würde.
„Als Michelangelo Kunde gewann, dass der Block an Baccio
gegeben worden war, empfand er den heftigsten Ärger darüber, konnte aber, so viel Mühe er sich auch gab, den Papst
nicht zu einem Widerruf bewegen: so sehr hatte Diesem das
Modell Baccios gefallen. Seine Versprechungen und sein Sich-
brüsten, da er sich rühmte, den David Michelangelos zu übertreffen, und die Unterstützung Boninsegnis kamen dazu, welcher
sagte, Michelangelo wolle Alles für sich. So wurde die Stadt
eines seltenen Schmuckes beraubt, wie es unzweifelhaft jener
Marmor, von der Hand Michelangelos gestaltet, geworden wäre."
Die Herkulesstatue Bandinellis, welche heute den Platz vor
dem Signorenpallast verunziert, war das Resultat jener un-
würdigen Intrigue. Mochten Viele diese Figur bewundern,
so sprachen die künstlerisch Empfindenden schon damals
das in unserer Zeit von Jedem gebilligte Urtheil aus, das
Doni in seinen „Marmi" (II, 9) einem Steinmetz in den
Mund legt, welcher mit Donatellos heiligem Georg ein Zwiegespräch hält und in heftige Empörung ausbricht, dass Donatellos Werk an verborgenem Platz sich befinde, indess jener
Herkules am schönsten und ehrenvollsten Ort aufgestellt sei.

Im Jahre 1539 scheint es wieder zu für Michelangelo
widrigen Vorfällen gekommen zu sein, denn in einem Briefe
Annibale Caros (Lettere I, 102) an Luca Martini heisst es:
„der Mittheilungen, welche Ihr mir über die Arbeit Baccios
und den Grund der Belästigung Michelangelos gebt, werde
ich mich rechtzeitig und bei Personen, welche davon Bericht
erstatten können, bedienen." Vielleicht handelte es sich schon
um ein Vorspiel jenes gemeinen Streiches, von dem Vasari
berichtet. Bandinelli hatte es durchgesetzt, dass Tribolo der
Auftrag für das Grabdenkmal Giovannis delle bande nere
entzogen und ihm übergeben ward. „Er richtete es so ein,
dass der Herzog, im Auftrag Baccios, viele Marmorblöcke
Michelangelo abverlangte, welche Derselbe in Florenz besass.
Der Herzog erhielt sie von Michelangelo und Baccio vom
Herzog; unter diesen Blöcken waren einige angefangene
Figuren und eine schon weit gediehene Statue von Michel-

angelo. Baccio nahm Alles, schnitt und zerstiess, was er
fand, in Stücke, da er sich in dieser Weise zu rächen und
Michelangelo Ärger zu bereiten glaubte.“ Dass der Hass
dieses hämischen Mannes bis zu Dessen Tode (1560) den
grossen Meister verfolgte, und dass Vasari nicht zu viel
von Bandinellis Sinnesart gesagt hat, verrathen schliesslich
zwei Briefe Baccios aus dem Jahre 1547. Der eine ist an
Herzog Cosimo gerichtet und enthält folgende Stelle:
„Ich erinnere mich, als ich mich bei Papst Leo in Florenz
aufhielt, sandte er nach Raphael und Buonarroti und machte
den Vertrag über die Fassade von S. Lorenzo und beschloss,
dass er die Modelle der Statuen und der grossen Reliefs, wie
die Blöcke, verfertigte und unter seiner Leitung jüngere
Künstler sie ausführen sollten. Und wisse Eure Excellenz,
dass der Grund, warum er niemals eines der Marmorwerke
geliefert hat, einzig daran liegt, dass er niemals von irgend
Jemand Hülfe wollte, um keine Meister heranzuziehen, damit
Euer Haus nicht diese Verherrlichung erhalte, und so hat es
mir Papst Clemens seligen Angedenkens gesagt, er habe ihn
nie bewegen können, diese grossen Modelle anzufertigen.“
(Bottari I, 71.)
In diesen Worten glaubt man die erste Ursache der Feindschaft zu erkennen. In dem zweiten Briefe werden giftige
Insinuationen anderer Art einem Jacopo Guidi gegenüber geäussert (Bottari I, 76):
„Wie es in den letzten Tagen Buonarroti mit dem Papste
machte. Dieser sandte ihm durch Melichino 500 Skudi. Jener
aber schickte sie Seiner Heiligkeit in seltsamer Weise zurück.
Da sandte ihm der Papst mehr als das Doppelte, und darauf
nahm er es an; und man sagt, der Papst sei es sehr zufrieden
gewesen, dass sich verbreitete, er sei von Michelangelos ausgezeichneter Begabung gezwungen worden, wie es Alexander
dem Grossen mit Apelles ergangen sei. Aber von mir darf
man nicht sagen, dass ich jemals auch nur die geringste
Handlung aus Habsucht begangen habe.“
Äusserungen, wie diese, eröffnen den Einblick in Abgründe
niedriger Gesinnung, aber was so als Saat ausgestreut wird,
geht wuchernd in üppiger Fülle auf. Es ist zu begreifen,

warum die alten Biographen Michelangelos, wie wir gesehen
haben, mit Nachdruck betonten, was sich doch ganz von
selbst versteht: dass Michelangelo der günstigste Freund
seiner Schüler und Mitarbeiter war und dass es schmähliches
Unrecht gewesen, dem grossmüthigsten Mann Geiz vorzuwerfen.

Das Geheimniss der von der Welt dem Genie bezeugten
Feindschaft liegt zu allen Zeiten darin, dass das persönliche
Begehren der Menschen durch das freie, unpersönliche Wollen
eines grossen Geistes gestört und beirrt wird: gestört durch
die siegreiche Kraft, beirrt durch die moralische, zum Vorwurf gereichende Bedeutung eines rein idealen und nicht
egoistischen Zwecken zugewandten Strebens!

Alle Anfeindungen und Verleumdungen, unter denen
Michelangelo gelitten hat, anzuführen, würde ebenso unnöthig
als unerfreulich sein. Man möchte diese Dinge lieber der
Vergessenheit anheimgeben, als sie in der Erinnerung neu
beleben. Es genügt, zu betonen, dass nur wenigen Grossen
so viel Gehässigkeit wie ihm zu ertragen auferlegt gewesen ist. Bloss die zwei wichtigsten, mit der Geschichte
seines künstlerischen Schaffens eng verknüpften, gegen ihn
gerichteten Angriffe verlangen unsere näher auf sie eingehende
Theilnahme: Bramantes Intriguen und die Anfeindungen gelegentlich des Baues der Peterskuppel.

„Alle zwischen Papst Julius und mir entstandenen Zwistigkeiten", so schliesst der Meister sein schon früher angeführtes,
die Geschichte des Juliusdenkmales behandelndes Schreiben
vom Jahre 1542, „entstanden durch den Neid Bramantes und
Raphaels von Urbino: und dieser Neid war die Ursache,
wesswegen er sein Grabmal nicht noch bei seinen Lebzeiten
ausführen liess, und Alles, um mich zu verderben: und wahrlich hatte Raphael Veranlassung dazu, denn was er von Kunst
besass, hatte er von mir."

Die Worte, offenbar in einem Momente heftiger Aufwal-
lung bei der Rückerinnerung an alle seine Leiden geschrieben,
geben Michelangelos Auffassung der Vorfälle in den Jahren

1505—1512 gewiss in einer übertreibenden Weise wieder.
So vorurtheilsfrei er sich kurze Zeit darauf über die künstlerische Bedeutung Bramantes aussprach, so wenig konnte er
freilich vergessen, was Dieser ihm angethan. Und man kann sich
darüber nicht wundern, bedenkt man, dass ihm die Ausführung
des Werkes, welches die Hauptaufgabe seines Lebens geworden wäre, durch eben jenen Künstler vereitelt worden
ist. Dass er aber auch Raphael beschuldigte, erklärt sich
nicht minder leicht. Dieser war als Landsmann und Schützling von Bramante nach Rom gerufen und gleichsam zum
Rivalen Michelangelos gemacht worden. Bald bildeten sich
zwei Partheien, welche in schroffsten Gegensatz zu einander
gerichten : die eine für Michelangelo, die andere für Raphael ein-
tretend. Ein unfreundliches Geschick hat gewollt, dass Letzterer
eben gleich von Anfang an die künstlerischen Verhältnisse
Roms mit den Augen seines Gönners und Freundes Bramante
sehen lernte, auf Dessen Seite sich stellen musste und dadurch,
gewiss ohne seinen Willen, aber auch ohne es ändern zu können,
in Antagonismus zu Michelangelo kam. Die Möglichkeit einer
Annäherung zwischen den beiden Künstlern war so von vorne
herein ausgeschlossen : selbst wenn die zwei Naturen sich
verwandter gewesen wären, hätte das Misstrauen Michelangelos, welches die Veranlassung vieler peinlicher Erlebnisse
in einem feindseligen Wirken Raphaels suchte, wie z. B. gelegentlich des Zerwürfnisses mit Baccio d'Agnolo 1517, hätte
der Einfluss Bramantes auf Raphael eine nahe Beziehung
nicht aufkommen lassen. Der Gegensatz konnte sich mit der
Zeit nur verschärfen : die Anhänger des Einen, wie des Anderen schürten, wie dies zu gehen pflegt, die momentanen
Stimmungen. Für die Schüler bedeutete der Sieg ihres
Führers den persönlichen Vortheil, da hiervon die künstle-
rischen Bestellungen abhingen. In dem Wettkampfe um den
Auftrag für die Ausschmückung der Sala di Costantino nach
Raphaels Tode kommt dies deutlich zum Ausdruck. Giulio
Romano und Luca Penni, die „garzoni" Raphaels, haben die
Erbschaft ihres Meisters in den Stanzen angetreten, da be-
müht sich Sebastiano del Piombo, durch den Einfluss seines
Lehrers Michelangelo eine Änderung in des Papstes Ab-

sichten herbeizuführen und den Auftrag für sich zu gewinnen. In eifrigen Briefen sucht er seinen Gönner aufzureizen: „auf diese Art könnt Ihr mit einem Schlage Euch und mich rächen und den boshaften Leuten es zeigen, dass es noch andere Halbgötter als Raphael von Urbino und seine Lehrlinge giebt."

Noch ein Anderes aber kommt zur richtigen Beurtheilung dieser Entfremdung hinzu: Raphaels Kunst hatte in den Augen Michelangelos keine entscheidende Bedeutung. Weit entfernt davon, den Urbinaten, wie wir es thun, für einen mit unvergleichlich herrlichem Genius Begabten zu halten, zog er vielmehr Dessen angeborene Grösse künstlerischer Anschauung in Zweifel. Raphael habe, so pflegte er zu sagen, „die Kunst nicht von Natur, sondern aus Nachahmung". Erst später bei unserer Betrachtung des künstlerischen Ideales Michelangelos wird uns dieser Ausspruch und damit das Verhältnis des Florentiners zu dem Umbrer ganz deutlich werden. Es traten sich hier, schaut man der Frage auf den Grund, nicht nur zwei ihrem inneren Wesen und ihren Idealen nach heterogene Persönlichkeiten, sondern zwei sich gegenseitig fast ausschliessende Welten gegenüber. Wer von ihnen Beiden der gewaltigere Geist gewesen, kann wohl nicht fraglich sein: Raphael hat sich dem Einflusse der Schöpfungen Michelangelos nicht entziehen können. Auf Michelangelos Phantasie haben die Werke Raphaels auch nicht den leisesten Eindruck hervorgebracht!

Und schliesslich: welchem der beiden Meister wird sich die Theilnahme bei diesem traurigen Konflikt zuwenden: dem vom Schicksal begünstigten, in voller Freiheit sich künstlerisch auslebenden oder dem in seinen grössten Plänen gehinderten, beständig in allen Hoffnungen enttäuschten Manne?

Als Michelangelo im Jahre 1505 nach Rom kam, eröffneten sich ihm durch die Bestellung des Grabmales Julius' II. Aussichten, wie sie nur selten einem Künstler zu Theil geworden sind. Der Plan dieses in den allergrössten Verhältnissen gedachten, mit zahllosen Statuen und Reliefs auszuschmückenden Werkes war seines Genius würdig. Den ganzen Sommer verbrachte er in Carrara, und Schiffsladungen mit gewaltigen Blöcken von Marmor gingen nach Rom ab. Höchste Gunstbezeugungen

14*

wurden ihm von dem Papste zu Theil — da trat schon im
Herbste eine Veränderung in den Beziehungen ein: Julius II.
begann sich von Michelangelo zurückzuziehen. Bramante,
welcher danach trachtete, die Leitung des Neubaues der
Peterskirche zu erhalten, hatte sein Ohr gewonnen. Folgendermaassen erzählt Condivi die Geschichte von des Baumeisters
Intriguen und Sieg:

„Diese so vielen derartigen Gunstbezeugungen waren Ursache (wie es gar oft an den Höfen geschieht), dass sie den
Neid gegen Michelangelo erweckten und nach dem Neide
unendliche Verfolgungen. Denn Bramante, der Baumeister,
der dem Papste lieb war, machte ihn seinen Vorsatz ändern
damit, dass er sagte, wie das Volk gewöhnlich zu sagen
pflegt: es sei von schlechter Vorbedeutung, sich bei Lebzeiten
sein Grab machen zu lassen, und andre derlei Märchen. Den
Bramante trieb dazu ausser dem Neide auch die Furcht, die
er vor dem Urtheile des Michelangelo hatte, der viele seiner
Fehler aufdeckte. Weil Bramante, wie ein Jeder weiss, aller
Art von Vergnügen ergeben und ein grosser Verschwender
war, und ihm die Besoldung nicht zureichte, die ihm der
Papst gab, so gross sie auch war, so suchte er an seinen
Arbeiten zu gewinnen, indem er die Mauern von schlechtem
Material herstellte, auch nicht fest und sicher genug im Vergleich zu ihrer Grösse und Umfang. Was ein Jeder sehen
kann an dem S. Petersgebäude neben dem Vatikan, am Korridor des Belvedere, am Kloster von S. Pietro ad vincula und
an anderen von ihm errichteten Gebäuden, welche alle es
nothwendig ward, mit Dämmen und Strebepfeilern neu zu
stützen und zu stärken, weil sie entweder einfielen oder in
kurzer Zeit eingefallen wären." (Ein Urtheil, welches durch
die Geschichte des Baues von S. Peter und durch Männer,
wie Serlio, bestätigt wird.) „Da er nun nicht daran zweifelte,
dass Michelangelo diese seine Irrthümer erkannte, so trachtete
er immer, ihn von Rom wegzuschaffen oder wenigstens um
die Gunst des Papstes und um jenen Ruhm und Vortheil zu
bringen, den er sich durch seinen Fleiss erwerben könnte.
Und das gelang ihm bei diesem Grabmale, betreffs dessen,
wenn es so ausgeführt worden wäre, wie es in der ersten

Zeichnung war, kein Zweifel ist, dass er in seiner Kunst
(ohne Neid gesprochen) über jeden noch so gerühmten Künstler das Lob davon getragen hätte, da er ein weites Feld
hatte, zu zeigen, was er darin vermöge."
Die Machinationen Bramantes erreichten ihr Ziel. Julius II.
wandte sich immer mehr von Michelangelo, der genöthigt
war, seine Arbeiter aus der eigenen Tasche zu zahlen,
ab, und im Frühjahr 1506 kam es zu jener offenen Zurückweisung, welche, den Stolz des Künstlers auf das Empfindlichste verletzend, wie oben näher erzählt worden ist, die Veranlassung zu seiner plötzlichen Abreise wurde. In einem
Briefe an Giuliano da San Gallo bemerkt Michelangelo: „Dies
war übrigens nicht die ganz alleinige Ursache meiner Abreise; da war noch etwas Anderes, wovon ich lieber nicht
sprechen will. Es genügt zu sagen, dass es mich annehmen
liess: bliebe ich in Rom, so würde diese Stadt eher mein
Grab, als das des Papstes sein. Und dies war der Grund
meiner plötzlichen Abreise." Michelangelo hat also — ob mit
Recht oder Unrecht, bleibe dahingestellt, — einen von Bramante
ausgehenden Anschlag auf sein Leben befürchtet. In demselben Jahre 1506 hat auch des Letzteren Rivale am Petersbau, der Architekt Giuliano da San Gallo, Rom verlassen
müssen. Bramantes Wunsch war erfüllt.

Aber Julius II. war nicht der Mann dazu, sich durch Intriguen einen Künstler wie Buonarroti rauben zu lassen. Nach
langen Verhandlungen kam es in Bologna zur Versöhnung,
und nachdem der Meister hier die Bronzestatue des Papstes
geschaffen, folgte er von neuem im Frühjahr 1508 Dessen
Rufe nach Rom. Seine Hoffnung, am Denkmal weiter
arbeiten zu dürfen, erfüllte sich freilich nicht: vielmehr erhielt er den Auftrag, die Decke der Sixtinischen Kapelle zu
malen.

Auch auf diese Angelegenheit hat Bramante im Stillen
Einfluss genommen, doch bleibt die Rolle, welche er spielte,
etwas undeutlich. Condivi erzählt Folgendes: „es wurde dem
Papst von Bramante und anderen Nebenbuhlern des Michelangelo in den Kopf gesetzt, er solle Diesen das Gewölbe
der Kapelle Papst Sixtus' IV. ausmalen lassen, indem sie ihm

Hoffnung machten, dass er darin Wunder leisten werde. Und diesen Dienst erwiesen sie ihm aus Bosheit, um den Papst von den Bildhauerarbeiten abzuziehen, und weil sie es für eine sichere Sache hielten, dass er entweder, wenn er auf dieses Unternehmen nicht einging, den Papst gegen sich aufbringen werde, oder, wenn er es annehme, es ihm damit viel weniger glücken werde als dem Raphael von Urbino, dem sie aus Hass gegen Michelangelo jede Gunst anthaten; denn sie erachteten, dass Dessen hauptsächliche Kunst die Bildhauerei sei, wie sie auch wirklich war. Michelangelo, der bisher nicht in Farben gearbeitet hatte und wusste, ein wie schweres Ding es sei, ein Gewölbe auszumalen, suchte sich mit aller Gewalt davon loszumachen, indem er den Raphael vorschlug und sich entschuldigte, es sei nicht seine Kunst, und dass es ihm nicht glücken werde, und so weit ging er in seinem Ablehnen, dass der Papst fast sich erzürnte. Da er aber Dessen Hartnäckigkeit sah, ging er daran, das Werk zu machen, das heute im Pallaste des Papstes, zur Bewunderung und zum Erstaunen der Welt, zu sehen ist; was ihm einen solchen Ruhm verschaffte, dass er ihn über jeglichen Neid erhob."

Diesen Mittheilungen scheint ein Brief zu widersprechen, welcher im Mai 1506, gelegentlich des also schon damals auftauchenden Sixtinischen Planes, ein Freund Michelangelos, Pietro Rosselli, an ihn richtet. Da heisst es: „Letzten Sonnabend Abend, als der Papst beim Nachtessen war, zeigte ich ihm einige Zeichnungen, welche Bramante und ich zu beurtheilen hatten, und als ich nach Tisch sie ausgebreitet hatte, rief er Bramante und sagte: ‚San Gallo geht morgen nach Florenz und wird Michelangelo mit sich zurückbringen.‘ Bramante antwortete: ‚Heiliger Vater, Michelangelo wird nicht fähig sein, irgend etwas der Art zu machen. Ich habe viel mit Michelangelo verkehrt, und er sagte mir oft, dass er die Kapelle, die Ihr ihm übertragen wolltet, nicht übernehmen werde, und dass er, mit Eurem Verlaub, gewillt sei, sich bloss mit der Bildhauerei abzugeben und nichts mit der Malerei zu thun haben wolle.‘ Und er fügte hinzu: ‚Heiliger Vater, ich glaube nicht, dass er den Muth hat, das Werk zu unternehmen, da er wenig Übung im Malen von Figuren besitzt, und diese sollen ja noch dazu hoch über dem Horizont und in Verkürzung gemacht werden. Das ist etwas ganz Anderes als flächenhaft zu malen'. Der Papst antwortete : ‚wenn er nicht kommt, so thut er mir Unrecht; und daher glaube ich, dass er zurückkehren wird.' Darauf fuhr ich los und gab dem Mann eine gehörige Erwiderung in des Papstes Gegenwart und sprach so, wie Ihr sicher für mich gesprochen haben würdet; und während der Zeit blieb er stumm, als fühlte er, dass er einen Fehler begangen hätte, so zu sprechen, wie er es gethan. Und ich fuhr fort, wie folgt: ‚Heiliger Vater, dieser Mann hat niemals ein Wort mit Michelangelo gewechselt, und wenn Das, was er gesagt hat, wahr ist, so bitte ich Euch, mir den Kopf abzuschlagen, denn er hat niemals mit Michelangelo gesprochen. Auch ich bin sicher, dass er gewiss zurückkehren wird, wenn Eure Heiligkeit es verlangt.'"

Nach diesem Berichte also hätte Bramante, statt Michelangelo für die Gemälde vorzuschlagen, vielmehr die Meinung in dem Papste zu erwecken gesucht, als werde der Bildhauer die Arbeiten nicht übernehmen. Der Widerspruch zwischen den zwei Angaben ist, wie mir dünkt, nur ein scheinbarer. Im Jahre 1506 war Bramante nur daran gelegen, dass der beneidete Nebenbuhler Rom überhaupt fernbliebe, und er entblödete sich nicht — eine Thatsache, welche Condivis Ansicht von der Unredlichkeit und dem gesammten Verhalten Bramantes als ganz der Wahrheit entsprechend erscheinen lässt —, dem Papste allerhand Lügen aufzutischen. Ganz anders aber lagen die Dinge 1508. Michelangelo stand wieder in der Gunst Julius' II., und seine Gegner hatten sich damit abzufinden. Ihre Bemühungen mussten darauf gerichtet sein, den verhassten grossen Mann in Verlegenheit zu setzen und zu demüthigen. Er durfte also vor allem nicht dazu gelangen, seine eigenste Kunst, die Bildhauerei, zu bethätigen : in der Wandmalerei, das wusste man, hatte er wenig Übung. Es stand zu erwarten, dass er auf diesem Gebiete die Hoffnungen des Papstes enttäuschen und seinen Ruhm in der Öffentlichkeit einbüssen werde. Vielleicht, ja nach meinem

Dafürhalten höchst wahrscheinlicher Weise, hängt mit diesen
Absichten, welche um so niedriger erscheinen, als sie unter
der heuchlerischen Maske des Edelmuthes aufgetreten sein
müssen, die Berufung Raphaels zusammen, denn in demselben
Jahre 1508 beginnt Dieser seine Thätigkeit in den Stanzen.
Der Plan war fein ausgeheckt: Michelangelo war verhindert,
in seiner Kunst sich zu bewähren, und seine mangelnden
Fähigkeiten als Maler in das hellste Licht zu rücken, wurde es
durchgesetzt, dass der höchstbegabte Maler, der aufzufinden
und ein Heimathsgenosse Bramantes war, zu gleicher Zeit
die fruchtbarsten Aufgaben in der Ausschmückung der Ge-
mächer Julius' II. erhielt.

Der gequälte Meister durchschaute die ihn bedrohenden
Intriguen: er selbst schlug dem Papste vor, an seiner Stelle
Raphael in der Sixtinischen Kapelle malen zu lassen. Umsonst! Die Arbeit wurde ihm aufgezwungen. Die Feinde
hatten ganz Recht: er selbst schreibt noch am 27. Januar
1509 nach Florenz: „ich bin noch in grosser geistiger Niedergeschlagenheit, denn es ist nun ein Jahr, dass ich nicht einen
Groschen vom Papste erhalten habe; und ich bitte nicht
darum, weil mein Werk nicht so fortschreitet, dass ich es zu
verdienen glaube. Das kommt von seiner Schwierigkeit und
auch daher, dass es nicht mein Beruf ist. Und so ver-
geude ich meine Zeit ohne Erfolg. Gott helfe mir!" Eine
Zeit lang schienen die Schwierigkeiten unüberwindlich: zuerst
erwies sich das Gerüst, welches Bramante für ihn hatte machen
müssen, als so unbrauchbar, dass es wieder abgerissen und
von Michelangelo durch eines von eigener Erfindung ersetzt
werden musste. Seine Unerfahrenheit in der Freskotechnik
zwang ihn, Künstler aus Florenz kommen zu lassen, die nach
seinen Kartons arbeiteten. Binnen kurzem stellte sich heraus,
dass sie unfähig waren, seinen Ideen zu entsprechen, so sandte
er sie fort. Er entschloss sich, ganz allein — denn die
Hülfe von Leuten, wie Giovanni Michi, der bis 1510 bei ihm
blieb, ist doch nur die von Handlangern gewesen — die
Riesenarbeit zu übernehmen. „Auch hierbei blieben ihm die
Verdriesslichkeiten nicht aus, denn da er es begonnen und
das Gemälde von der Sündfluth gemacht hatte, fing ihm das

Werk an zu verschimmeln, so dass man kaum die Figuren unterscheiden konnte. Weil nun Michelangelo erachtete, dass diese Entschuldigung hinreichend sein würde, ihn von solcher Bürde zu befreien, ging er zum Papste und sagte ihm: ‚ich habe es Euerer Heiligkeit ja gleich gesagt, dass das nicht meine Kunst ist; was ich gemacht habe, ist verdorben, und wenn Ihr's nicht glaubt, schickt hin und lasst nachsehen.‘ Der Papst sandte den San Gallo, der, als er es sah, erkannte, dass der Kalk zu wässerig genommen worden, und dass er desshalb, weil die Feuchte durchschlug, diese Wirkung hatte; und da Michelangelo davon verständigt war, hiess er ihn weiter arbeiten und liess ihm keine Entschuldigung gelten."

Und Michelangelo arbeitete, allein, mit der ganzen Aufbietung seiner titanischen Kraft! Im Sommer 1510 bereits war die Hälfte gethan und musste auf Wunsch des ungeduldigen Papstes enthüllt werden. Ganz Rom strömte in die Kapelle — eine der ungeheuersten Thaten der Kunst war vollbracht. Der Genius hatte gesiegt — aus heissen Qualen der Seele war ein Werk entstanden, wie es nie zuvor erschaut worden, ein neues Werden der Welt. Vor dem Glanze dieses Schöpfungstages, welcher Verklärung in jedes Auge strahlte, verschwanden die Dämonen des Neides und Hasses im Nichts. Gott hatte geholfen!

Ein halbes Menschenleben war seit diesem ersten grossen Kampfe, den er mit einer, alle Mittel zu seinem Sturze in Bewegung setzenden Gegnerschaft auszufechten hatte, vergangen. Verdächtigungen und Verleumdungen hatten nicht aufgehört, ihm seine Arbeiten an der Fassade von S. Lorenzo in Florenz, an den Mediceergräbern und am Juliusdenkmal in jeder Weise zu erschweren, ja Neid und Gehässigkeit suchten ihm selbst bei der Ausführung kleinerer Aufträge, wie des Christus für die Minerva, den Frieden zu rauben — da sollte er von neuem sich gezwungen sehen, die Angriffe einer ganzen wohlorganisirten Parthei in langer Fehde abzuwehren. Die Geschichte dieser die zwei letzten Jahrzehnte seines Lebens verbitternden Verfolgungen hängt mit seiner 1546 beginnenden und nur mit seinem Tode abschliessenden Thätigkeit als Leiter des Baues von S. Peter zusammen. Der

Künstler, in Dessen Namen ihm der Krieg erklärt wurde, war
sein Vorgänger in dieser Stellung, Antonio da San Gallo,
welcher während fast 30 Jahren den ersten Rang unter den
Architekten in Rom eingenommen hatte. Die Anfänge der
zwischen den beiden Meistern eingetretenen Uneinigkeit sind
in Dunkel gehüllt — schon 1534 (Sept.) entzieht Michelangelo dem Sohne Giulianos, Francesco da San Gallo, seine
Gunst, worüber sich Dieser schmerzlich beklagt —, doch lässt
sich eine ungefähre Ansicht über die Veranlassung der Feindschaft San Gallos aufstellen: Michelangelo billigte Dessen künstlerische Thätigkeit nicht! Nach Bramantes Tode hatte
Raphael die Bauleitung von S. Peter übernommen und berief
als Mitarbeiter 1517 Antonio. Dieser ist also früh schon in
enge Beziehung zu der Michelangelo feindlichen Parthei gerathen. Die eigenthümliche Situation trat ein, dass der Anhänger Bramantes: Raphael den grossartigen von Diesem
aufgestellten Gedanken des Centralbaues aufgab, während
Michelangelo, wie er dies später ausgesprochen und bewiesen
hat, die künstlerische Idee seines Feindes hochhielt und als
die einzig richtige betrachtete. Gegen die Ansicht der
Freunde Bramantes vertheidigte er Dessen Plan. Auch in
diesem Falle zeigt sich der grossartige, über alle persönlichen
Rücksichten erhabene Geist des Meisters, dem es immer nur
um die Idee und die Sache zu thun war. San Gallo aber,
welcher nach der Zwischenherrschaft Baldassare Peruzzis 1537
selbständiger Architekt von S. Peter geworden war und den
Bramante-Peruzzi'schen Plan durch eine grosse Vorhalle und
zwei Thürme entstellte, wird diese Kritik als eine persönliche Verletzung aufgefasst haben. Zu einer Verschärfung
des Konfliktes sollte es gelegentlich des Neubaues der 1527
zerstörten Befestigungen kommen, welchen Paul III. seine
Aufmerksamkeit zuwendete. Vasari erzählt uns von den in
Gegenwart des Papstes 1545 und 1546 abgehaltenen Verhandlungen:

„Nach vielen Diskussionen wurde Buonarrotis Ansicht gefordert. Er hatte sich eine von derjenigen San Gallos und
verschiedener Anderer weit abweichende Meinung gebildet
und äusserte dieselbe freimüthig. Worauf San Gallo ihm er-

widerte, dass Bildhauerei und Malerei sein Beruf wäre, nicht
aber die Befestigungskunst. Michelangelo antwortete, von
jenen verstehe er nur wenig; wohingegen das peinlich sorgfältige Nachdenken, welches er auf die Städtevertheidigung
verwandt, die Zeit, welche er daran gegeben und die Erfahrung, welche er praktisch im Bau derselben (anlässlich der
Belagerung von Florenz) gewonnen, ihn in dieser Kunst dem
San Gallo und allen Meistern von Dessen Sippe überlegen
machten. Er ging dann weiter und wies auf alle die zahlreichen augenblicklich vorhandenen Fehler in den Festungswerken hin. Hitzige Worte fielen von beiden Seiten, und
der Papst sah sich genöthigt, den Männern Schweigen zu ge-
bieten. Nicht lange nachher brachte Michelangelo einen
Plan für die Befestigung des ganzen Borgo, welcher die
Augen der einflussreichen Leute für seine Idee öffnete und
dann endlich auch angenommen wurde. In Folge der von
ihm angeregten Veränderungen wurde das grosse Thor von
Santo Spirito, das von San Gallo gezeichnet und fast vollendet
worden war, unausgeführt gelassen."

Wenn auch Michelangelos Meinung die Stellung Antonios
nicht erschüttert hat, so brachte sie den Antagonismus zwischen
den beiden Künstlern doch zu deutlichem Ausdruck. Und
eine zweite unerbittliche Kritik folgte. San Gallo hatte den
Palazzo Farnese bis zum zweiten Stockwerk aufgeführt. Seine
Entwürfe für den dritten Stock und das Kranzgesims miss-
fielen dem Papst und wurden von Diesem Michelangelo zur
Begutachtung vorgelegt. Letzterer gab ein vernichtendes
Urtheil ab, das uns noch heute wegen seiner strengen Formulirung ästhetischer Prinzipien im Vitruv'schen Sinne von
grossem Interesse ist. Man hat dem Meister einen Vorwurf
daraus gemacht, so schonungslos sich geäussert zu haben, aber
mit grossem Unrecht, denn eine künstlerische Überzeugung,
welche keine Rücksichten kennt und kennen kann, führt hier
das Wort. In welchem Sinne aber San Gallo und seine Anhänger diese Kritik auffassten und bis zu welcher Höhe ihr
Hass gesteigert werden musste, als in einer vom Papst bezüglich des Kranzgesimses angeordneten Konkurrenz Michelangelo den Sieg davontrug, begreift sich leicht. Fortan

hatten sie nur ein Ziel noch, dem sie mit allen Mitteln nach-
strebten: die Vernichtung des gefürchteten und gehassten
Gewaltigen.

Antonio selbst zwar starb im Oktober 1546, aber die
„Sangallische Sekte", wie Vasari sie nennt, blieb bestehen und
verstärkte sich durch alle heimlichen Neider, welche der nunmehr zum Leiter des Petersbaues berufene Michelangelo in
Rom besass. Mit unerbittlicher Strenge deckte der Meister,
der selbst keine Bezahlung für seine allein zu Gottes Ruhm
und Ehre unternommene Arbeit annahm, die zu San Gallos
Zeit eingerissene Unehrlichkeit in der Verwaltung der Gelder
und das betrügerische, heimliche Einverständniss der Kreaturen
Antonios auf: wer sich Unredlichkeiten zu Schulden kommen
liess, wurde fortgeschickt. Hehlen und Stehlen, wie es durch
gegenseitigen Pakt zur gewinnbringenden Gewohnheit geworden war, wurde vor diesem Auge der Wahrhaftigkeit
und Redlichkeit unmöglich. So konnte Vasari später sagen:
„Michelangelo habe den h. Petrus aus den Händen der Diebe
und Mörder befreit." (Lett. S. 310.) Jeder aber, welcher sein
Gewissen nicht rein wusste, wurde ein unversöhnlicher Feind
des schonungslosen Gerechten.

In einem (späteren) Briefe an die Vorsteher des Baues
äussert sich Buonarroti folgendermaassen: „Ihr wisst, dass ich
Balduccio gesagt, seinen Kalk nur zu senden, falls er gut
wäre. Er hat schlechten gesandt und scheint nicht anzunehmen, dass er gezwungen werden wird, ihn zurückzunehmen,
was beweist, dass er im Einverständniss mit der Person ist,
welche den Kalk angenommen hat. Derartige Dinge geben
den Leuten, welche ich wegen ähnlicher Vorgänge entlassen
habe, grosse Ermuthigung. Jeder, welcher schlechte, für den
Bau zu gebrauchende Waare annimmt, die ich verboten habe,
thut nichts Anderes, als sich jene Leute zu Freunden zu machen,
welche ich mir zu Feinden gemacht habe. Ich glaube, es
wird eine neue Verschwörung eintreten. Versprechen, Trink-
gelder, Geschenke bestechen die Gerechtigkeit. Daher bitte
ich Euch, gemäss der Autorität, die ich vom Papste erhalten
habe, von jetzt an nichts Unbrauchbares mehr anzunehmen,
und käme es vom Himmel! Ich darf nicht einmal den Schein

erwecken, als wäre ich partheiisch in meinem Vorgehen, was ich nicht bin." (Lett. S. 555.)

Eben jene Vorstände des Baues, welche, vom Papste gewählt, ein Comité bildeten, standen selbst aber auf der feindlichen Seite, und dies machte dem Künstler die Ausführung seines gigantischen Planes zu einem dauernden Martyrium. Nur seine eigene Gewissenhaftigkeit und das Vertrauen, welches allen Anfeindungen zum Trotz die Päpste Paul III., Julius III. und Paul IV. ihm schenkten, konnten ihm die Kraft verleihen, der übernommenen Aufgabe bis an sein Lebensende treu zu bleiben. Der eigentliche Leiter der immer sich erneuernden Intriguen scheint ein wenig begabter, am Bau beschäftigter Architekt Nanni di Baccio Bigio gewesen zu sein, dem Michelangelo seit früher Jugend keine besonders freundliche Erinnerung bewahrte, da Nanni ihm einst nach Vasari „mehr aus Liebe zur Kunst, wie aus Lust ihm zu schaden" viele Zeichnungen gestohlen hatte. Gleich nachdem Michelangelo die Thätigkeit übernommen hat, beginnt Nanni seinen Feldzug, indem er verbreitet, Jener verstehe gar nichts von der Architektur, sein Modell sei verrückt und kindisch, er verschwende das Geld für nichts und arbeite bei Nacht, um einen Einblick in seine Pläne zu verhindern. Er selbst aber, Nanni, werde ein viel besseres Modell machen und habe das volle Vertrauen des Papstes. (Brief des Giov. Franc. Ughi vom 14. Mai 1547 an Michelangelo bei Gotti I, 309). Gerüchte von dem drohenden Einsturz des von Buonarroti angefertigten Kranzgesimses am Palazzo Farnese gehen von Mund zu Mund und finden Eingang bei den Vorstehern des Baues. Michelangelo sieht sich genöthigt, an Einen derselben zu schreiben:

„Messer Bartolommeo, bitte, lest diesen Brief (das Schreiben, durch welches er von den Umtrieben Kenntniss erhalten hatte), und denkt darüber nach, wer die zwei Schurken sind, welche, nachdem sie Lügen über das, was ich am Palazzo Farnese gethan, verbreitet, nun auch in dem Bericht, welchen sie vor die Deputirten von S. Peter bringen, lügen. Das ist die Erwiderung für die Freundlichkeit, welche ich ihnen erzeigt habe. Aber was kann man auch von einem Paar der

222 Verleumdungen und Verdächtigungen gelegentlich des Petersbaues.

gemeinsten, schuftigsten Schurken Andres erwarten?" Nicht
lange darauf versuchte das Baucomité selbst, die Gunst,
welche der Meister von Julius III. genoss, zu erschüttern, indem es ein Schreiben voll Anschuldigungen an den Papst
richtete. Nach einem Hinweis auf die Geldverschwendung
fahren sie fort: „was das Gebäude anbetrifft, und was aus
ihm wird, so können die Deputirten keine Angaben machen,
da alles vor ihnen verheimlicht wird, als hätten sie nichts
damit zu thun. Sie haben nur mehrere Male protestiren
können und protestiren jetzt von neuem, um ihr Gewissen
zu erleichtern, dass sie die von Michelangelo eingeschlagenen
Wege nicht billigen, namentlich was das Einreissen anbetrifft.
Die Zerstörung war und ist heute noch so gross, dass Alle,
welche Zeugen von ihr sind, zu äusserstem Mitleid bewegt
werden. Nichtsdestoweniger werden wir, die Deputirten, falls
Eure Heiligkeit es billigt, keinen Grund zur Klage haben."
   Die Folge war eine im Beisein des Papstes abgehaltene
Versammlung, von welcher uns Vasari folgendermaassen berichtet: „Es war kurz vor dem Beginn des Jahres 1551, dass
Vasari, von Florenz nach Rom zurückgekehrt, gewahrte, dass
die Sekte San Gallos gegen Michelangelo intriguirte; sie bewogen den Papst, eine Zusammenkunft in S. Peter zu veranstalten, bei welcher alle am Gebäude beschäftigten Aufseher
und Werkleute anwesend zu sein hätten, und Seine Heiligkeit
durch falsche Vorspiegelungen davon überzeugt werden sollte,
dass Michelangelo den Bau verdorben hätte. Er hatte schon die
Königsapsis, wo die drei Kapellen sind, aufgemauert und die
drei oberen Fenster ausgeführt. Aber es war nicht bekannt,
was er mit der Wölbung zu thun beabsichtigte. Durch ihr
seichtes Urtheil irregeführt, machten sie den älteren Kardinal
Salviati und Marcello Cervini, der später Papst wurde, glauben,
dass S. Peter schlechte Beleuchtung erhalten würde. Als sie
Alle versammelt waren, sagte der Papst zu Michelangelo, die
Deputirten wären der Meinung, dass die Apsis nur wenig
Licht haben würde. Er antwortete: ‚Mir wäre es lieb, diese
Deputirten sprechen zu hören.' Der Kardinal Marcello be-
merkte: ‚wir sind bereit dazu.' Da sagte Michelangelo:
‚Mein Herr, über diesen drei Fenstern werden noch drei

andere in der Wölbung, die aus Travertin gebaut werden wird, sein.' ‚Davon habt Ihr uns nie etwas gesagt,‘ erwiderte der Kardinal. Michelangelo antwortete: ‚ich bin nicht verpflichtet und glaube nicht verpflichtet zu sein, Eurer Herrlichkeit oder irgend Jemandem mitzutheilen, was ich thun muss oder zu thun wünsche. Eure Sache ist es, für das Geld zu sorgen und zuzusehen, dass es nicht gestohlen wird. Was die Baupläne anbetrifft, so habt Ihr diese mir zu überlassen.' Dann wendete er sich zum Papste und sagte: ‚Heiliger Vater, seht, was mein Gewinn ist. Erweisen sich die Mühsale, die ich erdulde, nicht als eine Wohlthat für meine Seele, so verliere ich wahrlich Zeit und Mühe.‘ Der Papst, welcher ihn liebte, legte seine Hände ihm auf die Schultern und rief aus: ‚Du gewinnst für Beides, für Seele und Körper, sei ohne Furcht!‘ Michelangelos geistvolle Selbstvertheidigung steigerte die Liebe des Papstes, und er befahl ihm, am nächsten Tage mit Vasari nach der Vigna Giulia zu kommen, wo sie lange Gespräche über Kunst hielten.“

Es ist wohl derselbe Vorfall, von dem ein Brief des Giov. B. Paggi an Girolamo Paggi (um 1590, Bottari VI, 87) eine noch etwas detaillirtere und Michelangelos Sinnesart deutlicher zeigende Schilderung giebt. Da lautet die Antwort, welche die ihn anklagenden Maurer, Tischler und Steinmetzen von ihm erhalten, folgendermaassen:

„Die Antwort, heiliger Vater, welche ich diesen Leuten geben kann, ist folgende: Dieser hier gehe hin und mauere, Jener meissle, Jener dort betreibe sein Tischlergewerbe und alle Anderen mögen ihren Beruf ausüben oder das thun, wofür ich sie bestimmt habe. Denn von dem, was ich im Sinne habe, werden sie nie etwas erfahren, denn das wäre wider meine Würde. Eurer Heiligkeit aber sage ich: man muss mit ihnen Mitleid haben, denn der Neid ist für niedrige Menschen eine zu grosse Versuchung.“

Der Angriff war abgeschlagen, aber während der kurzen Regierungszeit Marcellus' II. fühlte sich der Meister so im Stiche gelassen, dass er ernstlich an die Übersiedlung nach Florenz dachte. Sein Pflichtgefühl allein und dann die Über-

redung Pauls IV. konnte ihn zurückhalten. „Wider meinen
Willen wurde ich bestimmt, an S. Peter zu arbeiten," schreibt
er 1555, „und ich habe nun acht Jahre umsonst gedient,
unter den grössten Unbilden und Unbequemlichkeit. Jetzt
da der Bau vorwärts gebracht ist, Geld für die Ausgaben
vorhanden ist und ich gerade so weit gelangt bin, die Wölbung der Kuppel zu beginnen, würde meine Abreise von
Rom der Ruin des Gebäudes und für mich ein grosser
Schimpf und für meine Seele eine Sünde sein." (Lett. S. 537.)
Indess der Künstler, den Wünschen der Freunde nachgebend,
selbst das Modell der Kuppel ausführte und damit seinen
göttlichen Gedanken für die Nachwelt rettete, steigerten sich
die heimlichen Angriffe. Die Gegner scheinen selbst seinen
Freund, den Kardinal von Carpi, für sich gewonnen zu haben,
und der greise Meister, todesmüde, reicht im Jahre 1560 in
einem Schreiben an Jenen sein Gesuch um Entlassung ein:
    „Erlauchtester und Hochwürdigster Herr, mein verehr-
tester Gönner. — Messer Francesco Bandini hat mir gestern
mitgetheilt, dass Eure Erlauchteste und Hochwürdigste Herrlichkeit ihm gesagt, dass es um den Petersbau nicht schlimmer
bestellt sein könnte, als es ist: das hat mich wahrhaftig sehr
geschmerzt, einmal weil Ihr nicht recht unterrichtet worden
seid, und dann auch, weil ich, da ich es muss, mehr als
alle Anderen wünsche, dass es gut stehe. Und ich glaube,
falls ich mich nicht täusche, in Wahrheit versichern zu können,
dass, so weit jetzt die Arbeit am Bau im Gange ist, es um
denselben nicht besser stehen könnte. Sintemalen aber vielleicht mein eigenes Interesse und mein Alter mich leicht
täuschen und so wider meine Absicht dem besagten Bau
Schaden oder Gefahr bringen könnten, so beabsichtige ich,
so bald ich kann, meine Beurlaubung von Seiner Heiligkeit,
unserem Herrn, zu erbitten; ja, um Zeit zu gewinnen, möchte
ich hiermit Eure Erlauchteste und Hochwürdigste Herrlichkeit
anflehen, mich geneigtest von dieser Last zu befreien, welche
ich auf Befehl der Päpste, wie Ihr wisst, gerne ohne ein Entgelt schon 17 Jahre getragen habe. Was durch meine Mühe
während dieser Zeit an besagtem Bau geschaffen worden ist,
ist vor Aller Augen. Noch einmal bitte ich dringend, mich

zu beurlauben, denn eine grössere Gnade könnte mir nicht zu Theil werden. Und mit aller Ehrfurcht küsse ich in Demuth Eurer Erlauchtesten und Hochwürdigsten Herrlichkeit die Hand." (Lett. S. 558.) Das Gesuch wurde nicht angenommen. In einem Breve ertheilte Pius IV. dem Künstler volle Autorität und verbot jede Abweichung von Dessen Plänen. Doch selbst dies konnte nicht hindern, dass die Deputirten Michelangelos Wunsch, einen ihm vertrauten Pier Luigi genannt Gaeta zum Oberaufseher der Arbeiten zu machen, durchkreuzten und dem gehässigsten Gegner: Nanni di Baccio Bigio, der ihn schon 1562 heimtückisch befehdet, 1563 die Stellung übertrugen. Das Erste, was dieser that, war die Formulirung einer neuen Anklage gegen den Meister, doch auch das Letzte, denn die vom Papst angeordnete Untersuchung ergab die vollständige Nichtigkeit der Anschuldigungen, und Nanni wurde mit Schimpf und Schande von dannen gejagt. Aber die Frist, welche Michelangelo zur Ausführung seines Werkes vergönnt blieb, war nur noch eine kurze. Hass und Neid haben nicht geruht, sein Leben zu verbittern, bis der letzte Athemzug ihm den Frieden gab. Qualen und Qualen und Qualen! Die Phantasie wurde an der Realität zu Nichte. Sie brauchte nichts mehr misstrauend vorauszusetzen, denn mit nackter Thatsächlichkeit und Grausamkeit kam das Wirkliche ihren Vorstellungen zuvor. Abgewandt von der Welt, von schwärmerischem Wahne wie von bangendem Argwohn befreit, lebte und wirkte sie nur noch in ihrem eigensten unberührbaren heiligen Reiche durch das Schauen ewiger Ideen. Alle San Gallos und Nannis haben es nicht zu verhindern vermocht, dass dort über der Vierung der Peterskirche, ein Abbild himmlischer Freiheit, die Kuppel schwebt, erhabener und herrlicher, als je ein Wunderbau es gewesen, nicht ein von Menschenhänden gethürmtes Werk, sondern das von Engeln emporgetragene Gebet einer ihres Gottes vollen Seele!

DAS TEMPERAMENT
UND DAS SCHICKSAL

Der ungewöhnliche, grosse Mensch
befindet sich gewissermaassen täglich in
der Lage, in welcher der gewöhnliche
sofort am Leben verzweifelt.
(Richard Wagner: Über Staat und
Religion.)

HOHER MUTH, LEIDENSCHAFT UND
SCHWERMUTH

ALLE der Ergründung von Michelangelos Wesen gewidmeten Betrachtungen, welche aus dessen Äusserungen auf die Kräfte seines Gemüthes und seiner Phantasie schliessen liessen, begreifen von vorne herein die Erkenntniss des ihm eigenen Temperamentes, das die Besonderheit jener Äusserungen bestimmt, in sich. So unmittelbar sich aber auch in dem glühenden Liebesverlangen seines Herzens und in der bis zum Fieberhaften gesteigerten Thätigkeit seiner Einbildungskraft die ungestüme Leidenschaftlichkeit seiner Natur zu erkennen gegeben hat, so verlangt doch zum Schlusse auch dieser Faktor noch seine eingehende Würdigung. Am Schlusse, weil erst durch die Einsicht in die Herzens- und Geistesanlagen die von dem Temperament bedingten Wesensäusserungen verständlich werden: eben jene, welche, bereits von Zeitgenossen verkannt, das Urtheil bis auf den heutigen Tag oft irreleiten konnten. Wer diese gewaltige, abnorme Natur in ihrem Kern erfasst hat, wird vor den mächtigen Ausbrüchen ihrer unbezwingbaren Heftigkeit wohl erschrocken, nie aber empört, wohl mit tiefem Mitgefühl für das Leiden des Genies, das sich in ihnen offenbart und durch sie veranlasst wird, aber ohne jedes im Sinne der Betroffenen empfundene Gefühl der Kränkung stehen. Er wird ihrer Macht durchschauert staunend sich beugen, wie dem Sturm der Elemente, der dem betäubten, ohnmächtigen Betrachter im Augenblicke seines Rasens feindselig vernichtend dünken kann und doch nur eine nothwendige Erscheinung der Leben schenkenden Kraft des Weltalls ist.

Terribile — so nannte ihn Julius II., der täglich an sich selbst erfuhr, was Leidenschaft ist, und das Wort wurde von

den Anderen nachgesprochen. Diese „Furchtbarkeit" aber war,
wie der Künstler es ja selbst verkündet hat, furchtbar nur für
ihn: denn ihm vor allem, wenn auch Andere durch sie getroffen wurden, ist sie Erzeugerin von Noth und Leiden gewesen. Verkannt in seiner Güte, verletzt in seinem Stolze,
enttäuscht in seiner Schwärmerei, beängstigt durch Argwohn,
gehindert in seiner Thätigkeit, ist er ohne Unterlass das
Opfer erschütternder Bewegungen geworden: aufwallenden
Zornes, zehrenden Mitleids, jagender Angst, nagenden Ärgers,
brennender Bitterkeit, überwältigender Verzweiflung.

So sehr aber auch die leidensvollen Erregungen bei der
Betrachtung seines Seelenlebens in den Vordergrund treten,
so hiesse es doch, den tiefen inneren Zusammenhang aller
Äusserungen verkennen, wollte man über der negativen,
abwehrenden Bethätigung solcher Kraft ihr positives, be-
glückendes Walten vergessen. Denn alle Leidenschaft liegt
in feurigem Lebensdrang, in ungewöhnlicher Energie des Willens
begründet, und dessen unmittelbare Wirksamkeit ist begleitet
von einem Hochgefühl des Daseins, welches die verschie-
densten Grade freudiger Empfindungen von heiterer Befriedigung bis zu glückseliger Begeisterung in sich schliesst.
Sind über den grossen schöpferischen Menschen Leiden
schwerster Art verhängt, so sind ihm auch Wonnen verliehen,
wie sie kein Anderer ahnt. So hoch die Schaffensart und
-kraft des selten Veranlagten über diejenige des Mittel-
mässigen emporragt, so viel gesteigerter auch ist seine Fähigkeit, Freude wie Leid zu fühlen. Und weiter: je höher die
Intelligenz, desto mehr wird alles Glück und aller Schmerz
auf die Befriedigung oder Hinderung des Schaffensdranges,
desto weniger auf egoistischen Genuss und dessen Störung
sich beziehen.

Die Hemmung, welche ein grausames Geschick Michelangelos unermessner Schöpferlust dauernd bereitete, muss neben
der Unbefriedigtheit seines Liebesbedürfnisses und der Enttäuschung, die ihm der Widerspruch zwischen Einbildung und
Wirklichkeit verursachte, als der dritte unerschöpfliche Born
seines Leidens erkannt werden.

Der Nerv seiner, wie jeder ächten Künstlernatur, war

Lebens-, Willens- und Handelnsfreudigkeit — die neuere
deutsche Sprache ermangelt des kurzen Wortes, mit welchem
man diese Grundstimmung einer Kraft, die stets zum Wirken
bereit und von Glauben und Hoffnung beseelt ist, bezeichnen
könnte. Einst nannte man solch' einen Mann den „hoch-
gemuthen", aber des Wortes Sinn veränderte sich, bis hoher
Muth zu Hochmuth geworden war, und an Stelle des starken
geistigen Ausdrucks trat der materielle und schwächliche
lateinische: sanguinicus. Dass für ihn unser Sprachgefühl eine
treue Übersetzung nicht fand, beweist, wie wenig er dem
deutschen Denken entspricht, welches, kühn eine bildliche
Bezeichnung findend, an Stelle des „Sanguinischen" das Feurige
setzte. Aber auch Feurigkeit blieb nur ein Nothbehelf, weil
damit nur ein Bild, einer äusseren Erscheinung entlehnt, gegeben ward, indess mit hohem Muth die innere Kraft selbst
gekennzeichnet wurde.

Unüberwindlich, wie dieser hohe Muth des Genius an sich
ist, sieht er sich doch in der Hoffnung, seine Ziele zu erreichen, durch den Widerstand der Welt und die vom
Schicksal ausgeübte Gewalt beständig gelähmt. In zweierlei
Weise hat sich Michelangelo der feindlichen Mächte zu er-
wehren gesucht. Einmal, indem er, sich gegen sie auflehnend,
durch zornige Aufwallungen sie zu bewältigen trachtete,
das andere Mal durch den Entschluss, sich zu retten. So
begreiflich das erstere bei einer Natur wie der seinigen ist,
so wenig vereinbar mit ihrer Kühnheit und ihrem Stolz muss
eine solche zu schneller Flucht treibende Angst bedünken.
Auch hier aber ist der Widerspruch nur ein scheinbarer. Wer
bedenkt, dass dieser mächtigen Willenskraft eine nicht minder
starke Phantasie beigegeben war, und wer zugleich beachtet
— wovon ausführlich noch später gesprochen werden soll —,
dass durch den frühzeitigen Einfluss der Savonarola'schen
Prophetie des Künstlers Neigung, auf Ahnungen zu hören,
sehr bestärkt worden ist, wird sich gewisse plötzliche Entscheidungen und heimliche Entfernungen wohl erklären.
Nicht aus einer angeborenen Ängstlichkeit oder gar Feigheit, auch nicht, wie erst neuerdings geschehen, aus Ver-
folgungswahn, sondern aus jäher Beeinflussung des Intellektes

und Willens durch eine Phantasieerregung, die alle verstandes-
gemässe Erwägung ausschloss! Begründet in abnormer Lebhaftigkeit der Vorstellungen, erscheinen diese überraschenden
und seltsamen Entschliessungen in einem anderen höheren,
metaphysischen Sinne gerechtfertigt durch die Bedeutung,
welche die Erhaltung des genialen Individuums für die All-
gemeinheit besitzt. Derartiges lässt sich freilich kaum aussprechen, ja fast nicht einmal andeuten. Es sind und bleiben
Mysterien. Wohl aber dürfen wir bei einem Manne, der alles
Leiden zu erdulden wusste und mit heroischem Muthe, wo
immer nur Energie und Aufopferung wirken können, der Welt
entgegentrat, ja von Dessen Heldenthum sein ganzes Leben
ein einziges grosses Zeugniss ist, die eigentliche Trieb-
feder zu solchen Rettungen durch die Flucht in einem
inneren Zwange erkennen, der, ihm selber unbewusst, ihn
nöthigte, vor Bedrohungen ein Leben zu bewahren, das zu
hohem Wirken für die Welt bestimmt war. Denn wer möchte
es zu entscheiden wagen, ob denn jene Gefahren, deren Vorstellung ihn zu heimlichem Entweichen aus Bologna, Rom
und später während der Belagerung aus Florenz bewogen,
bloss eingebildete waren? Nur die erste Flucht aus der
Heimath 1494, die auf die Erregung durch Savonarola'sche
Reden zurückzuführen sein dürfte, muss aus einer grundlosen
Beängstigung erklärt werden. Bezüglich der anderen Ereignisse
darf man nicht vergessen, dass des Künstlers Heftigkeit und
der Neid ihm erbitterte Feindschaft zugezogen hatte.

Denn dass sein leidenschaftliches Temperament verhängnissvoll auf sein Schicksal eingewirkt hat, darüber kann keine
Frage entstehen. An endlosen Verwirrungen und Hemmungen
seines Schaffens hat es Schuld getragen. Wie zahlreiche
Feinde hat er sich durch seine Heftigkeit gemacht, welche
Angriffe durch sie auf sich gelenkt, welcher Verkennung sich
ausgesetzt! Wie Viele mussten über sein wahres Wesen getäuscht werden, wie Viele, in ihrem Dünkel und in ihrer Eitelkeit getroffen, die Parthei der offenen Gegner heimlich verstärken, und wie oft mag seine Erregbarkeit die friedliche
Lösung eines Konfliktes oder einer geschäftlichen Verwicklung
vereitelt haben! Gewiss ist in dem Ungestüm seiner Natur

der eine Anlass der Störungen seines Schaffens zu finden,
aber giebt es eine andere Auffassung hierfür, als die des
tiefsten Mitleides? Und indem wir die furchtbare Tragik erkennen, machen wir uns etwa zu Anwälten Derer, die in ihrem
kleinlichen Missverständniss sich als die Gekränkten und
Leidenden betrachteten, und nicht vielmehr zu ehrfürchtigen
Verherrlichern des grossen, liebestarken, reinen Herzens, das
vergebens nach Seinesgleichen suchte? Ohne jene Gewalt der
Leidenschaft, wäre Michelangelo der erhabene, Alles über-
ragende Mensch und Künstler?

Und zudem, seine Lebensgeschichte beweist, dass schliesslich, wie sehr auch sein eigenes Temperament der Voll-
führung seiner grossen Aufgaben hinderlich wurde, er doch
in viel höherem Grade das Opfer eines in äusseren Verhältnissen sich gestaltenden Geschickes geworden ist.

Immer wieder erhebt sich sein Muth, reisst die Begeisterung den Sinn zu hohen Plänen fort, verklärt Heiterkeit die
hoffende Seele, aber auch immer wieder wird diese durch
aufreibende Kämpfe mit der Welt und mit sich selbst zur
Entsagung getrieben. Die Erkenntniss von der Vergeblichkeit des Ringens, von dem Heil, das einzig im rechtzeitigen
Verzichtleisten auf alles, selbst das höchstgerichtete Wollen
liegt, erhebt lauter und eindringlicher ihre Stimme. Wie eine
wuchtige Last bedrückt die schmerzlich sich aufdrängende
Einsicht den Muth, und schwer sinkt er von kühnem Fluge
nieder. In Angst, in Qual, in Verzweiflung sucht er sich
selbst zu überwältigen und zu bändigen. Nur seltener folgt
er, an die Fesseln sich gewöhnend, dem natürlichen Triebe,
frei sich aufzuschwingen, und die unverminderte, aber der
Bethätigung beraubte Kraft beengt die Seele und versetzt
sie in den Zustand dauernden Sehnens nach Befreiung. Der
freie, feurige, hohe Muth, gebannt, verliert sich in bangende
Schwermuth!

Aber für den Glauben giebt es kein Ende! Wenn es der
Hand versagt ist, mit dem Meissel in göttlichen Bildwerken
Zeugniss von der Welt der Ideen zu geben, befreit sich in
Versen die überschwängliche Fülle inneren Erlebens. Und da
die äussere Welt dem Liebes- und Schaffensdrange keine

Freiheit gewährt, entdeckt die Seele in den Tiefen ihres Inneren die Gewissheit beseligenden Lichtes, indessen die Erde mit ihrer Noth im nächtigen Dunkel verschwindet.

Lassen wir an unserm Auge die Bilder vorüberziehen, die uns das in allgemeinen Betrachtungen Geschilderte: das Ringen eines hohen Muthes mit schwerem Geschick, als Wirklichkeit erschauen lassen.

1

LEBEN UND ARBEIT

Es kann uns nicht Wunder nehmen, wenn wir nur spärliche Mittheilungen über die Art und Stimmung, in welcher Michelangelos Schöpferkraft sich während der Arbeit bethätigte, erhalten. Ihm selbst, dem Künstler, musste es ferne liegen, darüber sich zu äussern, und die Augenzeugen seines Bildens waren begreiflicher Weise mehr durch die Resultate als den eigentlichen Vorgang desselben gefesselt. Dennoch genügen die blossen Andeutungen, die uns gegeben werden, vollständig, die Begeisterung, mit welcher er seine Ideen zu Gestalten formte, in uns zu erwecken. Wenn auf Einen, so passt auf ihn das Wort des Dichters vom „göttlichen Wahnsinn": die Exaltation, in welche die Arbeit ihn versetzte, konnte einem Zuschauer, der nach gewöhnlichem Menschenmaasse urtheilte, den Eindruck eines Fieberzustandes machen. Sie verlieh ihm unbegreifliche, übermenschliche Macht, welche allen Anforderungen des Körpers an Erholung durch Schlaf und Nahrung spottete, und sie schien keine zeitliche Beschränkung zu kennen, so dass man angesichts ununterbrochener Jahre lang andauernder Anspannung alles physischen und geistigen Vermögens den Glauben gewinnen muss, dass solch ein Zustand in's Ausserordentliche gesteigerter Willenskonzentration für diesen Mann das eigentlich Natürliche war.

Einzelne Stellen in den Briefen gewähren einen Einblick in das lodernde Feuer seines Schaffenseifers:

„Ich schreibe Euch nicht oft," so meldet er seinem Bruder am 29. September 1507 von Bologna aus, „denn ich habe keine Zeit, da die Arbeit an meinem Werke derart gewachsen ist, dass ich, hätte es nicht höchste Eile damit, noch sechs Monate damit zu thun hätte; dennoch glaube ich sie bis

Allerheiligen beendigt zu haben, oder wenig wird daran fehlen,
betreibe ich es so, wie ich es thue, denn ich habe kaum Zeit,
mein Essen zu mir zu nehmen." (Lett. S. 85.)

Am 10. November folgt die Mittheilung: „glaubt mir,
ich verlange viel mehr, als Ihr es thut, bald nach Florenz
zurückzukehren, denn ich lebe hier in grösster Unbequemlichkeit und unter äussersten Anstrengungen und denke an
nichts Anderes, als Tag und Nacht zu arbeiten, und habe
solche Mühsal erduldet und dulde sie noch, dass ich glaube,
hätte ich die Statue noch einmal zu machen, so würde mein
Leben dafür nicht ausreichen, denn es ist ein Riesenwerk
gewesen." (Lett. S. 88.)

Und zwei Jahre später berichtet er Ähnliches von seiner
Arbeit in der Sixtinischen Kapelle: „ich lebe hier in grosser
Thätigkeit und in grössten körperlichen Anstrengungen und
habe keine Freunde irgend welcher Art und verlange sie auch
nicht: und ich habe nicht so viel Zeit, nach Nothdurft zu
essen: daher gebt mir keine Veranlassung zu Ärger, denn ich
könnte auch nicht eine Unze mehr davon ertragen." (Lett.
S. 97.)

„Ich arbeite mich mehr ab, als je ein Mensch gethan;
wenig wohl und unter grösster Anstrengung; dennoch habe
ich Geduld, um zum erwünschten Ende zu gelangen." (Lett.
S. 104.)

„Ich bin derart in Anspruch genommen, dass ich die Zeit
zum Essen nicht finden kann." (Lett. S. 110.)

Diese und ähnliche Aussprüche, welche sich sonst noch
in Briefen aus den Zeiten der Arbeit an der Fassade von
S. Lorenzo, am Juliusdenkmal und am Jüngsten Gericht nach-
weisen lassen, finden ihre Bestätigung durch Vasaris im Folgenden gegebene merkwürdige Schilderung:

„Er war sehr mässig, denn als er jung war, begnügte er
sich, um sich ganz der Arbeit widmen zu können, mit ein
wenig Brot und Wein; in seinem Alter, seitdem er das Jüngste
Gericht in der Kapelle machte, hatte er sich angewöhnt, nur
Abends, wenn das Tagewerk vollendet war, sich zu erfrischen,
aber auch in der mässigsten Weise, denn, obgleich er reich
war, lebte er wie ein Armer, nie oder nur selten ass ein

Freund mit ihm: auch wollte er von Keinem Geschenke annehmen, da er meinte, wenn Einer ihm etwas schenkte, Demselben für immer verpflichtet zu sein. Diese Enthaltsamkeit
liess ihn immer sehr aufgeweckt sein und sehr wenigen
Schlafes bedürfen. Sehr oft erhob er sich, da er nicht
schlafen konnte, in der Nacht, um mit dem Meissel zu arbeiten. Er hatte sich aus Karton einen Helm gemacht und
trug mitten auf dem Kopf befestigt eine angezündete Kerze,
welche auf diese Weise, ohne seine Hände zu hindern, Licht
auf seine Arbeit verbreitete. Und Vasari, welcher öfters den
Helm sah und gewahrte, dass er nicht Wachs, sondern Kerzen
aus einfachem Ziegentalg anwandte, welche ausgezeichnet sind,
sandte ihm vier Maass davon, was so viel wie 40 Pfund ist.
Sein launiger Diener überbrachte dieselben um zwei Uhr in
der Nacht und überreichte sie ihm, Michelangelo aber weigerte
sich, sie anzunehmen. Da sagte Jener: ,Herr, sie haben mir
auf dem Wege hierher bis zur Brücke fast die Arme zerbrochen, und ich habe nicht Lust, sie wieder nach Hause zu
tragen. Vor Eurem Hause ist eine ausgetrocknete Kothpfütze,
da werden sie bequem sich aufstecken lassen, und ich werde
sie alle anzünden.' Michelangelo erwiderte: ,Leg' sie nur
hierher, denn ich will nicht, dass du vor meiner Thür Unsinn
treibst.' — Er hat mir gesagt, dass er oft in seiner Jugend
bekleidet schlief, da er, erschöpft von der Arbeit, nicht Lust
hatte, sich auszuziehen, um dann wieder sich anziehen zu
müssen."
    Aus der leidenschaftlichen Hingabe an die Thätigkeit, dem
vollen Aufgehen in der Arbeit erklären sich demnach die
Lebensgewohnheiten des Meisters, deren Ursache von den
meisten seiner Zeitgenossen so irrig in Geiz und Exzentrizität
gesucht wurde. Was galt ihm, dem von übermächtigem
Schöpferwillen Besessenen sinnlicher Genuss und gesellschaft-
liche Zerstreuung? Wie grossmüthig unerschöpflich sein Wohl-
thun für Andere war, haben wir gesehen: für seine eigenen
Bedürfnisse gebrauchte er so gut wie nichts. „Ascanio," so
sagte er zu Condivi, „wie reich ich auch gewesen sein mag,
so habe ich doch immer gelebt wie ein Armer." Ausschliess-
lich im Hervorbringen fand er Werth und Genuss des Daseins,

nicht im Erwerben. „Er schaute niemals auf den Groschen, noch trachtete er, Geld aufzuhäufen, zufrieden mit dem, was zum anständigen Leben hinreicht." „Ich rathe Giovan Simone nicht hierherzukommen," schreibt er 1506 aus Bologna, „denn ich bewohne hier eine schlechte Stube und habe bloss ein einziges Bett gekauft, in welchem vier Personen schlafen." (Lett. S. 161.)

Schon im Jahre 1500 fühlte sich sein Vater gedrungen, ihn zu einer bequemeren und gesünderen Lebensweise in einem Briefe vom 19. Dezember zu ermahnen:

„Buonarroto sagte mir, dass du dort mit grosser Sparsamkeit, ja erbärmlich lebst: die Sparsamkeit ist gut, aber das Elend ist schlecht, weil es ein Laster ist, welches Gott und den Leuten der Welt missfällt, und ausserdem wird es deiner Seele und deinem Körper schaden: so lange du jung bist, wirst du solches Ungemach eine Zeit lang ertragen, wenn aber die Kraft der Jugend nachlässt, so kommen dann Krankheiten und Schwächen zu Tage, welche sich durch solches Ungemach und solches schlechte und elende Leben eingewurzelt haben. Aber vor allem: vermeide die Misere, lebe mässig und trachte danach nicht zu darben; und hüte dich vor allem vor Überarbeitung, denn, wenn du krank würdest, was Gott verhüte, so wärest du für deine Kunst verloren; und vor allem sorge für deinen Kopf, halte ihn mässig warm und wasche dich nie: lass dich abreiben und wasche dich nicht. — Auch sagt mir Buonarroto, dass du eine angeschwollene Seite hast: das kommt aus übermässigen Anstrengungen oder davon, dass du schlechte und blähende Sachen isst, oder an Kälte und Feuchtigkeit der Füsse leidest. Ich hatte das auch, und oft belästigt es mich, wenn ich kalt habe oder Ähnliches. Unser Francesco hatte es auch, und Gismondo gleichfalls." (Gotti I, S. 13. Frey: Briefe S. 1.)

In treffenden, kurzen Worten legt Condivi den Zusammenhang dieser höchst genügsamen und einsamen Lebensweise mit des Künstlers Thätigkeitsbedürfniss dar: „So widmete sich Michelangelo, schon als er noch jung war, nicht allein der Bildhauerei und Malerei, sondern auch allen den anderen Künsten, welche mit ihnen zusammenhängen und ihnen dienen, und dies that er mit solch verzehrender Energie, dass er für Zeiten sich fast gänzlich von menschlicher Gesellschaft abschnitt, im Verkehr mit nur sehr wenigen vertrauten Freunden. Aus diesem Grunde hielten ihn Viele für stolz, Andere für exzentrisch und launisch, obgleich er ganz frei von diesen Fehlern war; vielmehr, wie dies vielen Männern von grossen Fähigkeiten eigenthümlich ist, machten ihn die Liebe zum Studiren und die unablässige Ausübung seiner Kunst zum Einsiedler, da er durch die Freude, ja das Entzücken, welches ihm diese Dinge gewährten, so eingenommen war, dass Gesellschaft nicht allein ihm keine Zerstreuung bereitete, sondern ihm vielmehr Langeweile verursachte, da sie ihn vom Meditiren abhielt, denn niemals (wie der grosse Scipio zu sagen pflegte) war er weniger allein, als wenn er allein war."

Bildenstrieb und Pflichteifer erklären aber weiter auch die Thatsache, dass er — recht im Gegensatze zu Meistern wie Raphael, welcher in der letzten Zeit seines Lebens eine grössere Anzahl mitarbeitender Künstler in seinem Atelier hatte — alle seine Skulpturen (den einzigen Christus in der Minerva ausgenommen, für dessen Vollendung ihm die Zeit fehlte) allein ohne Hülfe von Schülern ausgeführt hat. Nur er selbst konnte sich genugthun, nur seine Liebe für das unternommene Werk diesem die Vollendung geben, und auf diese Vollendung, nicht auf äussere Rücksichten kam es ihm einzig an. Wie Vieles hätte er, dessen Phantasie von einer Überfülle von Gestalten belebt war, hervorbringen können, wenn er nicht an jede Produktion die höchsten Anforderungen gestellt. Wäre es ihm denkbar erschienen, die Ausführung von ihm selbst angefertigter Modelle der Hand von Künstlern anzuvertrauen, welche in seiner Werkstatt geschult waren, so würde die Zahl seiner Schöpfungen vielleicht die aller anderen grossen Meister der Renaissance übertreffen. Aber er dachte von der Kunst zu hoch, als dass er sie wie ein Gewerbe hätte betreiben können, und mit unerbittlicher Strenge verwarf er die eigenen Arbeiten, welche seiner Idee nicht entsprachen, oder liess sie unausgeführt.

Es ist eine längst widerlegte irrthümliche Annahme, dass der Meister immer, ohne ein vorbereitendes grosses Modell

zu machen, seine Figuren mit sicheren kühnen Schlägen nach
einem kleinen Wachsmodell aus dem Stein gehauen habe.
Der Gewissenhaftigkeit seines Künstlergeistes widerspräche
dies durchaus. Cellini und Vasari machen Mittheilungen,
welche das Entgegengesetzte beweisen; Cellini sagt, über
den Marmor von Carrara handelnd, in seinen „Trattati dell'
Oreficeria" (Florenz 1857. p. 197): „Wenngleich viele tüchtige
Künstler mit der kühnen Kraft des Hammers und des Meissels
dreist auf den Stein losarbeiten, mit Benutzung bloss eines
kleinen Modells und einer guten Zeichnung, so erweist sich
der Erfolg hiervon doch nie so befriedigend, als wenn sie
das Modell in grossen Verhältnissen ausführen. Dies ist durch
unsern Donatello, welcher ein Titan in der Kunst war, bewiesen worden, und später durch den staunenswerthen Michelangelo, welcher auf beide Arten arbeitete. Als er entdeckte,
dass die kleinen Modelle weit hinter dem zurückblieben, was
sein ausgezeichneter Genius verlangte, nahm er die Gewohnheit an, höchst sorgfältige Modelle genau von derselben
Grösse, welche die Statue haben sollte, zu machen. Das
haben wir mit unseren eigenen Augen in der Sakristei von
S. Lorenzo gesehen. Dann, wenn ein Mann mit seinem in
ganzer Grösse gebildeten Modell zufrieden ist, muss er Kohle
nehmen und die Hauptansicht seiner Figur derart auf den
Marmor zeichnen, dass sie ganz deutlich erscheint; denn wer
nicht vorher seine Zeichnung festgestellt hat, sieht sich bisweilen nachher durch die eisernen Meisselwerkzeuge irre-
geleitet. Michelangelos Methode in dieser Beziehung war
die beste. Er pflegte zuerst die Hauptansicht zu skizziren
und dann die Arbeit zu beginnen, indem er auf jener Seite
die Oberfläche des Steines entfernte, gerade als wollte er
eine Figur in Halbrelief machen; und so fuhr er fort und
enthüllte allmählich die runde Form."

Vasaris Angabe knüpft an vier bloss aus dem Rohen
gehauene Gefangenenstatuen Michelangelos an: „sie sind sehr
geeignet, einen Anfänger zu lehren, wie man Statuen aus
dem Marmor herausarbeitet, ohne dem Stein zu schaden. Die
sichere Methode, welche sie veranschaulichen, kann, wie folgt,
beschrieben werden. Du nimmst erst ein Modell von Wachs

oder anderem harten Stoff und legt es in ein mit Wasser gefülltes Gefäss. Das Wasser bildet seiner Natur nach eine ebene Oberfläche, so dass, wenn du allmählich das Modell in die Höhe hebst, die höheren Theile desselben zuerst heraustreten, indessen die unteren Theile unter dem Wasser bleiben; und indem du allmählich so fortfährst, erscheint die ganze runde Gestalt endlich über dem Wasser. Genau in derselben Weise sollten Statuen mit dem Meissel aus dem Marmor herausgehauen werden; indem man zuerst die höchsten Flächen blosslegt und die unteren folgen lässt. Diese Methode befolgte Michelangelo, als er die Gefangenen aus dem Block hieb, und desshalb wollte Seine Excellenz der Herzog dieselben als Modelle von den Studirenden der Akademie benutzt sehen."

Gewiss hat Michelangelo also seine Zeichnungen und Modelle mit grosser Sorgsamkeit vorbereitet und mit nicht minderer Sorgfalt dann den Block behandelt, wovon seine fertigen Werke ja ein unvergleichlich beredtes Zeugniss ablegen. Dass aber das Ungestüm enthusiastischer Arbeitserregung in seinen späten Lebensjahren den Meister, der alle Technik souverän beherrschte, häufig mit sich fortriss und ihn trieb, mit wenigen gewaltigen Schlägen zu erreichen, wozu Andere mühsam lange Arbeit gebrauchten, ist wohl denkbar und denkbar auch, dass an der Nichtvollendung manches auf uns gekommenen Werkes die, den Block verhauende Heftigkeit der Bearbeitung Schuld war. Haben wir doch in der berühmten, von Mariette aufgefundenen Schilderung eines Franzosen die Aussage eines Augenzeugen:

„Ich kann bestätigen, dass ich Michelangelo, im Alter von mehr als sechzig Jahren und nicht der Stärkste für sein Lebensalter, gesehen habe, wie er mehr Splitter von einem ausnehmend harten Marmor in einer Viertelstunde abschlug, als drei junge Steinmetzen in drei oder vier Stunden hätten thun können: ein Vorgang, ganz unglaublich für Den, der ihn nicht gesehen hat. Er arbeitete mit solchem Ungestüm und Wuth, dass ich glaubte, das Ganze müsste in Stücke zerfliegen, mit einem Schlage grosse Fragmente in einer Dicke von drei oder vier Zoll zum Boden schmetternd und dabei die

Linie so scharf abschneidend, dass, wäre er auch nur um
Haaresbreite weiter gegangen, er Gefahr gelaufen wäre, Alles
zu verlieren, da man ja nicht einen Marmor wiederherstellen
oder Irrthümer verbessern kann, wie es bei Figuren von
Thon und Stuck möglich ist."

Wer möchte da entscheiden, was erstaunlicher war: die
von der Begeisterung verliehene Wunderkraft des Armes oder
die durch unermüdliche Übung erlangte Sicherheit der gestaltenden Künstlerhand?!

Und diesem in Schaffenssehnsucht sich verzehrenden
Manne, der ein unbegrenztes Schöpfervermögen in sich fühlte,
sollte es bestimmt sein, alle seine grössten Pläne nicht verwirklichen zu können. Wie eine Ironie des Schicksales erscheint es, dass nur die Arbeiten, welche er wider seinen
eigenen Willen zu übernehmen gezwungen wurde, die Malereien im Vatikan, zum Abschluss gelangten: die kühnen
seinem Genius entsprechenden, mit hoher Freude von ihm
ersonnenen Werke, in denen er seiner eigensten Fähigkeit
als Bildhauer Genüge hätte thun können, blieben Stückwerk
oder gelangten gar nicht zur Ausführung: das Juliusdenkmal,
die Grabkapelle der Medici und die Fassade von S. Lorenzo.
So wurde die Geschichte seines künstlerischen Schaffens zu
einer Leidensgeschichte ohne Gleichen. Abhängig von dem
guten Willen der wenigen Auftraggeber, welche überhaupt
im Stande waren, seiner würdige Werke von ihm zu verlangen, abhängig in höherem Sinne von den verwirrten, beständig wechselnden politischen Zuständen, die für jene
Auftraggeber bestimmend waren, rang er in Zorn und Empörung mit dem Verhängniss, musste er in Angst und Verzweiflung die Ohnmacht selbst seiner Titanenkraft erkennen.
Alles und Jedes wird verständlich, behält man nur das Eine
im Auge, welch' ungeheurer Art das Wesen des Individuums
war, gegen das die Willkür entscheidender Machthaber
und der Sturm allgemeiner, erregter Zeitumstände sich ver-
schworen zu haben schienen.

DIE GEHÜLFEN

Die Arbeitsstörung, welche Unfähigkeit, Gewissenlosigkeit und Unredlichkeit der Schüler und Gesellen veranlasste, spielt neben jenen grossen Hinderungen nur eine kleine Rolle, will aber doch erwähnt sein, weil mancher die Geduld auf harte Probe setzender Ärger ihr entsprang. Ganz allgemein ist hiervon schon gelegentlich der Betrachtung des Verhältnisses, welches der Meister zu seinen Schülern hatte, die Rede gewesen: Näheres betreffend einige derartige unerfreuliche Erfahrungen, über die uns besondere Nachrichten erhalten sind, verdient hier angeführt zu werden. Zunächst ein an und für sich wenig wichtiges Erlebniss, das aber doch eine gewisse typische Bedeutung hat und Michelangelos häusliches Dasein anschaulich vor Augen bringt. Dem Künstler ist, während er in der Sixtinischen Kapelle arbeitete, sein Lehrling und Diener krank geworden und er lässt sich zum Ersatze einen Knaben aus Florenz kommen (Januar 1510). Er schreibt über ihn an seinen Vater:

„Für den Knaben, welcher eingetroffen ist, hat der Schuft von einem Maulthiertreiber mir einen Dukaten abgenommen: er schwor hoch und theuer, dass es so abgemacht, nämlich der Preis auf zwei grosse Golddukaten gesetzt worden sei; und für alle Knaben, welche mit Maulthiertreibern hierherkommen, zahlt man doch nicht mehr als 10 Carlini. Ich habe mich mehr darüber geärgert, als wenn ich 25 Dukaten verloren hätte, denn ich sehe es ganz gut, dass der Vater daran die Schuld trägt, welcher seinen Sohn auf sehr noble Art auf einem Maulthier schicken wollte. Oh, ich hab' es nicht so gut gehabt, ich! Ausserdem hatte mir der Vater versichert und zugleich auch der Knabe, dass er bereit zu

16*

Allem sei, mein Maulthier pflegen und, wenn es nöthig wäre, selbst auf der Erde schlafen würde: statt dessen muss ich ihn bedienen! Dies Geschäft fehlte mir noch zu allem Anderen, was ich, seit ich zurückgekehrt bin, zu thun habe. Denn mein Lehrling, den ich hier liess, liegt, seitdem ich zurück bin, bis zur jetzigen Stunde krank. Wahr ist es, dass es ihm jetzt besser geht, aber einen Monat lang hat er, von den Ärzten aufgegeben, auf den Tod gelegen, und während der Zeit bin ich niemals in's Bett gekommen. Und dazu noch alle meine vielen anderen Geschäfte. Und nun kommt dieser dürre Unflath von einem Jungen und sagt, er wolle keine Zeit verlieren, er wolle lernen: und sagte mir, zwei oder drei Stunden am Tage würden ihm genügen, und jetzt genügt ihm der ganze Tag nicht mehr, sondern er will auch die ganze Nacht durch zeichnen. Das sind die Rathschläge des Vaters. Und wenn ich etwas darüber sagte, so würde es heissen, ich wollte nicht, dass er lerne. Ich gebrauche Jemanden, der mich bedient: und wenn er sich dazu nicht im Stande fühlte, so hätten sie mich nicht in diese Kosten stürzen müssen. Aber es sind Schlauköpfe und haben ihre bestimmten Zwecke. Ich bitte Euch, macht, dass ich von ihm befreit werde, denn ich bin seiner so überdrüssig, dass ich nicht mehr kann. Der Maulthiertreiber hat so viel Geld bekommen, dass er ihn sehr gut nach dort zurückführen kann: er ist ein Freund seines Vaters. Sagt dem Vater, dass er nach ihm schicke: ich werde keinen Quattrino mehr zahlen, denn ich habe kein Geld. Ich werde so lange Geduld haben, bis er nach ihm schickt; schickt er nicht, so schicke ich ihn fort: obgleich, ich habe ihn schon am zweiten Tag fortgejagt und dann noch öfters, aber er glaubt es nicht."

Höchst bezeichnend, dass dem Briefe ein Postskriptum hinzugefügt ist und wie dasselbe lautet:

„Wenn Ihr mit dem Vater des Knaben sprecht, so sagt ihm die Sache auf freundliche Art: er sei ein guter Knabe, aber zu fein und nicht geeignet für meinen Dienst, und er solle nach ihm schicken." (Lett. S. 27.)

Und in einem folgenden Briefe heisst es: „im Übrigen ist der Vetturin bezahlt, ihn nach Florenz zurückzubringen.

Dort, bei Vater und Mutter, ist der Knabe am Platze und wird lernen: hier ist er nicht einen Quattrino werth und macht mir's sauer wie einer Bestie, und mein anderer Lehrling ist noch nicht aus dem Bett. Freilich habe ich ihn nicht mehr im Hause, denn als ich so abgespannt war, dass ich nicht mehr konnte, schickte ich ihn in die Wohnung eines Bruders von ihm." (Lett. S. 29.)

Grössere Erregung, als mit derartigen, wie es scheint, häufig wiederkehrenden häuslichen Unruhen verbunden war, mussten ihm die immer sich erneuernden, durch ungeschickte oder unredliche Mitarbeiter verursachten ernstlichen Hemmungen bei der Arbeit hervorrufen. Über drei wichtige Vorkommnisse, die Michelangelo gerade im entscheidenden Augenblicke eine Täuschung seines Vertrauens brachten und ihn auf sich selbst zurückwarfen, haben sich nähere Nachrichten erhalten.

Das erste betrifft die mühevolle Gestaltung der in kolossalen Verhältnissen entworfenen Statue Julius' II., deren erster Guss dann, wie bereits erwähnt wurde, durch die von Michelangelo so gerecht und mild beurtheilte Schuld eines Bernardino verunglückte. Kaum war die Arbeit begonnen worden, so hat der Meister Folgendes in einem Schreiben an seinen Vater zu berichten (8. Febr. 1507):

„Verehrungswürdigster Vater. Ich habe heute einen Brief von Euch erhalten, aus dem ich ersehe, in welcher Weise Ihr von Lapo und Lodovico (zwei florentiner Bildhauern) berichtet worden seid. Ich bin dankbar dafür, dass Ihr mich tadelt, denn ich verdiene getadelt zu werden als ein elender Sünder, der ich so gut wie Andere, ja vielleicht mehr bin. Aber wisst, dass ich in diesem Falle, dessentwegen Ihr mich tadelt, keinen Fehl begangen habe, weder ihnen noch irgend einem Anderen gegenüber, es sei denn, dass ich mehr, als ich verpflichtet war, gethan; und alle Menschen, mit denen ich jemals mich eingelassen habe, wissen sehr gut, was ich ihnen gebe; und wenn Niemand es weiss, so sind Lapo und Lodovico Diejenigen, welche es besser als die Anderen wissen; denn der Eine hat im Laufe von anderthalb Monaten 27 Dukaten und der Andere 18 grosse Dukaten, und ausserdem

die Spesen erhalten: so, bitte ich Euch, lasst Euch nicht aufs
Pferd heben. Wenn sie sich über mich beklagen, so hättet
Ihr sie fragen sollen, wie lange sie bei mir gewesen sind und
wie viel sie von mir erhalten haben; dann hättet Ihr sie gefragt, worüber sie sich eigentlich beklagen. Aber ihr sehr
grosses Unrecht und namentlich dasjenige jenes Schuftes von
einem Lapo, ist dies gewesen, dass sie Allen zu verstehen
gaben, sie wären es, welche dieses Werk machten oder auch,
dass sie es in Kompagnie mit mir machten: und sie, namentlich
Lapo, sind sich niemals darüber klar geworden, dass sie
nicht die Meister waren, bis auf den Augenblick, da ich ihn
weggejagt habe: damals erst hat er es eingesehen, dass er
in meinen Diensten stand. Und obgleich er schon so viele
Verwirrungen angezettelt und angefangen hatte, die Gunst
des Papstes zu erschüttern, ist es ihm noch sonderbar vor-
gekommen, dass ich ihn wie eine Bestie weggejagt habe.
Es thut mir leid, dass er von mir noch 7 Dukaten hat, doch
komme ich nach dort, so wird er sie mir sicherlich zurückgeben müssen, obgleich er mir auch die anderen, welche er
empfangen hat, wiedererstatten müsste, wenn er ein Gewissen
hat: und damit gut. Ich werde mich nicht weiter darüber
verbreiten, denn ich habe über diese Vorfälle an Messer
Agnolo zur Genüge geschrieben: ich bitte Euch zu ihm zu
gehen, und wenn Ihr Granacci mit Euch nehmen könnt, so
thut es und lasst Euch den Brief, welchen ich Agnolo geschrieben, lesen: dann werdet Ihr sehen, was für Lumpen es
sind. Aber ich bitte Euch, haltet geheim, was ich von
Lodovico schreibe, denn wenn ich keinen Anderen fände, der
für den Guss hierher kommt, so würde ich versuchen, ihn
wieder zurückzurufen, denn ihn habe ich in Wahrheit nicht
weggejagt, sondern Lapo, weil ihm der Schimpf zu gross
schien, allein fortzugehen, hat auch ihn verführt, um es sich
zu erleichtern. Vom Araldo werdet Ihr Alles erfahren und
wie Ihr Euch zu benehmen habt. Lasst Euch auch nicht auf
Reden mit Lapo ein, denn er hat sich zu schmachvoll benommen, und unsere Art stimmt nicht zu der ihrigen." (Lett.
S. 8.)

Die Nachschrift lautet:

„Noch theile ich Folgendes mit, um auf die ‚Absonderlichkeiten‘, welche ich nach Lapos Ausspruch ihm angethan haben soll, zu antworten. Eine davon will ich schreiben, und es ist diese bezüglich des Ankaufs von 720 Pfund Wachs. Ehe ich sie kaufte, sagte ich Lapo, er solle Einen suchen, der es habe, und den Handel abschliessen, und ich würde ihm das Geld zum Ankauf geben. Lapo ging und kehrte zurück und sagte mir, das Hundert wäre für auch nicht einen Quattrino weniger als neun grosse Dukaten und 20 Bolognini zu haben, d. h. neun Dukaten und 40 Soldi. Und ich solle sie schnell nehmen, da ich eine so gute Gelegenheit gefunden habe. Ich antwortete und sagte ihm, er solle gehen und sich erkundigen, ob jene 40 Soldi auf das Hundert nachgelassen würden, dann würde ich sie nehmen. Er antwortete mir: diese Bolognesen sind so, dass sie auch nicht einen Quattrino von dem, was sie fordern, nachlassen. In diesem Augenblick schöpfte ich Verdacht und liess die Sache gehen. Dann rief ich an demselben Tage Piero bei Seite und sagte ihm heimlich, er solle gehen und sehen, für wie viel er 100 Pfund Wachs haben könne. Piero ging zu demselben Kaufmann, wie Lapo, und kaufte sie für 8½ Dukaten, und ich nahm sie und sandte dann Piero zum Mäkler, und da erhielt er denselben Preis. Das ist eine der ‚Absonderlichkeiten‘, die ich ihm angethan. Wahrhaftig, ich weiss, es schien ihm absonderlich, dass ich diese Betrügerei bemerkte. 8 grosse Dukaten und die Spesen genügten ihm nicht im Monat, sondern er legte es darauf an, mich zu betrügen, und mag mich viele Male betrogen haben, nur dass ich nichts davon weiss, denn ich hatte Vertrauen zu ihm; und nie sah ich einen Menschen, der so das Aussehen eines guten hatte, wie ihn, wesswegen ich auch glaube, dass er unter der Maske der Güte auch Andere betrogen hat. Daher traut ihm in keiner Sache und thut, als sähet Ihr ihn nicht.“

War es in diesem Falle die Unredlichkeit, welche die jede Lüge verabscheuende Seele Michelangelos empörte, so veranlasste bei der bald darauf 1508 begonnenen Ausmalung der Sixtinischen Decke die Unfähigkeit der Gehülfen, dass er mit raschem Entschlusse sie entliess. In den Ricordi ist

der Vertrag, welcher ihre Mitwirkung betrifft, erhalten. Es
heisst da: „Für die Malergesellen, welche aus Florenz gerufen
werden sollen, in der Zahl von fünf, 20 Golddukaten für
Jeden, unter dieser Bedingung, dass, wenn sie hier sein und
sich einverstanden erklären werden, die besagten 20 Dukaten,
sobald ein Jeder sie empfangen hat, a conto ihres Gehaltes
gehen sollen: besagter Gehalt von dem Tage, an dem sie
von Florenz abreisen, um hierher zu kommen, beginnend.
Und falls sie nicht einverstanden sind, sollen sie die Hälfte
besagter Summe erhalten für die Ausgaben ihrer Reise und
den Zeitverlust." (Ricordi S. 563.)

Vasari nennt die Namen der uns wenigstens zum Theil
durch achtenswerthe Leistungen noch heute bekannten Maler.
„Als er die Kartons in Fresko ausführen wollte, kamen, da
er dies noch nie gethan, einige seiner Freunde, Maler, aus
Florenz nach Rom, damit sie ihm darin ihren Beistand angedeihen liessen, und auch damit er ihre Art der Freskotechnik
ihnen absähe, in welcher Einige von ihnen praktisch erfahren
waren; unter ihnen waren Granaccio, Giulian Bugiardini,
Jacopo di Sandro, der alte Indaco, Agnolo di Donnino und
Aristotele. Und, nachdem das Werk begonnen war, liess er
sie einige Sachen zur Probe anfangen. Da er aber sah, dass
ihre Leistungen weit unter seinem Verlangen blieben und ihm
nicht genügten, entschloss er sich eines Morgens, Alles, was
sie gemacht hatten, wieder herunterzuschlagen, schloss sich
in der Kapelle ein, wollte ihnen dieselbe nicht mehr öffnen
und liess sich auch in seinem Hause vor ihnen nicht mehr
sehen. Und so fassten sie, da ihnen die Fopperei zu lange
zu dauern schien, ihren Entschluss und kehrten mit Schimpf
nach Florenz zurück. Worauf Michelangelo den Entschluss
fasste, allein jenes ganze Werk zu machen, und führte es zu
bestem Abschluss unter grösster Mühewaltung und Studium."

Gewiss war es nicht leicht, einen Meister, der so hohe
Ansprüche stellte, zu befriedigen, da das Missverhältniss
zwischen dem Wollen seines Genius und den Leistungen
selbst begabter Künstler ein zu grosses war, aber die Treue,
mit welcher er sonst oft durch lange Jahre hindurch an ehrlichen und geschickten Gehülfen festhielt, lässt doch die Ver-

muthung Platz gewinnen, dass auch in diesem Falle die Schuld auf Seite der Hülfsarbeiter lag, und ein Hinweis darauf ist in einem Briefe, den Michelangelo am 27. Januar 1509 an seinen Vater richtete, gegeben:

„In diesen Tagen ist jener Maler Jacopo (Indaco), den ich hierherkommen liess, von hier fortgereist; und da er sich hier über mich beklagt hat, glaube ich, dass er sich auch dort beklagen wird. Macht dazu Ohren, wie die Kaufleute, und damit gut: denn er hat tausendmal Unrecht, und ich hätte mich gross über ihn zu beklagen. Thut, als sähet Ihr ihn nicht." (Lett. S. 17.)

Zum dritten Male hören wir von ähnlichen Erlebnissen bei den vorbereitenden Arbeiten für die Fassade von San Lorenzo.

„Diese Steinmetzen," so schreibt er am 18. April 1518 aus Pietrasanta, „welche ich von dort mitgenommen, verstehen sich auf nichts in der Welt, weder auf die Steinbrüche noch auf Marmor. Sie kosten mir schon mehr als 130 Dukaten und haben mir noch nicht einen Marmorblock gebrochen, der gut sei, und dabei gehen sie herum und schwätzen überall davon, dass sie grosse Dinge gefunden hätten, und suchen für die Domopera und für Andere mit dem Gelde, das sie von mir bekommen haben, zu arbeiten." (Lett. S. 137.)

„Die Steinmetzen hier verstehen sich nicht auf Marmor, und wenn sie sehen, dass es ihnen nicht gelingt, gehen sie mit Gott von dannen. Und so habe ich mehrere Hundert Dukaten weggeworfen, und ich selbst bin mehrere Male gezwungen gewesen, dort zu bleiben, um sie in Thätigkeit zu setzen und ihnen die Marmoradern zu zeigen und die Dinge, die Schaden verursachen, und welches die schlechten Steine sind, ja auch die Art, Steine zu brechen, denn ich bin in diesen Dingen erfahren." (Lett. S. 402.)

„Von den Steinmetzen, welche hierher kommen, sind einzig Meo und Ciccone geblieben, die Anderen haben sich auf und davon gemacht: sie erhielten vier Dukaten von mir und das Versprechen dauernden Lebensunterhaltes, damit sie mir zu Willen wären. Sie haben nur wenige Tage und mit Trotz

gearbeitet, derart dass der armselige Schuft von einem Ru-
becchio mir eine Säule, welche ich aus dem Steinbruch gewonnen hatte, so gut wie verdorben hat. Aber mehr noch
schmerzt es mich, dass sie nach Florenz gehen und mich und
die Marmorbrüche in schlechten Ruf bringen, so dass ich,
will ich dann Leute haben, keine bekomme. Ich wünschte
wenigstens, da sie mich schon betrogen haben, dass sie stille
wären. Daher benachrichtige ich dich hiervon, damit du sie
zum Schweigen bringst, aus Furcht, sei es vor Jacopo Salviati, oder wie es dir sonst gut dünkt, denn diese Vielfrasse
thuen diesem Werke und mir grossen Schaden." (Lett. S. 140.)
    „Sandro (di Giovanni, ein Steinmetz) ist auch von hier
fortgegangen. Er ist einige Monate mit einem Maulesel und
einem Mauleselein in aller Pracht hier gewesen und hat sich
damit beschäftigt, zu fischen und Liebeleien zu treiben. Er
hat mir 100 Dukaten zum Fenster hinausgeworfen und hat
hier eine gewisse Quantität von Marmor vor Zeugen gelassen, damit ich den für mich geeigneten aussuche. Ich finde
aber darunter nicht mehr als im Werth von 25 Dukaten, da
es ein schuftiger Streich ist. Sei es aus Bosheit, sei es aus Unwissenheit: er hat mich sehr schlecht behandelt." (Lett. S. 141.)
    „Die Dinge sind sehr schlecht gegangen, nämlich Sams-
tag Morgen machte ich mich daran, eine Säule mit grosser
Sorgfalt in die Höhe heben zu lassen: und es fehlte nichts,
und als ich sie ungefähr 50 Ellen hoch gehoben, brach ein
Ring der an der Säule befestigten Steinzange entzwei, und
die Säule stürzte in den Fluss und zerbrach in hundert Stücke.
Besagten Ring hatte Donato von einem Pathen, dem Schmied
Lazzero, machen lassen; und was den Rezipient anbetraf, wäre
er gut gewesen, er hätte vier Säulen getragen, und von
aussen angesehen erweckte er keinen Zweifel irgend welcher
Art. Als er aber gebrochen war, haben wir die grosse
Gaunerei erkannt: denn im Inneren war er ganz und gar
nicht massiv, und die Dicke des Eisens war nicht so gross
wie ein Messerrücken; so dass ich mich noch wundere, dass
er so lange hielt. Alle, die wir herumstanden, sind in grösster
Gefahr gewesen: und so ist ein wundervoller Stein zerstört.
Ich überliess in diesem Karneval die Sorge für diese Eisen

dem Donato, er sollte zur Eisenhütte gehen und gutes, weiches Eisen auswählen: du siehst, wie er mich behandelt hat. Und die Kasten des Flaschenzuges, welche er für mich hat machen lassen, sind auch beim Heben dieser Säule alle in den Ringen geborsten und waren auch nahe daran zu zerbrechen; und doch sind sie zweimal grösser als die der Domopera, so dass sie, wären sie aus gutem Eisen, ein unbeschränktes Gewicht tragen müssten. Aber das Eisen ist spröde und erbärmlich, man konnte es nicht schlechter machen, und das kommt Alles daher, dass Donato es mit diesem seinem Pathen hält und ihn in die Eisenhütte geschickt und mich so, wie du siehst, bedient hat. Es heisst Geduld haben. Ich werde zum Feste in Florenz sein, und wir werden zu arbeiten beginnen, wenn es Gott so gefallen wird." (Lett. S. 403, 20. April 1519.)

Erbärmliche Dinge, Miseren, aber immer wiederkehrende Erscheinungen! Das Genie, höchste Ideen in Thaten verwirklichend, wird gezwungen, sich der allergeringfügigsten Handwerkerleistungen anzunehmen: mit fast übermenschlichen Aufgaben beschäftigt, muss es dem Steinmetzen zeigen, wie man in Steinbrüchen arbeitet und wie man Marmorblöcke behaut, muss, anstatt die Unterstützung von den herbeigerufenen Gehülfen zu finden, deren Vergnügungen bezahlen und lange, mühevolle Arbeit mit einem Schlage durch die Nachlässigkeit eines Untergebenen vereitelt sehen. Typische Vorfälle, aber typisch auch die nie zu erschöpfende Geduld, welche, nach allen den Ärger und Empörung mit sich bringenden Erlebnissen, unentwegt das Wirken seinem Ziele zu geleitet, eine Fähigkeit des Ausharrens, welche in diesem Maasse vielleicht nur dem Genius eigen ist, weil er in der Thätigkeit absoluten Zweck und Inhalt des Lebens findet! Bisogna aver pazienza!

Aber freilich, es giebt eine Grenze für die Machtvollkommenheit der Geduld: die Mühen, Ärgernisse und Hinderungen, welche von Schülern und Gehülfen dem Schaffen Michelangelos bereitet wurden, waren zu überwinden, jedoch die Komplikationen, welche aus dem Charakter der Auftraggeber und den Zeitumständen hervorgingen, nicht.

3

DIE JUGENDERFAHRUNGEN UND DIE TRAGÖDIE DES JULIUSDENKMALES

Von den Schwierigkeiten, welche sich Michelangelos Wahl des künstlerischen Berufes entgegenstellten, ist bereits die Rede gewesen. Schon der Beginn seiner bildnerischen Thätigkeit, die Entscheidung für diese wurde in Folge des Widerstandes seines Vaters zu einem schmerzlichen Erlebnisse. Aus den folgenden ersten Jahren der Entwickelung und Arbeit erfahren wir wenig Persönliches. Wir dürfen annehmen, dass sie in einer im Wesentlichen friedlichen Thätigkeit verflossen. Da trat im Jahre 1494 eine jähe Unterbrechung derselben ein. Die Nachrichten von dem Nahen des französischen Heeres unter Karl VIII. und die Weissagungen Savonarolas, dessen Predigten den tiefsten Eindruck auf ihn hervorbrachten, scheinen in ihm beängstigende Vorahnungen von dem Sturze der Mediceischen Herrschaft geweckt und ihn zu jener plötzlichen Flucht nach Bologna veranlasst zu haben. Condivi erzählt Folgendes über den merkwürdigen Vorfall:

„Im Pallast des Piero Medici war ein Mann Namens Cardiere häufiger Gast. Der Magnifico hatte viel Vergnügen an seiner Gesellschaft, da er mit wunderbarer Geschicklichkeit Verse zur Laute improvisirte, welche Kunst der Medici selbst betrieb, so dass er fast jeden Abend nach dem Essen sich darin übte. Dieser Cardiere, der ein Freund von Michelangelo war, vertraute ihm eine Vision an, welche er gehabt, folgender Art: Lorenzo de' Medici war ihm halb nackt in einem schwarzen zerlumpten Rock erschienen und bat ihn, seinem Sohne Piero zu sagen, dass er demnächst vertrieben werden und niemals mehr in seine Heimath zurückkehren würde. Nun war Piero derartig anmaassend und hochfahrend, dass weder die Gutmüthigkeit seines Bruders, des Kardinals Giovanni, noch die Höflichkeit und Verbindlichkeit Giulianos so stark waren, ihn in Florenz aufrecht zu erhalten, als seine eigenen Fehler, seine Vertreibung zu bewirken. Michelangelo ermuthigte den Mann, Lorenzo zu gehorchen und von der Angelegenheit Piero Bericht zu geben; aber Cardiere, der vor Dessen Temperament Angst hatte, behielt es für sich selbst. An einem anderen Morgen, als Michelangelo im Hof des Pallastes war, kam Cardiere, von Schrecken und Qual erfüllt, und theilte ihm mit: in der verflossenen Nacht sei Lorenzo ihm wieder in der gleichen Tracht wie früher erschienen; und während er wach dalag und mit seinen Augen auf ihn hin-starrte, gab ihm das Gespenst eine kräftige Ohrfeige, zur Strafe dafür, dass er es versäumt, seine Vision dem Piero mitzutheilen. Michelangelo schalt ihn heftig und wusste so viel zu sagen, dass Cardiere Muth fasste und sich zu Fuss nach Careggi machte, einer von der Stadt etwa drei Miglien ent-fernten Villa der Medici. Er war auf halbem Wege, als er Piero begegnete, der nach Hause ritt; so hielt er ihn an und berichtete Alles, was er gesehen und gehört hatte. Piero lachte ihn spottend aus und, den Reitknechten zuwinkend, befahl er ihnen, tausenderlei Schabernack mit ihm zu trei-ben. Sein Kanzler, der später Kardinal von Bibbiena wurde, rief: ,Du bist ein Wahnsinniger! Wen, glaubst du, liebt Lorenzo mehr, seinen Sohn oder dich? Falls seinen Sohn, würde er dann nicht lieber ihm selbst, als irgend einem Anderen erschienen sein?' Und nachdem sie ihn so verhöhnt, liessen sie ihn gehen; und er, nach Hause gekommen, klagte dem Michelangelo sein Leid und überzeugte Diesen derart von der Wahrheit seiner Vision, dass Michelangelo nach zwei Tagen Florenz mit zwei Kameraden verliess und von dort nach Bologna und weiter nach Venedig ging, in der Furcht, dass, sollte sich Cardieres Voraussagung bewahr-heiten, er nicht länger in Florenz sicher sein würde."

Auch von Bologna ist der Künstler, seine Arbeit an der Arca des h. Domenico im Stiche lassend, bald wieder und in Eile fortgezogen, da er die Drohungen eines missgün-stigen Bildhauers fürchtete.

Das folgende Jahrzehnt dürfte im Ganzen die wohl un-
getrübteste Zeit seines Lebens gewesen sein! Dann mit der
Berufung nach Rom durch Julius II. im Jahre 1505 hat
dieses seine entscheidende Wendung erfahren. Sie griff sogleich verhängnissvoll ein, indem sie ihn, worüber er sich in
späterer Zeit noch bekagt, die Ausführung des für den
Rathssaal in Florenz bestimmten grossen Kartons der Schlacht
bei Cascina und der für den Dom bestellten zwölf Apostel
aufzugeben zwang.

In jenem Jahre 1505 beginnt die „Tragödie" des Julius-
denkmales, welche ihren Abschluss erst 1545 finden sollte.
Der Plan, welchen der Meister mit Einwilligung des Papstes
entwarf, hat in der Geschichte der Bildhauerkunst nicht seines
Gleichen. Condivi beschreibt ihn uns als einen mächtigen
Freibau mit mehr als 40, zum Theil in kolossalen Verhältnissen gedachten Statuen und zahllosen Bronzereliefs. Der
Beginn der Arbeit wird mit folgenden Worten von demselben Biographen geschildert: „Die Zeichnung, welche
Michelangelo entwarf, gefiel dem Papst so sehr, dass er ihn
sofort nach Carrara sandte, mit dem Auftrag, so viel Marmor, als für das Werk nothwendig war, zu brechen, und
ihm tausend Dukaten von Alamanni Salviati in Florenz für
diesen Zweck auszahlen liess. Er blieb mehr als acht
Monate in jenen Bergen mit zwei Dienern und einem Pferde,
aber ohne Honorar, die Spesen ausgenommen."

Als könne nichts seinem entfesselten Schaffensdrange
genügen, soll er in diesen Tagen mit dem Gedanken umgegangen sein, einem Berg menschliche Gestalt aufzuzwingen:
„Eines Tages, während er die Gegend inspizirte, erfasste
ihn der Wunsch, einen das Gestade beherrschenden Hügel
in einen Koloss, der auf weithin den Seefahrern sichtbar
sein sollte, zu verwandeln. Die Form des mächtigen Felsens,
welche sich ausgezeichnet für solch' einen Plan eignete,
fesselte ihn; und zugleich kam ihn Lust an, mit den Alten
zu wetteifern, welche, aus ähnlichen Gründen wie er an
dem Orte sich aufhaltend, gewisse unvollendete und aus
dem Rohen gehauene Denkmäler hinterlassen haben, die ein
gutes Zeugniss von ihrer Geschicklichkeit ablegen. Und

sicher würde er diesen Plan ausgeführt haben, hätte er genug Zeit zur Verfügung gehabt oder hätte die besondere Unternehmung, derentwegen er gekommen, es gestattet."

„Nachdem er die Blöcke, welche ihm zu genügen schienen, gebrochen und ausgewählt hatte, liess er sie zum Meere bringen und liess einen von seinen Leuten zurück, sie einzuschiffen. Dann kehrte er nach Rom zurück, und als er, nach einem Aufenthalt von einigen Tagen auf dem Wege in Florenz, dort ankam, fand er, dass ein Theil des Marmors schon die Ripa erreicht hatte. Dort liess er sie abladen und transportirte sie nach dem Petersplatz hinter S. Caterina, wo er seine Wohnung hatte, nahe bei dem Korridor. Die Masse von Steinen war gross, so dass sie, als sie auf dem Platze ausgebreitet war, bei den meisten Leuten Staunen, beim Papst aber Freude hervorrief. Dieser bezeigte in der That Michelangelo unermessliche Gunst; denn als Der zu arbeiten begonnen hatte, pflegte der Papst sich häufig zu ihm in sein Haus zu begeben und dort mit ihm sich über das Grabmal und über andere Werke, nicht anders als wäre er sein Bruder, zu unterhalten. Um bequemer zu Michelangelos Wohnung zu gelangen, liess er eine Zugbrücke vom Korridor aus hinüberschlagen, welche ihm geheimen Zugang gewähren sollte."

Als in späteren Jahren Michelangelo wegen der Gelder zur Rechenschaft gezogen wurde, machte er einige Angaben, welche diese Schilderung vervollständigen:

„Was das Grabmal Julius' II. anbetrifft, so sage ich dies: als der Papst seine Laune änderte, nämlich den Plan, es noch bei Lebzeiten zu machen, und gewisse Barken mit Marmor von Carrara ankamen, musste ich, weil ich vom Papst, dem das Werk Leid geworden war, kein Geld erhalten konnte, selbst die Schiffsmiethe zahlen, nämlich 150 oder vielmehr 200 Dukaten, welche mir Baldassare Balducci, d. h. die Bank des Messer Jacopo Gallo, lieh, um besagten Transport des Marmors zu zahlen. Und da in jener Zeit Steinmetzen von Florenz kamen, welche ich für das Grabmal kommen liess, von denen noch Einige leben, und ich das Haus, welches mir Julius hinter S. Caterina gegeben hatte, mit Betten und anderen Utensilien für die Leute und für sonstige das Grab-

mal betreffende Dinge ausgestattet hatte, sah ich mich ohne
Geld in grosser Verlegenheit; und da ich den Papst so viel
wie möglich fortzufahren drängte, liess er mich eines Tages,
als ich ihn in der Angelegenheit sprechen wollte, durch
einen Reitknecht fortschicken." (1542. Lett. S. 492).
In welcher Weise Bramantes Pläne und Intriguen auf
den Papst Einfluss genommen hatten, und wie Michelangelo,
von Zorn und Angst überkommen, aus Rom nach Florenz
floh, ist schon früher erzählt worden. Offenbar bezieht sich
auf diese Vorfälle ein an Julius II. gerichtetes Sonett:

Wenn je ein altes Sprichwort Wahrheit sprach,
So ist's wohl dieses, Herr!: „Nie will, wer kann."
Du glaubtest eitlen Fabeln, blossen Worten,
Belohntest Jenen, der der Wahrheit Feind.

Ich bin und war dein guter, alter Diener,
Dir zugewiesen wie der Strahl der Sonne,
Doch schmerzt dich nicht die Zeit, die ich verliere:
Je mehr ich mich bemüh', liebst du mich wen'ger.

Schon hofft' ich, deine Höhe zög' empor mich,
Doch das bewirkt mit starkem Schwert und Waage
Nur die Gerechtigkeit, nicht Echos Lüge.

Der Himmel selber ist es, der Begabung
Verachtet, setzt er sie in diese Welt —
Das heisst: vom trocknen Baume Frucht verlangen.
(Guasti S. 156. Frey III.)

Der Bericht des Künstlers fährt fort: „Es genügt, dass
diese Angelegenheit mir mehr als 1000 Dukaten Schaden
brachte, denn als ich Rom verlassen hatte, entstand zur
Schande des Papstes grosser Lärm darüber; und fast alle
Marmorblöcke, welche ich auf dem Petersplatze hatte, wurden
mir geplündert, namentlich die kleinen Stücke; was mich dann
zwang, von Neuem zu beginnen: und so sage ich und versichere es, dass an Schaden und Interessen ich noch 5000
Dukaten von Papst Julius zu erhalten habe: und Der, welcher

mir alle meine Jugend und meine Ehre und mein Gut genommen hat, schilt mich Dieb."

Die in Bologna erfolgte Aussöhnung mit dem Papst sollte Michelangelos sehnliches Verlangen, wieder an das Denkmal gehen zu können, nicht verwirklichen. Mit schwerem Herzen fügte er sich nach heftigem Sträuben in den Wunsch Julius' II., welcher die Decke der Sixtinischen Kapelle von ihm ausgemalt haben wollte. Der Feuereifer, dem es gelang, dieses grosse Werk in vier Jahren zu beenden, scheint von dem beständigen Gedanken an die neue Inangriffnahme der Arbeit am Grabmal, mit dem er sich Ende 1511 und Anfang 1512 beschäftigte, geschürt worden zu sein, und kaum waren die Malereien vollendet, wandte er sich wieder der Bearbeitung der Marmorsteine zu. In einem Briefe an einen Bildhauer in Carrara (Lett. S. 380) betreibt er die schleunige Absendung neuer Blöcke. 1513 starb Julius II., welcher in seinem Testamente die Angelegenheit dem Kardinal Aginensis: Leonardo Grosso della Rovere und dem Protonotar Lorenzo Pucci, später Kardinal von Santi Quattro, übertragen hatte, wie es heisst, mit der Bemerkung, das Denkmal solle nicht in den zuerst festgestellten kolossalen Verhältnissen ausgeführt werden. An letztere Bestimmung scheint sich der Kardinal nicht gehalten zu haben. In einem Schreiben vom Jahre 1524 sagt Michelangelo: „Dann kam der Tod des Papstes Julius, und im Anfang der Regierungszeit Leos wollte der Aginensis das Grabdenkmal vergrössern, d. h. das Werk grösser machen, als meine erste Zeichnung war, und es wurde ein Kontrakt gemacht. Und ich wollte nicht, dass auf Konto des Grabmales die 3000 Dukaten gesetzt würden, die ich schon empfangen hatte, indem ich nachwies, dass man mir noch viel mehr schulde. Aginensis sagte zu mir, ich sei ein Aufschneider." (Lett. S. 428.)

Der Vertrag vom 6. Mai 1513 ist auf uns gekommen. Ein neuer Entwurf, welcher das Denkmal mit einer Seite an die Kirchenwand angelehnt zeigt und 32 grosse Statuen verzeichnet, wird zur Ausführung bestimmt. In sieben Jahren soll die Arbeit beendet sein, der Preis wird auf 16 500 Dukaten, aber mit Abziehung von 3500 schon früher ausgezahlten, festgesetzt.

Thode, Michelangelo I.   17

Von 1513 bis 1515 ist es ihm vergönnt, seine volle
Kraft dem Werke zu widmen. Aus diesem Zeitraum sind
gar keine Briefe erhalten: man gewinnt den Eindruck, als
sei er für alle äusseren Beziehungen erstorben. Der Moses
und die zwei Sklaven des Louvre, wie vermuthlich die Modelle für eine grössere Anzahl anderer Statuen, sind damals
entstanden. Schon im Sommer 1515 aber muss der Meister
eine Unterbrechung befürchten und verdoppelt daher seine
Thätigkeit. Er schreibt am 16. Juni seinem Bruder Buonarroto:

„Ich wünschte, dass du zum Spedalingo von S. Maria
Nuova gingest und mir hier 1400 Dukaten von dem Gelde,
was er von mir hat, auszahlen liessest, denn ich muss eine
grosse Anstrengung machen in diesem Sommer, diese Arbeit
bald zu Ende zu führen, denn ich glaube, dass ich dann
in die Dienste des Papstes werde treten müssen. Und desswegen habe ich etwa 20000 Pfund Kupfer gekauft, um gewisse Figuren zu giessen." (Lett. S. 115.)

Und am 11. August beklagt er sich, das Geld noch
nicht erhalten zu haben und fährt fort:

„Seitdem ich von Florenz (gelegentlich eines Aufenthaltes in Carrara) zurückgekehrt bin, habe ich nicht gearbeitet: ich bin bloss damit beschäftigt gewesen, Modelle zu
machen und die Arbeit vorzubereiten, damit ich eine grosse
Anstrengung machen und das Werk mit Hülfe von Anderen
innerhalb von zwei oder drei Jahren vollenden kann: so habe
ich es versprochen; und ich habe mich auf grosse Ausgaben
eingelassen, einzig im Vertrauen auf die Gelder, die ich in
Florenz habe." (Lett. S. 121.)

Im Spätherbst 1515 fasste Leo den Gedanken, in Florenz die Fassade von S. Lorenzo ausführen zu lassen. Verschiedene Künstler, darunter auch Raphael, machen Pläne.
Michelangelo scheint sich zunächst zurückgehalten zu haben.
Vermuthlich hat aber der Papst sich an ihn gewandt. Denn
wie sollen wir es uns erklären, dass die Erben Julius' mit
Michelangelo, nachdem Dieser im Juni (10. Juni nachweisbar)
in Florenz gewesen, am 8. Juli 1516 einen neuen dritten
Kontrakt abschliessen, nach welchem der grosse Plan auf

die Hälfte (mit nur 20 Statuen) eingeschränkt wird. Offenbar hatten er und die Erben gleiches Interesse an einer solchen neuen Übereinkunft. Letztere mussten besorgen, dass Leos Idee ihrem Unternehmen in den Weg komme: sie waren daher geneigt, Michelangelo eine Erleichterung zu gewähren. Die Ausführungsfrist wurde auf neun Jahre ausgedehnt.

Michelangelo aber — dies dürfen wir annehmen —, in die schwierigste Lage den Wünschen des Papstes gegenüber versetzt, suchte so beiden Partheien zu entsprechen, indem er sich für alle Fälle durch jene Gewährung längerer Frist freiere Hand verschaffte. Die Erben wollten verhindern, dass er durch einen Auftrag, wie den Bau der Fassade von S. Lorenzo, ganz dem Juliusdenkmal entzogen werde: daher wurde in dem Kontrakt bestimmt, er dürfe nicht irgend ein Werk von grösserer Bedeutung (opus saltim magni momenti) übernehmen. Er seinerseits wird sich gesagt haben, dass dieser Paragraph ihm nicht im Wege stehe, wenn er den Wünschen Leos wenigstens so weit entgegenkäme, einige Statuen für jene Fassade zu machen.

Nur unter diesen Voraussetzungen werden die folgenden Ereignisse begreiflich. Anfang August geht er nach Florenz und bleibt den Monat über dort. Wie aus einem späteren Briefe Domenico Boninsegnis hervorgeht, hat er damals kein Wort über die Fassade verloren. Er wollte sich offenbar in seinem Entschlusse, ganz dem Denkmal zu leben, nicht irre machen lassen. Seine Reise nach Florenz hatte in Rom Gerede verursacht, aber der Kardinal Aginensis schenkt ihm volles Vertrauen. Am 5. September kehrt er nach Carrara zurück, und nun zeigt es sich, dass seine Phantasie doch erfüllt ist von der grossen künstlerischen Aufgabe, welche der Plan von S. Lorenzo einem genialen Geiste darbieten würde. Der Architekt Baccio d'Agnolo, dessen heissester Wunsch es war, an dem Bau angestellt zu werden, wird ihn in solchen Gedanken bestärkt haben — kurz, er schreibt an Boninsegni, er habe Lust, die Arbeit zu übernehmen, und Dieser möge mit dem Kardinal Giulio Medici darüber sprechen. Während das geschieht, steigen dem Meister aber ernste Bedenken auf und trotz aller Bemühungen Boninsegnis und Baccios,

17*

der sein Mitarbeiter werden soll, kann er sich nicht entschliessen, nach Rom zu gehen. Er lässt den Papst wissen,
dass er nur die Hauptstatuen machen wolle. Man sieht
deutlich, wie er seinen Verpflichtungen gegen die Erben
Julius' treu bleiben will, er möchte die Angelegenheit im
Wesentlichen Baccio überlassen. Endlich am 5. Dezember
kommt er nach Rom und macht dem Papst eine Zeichnung,
nach der Baccio das Modell ausführen soll.
Was er dem Aginensis versichert haben wird, macht er
in der folgenden Zeit wahr. Er arbeitet in Carrara für das
Denkmal und überlässt Baccio die eigentliche Thätigkeit an
S. Lorenzo. So hält er sich streng an seine Pflicht. Noch
am 5. Dezember konnte er dem Kardinal schreiben, das Grabmal werde in zwei Jahren so gut wie fertig sein. Inzwischen
aber gewahrt er, wie er wider seinen Willen gezwungen
wird, mehr und mehr der Arbeit an S. Lorenzo sich anzunehmen. Er muss auf die Beschaffung des Marmors bedacht
sein, die Ausführung des Modelles überwachen, eine Werkstatt in Florenz begründen. — Es zeigt sich, dass Baccios
Modell ungenügend ist und er selbst eines anfertigen muss.
Die Möglichkeit der Mitarbeiterschaft eines Anderen erweist
sich ihm, dessen höchsten Intentionen Keiner gerecht zu werden vermag, als Wahn. Je mehr er sich der Sache annimmt,
desto mehr wächst auch seine Leidenschaft für den grossen
Plan. Als er auf Wunsch des Papstes im Juni 1517 die Fundamentirungsarbeiten anordnet, die zuvor Baccio überlassen
waren, übernimmt er gleichsam allein die ganze Aufgabe, und
der Abschluss des Kontraktes am 19. Januar 1518 ist nur die
unabweisliche Folge. Die Erben Julius' müssen sich Leos
Wünschen fügen und damit begnügen, dass der Meister die
Erlaubniss erhält, in Florenz an dem Denkmal zu arbeiten.
    Michelangelo hat freilich in späteren Jahren die Ereig-
nisse kurz so zusammengefasst: „Papst Leo, der nicht wollte,
dass ich das Grabmal mache, gab vor, er wolle die Fassade
von S. Lorenzo bauen und verlangte mich vom Kardinal
Aginense; dieser gezwungen gab mir Urlaub unter der Bedingung, dass ich in Florenz das Grabmal des Papstes Julius
ausführe." Justi hat mit Recht darauf hingewiesen, dass

bei der Entwicklung der Angelegenheit doch Michelangelos
eigenes Handeln mit ausschlaggebend gewesen ist. Doch
dürfte Dieser, wenn auch die Anklage, Leo habe nur „vorgegeben", die Fassade bauen zu wollen, nicht gerechtfertigt
erscheint, doch darin gewiss Thatsächliches ausgesagt haben:
dass der Papst ihn in eigenen Diensten, nicht in denen
Julius' II., beschäftigt haben wollte. Aller Wahrscheinlichkeit
nach hat sich, wie jener dritte Denkmalsvertrag beweist,
Michelangelo lange gesträubt, bis die Aussicht einer so hohen
künstlerischen Aufgabe ihn bereitwillig machte, sich an ihr
wenigstens zu betheiligen.

Während des Jahres 1518 findet er, beständig in den
Steinbrüchen beschäftigt, keine Zeit, eine der zwei versprochenen Statuen für das Grabmal auszuführen, aber 1519
nimmt er sich, soweit ihm Musse bleibt, ihrer wieder an. Er
schreibt später über diese Zeit:

„Während ich wegen besagter Fassade von S. Lorenzo
in Florenz war, ging ich, da ich keinen Marmor für das
Grabmal Julius' hatte, wieder nach Carrara und blieb dort
13 Monate, und führte alle die Blöcke für das Grabmal
nach Florenz und baute dort einen Raum, um es zu machen,
und begann zu arbeiten. In dieser Zeit schickte der Aginensis Messer Francesco Palavisini, der jetzt Bischof von
Aleria ist, um mich anzuspornen, und er sah den Raum und
alle die Marmorblöcke und angelegten Figuren für das
Grabmal, welche noch dort sind. Der Medici aber, der
später Papst Clemens wurde und damals in Florenz war,
als er sah, dass ich an dem Grabmal arbeitete, liess mich
nicht weiter daran arbeiten, und so blieb ich behindert, bis
der Medici Clemens wurde." (Lett. S. 491.)

Im März 1520 wurde der Vertrag betreffend die Fassade
gelöst, und an deren Stelle tritt der Plan der Mediceergräber.
Aus diesem und dem folgenden Jahre hören wir wenig vom
Denkmal. Im September 1522 aber beschweren sich die
Erben Julius' und verlangen Rückerstattung der Gelder. Im
Frühjahr 1523 schreibt Michelangelo an Giovanni Francesco
Fattucci in Rom:

„Ihr wisst, wie der Papst (Hadrian) in Rom bezüglich

des Juliusgrabmales angegangen worden ist, und wie ihm eine
Kabinetsordre zum Unterzeichnen ausgestellt worden ist, wonach gegen mich vorgegangen und von mir Alles, was ich
für besagtes Werk erhalten habe, sowie die Verluste und
Interessen gefordert werden sollen, und Ihr wisst, dass der
Papst gesagt hat, es solle geschehen, falls Michelangelo nicht
das Grabmal machen wolle. So bin ich denn genöthigt, es
zu machen, wenn ich nicht übel fahren will, nachdem dies
angeordnet ist, wie Ihr seht. Und falls der Kardinal von
Medici jetzt von Neuem wünscht, wie Ihr mir sagt, dass ich
die Grabmäler von S. Lorenzo mache, so seht Ihr ein, dass ich
dies nicht kann, wenn er mich nicht von dieser römischen Angelegenheit befreit. Wenn er mich frei macht, so verspreche
ich ihm, ohne Entgelt, so lange ich lebe, für ihn zu arbeiten.
Nicht etwa, dass ich diese Befreiung erbitte, weil ich das
Juliusgrabmal nicht machen möchte, welches ich vielmehr gerne
mache, sondern um ihm zu dienen. Und falls er mich nicht
freimachen will und wünscht, dass ich mit eigener Hand
Einiges an den Grabmälern ausführe, so werde ich mich
bemühen, während der Arbeit am Juliusgrabmal Zeit zu gewinnen, etwas zu machen, was ihm gefällt." (Lett. S. 422.)

Das kindliche Vertrauen, welches Michelangelo damals
noch zu Giulio, welcher am 19. November 1523 Papst wurde,
hatte, sollte bald genug enttäuscht werden. Im Januar 1524
legt er Fattucci in dem früher schon mitgetheilten Briefe
die ganze Geschichte des Denkmales dar und weist nach,
dass, statt selbst zahlen zu müssen, man ihm vielmehr noch
Geld schulde. Aber bald ist es ihm nur noch darum zu
thun, sich von der schweren Bürde dieses einst mit leidenschaftlicher Freude und Begeisterung unternommenen Werkes
zu befreien.

In tiefer Resignation schreibt er, nachdem Fattucci lange
Verhandlungen mit den Erben gepflogen, wobei sein Haus
in Rom eine besondere Rolle spielt, am 19. April 1525 an
Giovanni Spina:

„Giovanni. — Betreffend das Grabmal des Papstes Julius
scheint mir besser keine Vollmacht zu schicken, denn ich will
nicht prozessiren. Man kann mir keinen Prozess machen,

wenn ich zugebe, Unrecht zu haben. Ich bilde mir ein prozessirt und verloren zu haben und gezwungen zu sein, Genugthuung zu leisten: und so habe ich mich entschlossen zu thun, falls ich es im Stande sein werde. Wenn der Papst (Clemens VII.) mir in dieser Angelegenheit helfen wollte, was mir die grösste Freude machen würde, in Berücksichtigung dessen, dass ich das Juliusgrabmal, sei es wegen Alters, sei es wegen üblen körperlichen Zustandes, nicht beendigen könne, so könnte er als Vermittler den Wunsch zeigen, dass ich Alles, was ich empfangen, jenes auszuführen, wiedererstatte, damit ich von dieser Last frei werde, und die Verwandten des Papstes Julius mit dieser wiedererstatteten Summe es von Wem immer sie wollen machen lassen. Und auf diese Art könnte Seine Heiligkeit, unser Herr, mir sehr nützen: auch darin, dass ich so wenig als möglich wiederzuerstatten habe, ohne doch von dem Rechte abzuweichen, indem er einige meiner Gründe annähme, wie jene betreffend die Papststatue in Bologna und die viele andere Zeit, die ich ohne irgend welches Entgelt verloren habe, wie Ser Giovan Francesco weiss, der sich über Alles unterrichtet hat. Und ich werde, sobald Das, was ich wiederzuerstatten habe, klargestellt ist, einen Entschluss über Alles, was ich besitze, fassen: ich werde verkaufen und es so einrichten, dass ich Wiedererstattung leiste, und werde dann an die Aufgaben für den Papst denken können und arbeiten: denn auf diese Art lebe ich nicht, geschweige denn dass ich arbeite. Und kein anderer Weg lässt sich einschlagen, der für mich sicherer oder lieber wäre und meine Seele mehr entlaste: und das lässt sich, ohne Prozess, in Liebe machen. Und ich bitte Gott, dass der Papst den Wunsch habe, die Sache so zu regeln, denn mir scheint, dass dadurch Niemand belästigt wird. Und so bitte ich Euch, schreibt an Messer Jacopo, und schreibt es so gut Ihr es nur könnt, damit die Sache vorwärts gehe und ich arbeiten könne." (Lett. S. 442.)

Bedenkt man, dass an dem Nichtzustandekommen des Werkes doch schliesslich das Eingreifen und die egoistische Hartnäckigkeit der Medici Schuld war, so erscheint diese an Clemens gerichtete Bitte als ein erschütterndes Zeugniss

des Verlangens nach Frieden und nach der Möglichkeit un-
gestörter Thätigkeit. Noch am 4. September 1525 hat sie
keine Erfüllung gefunden. Wieder erklärt er sich bereit,
lieber das Geld herauszuzahlen. Damals scheint zuerst der
Plan der Umwandlung des Grabdenkmales in ein flaches
Wandgrab in Rom, wo jetzt der Herzog Francesco Maria
von Urbino die Interessen Julius' II. vertreten lässt, aufgetaucht zu sein. „Das Grabmal an der Wand zu machen,
wie die von Pius (Pius II. und Pius III.) sagt mir zu und
wird kürzere Zeit in Anspruch nehmen, als irgend eine andere Art." (Lett. S. 447.)

Durch ein Jahr hindurch ziehen sich die weiteren Verhandlungen betreffend eine ihm zuzusichernde Provision von
8000 Dukaten. Anfang Oktober hat Michelangelo, ohne
Unterlass durch die Mediceergräber in Anspruch genommen,
die Zeichnung für das Wandgrab eingesandt. Am 1. November schreibt er an Fattucci:

„Ich weiss, dass Spina dieser Tage sehr warm über meine
Angelegenheiten betreffend das Juliusgrabmal nach Rom geschrieben hat. Hat er in Rücksicht auf die Zeiten, in denen
wir uns befinden (die gegen die Medici gerichteten florentiner Wirren), nicht recht gethan, so ist es meine Schuld, der ihn
zu ungelegener Zeit zu schreiben bat. Ich habe dieser Tage
von dort in der Angelegenheit eine Nachricht erhalten, welche
mich in grosse Furcht versetzt hat: und zwar ist dies die
ungünstige Stimmung der Verwandten des Julius gegen mich,
und nicht ohne Grund, und dass der Prozess fortgeht und
sie Schadenersatz und Interessen verlangen derart, dass nicht
Hundert meines Gleichen dem genug thun könnten. Dies
hat mich in grosse Qual versetzt und lässt mich darüber
nachdenken, wo ich mich befinden würde, falls der Papst
mich im Stiche liesse, denn in dieser Welt könnte ich nicht
bleiben. Und dies ist der Grund gewesen, wesswegen ich,
wie gesagt, habe schreiben lassen. Nun will ich nichts, als
was dem Papst Recht ist: ich weiss, dass er nicht meinen
Ruin und meine Schande will. ... Könnte ich hie und da
etwas für das Juliuswerk anfangen, so wäre es mir sehr lieb;
denn ich sehne mich mehr, aus dieser Verpflichtung heraus-

zukommen, als zu leben. Gleichwohl werde ich niemals dem Willen des Papstes mich entziehen, nur muss ich ihn wissen. Daher bitte ich Euch, nachdem Ihr meine Gesinnung erkannt, schreibt mir den Willen des Papstes, und ich werde mich nicht ihm entziehen: und ich bitte Euch, holt ihn von ihm ein und schreibt mir in seinem Auftrag, damit ich besser und mit mehr Liebe gehorchen, auch eines Tages, sollte es Noth sein, mich mit Euren Briefen rechtfertigen kann. — Anderes habe ich nicht zu schreiben. Verstehe ich nicht Euch zu schreiben, was Ihr zu verstehen wissen werdet, so wundert Euch nicht, denn ich habe den Kopf vollständig verloren." (Lett. S. 454.)

Die Antwort darauf ist, dass der Papst ungeduldig auf die Vollendung der Mediceergräber drängt. Die politischen Ereignisse lassen dann bis zum Jahre 1531 die Angelegenheit in den Hintergrund treten. Erst im Juni dieses Jahres kommt es wieder zu Verhandlungen. Damals bietet in einem Briefe (vom Ende Juni) an Sebastiano del Piombo Michelangelo sich von neuem an, zu zahlen. „Ich würde die Zeichnungen und Modelle und Alles, was sie wollten, auch die bearbeiteten Marmorblöcke hergeben. Legte man noch 2000 Dukaten zu, so glaube ich, liesse sich ein Grabmal machen, und es giebt junge Leute, welche es besser wie ich machen würden. Nähme man diesen letzten Vorschlag an, dass man ihnen das Geld gäbe, die Arbeit zu machen, so würde ich ihnen jetzt 1000 Golddukaten auszahlen, und auf irgend eine Weise dann die anderen Tausend; vorausgesetzt dass sie sich zu etwas entschliessen, was dem Papst gefällt: und wenn sie diesen letzten Modus ins Werk setzten, so werde ich Euch schreiben, auf welche Weise die anderen tausend Dukaten sich werden beibringen lassen, auf eine Art, die nicht missfallen wird." (Lett. S. 458.)

Im Laufe des Jahres nehmen die Verhandlungen mit dem Herzog einen immer lebhafteren Charakter an. Clemens versuchte eine Entscheidung herbeizuführen, sah sich aber genöthigt, als die Nachricht von der schweren Erkrankung des Meisters zu ihm gelangte, Diesem zu verbieten, an irgend etwas Anderem, als den Mediceergräbern zu arbeiten. „Michel-

angelo wird nicht lange mehr leben," so schrieb Antonio
Mini an Valori am 29. September, „wenn nicht Maassregeln
zu seinem Besten ergriffen werden. Er arbeitet sehr hart,
isst wenig und ärmlich und schläft noch weniger. In der
That, er ist von zwei Krankheiten heimgesucht: die eine in
seinem Kopf, die andere in seinem Herzen. Keine ist un-
heilbar, denn er hat eine robuste Konstitution; aber zum
Besten seines Kopfes sollte er von unserem Herrn, dem
Papst, abgehalten werden, während des Winters in der Sakristei zu arbeiten, deren Luft schlecht für ihn ist, und für
sein Herz würde es das beste Heilmittel sein, wenn Seine
Heiligkeit die Angelegenheit mit dem Herzog von Urbino
in Ordnung bringen würde."

Endlich am 29. April 1532 sollte es durch die Vermittlung des Papstes zum Abschluss eines neuen Kontraktes
kommen, dessentwegen er selbst auf einige Tage nach Rom
ging. Er verspricht, ein neues Modell zu machen, für dasselbe sechs bereits begonnene, aber nicht vollendete Statuen
und anderes für das Grabmal bereits Vorbereitetes zu
liefern, dieses im Laufe von drei Jahren fertig zu machen
und innerhalb derselben eine Summe von 2000 Dukaten, in
welche sein Haus beim Macello de' Corvi mit einberechnet
wird, zu zahlen. Alle weiteren Kosten, die entstehen sollten,
fallen ihm zur Last, aber er hat das Recht, die Arbeiten
nach seinen Zeichnungen von Anderen ausführen zu lassen.
Der Papst giebt ihm Erlaubniss, jedes Jahr auf zwei Monate
für diese Thätigkeit nach Rom zu kommen. Als Ort für
die Aufstellung wählte der Künstler die Kirche S. Pietro in
Vincoli.

Ein kurzes Schreiben aus dem Mai desselben Jahres verräth die von ihm gemachten Versuche, das zu zahlende
Geld aufzubringen:

„Mein theurer Andrea (Quaratesi). Ich schrieb Euch vor
ungefähr einem Monate, dass ich das Haus (in Florenz) hatte
besichtigen und abschätzen lassen, für wie viel man es in
diesen Zeiten hergeben könnte; auch schrieb ich Euch, dass
ich nicht glaubte, dass Ihr eine Gelegenheit zum Verkauf
fändet; denn da ich für mein Werk in Rom 2000 Dukaten

zu zahlen habe, die mit gewissen anderen Dingen 3000 machen, so habe ich, um nicht ganz der Mittel entblösst zu bleiben, Häuser und Besitzungen verkaufen und die Lira für 10 Soldi geben wollen: und ich habe keinen Käufer gefunden und ich finde ihn noch nicht. Daher, glaube ich, ist es besser abzuwarten, als wegzuwerfen." (Lett. S. 461.)

Von neuem ging der Meister an die Arbeit, von neuem aber sah er sich durch einen neben den Mediceergräbern von Clemens ihm 1534 ertheilten Auftrag, nämlich die Anfertigung des Kartons für das Jüngste Gericht, von der Aufgabe abgezogen. Nach Vasari half er sich damit, den Papst glauben zu machen, er sei mit dem Karton beschäftigt, heimlich aber an den Statuen für das Grabmal zu arbeiten. Der Tod Clemens' VII. am 25. September 1534 schien ihm endlich freie Hand zu lassen. Er siedelte nach 18 jährigem Aufenthalt in Florenz wieder nach Rom über.

„Damals," so schildert Vasari, „glaubte Michelangelo wirklich frei zu sein und für die Beendigung des Grabmales sorgen zu können: aber nachdem Paul III. gewählt war, verging nicht viel Zeit, bis Dieser ihn zu sich rufen liess und unter Gunstbezeugungen und Anerbietungen ihn ersuchte, ihm zu dienen, da er ihn bei sich haben wollte. Michelangelo weigerte sich und sagte, er könne dies nicht thun, da er durch Kontrakt dem Herzog von Urbino verpflichtet sei so lange, bis das Juliusgrabmal vollendet sei. Da gerieth der Papst in Zorn und sagte: ‚Seit dreissig Jahren habe ich diesen Wunsch, und jetzt, da ich Papst bin, soll ich ihn mir nicht befriedigen? Ich werde den Kontrakt zerreissen und bin gewillt, dass du mir unter allen Umständen dienst.' Michelangelo, angesichts dieses Entschlusses, fühlte sich versucht, von Rom fortzugehen und in irgend einer Weise Mittel und Wege zu finden, das Grabmal zu vollenden."

Näheres über diesen Gedanken giebt Condivi an: „Er war nahe daran, Rom zu verlassen und ins Genuesische in eine Abtei des Bischofs von Aleria, welcher ein Geschöpf des Papstes Julius und sein grosser Freund war, zu gehen und dort sein Werk zu beendigen, da dieser Ort für Carrara bequem gelegen war und er leicht auf Meereswegen den

Marmor transportiren konnte. Er hat auch daran gedacht, nach Urbino zu gehen, wo er schon früher sich niederzulassen gedacht hatte, weil es ein ruhiger Ort war und er im Angedenken Julius' II. dort gern gesehen zu sein hoffte: aus diesem Grunde hatte er schon einige Monate früher Einen seiner Leute dorthin gesandt, um ein Haus und eine Besitzung zu kaufen."

„Dennoch aber," fährt Vasari fort, „besonnen wie er war, die Grösse des Papstes fürchtend, gedachte er ihn mit Versprechungen, seinem Wunsche Genüge zu thun, hinzuziehen, bis etwas zu Stande käme. Der Papst, welcher dem Michelangelo irgend ein besonders ausgezeichnetes Werk in Auftrag geben wollte, ging eines Tages mit zehn Kardinälen, ihn in seinem Hause zu besuchen, wo er alle Statuen für das Juliusdenkmal sehen wollte. Sie schienen ihm Wunderwerke, und namentlich der Moses, von dem der Kardinal von Mantua sagte, die einzige Figur sei genügend, das Andenken des Papstes Julius zu ehren."

Die Folge war, dass Paul III. die Dienste des Künstlers ganz für sich in Anspruch nahm, ihm den Auftrag des Jüngsten Gerichtes ertheilte und die vom Herzog von Urbino Francesco Maria und von dessen Nachfolger Guidobaldo II. geltend gemachten Ansprüche beschwichtigte. Erst, als das grosse Fresko in der Sixtinischen Kapelle beendigt war, im Jahre 1542, drängte Guidobaldo wiederum zur Vollendung des Grabmales. In seiner Noth wandte sich Michelangelo in einem Bittschreiben an den Papst. Er legte dar, wie er im Einverständniss mit dem Herzog die Ausführung von drei Statuen: einer Madonna, einem Propheten und einer Sibylle dem Raffaello da Montelupo und die Architektur den Meistern Giovanni de Marchesi und Francesco da Urbino übertragen und selbst ausser dem Moses die zwei Figuren des aktiven und kontemplativen Lebens zu machen übernommen habe, welche so weit vorgeschritten seien, dass sie leicht von anderen Künstlern vollendet werden könnten.

„Und da besagter Michelangelo von neuem von Seiner Heiligkeit, unserem Herrn Papst Paul III., aufgefordert und gedrängt werde, in seiner Kapelle (Kapelle Pauls III.) zu malen

und dieselbe fertigzustellen, eine grosse Aufgabe, welche den
ganzen und von allen sonstigen Aufgaben befreiten Menschen verlange, besagter Messer Michelangelo aber alt sei
und das Verlangen trage, Seiner Heiligkeit mit allem seinem
Können zu dienen, da er weiter aber in dieser Noth- und
Zwangslage dies nicht thun könne, wenn er zuvor nicht ganz
von diesem Werke Julius' II. befreit sei, welches ihn in geistiger und körperlicher Verwirrung hält — so fleht er Seine
Heiligkeit an, sintemalen Dieselbe entschlossen ist, ihn für
sich arbeiten zu lassen, mit dem erlauchten Herrn Herzog
von Urbino abzumachen, dass er ganz von jenem Grabmal
befreit und jede Verpflichtung zwischen ihnen durch den im
Folgenden verzeichneten Pakt kassirt und annullirt werde."
(Lett. S. 486.)

Michelangelos dann näher ausgeführter Vorschlag gewinnt
in dem fünften und letzten Kontrakt vom 20. August 1542
gesetzliche Formulirung. Die von ihm hinterlegten 1400
Skudi sollen für die Raffaello da Montelupo übertragene
Vollendung der Statuen und der Architektur ausgegeben
werden. Michelangelo wird von allen Verpflichtungen persönlicher Arbeit befreit und erhält sein 1532 abgetretenes Haus
in Rom wieder. Selbst damit sollte aber die Angelegenheit
nicht aus der Welt geschafft sein. Der Gesandte des Herzogs scheint, bezüglich der Geldfrage bedenklich geworden,
den Versuch gemacht zu haben, grössere Summen, welche
Michelangelo noch schulde, nachzuweisen. Dies geht aus
jenem schon oft zitirten Schreiben des Letzteren an eine
nicht angegebene höhere geistliche Persönlichkeit hervor,
einem im Oktober 1542 abgesandten Briefe, welcher in
Kürze alle Leidenserfahrungen zusammenfasst. Die Stellen,
welche auf das Vorgehen jenes Gesandten Bezug haben, lauten:

„Monsignor. — Eure Herrlichkeit lässt mir sagen, ich
solle malen und mich keinen Zweifeln hingeben. Ich antworte, dass man mit dem Gehirn und nicht mit den Händen
malt; und wer seine Gedanken nicht bei sich hat, der schändet
sich: daher bringe ich, so lange meine Angelegenheit nicht
geordnet ist, nichts Gutes zu Stande. Die Rektifikation des
letzten Kontraktes kommt nicht; und auf Grund des anderen,

der in Gegenwart des Papstes Clemens gemacht wurde, werde ich jeden Tag gesteinigt, als hätte ich Christus gekreuzigt. Ich behaupte, dass jener Kontrakt, so wie ich ihn in einer Kopie erhielt, nicht vor Papst Clemens vorgelesen worden ist. Und dies kam daher, dass der einstige Gesandte Gianmaria von Modena, den mir Clemens an demselben Tage nach Florenz mit einem Notar sandte, ihn nach seiner Weise zu Papier bringen liess. Derart, dass ich, als ich (nach Rom) zurückkam und ihn wieder durchlas, 1000 Dukaten mehr, als vereinbart war, darin fand. Ich fand das Haus, in dem ich wohne, darin angegeben und verschiedene andere Haken, angethan, mich zu ruiniren. Clemens würde dies nicht zugegeben haben, und Fra Sebastiano kann Zeuge davon sein, dass er wünschte, ich solle es den Papst wissen und den Notar aufhängen lassen: ich aber wollte nicht, denn ich blieb nicht zu etwas verpflichtet, was ich nicht hätte thun können, hätte man mich gelassen. Ich schwöre, dass ich nichts davon weiss, die Gelder empfangen zu haben, von welchen der Kontrakt spricht und von denen Gianmaria behauptete, er hätte es herausgefunden, dass ich sie empfangen habe. Aber nehmen wir selbst an, ich hätte sie empfangen, sintemalen ich mich ja dazu bekannt habe und von dem Kontrakt mich nicht entfernen kann, und man sehe dann, was ich für Papst Julius in Bologna, Florenz und Rom, in Bronze, Marmor und Malerei geschaffen habe und alle die Zeit, die ich bei ihm zugebracht, nämlich die ganze Zeit, so lange er Papst war — und beurtheile dann, was ich verdiene. Ich behaupte mit gutem Gewissen, dass, nach Maassgabe der Provision, welche mir Papst Paul giebt, die Erben des Papstes Julius mir noch 5000 Skudi schulden. Und weiter sage ich dieses: wenn ich solchen Lohn für meine Mühen vom Papst Julius erhalten habe, so ist dies meine Schuld, weil ich es nicht verstanden habe dafür zu sorgen: denn hätte ich nicht Das, was mir Papst Paul gegeben hat, so würde ich Hungers sterben. Nach der Auffassung dieses Gesandten aber sieht es aus, als habe er (Julius) mich reich gemacht und als habe ich den Altar bestohlen: und sie machen ein grosses Geschrei: ich wüsste wohl den Weg, sie zum Schweigen zu bringen, aber

das liegt nicht in meiner Art. Gianmaria, Gesandter zur Zeit
des alten Herzogs, damals als in Gegenwart von Clemens
der erwähnte Vertrag gemacht wurde und ich von Florenz
zurückkehrte und für das Juliusgrabmal zu arbeiten anfing,
sagte mir, dass ich, wenn ich dem Herzog eine grosse
Freude machen wollte, doch mit Gott fortgehen solle, denn
an dem Grabmal lag ihm nichts, sondern es war ihm sehr
unangenehm, dass ich Papst Paul diente. Damals wurde es
mir klar, wesswegen er das Haus in den Kontrakt hineingesetzt hatte: nämlich um mich zu zwingen fortzugehen und
selbst kraft jenes hineinzuspringen: so wie es die Leute, die
Einen foppen, machen zum Schimpf ihrer Feinde und ihrer
Herren. Dieser Gesandte, der jetzt gekommen ist, unter-
suchte zuerst, was ich in Florenz hatte, ehe er sehen wollte,
wie weit es mit dem Grabmal gekommen sei. Nun muss
ich gewahren, wie ich, an dieses Grabmal gefesselt, meine
ganze Jugend verloren habe im Bestreben, mich, so viel nur
möglich war, vor Leo und Clemens zu vertheidigen, und
mein allzugrosser Glaube, der mich die Dinge nicht erkennen
lassen wollte, hat mich ruinirt. So will es mein Schicksal!
Ich sehe Viele mit 2000 und 3000 Skudi Einnahmen im
Bette liegen, und ich bin unter grössten Anstrengungen nur
darauf bedacht, mich arm zu machen."

„Ich schreibe diese Geschichte Eurer Herrlichkeit, weil
mir daran liegt, mich vor Euch zu rechtfertigen und damit
auch gleichsam vor dem Papste, dem man übel von mir
gesprochen hat, wie mir Messer Piergiovanni schreibt, welcher
sagt, er habe mich vertheidigen müssen; und auch damit
Eure Herrlichkeit, wenn sie die Gelegenheit findet, ein Wort
zu meiner Vertheidigung zu sagen, es thue, denn ich schreibe
die Wahrheit: vor den Menschen, ich sage nicht vor Gott,
halte ich mich für einen ehrlichen Menschen, denn ich habe
nie Jemanden betrogen, wenn ich auch, um mich vor Schurken zu vertheidigen, bisweilen gezwungen bin, ein Narr zu
werden, wie Ihr seht."
„Ich bitte Eure Herrlichkeit, wenn Sie Zeit hat, diese
Geschichte zu lesen und sie mir aufzubewahren, und wisst,

dass für einen grossen Theil der niedergeschriebenen Dinge noch Zeugen vorhanden sind. Auch wäre es mir lieb, wenn der Papst sie sähe, ja alle Welt sie sähe, denn ich schreibe die Wahrheit und noch viel weniger als Das, was ist, und ich bin kein Dieb und Wucherer, sondern florentinischer Bürger, edelgeboren und Sohn eines ehrlichen Mannes, und stamme nicht aus Cagli."

„Als ich dies geschrieben, wurde mir eine Botschaft von Seiten des Gesandten von Urbino, des Inhalts: wünschte ich, dass die Rektifikation käme, so solle ich mein Gewissen reinigen. Ich aber sage: er hat sich einen Michelangelo in seinem Herzen gebildet von dem Stoffe, aus dem sein eigenes besteht." (Lett. S. 489 ff.)

Die Antwort, welche Michelangelo, nachdem die Rektifikation erlangt war, auf die Insulten des Gesandten gab, war die That: er selbst, wozu er durch den Vertrag in keiner Weise gezwungen war, hat die Statuen des aktiven und kontemplativen Lebens mit eigner Hand vollendet (Lett. S. 496 und 505). Nachdem auch Raphael da Montelupo seine Aufgabe beendigt, konnte das Denkmal im Januar und Februar des Jahres 1545 in S. Pietro in Vincoli aufgestellt werden. Aber in einer Gestalt, die fast wie ein Hohn auf den ursprünglichen Plan wirkt: zusammengeschrumpft zu einer nothdürftigen Gruppirung von fünf neuen Statuen um die einzige aus der Zeit erster Konzeption erhaltene Gestalt des Moses, welche, als eine von vielen ähnlichen Figuren gedacht, nunmehr zum willkürlichen Mittelpunkt des ganzen Denkmales ward.

„So wollte es das Schicksal!" Was Michelangelos Schöpfergeist in Augenblicken höchster Begeisterung geplant und was zur Vollendung zu führen, sein hoher Muth ihn befähigt hätte, an der Willkür der Päpste und dem Zwange äusserer Verhältnisse ist es gescheitert. In vierzigjährigem Kampfe hat der Meister darauf verzichten lernen müssen, das Werk, das ihm vor allen anderen am Herzen lag und das sein grösstes geworden wäre, verwirklichen zu können.

4

DIE FASSADE VON S. LORENZO

Als Leo X. den Meister von seiner Arbeit am Juliusdenkmal abrief, im Jahre 1516, konnte es den Anschein haben, als werde Michelangelo in der Gestaltung der Fassade von S. Lorenzo eine künstlerisch nicht minder bedeutungsvolle Aufgabe gestellt, welche geeignet sei, ihm für das Genommene würdigen Ersatz zu geben. Der Grösse der Idee aber entsprach nicht der Charakter des Papstes: als nach wenigen Jahren die ganze Absicht fallen gelassen wurde, musste es dem Künstler so erscheinen, als habe Leo X. sie nur vorgegeben, aber gar nicht ernstlich gehegt. „Drei verlorene Jahre" — mit diesen Worten fasste Michelangelo die Geschichte des Werkes zusammen.

In wie weit er den Wünschen des Papstes selbst entgegengekommen war, unwiderstehlich angezogen von den Aussichten, welche das neue Unternehmen seinem künstlerischen Genius darbot, haben wir bereits oben gesehen, aber auch, dass der Berufung nach Rom im Dezember 1515 frühere Beschlüsse des Medici über den Bau der Fassade vorangegangen sein müssen. Schon im Juni 1515 vermuthete Michelangelo ja, dass Leo X. ihm Aufträge geben werde. Im Herbst des Jahres und im Anfang des folgenden war der Papst in Florenz, wo ihm der Wunsch, die Kirche seiner Ahnen zu vollenden, aufgetaucht ist. Dem oben (S. 208) mitgetheilten Briefe Bandinellis wäre zu entnehmen, dass Leo Raphael und Michelangelo nach dort zu sich berief und mit ihnen berieth. Ja nach diesen Zeilen könnte es scheinen, als habe schon damals Michelangelo die Weisung, grosse Modelle für die Statuen und Reliefs zu machen, erhalten. Diese Berathung in Florenz könnte im Anfang 1516

stattgefunden haben, da Michelangelos römischer Aufenthalt
im Herbst und im Dezember zur Zeit, als Leo in Florenz
war, genügend durch Briefe seines Bruders Buonarroto, der
ihm von den Festlichkeiten berichtet, bezeugt ist.

Im Laufe von 1516 wird der Gedanke bestimmtere Form
angenommen haben, und, wie es scheint, haben verschiedene
Künstler dem Papst Pläne eingereicht. Vasari sagt: „für die
Architektur konkurrirten viele Künstler vor dem Papst in
Rom, und wurden Zeichnungen gemacht von Baccio d'Agnolo,
Antonio da San Gallo, Andrea und Jacopo Sansovino und
vom liebenswürdigen Raphael von Urbino, welcher gelegent-
lich der Abwesenheit des Papstes zu diesem Zweck nach
Rom geführt wurde." Ist diese letztere Angabe richtig, so
hätte also schon Ende 1515 oder Anfang 1516 eine Art
Wettbewerb stattgefunden, wofür auch die von Giuliano da
San Gallo 1516 angefertigten sechs Zeichnungen in den
Uffizien, sowie der später (30. Juni 1517) von Jacopo
Sansovino an Michelangelo gerichtete, früher bereits mitgetheilte gehässige Brief sprechen, in welchem es heisst,
Leo habe ihm, Sansovino, die Skulpturen der Fassade in
Auftrag gegeben. Die eingereichten Entwürfe scheinen aber
der Idee Leos nicht entsprochen zu haben, und so begrüsste
er mit Freuden des Meisters durch Boninsegni im September gemachtes Anerbieten und beauftragte ihn und Baccio
d'Agnolo mit der Anfertigung eines Modelles.

„Und als ich (auf dem Heimwege nach Carrara) in Florenz
war, liess ich Baccio d'Agnolo die Zeichnung des Werkes,
welche ich in Rom gemacht hatte, damit er danach ein
Modell anfertige . . . Dann etwa einen Monat später kam
ich zwei Mal von Carrara nach Florenz, wie mir aufgetragen
war, um das Modell zu sehen, welches ich besagtem Baccio
zu machen überlassen hatte." (Ricordi S. 567.)

Schon der erste Besuch scheint ihm gezeigt zu haben,
dass Baccio nicht fähig sei, seinen Intentionen gerecht zu werden. In einem verstümmelten Briefe vom 13. März 1517 heisst
es: ..... dass ich hinkomme, und zu sehen, dass Baccio d'Agnolo
. . . denn ich habe hier eines auf meine Art gemacht (offenbar
ein Modell) . . . und habe ihn nicht mehr nöthig." (Lett.

S. 133.) Und dann in einem nach Rom an Domenico Boninsegni adressirten Schreiben vom 20. März aus Florenz spricht er vom zweiten Besuche:

„Ich bin nach Florenz gekommen, um das Modell zu sehen, welches Baccio fertig gemacht hat, und habe gefunden, dass es das Gleiche ist, nämlich ein Kinderspielzeug. Meint Ihr, dass es eingeschickt werden soll, so schreibt. Ich gehe morgen fort und kehre nach Carrara zurück, und habe mit La Grassa vereinbart, dort ein Modell aus Thon nach der Zeichnung zu machen und es zu übersenden. Und Grassa versicherte mir, er würde eines machen, das sich gut ausnehmen wird: ich weiss nicht, wie es damit gehen wird, glaube aber, schliesslich werde ich es doch selber machen müssen. Die ganze Sache that mir wegen des Kardinals und des Papstes Leid. Aber ich kann es nicht ändern." (Lett. S. 381.)

Im April folgt die Nachricht an denselben Boninsegni:

„Seitdem ich Euch zuletzt schrieb, liess ich von Einem, der hier bei mir ist, ein kleines Modell machen, um es Euch zu senden." (Lett. S. 382.)

Inzwischen hatte er mit einer Anzahl Steinmetzen in Carrara Verträge über das Brechen von Marmorblöcken und Herausarbeiten einiger Figuren aus dem Rohen abgeschlossen. In wichtige geschäftliche Verbindung tritt er mit einem Lionardo di Cagione, welcher die Leitung der mit grosser Energie betriebenen Thätigkeit erhält. Die ersten Erfahrungen waren aber auch hier wieder ärgerliche: hatte sich Baccio d'Agnolo unfähig erwiesen, das Modell anzufertigen, so brachte ihm die Nachlässigkeit einiger Gehülfen einen Verlust von 200 Dukaten und zwang ihn, Denselben einen Prozess zu machen (Kontrakt S. 656). Aber dies konnte die freudige Stimmung des Meisters, der nach der Trennung von Baccio Ende Juni die Fundamentirungsarbeiten selbst leitete, kaum beeinflussen. Neue grosse Hoffnungen beseelten ihn: er sah eine Aufgabe vor sich, welche den Schmerz über das im Stiche gelassene Juliusdenkmal verdrängte und seine Phantasie gefangen nahm. Ganz ihr hingegeben fühlte er in begeisterten Augenblicken die Kraft in sich, etwas Unerhörtes

18*

zu Stande zu bringen. In solcher Stimmung schreibt er aus Carrara (wohl im Juli) an Boninsegni einen Brief, aus dem das Arbeitsfeuer auflodert.

„Seitdem ich Euch zum letzten Male schrieb, habe ich mich nicht damit beschäftigen können, das Modell zu machen, wie ich Euch schrieb; das Warum wäre zu lang zu schreiben. Ich hatte zuerst ein kleines aus Thon, welches mir hier diente, entworfen und will es Euch, obgleich es wie ein gebackener Kuchen verkrümmt ist, auf jeden Fall schicken, damit Euch die ganze Sache nicht wie eine Schwindelei erscheint."

„Ich habe Euch aber noch mehr zu sagen: lest ein wenig mit Geduld, denn es ist von Wichtigkeit. Nämlich ich habe den Muth, diese Fassade von S. Lorenzo zu einem Werke zu machen, das ein Spiegel der Architektur und Skulptur für ganz Italien sei. Aber es ist nothwendig, dass sich der Papst und der Kardinal schnell entschliessen, ob sie wünschen, dass ich sie mache oder nicht. Und wollen sie, dass ich sie mache, so muss irgend ein Abschluss gemacht werden, sei es dass man sie mir im Akkord überträgt und mir volles Vertrauen in jeder Beziehung zeigt, oder in irgend einer andern Weise, wie sie es sich denken werden, wovon ich nichts weiss — warum werdet Ihr schon wissen."

„Wie ich Euch schrieb und seitdem ich Euch schrieb, habe ich viele Marmorblöcke verdungen und Geld hier und dort ausgegeben und an verschiedenen Orten zu brechen begonnen. Und an einigen Stellen, wo ich Geld ausgegeben habe, sind die Blöcke nicht nach meinem Sinn ausgefallen, denn das ist eine trügerische Sache, und namentlich bei so grossen Steinen, wie ich sie nöthig habe, und wenn man sie so schön haben will, wie ich es will. Und in einem Block, welchen ich schon habe schneiden lassen, sind gewisse Fehler auf der Rückseite zu Tage getreten, welche man nicht ahnen konnte, so dass zwei Säulen, welche ich daraus machen wollte, mir nicht gelingen, und ich die Hälfte der Kosten herausgeworfen habe. Und von derartigen Mängeln müssen bei so vielen Blöcken so viele sich herausstellen, dass die Kosten sich auf einige Hundert Dukaten belaufen. Und ich kann darüber nicht Rechnung führen und am Ende nicht

beweisen, dass ich mehr ausgegeben habe, als was die
Blöcke, die ich übergebe, ausmachen. Ich würde es gern
wie Maestro Pier Fantini machen (der als Arzt auch noch
die Salben und Heilmittel dreingab), aber ich habe nicht so
viel Salbe, als dass sie genügte. Auch weil ich alt bin,
möchte ich nicht, um dem Papste zwei- oder dreihundert
Dukaten zu ersparen, so viel Zeit verlieren; und da ich von
anderer Seite zu meiner Arbeit (am Juliusdenkmal) gedrängt
werde, muss ich auf jeden Fall einen Entschluss fassen."
    „Und der Entschluss ist folgender. Wüsste ich, dass
ich die Arbeit zu machen habe und den Preis, so würde
ich mich nicht darum kümmern, müsste ich auch 400 Dukaten wegwerfen, da ich nicht Rechenschaft abzulegen hätte
und mir drei oder vier von den besten Leuten hier aussuchen und ihnen alle Marmorblöcke verdingen würde. Und
die Qualität des Marmors müsste so sein, wie ich ihn bisher gebrochen habe, denn er ist wundervoll, obgleich ich
nur wenig davon habe. Und hierfür und für die Gelder,
die ich ihnen geben würde, würde ich gute Sicherheit in
Lucca haben, und die Blöcke, welche ich habe, würde ich
nach Florenz schaffen lassen und dorthin gehen, um sowohl
für den Papst, wie für mich selbst, zu arbeiten. So lange
ich aber nicht diesen Abschluss mit dem Papst gemacht
habe, geht das nicht; und, wenn ich auch wollte, könnte ich
nicht die Blöcke für meine Arbeit nach Florenz schaffen,
um sie dann nach Rom führen zu müssen, sondern ich würde
sogleich nach Rom und an die Arbeit gehen müssen, da
man mich drängt, wie ich schon sagte."
    „Die Kosten der Fassade, so wie ich dieselbe zu machen
und ins Werk zu setzen beabsichtige, unter der Voraus-
setzung, dass sich der Papst um nichts mehr zu kümmern
habe, können nach der Berechnung, welche ich gemacht
habe, nicht weniger als 35000 Golddukaten sein; und dafür
würde ich es übernehmen, sie in sechs Jahren zu machen:
wobei ich bemerke, dass ich innerhalb sechs Monaten wegen
der Blöcke wenigstens 1000 Dukaten wieder erhalte. Und
falls dies dem Papst nicht recht ist, so müssten entweder
die Ausgaben, welche ich für besagtes Werk zu machen

begonnen habe, auf meine Rechnung und Schaden gehen und ich würde die erhaltenen 1000 Dukaten dem Papst zurückgeben, oder er muss einen Anderen finden, welcher das Unternehmen fortführt, denn aus mehreren Gründen wünsche ich auf jeden Fall von hier fortzugehen."

„Sollte ich aber, das Werk einmal begonnen, einsehen, dass es sich für weniger als die genannte Summe machen liesse, so habe ich dem Papst und dem Kardinal gegenüber so viel Treue, dass ich sie viel eher, als wenn der Schaden mich selbst beträfe, davon unterrichten würde. Aber eher gedenke ich, die Fassade so zu machen, dass die Summe nicht genügt."

„Messer Domenico, ich bitte Euch: wollet mir entschlossene Antwort über die Gesinnung des Papstes und des Kardinals geben. Dies würde mir die allergrösste Freude machen, zu allen den anderen, die Ihr mir schon bereitet habt." (Lett. S. 383 ff.)

Auf diesen von stolzem Selbstbewusstsein, weiser Erwägung und grossartiger Redlichkeit eingegebenen Brief kamen wohlwollende, aber noch nicht bestimmte Nachrichten. Der Kardinal Giulio drückte durch Boninsegni seine hohe Genugthuung aus, dass Michelangelo das grosse Herz habe, die Fassade ausführen zu wollen. Der Papst aber wünschte das Modell zu sehen.

„Im August bat mich dann der Papst, das Modell zu machen, und ich ging von Carrara nach Florenz, es auszuführen: und machte es aus Holz in der richtigen Form mit Figuren aus Wachs und sandte es (im Dezember) nach Rom Sobald er es sah, liess er mich nach dort kommen, und so ging ich und nahm besagte Fassade in Akkord, wie aus dem Vertrag, den ich mit Seiner Heiligkeit gemacht, hervorgeht. Und da ich, um Seiner Heiligkeit zu dienen, die Blöcke, welche ich für das Juliusgrabmal nach Rom zu transportiren hatte, nach Florenz bringen, und nachdem ich sie dorthin gebracht und bearbeitet, sie nach Rom zurückschaffen musste, versprach er mir, mich von allen diesen Ausgaben, nämlich Zoll und Fracht zu befreien, was etwa 800 Dukaten ausmacht, obgleich es im Vertrag nicht gesagt ist." (Lett. S. 414.)

Der Kontrakt wurde am 19. Januar 1518 abgeschlossen und der Riesenplan festgestellt. Michelangelo verpflichtete sich, das Werk in acht Jahren zu Ende zu führen und erhielt Alles in Allem für dasselbe 40000 Golddukaten zugesichert, wovon ihm sofort für das Brechen des Marmors 4000 Dukaten ausgezahlt werden sollten. Achtzehn Statuen in kolossalen Verhältnissen und zahlreiche Reliefs sollten den durch Säulen und Pfeiler in mehreren Stockwerken gegliederten Bau schmücken, und der Künstler versprach, diese Skulpturen im Wesentlichen selbst auszuführen.

Am 6. Februar 1518 kehrte er von Rom nach Florenz zurück, empfing die erste Anzahlung und begab sich vierzehn Tage später nach Carrara. „Da man mir aber dort nicht die Kontrakte und den Pacht, welche schon früher für dieses Werk abgeschlossen waren, beobachtete und die Carraresen mich belagern wollten, so ging ich, Blöcke in Seravezza, einem Berge von Pietrasanta, brechen zu lassen." (Lett. S. 414.) Den gleichen Grund für das Verlassen der Steinbrüche von Carrara: nämlich den Vertragsbruch durch die Carraresen, giebt Michelangelo auch in seinen Ricordi (S. 566) an, während Condivi eine andere Version des Vorganges bringt. Jene Steinbrüche von Seravezza bei Pietrasanta waren im Jahre 1515 an Florenz verkauft worden, und die Medici wünschten sie auszunutzen.

„Es wurde an Papst Leo Nachricht gesandt," so erzählt Condivi, „dass Marmor, an Qualität und Schönheit demjenigen von Carrara ganz gleich, auf den Höhen über Pietrasanta gefunden werden könne. Michelangelo, der über die Angelegenheit befragt wurde, zog es vor, lieber in Carrara zu brechen, als die dem Staate von Florenz gehörigen Brüche zu benutzen. Dies that er, weil er mit dem Marchese Alberigo befreundet war und in gutem Einverständniss mit ihm lebte. Der Papst schrieb an Michelangelo, mit dem Befehl, nach Pietrasanta zu gehen und zu sehen, ob die von Florenz erhaltene Mittheilung richtig sei. Er that so und vergewisserte sich, dass die Blöcke sehr hart zu bearbeiten waren und für ihren Zweck schlecht passend. Selbst wenn sie von der richtigen Art gewesen wären, würde es schwierig und kostspielig sein, sie zur See zu schaffen. Eine mehrere Meilen lange Strasse müsste mit Spitzaxt und Brecheisen durch die Berge und längs der Ebene auf Pfeilern gebaut werden, da der Grund sumpfig sei. Michelangelo schrieb alles dies an den Papst, der jedoch vorzog, jenen Leuten zu glauben, die ihm aus Florenz geschrieben hatten. So befahl er ihm, die Strasse zu bauen."

Ein von Gotti publizirter Brief des Kardinals Giulio Medici vom 2. Februar 1518 zeigt, dass in der That der Meister den Wünschen des Papstes gegenüber sich widerstrebend verhielt:

„Wir haben Euer Schreiben erhalten und es unserm Herrn, dem Papste, gezeigt. Es hat Seiner Heiligkeit und uns nicht geringes Staunen erregt, dass Alles, was Ihr thut, zu Gunsten von Carrara ist. Was wir von Jacopo Salviati hörten, widerspricht Eurer Ansicht. Er ging, die Marmorbrüche in Pietrasanta zu prüfen, und benachrichtigte uns, dass dort enorme Massen von Steinen sind, ausgezeichnet in der Qualität und leicht zu transportiren. Da dies der Fall, ist einiger Verdacht in uns erweckt worden, dass Ihr, aus eigenen Interessen, zu partheiisch für die Brüche von Carrara seid und die von Pietrasanta heruntersetzen wollt. Das aber, wahrlich, würde Unrecht von Euch sein, in Anbetracht des Vertrauens, welches wir in Eure Ehrlichkeit gesetzt haben. Daher thun wir Euch zu wissen, dass, ohne auf irgend eine andere Erwägung einzugehen, Seine Heiligkeit es will, dass alle Arbeit, die an S. Peter oder S. Reparata oder an der Fassade von S. Lorenzo vorgenommen wird, mit Marmorblöcken aus Pietrasanta und keinen anderen ausgeführt werden soll, aus den oben angegebenen Gründen. Zudem hören wir auch, dass sie weniger als die von Carrara kosten werden; aber, selbst wenn sie mehr kosten sollten, ist Seine Heiligkeit fest entschlossen zu handeln, wie ich es gesagt habe, und den Geschäftsbetrieb von Pietrasanta für den öffentlichen Nutzen der Stadt zu fördern. Gebt also Acht, Alles, was wir unfehlbar befohlen haben, im Einzelnen auszuführen; denn wenn Ihr anders handelt, so wird dies gegen den ausgesprochenen Wunsch Seiner Heiligkeit und unsrerselbst sein,

und wir würden guten Grund haben, ernstlich erzürnt auf
Euch zu sein. Unser Agent Domenico Boninsegni wurde
gebeten, in gleichem Sinne zu schreiben. Antwortet ihm,
wie viel Geld Ihr gebraucht, und lasst und verbannt jede
Art von Hartnäckigkeit aus Eurem Geiste." (Daelli 12.)
Patriotische Absichten und künstlerische Rücksichten kamen
in Konflikt. Michelangelo hat sich gefügt und ist im März
1518 nach Pietrasanta gegangen, nicht ohne, wie schon oben
gesagt, in Konflikt mit den Carraresen gekommen zu sein.

Am 15. März wird der erste Kontrakt mit Steinmetzen
in Pietrasanta über das Brechen und Behauen von Blöcken
abgeschlossen, dem eine Reihe von anderen in den nächsten Monaten folgen.

„Ich benachrichtige Dich," schreibt er am 2. April von
Pietrasanta an Urbino, „dass ich bis nach Genua gegangen
bin, um Barken zu suchen, auf welche ich die Blöcke, die
ich in Carrara habe, verladen könnte, und ich brachte die
Barken nach Avenza, und die Carraresen haben mir die
Schiffspatrone bestochen und mich derart belagert, dass ich
nach Pisa gehen muss, um für andere zu sorgen:' und ich
gehe heute dahin." (Lett. S. 385.)

Die nächste Folge war, dass ihm nichts Anderes übrig
blieb, als Strassenbauer zu werden, denn wie immer hielt er
es für seine Pflicht, die ihm gewordene Aufgabe ganz auf
seine Schultern zu nehmen. Die Enttäuschungen hatten
begonnen, seine unbeugsame Willenskraft gehörte dazu, die
Schwierigkeiten, die sich seiner Thätigkeit in Pietrasanta
entgegensetzten, zu überwinden. Zunächst hiess es mit
den Konsuln der Arte della lana, welche die Strasse auf
ihre Kosten bauen lassen wollten, sich zu verständigen. Er
erbittet sich am 2. April den Vertrag: wollen sie denselben
nicht machen, „so gieb mir Nachricht, dass ich mich von
hier zurückziehe, denn ich habe mich in eine Sache eingelassen zum Armwerden, und dazu gelingt es mir nicht, wie
ich dachte: nichtsdestoweniger, wird mir das Versprochene
gehalten, so will ich das Unternehmen unter grössten Kosten
und Ärger und ohne jede Gewissheit bisher, weiter betreiben." (Lett. S. 134.) Donati Benti soll unter seiner Leitung

den Bau ausführen. Und am 18. April: „wenn der Vertrag nicht, wie ich es verlangt habe, gemacht wird, . . . so werde ich sogleich zu Pferde steigen und den Kardinal von Medici und den Papst aufsuchen und werde ihnen meine Meinung sagen und das ganze Unternehmen hier im Stiche lassen und nach Carrara zurückkehren; denn man bittet mich dort darum, wie man Christus bittet. — — Ich habe es unternommen, Todte zu erwecken, indem ich diese Berge zähmen will, und in diese Gegend Kunst zu bringen; denn wenn die Arte della lana mir, ausser dem Marmor, 100 Dukaten im Monat gäbe, Das zu leisten, was ich leiste, so würde sie nicht schlecht handeln — geschweige denn mir den Vertrag zu machen. Daher empfiehlt mich Jacopo Salviati und schreibt durch meinen Gesellen, wie die Sache geht, damit ich einen Entschluss fasse, denn ich verzehre mich ganz in diesem Zustande der Ungewissheit."

„Die Barken, welche ich in Pisa miethete, sind niemals angekommen. Ich glaube, man hat mich gefoppt: und so geht es mir mit Allem! O tausendmal verflucht der Tag und die Stunde, in der ich Carrara verliess! Dies ist der Grund meines Ruins; aber ich werde bald dorthin zurückkehren. Heute ist es Sünde, Gutes zu thun. Empfehle mich an Giovanni da Ricasoli." (Lett. S. 137.)

In Verzweiflung, aber mit nicht zu erschütternder Kraft arbeitete der zum Frohndienst gezwungene Genius. Die Arbeiter in Pietrasanta verstanden ihre Sache nicht, die von Florenz berufenen ebensowenig. Für Alles fühlt er sich verantwortlich. Man hat den Eindruck, als wäre es nicht mehr ein Mensch, sondern ein Riese, der mit Felsen und Elementen in schauerlicher Einsamkeit kämpft.

Im Mai taucht er wieder in Florenz auf und berichtet damals an Boninsegni über nothwendige Erweiterung eines Theiles der Strasse, und am 15. Juli trägt er dem Kardinal Giulio eine Bitte vor, deren Erfüllung übrigens schon im Kontrakt selbst vorgesehen war, dass er nämlich ein Haus oder Arbeitsräume in der Nähe von S. Lorenzo erhalte.

„Hochehrwürdigster Monsignor. — Da ich hoffe in diesem Jahr eine gewisse Quantität von Marmor für das Werk von

S. Lorenzo in Florenz zu haben, und weder in S. Lorenzo, noch in der Nähe ausserhalb geeignete Räume finde, um die Blöcke zu bearbeiten, habe ich mich entschlossen, um ein Haus zu machen, ein Stück Land von Santa Caterina vom Kapitel des Domes zu kaufen: dieses Terrain kostet mir ungefähr 300 grosse Golddukaten: und ich bin zwei Monate lang hinter dem Kapitel hergewesen, um das Terrain zu erhalten. Sie haben mich sechzig Dukaten mehr zahlen lassen, als es werth ist, indem sie bezeigen, dass es ihnen leid thut, aber sie behaupten nicht Das überschreiten zu dürfen, was die vom Papst erhaltene Bulle bezüglich des Verkaufes sagt. Nun, wenn der Papst Bullen mit der Erlaubniss zu stehlen giebt, so bitte ich Euere Hochwürdigste Herrlichkeit, dass er doch auch eine für mich ausstellen lasse, denn mir thut das Noth; und wenn dies nicht gebräuchlich ist, zu thun, so bitte ich mir in dieser Weise Gerechtigkeit zu verschaffen, nämlich: das Terrain, das ich genommen habe, ist nicht genug für meinen Bedarf: das Kapitel hat dahinter noch ein Stück Land; daher bitte ich Euere Herrlichkeit, mir noch ein Stück geben zu lassen, wovon ich mir für Das, was ich zu theuer bezahlt habe, einen Ersatz schaffen könnte; und wenn sie noch etwas zu fordern haben, so will ich nichts von ihnen. Was das Werk anbetrifft, so sind die Anfänge schwer . . ." (Lett. S. 393.) Hier bricht der Entwurf des Briefes ab.

Im August ist der Künstler wieder in Seravezza, und neue Zuversicht und Freudigkeit athmet aus einem im September an Berto da Filicaja gesandten Schreiben, so trübselige Erfahrungen er auch jetzt wieder mit den Steinmetzen machte. Nachdem er berichtet hat, dass die Strasse so gut wie vollendet ist, und dass er einige Säulen aus den Steinbrüchen gehoben habe, sagt er: „der Steinbruch hier ist sehr steil, und die Leute sind ganz unwissend in diesem Handwerk: da heisst es denn, einige Monate Geduld haben, bis die Berge gebändigt und die Menschen belehrt sind; dann werden wir rascher vorgehen: es genügt, dass ich Das, was ich versprochen habe, unter allen Umständen ausführen und das schönste Werk machen werde, das jemals in Italien gemacht worden ist, wenn Gott mir beisteht." (Lett. S. 394.) Und

derselbe frohe Muth äussert sich in dem an Giulio Medici
gerichteten Brief, den er während seines Aufenthaltes im
Herbst schreibt: „Für das Werk von S. Lorenzo bricht man
energisch Steine in Pietrasanta, und da ich die Carraresen
demüthiger als gewöhnlich fand, habe ich auch dort angeordnet, dass die grosse Menge von Blöcken dort frei gefördert wird, so dass ich einen guten Theil von ihnen beim
ersten Wasser in Florenz zu haben hoffe, und ich glaube,
an nichts von Dem, was ich versprochen habe, es fehlen
zu lassen. Gott gebe mir Gnade dazu, denn ich achte nichts
Anderes auf der Welt, als Euch zu gefallen. Im Laufe
eines Monates etwa werde ich 1000 Dukaten gebrauchen:
ich bitte Euere Hochwürdigste Herrlichkeit, es mir nicht
an Geld fehlen zu lassen.“ Dann fügt er hinzu, dass er
einen passenden Ort für sein Studio auf dem Platze vor
Ognissanti gefunden habe, und bittet den Kardinal, seinen
Einfluss bei den Mönchen geltend zu machen. (Lett. S. 397.)

Die folgenden Briefe zeigen ein starkes Schwanken der
Stimmungen. Endlich steht ja die Sendung der ersten Blöcke
bevor und damit der ersehnte Beginn der künstlerischen
Thätigkeit nach zweijähriger Handwerker- und Ingenieur-
arbeit. Beim Durchlesen dieser Schreiben erlebt man Ungeduld, Hoffnung und Enttäuschung in jähem Wechsel.

„Ich sterbe vor Ungeduld, da mein böses Geschick mir
nicht erlaubt, Das zu thun, was ich wünschte. Heute Abend
vor acht Tagen kehrten Pietro, der für mich arbeitet, und
Donato, der in meinen Diensten steht, von Porto Venere
nach Carrara zurück, um den Marmor zu verladen, und
liessen in Pisa eine beladene Barke, und noch ist dieselbe
nicht erschienen, denn es hat nicht geregnet und der Arno
ist ausgetrocknet, und vier andere Schiffe sind für diese
Blöcke in Pisa gemiethet und werden, sobald es regnet, alle
geladen, und dann werde ich stark zu arbeiten anfangen.
Aus diesem Grunde bin ich unzufrieden wie kein Zweiter auf
der Welt. Auch werde ich von Messer Metello Varj gedrängt,
eine Figur (den Christus der Minerva) zu machen, die auch
noch dort in Pisa ist und mit diesen ersten Barken eintreffen
wird. Ich habe ihm nicht geantwortet und will auch an

Euch nicht mehr schreiben, ehe ich nicht zu arbeiten begonnen habe; denn ich sterbe vor Schmerz und komme mir
wie ein Betrüger gegen meinen eigenen Willen vor."

„Ich habe hier einen schönen Raum zur Verfügung, wo
ich zwanzig Statuen auf einmal aufstellen kann: aber ich
kann ihn nicht bedecken, denn es giebt kein Holz hier in
Florenz und, so lange es nicht regnet, kann auch keines herge-
bracht werden: ich glaube, es wird überhaupt nie mehr regnen,
ausser wenn es mir Schaden bringen könnte." (Lett. S. 398.)

Am nächsten Tag, dem 22. Dezember, wendet er sich
an Francesco Peri in Pisa, welcher die Geldangelegenheiten
dort für ihn besorgt:

„Ich konnte nicht, um die Abrechnung zu machen, nach
dort kommen, wie Ihr mir mehrere Male geschrieben habt,
weil ich mich nicht wohl gefühlt habe; jetzt bin ich gesund
und munter und sobald ich eine Nachricht von Wichtigkeit,
die ich aus Rom erwarte, habe, steige ich gleich zu Pferde
und komme mit Euch abzurechnen oder was Ihr wollt. Ich
bitte Euch, da Ihr so viel Geduld gehabt habt, so habt sie
noch diese wenigen Tage, und wundert Euch nicht über mich,
denn ich habe es nicht anders machen können. Was für
Dienste Ihr mir geleistet und welche Plagen Ihr gehabt habt,
das weiss ich und kenne ich und bleibe Euch ewig verbunden dafür, und biete mich selbst mit Allem, was ich habe
und kann, Euch an, so ein geringes Ding das auch ist. Und
wie gesagt, in wenigen Tagen werde ich dort sein und wir
werden Alles mit Hülfe Eures Rathes ordnen, derart, dass
Euch keine weitere Mühe erwächst." (Lett. S. 399.)

An Boninsegni schreibt er: „Aus Eurem letzten Briefe
lese ich, dass ich gut daran thun würde, die Blöcke von
S. Lorenzo zu verdingen. Aber ich habe sie ja schon dreimal verdingt und bin alle drei Mal gefoppt worden: und
zwar, weil die Steinmetzen sich hier nicht auf den Marmor
verstehen, und sobald sie sehen, dass es ihnen nicht gelingt,
mit Gott von dannen gehen." (Lett. S. 402.)

Wie es scheint, ist also, auch nachdem die ersten Stein-
sendungen angelangt waren, die Arbeit nicht recht von
Statten gegangen. Immer wieder muss der Künstler die

Thätigkeit in den Steinbrüchen selbst überwachen. Während des Jahres 1519 finden wir ihn, ohne eingehende Nachrichten über ihn zu erhalten, abwechselnd in Seravezza, wo er mit den hier angefertigten Säulen Unglück hat, und in Florenz, wo er sein Haus in der Via Mozza baut, einmal auch für kurze Zeit im Juli in Rom. Noch aber ist von einer Störung der Beziehungen zwischen ihm und den Medici nicht die Rede. Der Konflikt trat erst im Frühjahr 1520 ein. Wir sind nicht näher über ihn unterrichtet. Michelangelo sagt darüber:

„Am 26. März 1520 liess mir der Kardinal von Medici für besagtes Werk im Auftrag des Papstes Leo durch die Gaddi in Florenz 500 Dukaten auszahlen: und ich quittirte darüber. Dann zu gleicher Zeit bestimmte im Auftrag des Papstes der Kardinal, dass ich mit dem Werke nicht mehr fortführe, denn, sagten sie, sie wollten mir diese Plage, den Marmor zu beschaffen, nehmen und wollten mir Blöcke in Florenz geben und eine neue Übereinkunft abschliessen." (Lett. S. 415.)

Zweierlei, scheint es, bestimmte Leo, den vermuthlich längst gefassten Entschluss, den Bau der Fassade aufzugeben, zur Reife zu bringen. Einmal die Verleumdungen und Hetzereien, welche namentlich von dem Michelangelo feindlich gesinnten Marchese von Carrara ausgingen, und andrerseits die Heftigkeit, mit welcher der Künstler Eingriffe in seine Rechte zurückwies. Justi meint, man sei in Rom ungeduldig geworden, weil der Meister ganz unnöthiger Weise seine kostbare Zeit mit dem Strassenbau und den Arbeiten in Pietrasanta vergeudet habe, wirft also die Schuld auf Diesen selbst. Vasari und Condivi sagen Beide, dass der „Marchese Alberigo ein grosser Feind Michelangelos wurde, ohne Dessen Schuld", da der Künstler ja nur gezwungen die Steinbrüche von Carrara verlassen und diejenigen von Pietrasanta erschlossen hatte. Auf die Intriguen Alberigos, welcher nach einem von Gotti mitgetheilten Briefe des Lionardo di Compagno Michelangelo des Geizes, der Zanksucht und exzentrischen Wesens beschuldigte, deutet jener Brief an Boninsegni in Rom vom Ende Dezember 1519 hin:

„Ich sehe aus Eurem Schreiben, dass Bernardo Nicolini
Euch geschrieben hat, dass ich mich mit ihm ein wenig über
ein Schreiben von Euch erzürnte, welches sagt, dass der
Herr von Carrara mich heftig beschuldigt und dass der Kardinal sich über mich beklagt: wesswegen ich mich aber darüber erzürnte, ist dies, weil Nicolini es mir öffentlich in
einem Kramladen nach Art eines Prozesses vorlas, damit
man daraus erführe, dass mir der Tod verhängt sei. Und
desswegen sagte ich zu ihm: ‚Warum schreibt er das nicht
mir?‘ Nun sehe ich, dass Ihr mir schreibt: schreibt daher
nur ihm oder mir, wie es Euch gelegen ist, und ist der Ur-
theilsspruch gefällt, so bitte ich Euch, offenbart nicht das
Warum, zu Ehren des Vaterlandes." (Lett. S. 402.)

Der Sinn dieser Zeilen ist etwas dunkel; nimmt man
an, dass der Brief Ende 1519, wie Frey will, entstanden
ist, so dürfte mit ihm ein Hinweis auf die bevorstehende
Entscheidung gegeben sein.

Seinerseits hatte, und, wie es scheint, mit weit grösserem
Rechte als der Marchese von Carrara und der Papst, Michelangelo sich zu beklagen. In dem mehrfach erwähnten, zusammenfassenden Schreiben, heisst es weiter:

„Zu jener Zeit (März 1520) hatten die Werkmeister von
S. Maria del Fiore eine gewisse Anzahl von Steinmetzen
nach Pietrasanta oder vielmehr Seravezza geschickt, um den
Steinbruch zu besetzen und mir die Marmorblöcke, welche
ich für die Fassade von S. Lorenzo hatte brechen lassen,
zu nehmen, um damit den Fussboden von S. Maria del Fiore
zu machen. Da nun aber der Papst die Fassade von S. Lorenzo weiter ausführen wollte, andrerseits aber der Kardinal
Medici die für die Fassade bestimmten Blöcke Anderen als
mir in Arbeit geben wollte, und eben Diesen, welche solche
Fracht übernahmen, meinen Steinbruch in Seravezza übergab,
ohne mit mir darüber abzurechnen, so habe ich grossen
Schmerz darüber empfunden, denn weder der Kardinal noch
die Werkmeister durften sich in meine Angelegenheiten ein-
drängen, ehe ich mich nicht von dem Vertrag mit dem Papst
losgemacht; und wenn ich die Fassade von S. Lorenzo im
Einverständniss mit dem Papst aufgegeben und den Nach-

weis über die Ausgaben und die empfangenen Gelder geliefert hätte, so wären besagter Steinbruch und die Blöcke
und die Geräthe nothwendig entweder Seiner Heiligkeit oder
mir zugefallen; und der Eine oder der Andere konnte später
damit thun, was er wollte."

„Nun auf diese Sache hin hat mir der Kardinal gesagt,
ich solle den Nachweis über die empfangenen Gelder und
die Ausgaben bringen, und er wolle mich befreien, um dann
für die Domopera und für sich in der Steingrube von Seravezza so viel Blöcke zu nehmen, wie er will."

„Daher habe ich nachgewiesen, 2300 Dukaten in der Art
und zu der Zeit, wie in diesem Schreiben angegeben ist,
erhalten zu haben, und habe auch nachgewiesen, 1800 Dukaten ausgegeben zu haben: und von diesen sind ungefähr
250, theilweise für Fracht auf dem Arno, für die Blöcke des
Juliusgrabmales, welche ich hierher habe schaffen lassen, um
Papst Julius in Rom zu dienen, ausgegeben worden; und die
Kosten dafür werden noch 500 Dukaten mehr machen. Auch
setze ich ihm nicht das Holzmodell der Fassade, welches ich
nach Rom sandte, auf Rechnung; auch setze ich ihm nicht
die Zeit von drei Jahren, welche ich hiermit verloren habe,
auf Rechnung; auch nicht, dass ich durch dieses Werk
von S. Lorenzo ruinirt bin; ich setze ihm nicht auf Rechnung den sehr grossen Schimpf, mich hierher gebracht
zu haben, um besagtes Werk zu machen, und dann es mir
wieder zu nehmen: und ich weiss ja gar nicht einmal
warum?! Ich setze ihm nicht auf Rechnung mein Haus
in Rom, das ich verliess, und was mir dort zu Grunde gegangen ist von Marmor, Geräthen und Arbeiten, was mehr
als 500 Dukaten beträgt. Indem ich alle diese Dinge nicht
in Anrechnung bringe, bleiben mir doch von den 2300 Dukaten nicht mehr als 500 Dukaten in meinen Händen."

„Jetzt heisst es sich so vereinbaren: Papst Leo übernimmt den Steinbruch mit den gebrochenen Blöcken, und
mir bleiben die Gelder, die ich in der Hand habe, und man
giebt mir meine Freiheit wieder." (Lett. S. 415 f.)

Solches Ende hatte die Geschichte der Arbeit für die
Fassade von S. Lorenzo.

Es ist von Justi versucht worden, die Medici von dem Vorwurfe, wankelmüthig und rücksichtslos gehandelt zu haben, zu befreien. Michelangelos Wesen trage alle Schuld. Er habe „eine Sünde gegen den heiligen Geist" begangen, als er, statt sich mit den künstlerischen Arbeiten, d. h. der Ausführung der Modelle zu beschäftigen, seine Zeit in den Steinbrüchen vergeudet habe. Diese Anklage fällt in sich zusammen. Statt von Sünde hat man auch hier vielmehr von Tragik zu sprechen. Wenn der unwiderstehliche Trieb, alle Arbeit selbst zu bewältigen, deren rascher Förderung auch sicher hinderlich gewesen, so wurzelte dieser Trieb ja in dem edlen Zwange gewissenhafter Pflichterfüllung. Das Verhängniss wollte es, dass die Ausführung der Fassade von der Erschliessung der neuen Steinbrüche abhängig gemacht wurde. Wie konnte der Meister sich der Aufgabe, diese Erschliessung selbst vorzunehmen, entziehen? Er allein, so schreibt er, hatte entdeckt, wo die besten Adern zu finden seien. In Carrara hatte er mit gegebenen Verhältnissen zu thun, in Pietrasanta waren sie neu zu gestalten. Dass hierüber und über der Schulung von Steinmetzen längere Zeit vergehen musste, dass zahllose Schwierigkeiten und Ärgernisse sich dem leidenschaftlichen Schaffensdrange in den Weg stellten, dass er unter dem Drucke der übernommenen Aufgabe, deren Bedeutung er erkannte, nicht die Sammlung zu künstlerischer Thätigkeit finden konnte, — das Alles leuchtet ganz von selbst ein. Wie schwer hatte er sich entschlossen, von Carrara fortzugehen — Giulio Medici wagte es, ihm unredliche Motive für sein Verbleiben vorzuwerfen —, welche Widerwärtigkeiten bereiteten ihm die Carraresen! Wenn der Gedanke Leos X., die Steinbrüche von Seravezza für Florenz auszunützen, in patriotischem Sinne wohl berechtigt war, so hatte er aber auch die aus ihm sich ergebenden natürlichen Folgen einer Verschleppung der Arbeit an S. Lorenzo zu tragen und seine Ungeduld zu zügeln. Diejenige Michelangelos war gewiss grösser: „er stirbt vor Schmerz, da er sich wider seinen eigenen Willen wie ein Betrüger vorkommt."

Nicht in Michelangelos Verhalten, sondern in einer Veränderung der Pläne der Medici, zu der Verleumdungen über den Meister und die Intriguen des Marchese von Carrara beigetragen haben mögen, ist der Grund für das Aufgeben des Fassadenplanes zu suchen. Der Künstler wurde durch diese Entscheidung vollständig überrascht: „und ich weiss ja gar nicht einmal warum?" ruft er aus. Kann es da verwunderlich erscheinen, dass er auf den Gedanken kam, es sei dem Papste überhaupt gar nicht Ernst mit dem Bau der Fassade gewesen?

5

DIE MEDICEERGRÄBER, DIE LIBRERIA VON S. LORENZO UND DIE KRIEGSTHÄTIGKEIT

Die Rolle, welche der Kardinal Giulio Medici bei dem Allen gespielt, ist keine ganz klare. Vielleicht hat er zur Vereitelung des grossen Unternehmens aus einem ganz bestimmten Grunde mit beigetragen, aus dem Wunsche nämlich, seinerseits dem Meister eine bedeutende Arbeit anzuvertrauen: den Bau der Medicisakristei in S. Lorenzo und die Errichtung der Mediceergrabdenkmäler in dieser. Hierfür spricht jene Stelle in dem mitgetheilten Schreiben an Sebastiano, welche sagt: Giulio beabsichtige, Blöcke, die für die Fassade bestimmt waren, „für sich" zu nehmen. Dem abgequälten und ermüdeten Künstler wurde es zugemuthet, mit Enthusiasmus nach solchen Erfahrungen auf einen neuen Plan einzugehen. Noch im Sommer 1520 scheint Giulio ihm diesen dargelegt zu haben, am 28. November schreibt er an Michelangelo und theilt ihm mit, dass die eingesandte Zeichnung für die Sakristei seinen Beifall habe, bezweifelt aber die Möglichkeit, die Grabmäler alle in ihr unterbringen zu können. Deren Zahl war auf vier festgestellt für Lorenzo Magnifico, Giuliano den Ä., Giuliano, Herzog von Nemours († 1516), Sohn Lorenzo Magnificos, und Lorenzo, Herzog von Urbino († 1519), Enkel Lorenzo Magnificos. Begonnen wurde die Arbeit vor dem 25. März 1521.

„Am 9. April 1521," so giebt ein Ricordo an, „hatte ich ein Schreiben vom Kardinal Medici und im Auftrag von ihm von Domenico Boninsegni 200 Dukaten, um nach Carrara zu gehen und das Brechen der Marmorblöcke für die Grabmäler, welche für die neue Sakristei von S. Lorenzo be-

19*

stimmt sind, zu verdingen. Ich ging nach Carrara und blieb
dort 20 Tage und nahm alle die Maasse besagter Grabmäler in Thon und zeichnete sie auf Papier". (Ricordi
S. 582.) Am 22. und 23. April 1521 wurden mit Steinmetzen in Carrara Verträge abgeschlossen, denen, nach einem
erneuten kürzeren Aufenthalt Ende Juli, im November 1522
und im November 1523 noch zwei andere folgten.
Dies könnte auf eine ununterbrochene Beschäftigung mit
dem Werke während der Jahre 1522 und 1523 schliessen
lassen, in der That aber scheint sie einerseits durch die erneute Arbeit am Juliusdenkmal und andrerseits durch das
ganz unbestimmte und launische Verhalten des Kardinals unmöglich gemacht worden zu sein. Über letzteres schreibt
Michelangelo, auf alle die Enttäuschungen, welche ihm schon
beim Beginn der Arbeit zu Theil wurden, hinweisend, an
Fattucci (1523):
    „Es sind jetzt ungefähr zwei Jahre, dass ich von Carrara
zurückkehrte, wo ich das Brechen der Blöcke für die Grabmäler des Kardinals verdungen hatte, und zu ihm ging, um
mit ihm zu sprechen. Da sagte er mir, ich sollte irgend
einen guten Entschluss fassen, schnell diese Grabmäler zu
machen: ich sandte ihm schriftlich alle Möglichkeiten, sie zu
machen, wie Ihr wisst, da Ihr es ja gelesen habt, nämlich dass
ich sie in Akkord nehmen wolle und bereit wäre zu monat-
licher oder täglicher Berechnung oder auch umsonst, wie es
Seiner Herrlichkeit gefiele, da ich sie zu machen Verlangen
trüge. Meine Anerbietungen wurden aber in keiner Weise
angenommen. Ja man sagte, dass ich nicht die Absicht habe,
dem Kardinal zu dienen. Dann wandte ich mich aufs neue
an den Kardinal und erbot mich, die Modelle aus Holz genau
in der Grösse der Grabmäler und alle Figuren daran von
Thon und Wolle in der beabsichtigten Grösse und Vollendung zu machen; und legte dar, dass dies ein kurzes Verfahren sein werde und von geringen Kosten: das war damals, als wir den Garten der Caccini kaufen wollten. Es
wurde nichts daraus, wie Ihr wisst. Als dann der Kardinal
in die Lombardei ging, ging ich sogleich (am 29. September),
wie ich davon hörte, ihn aufzusuchen, da ich Verlangen trug,

ihm zu dienen. Er sagte mir, ich solle das Brechen der
Blöcke betreiben und Leute finden, und Alles, was ich vermöchte, thun, dass er etwas fertig fände, ohne ihn weiter zu
fragen; und wenn er das Leben behielte, so wolle er auch
noch die Fassade machen, und er überlasse dem Domenico
Boninsegni die Kommission für alle die Gelder, welche nöthig
wären. Als der Kardinal abgereist war, schrieb ich alle diese
Dinge, die er mir gesagt hatte, an Domenico Boninsegni und
sagte ihm, dass ich bereit sei, Alles, was der Kardinal verlangte, zu thun. Und von diesem Briefe bewahrte ich mir
eine Kopie und schrieb im Beisein von Zeugen, damit Jeder
wisse, dass er nicht bei mir blieb. Domenico suchte mich
sogleich auf und sagte mir, dass er keinen Auftrag habe, und
dass er, wenn ich etwas wolle, es dem Kardinal schreiben
würde. Ich sagte ihm, ich wünsche nichts. — Endlich bei
der Rückkehr des Kardinals (Dezember 1521) sagte mir
Figiovanni, er habe nach mir gefragt. Ich ging sogleich zu
ihm, da ich annahm, er werde nun von den Grabmälern
sprechen; er sagte zu mir: ‚Wir wünschten auch, dass zu
diesen Grabmälern etwas Gutes sich finde, nämlich etwas
von deiner Hand.‘ Sagte mir aber nicht, dass er wollte,
ich solle sie machen. Da ging ich fort und sagte, ich werde
wiederkommen und mit ihm sprechen, sobald die Marmorblöcke da wären." (Lett. S. 421.)

Der Kardinal Giulio mochte sich während der Regierungszeit des Papstes Hadrian VI. in seinen Unternehmungen gelähmt sehen: sein sonderbares, in dem Briefe geschildertes
Verhalten erklärt sich wohl nur, nimmt man an, dass er sich
in jener Zeit zu nichts verpflichten wollte und daher beständig in allgemeinen Phrasen Ausflüchte suchte, sobald die
Rede auf die Kapelle kam. Eine Nachricht aus dem Frühjahr 1523 besagt, dass der Kardinal wünsche, Michelangelo
solle an den Gräbern arbeiten, worauf Dieser erwidert, er
müsse am Juliusdenkmal thätig sein, falls ihm Giulio nicht Befreiung von solcher Pflicht verschaffe. Mit Dessen Berufung
auf den päpstlichen Stuhl am 19. November 1523 als Clemens VII. veränderten sich die Dinge. Auch Michelangelo
gehörte zu Denjenigen, welche grosse Hoffnungen auf den

neuen Papst setzten. Er schreibt am 25. November an
seinen Freund Topolino, Steinmetz in Carrara: „Ihr werdet
vernommen haben, dass Medici Papst geworden ist, worüber,
wie mir scheint, alle Welt sich gefreut hat; ich glaube, dass
hier in künstlerischen Angelegenheiten viele Dinge geschehen
werden: daher dient gut und treu, damit Ihr Ehre gewinnt."
(Lett. S. 423.) Im Dezember verhandelte Clemens selbst
mit dem nach Rom gekommenen Künstler, wie es scheint
auch schon über den neu auftauchenden Gedanken der
Bibliothek von S. Lorenzo, für welche noch im Dezember
der Meister eine Zeichnung einsendet.

Dieser täuschte sich nicht: Clemens wollte den Künstler
ganz für sich in Beschlag nehmen und schlug ihm zunächst
vor, er solle in den Franziskanerorden eintreten, um kirchliche
Benefizien empfangen zu können. Michelangelo wies das
Anerbieten zurück, da er in vollständige Abhängigkeit zu
gelangen fürchtete. Da beschloss man im Januar 1524, ihm
eine Pension zu zahlen, und zwar nicht fünfzehn Dukaten
monatlich, wie er bescheidentlich verlangt hatte, sondern
fünfzig. Ein Haus in der Nähe von S. Lorenzo wurde ihm
rentenfrei überlassen.

Während der ersten Monate von 1524 wird eifrig in der
Kapelle gearbeitet, sowohl an der Fertigstellung der Kuppel,
welche ein Stefano Miniatore übernommen hatte, als an den
Modellen der Denkmäler. Zugleich sind die ersten Entwürfe für die Libreria entstanden und wird einer derselben
(im März) für die Ausführung bestimmt. Im Mai nimmt der
Papst den von Salviati ihm nahegelegten Gedanken, in der
Sakristei auch Leos X. und sein eigenes Grabmal anzubringen,
auf, und der Meister sendet im Juni seinen Entwurf. Im
nächsten Monat liefert er Zeichnungen für die Pilaster der
Bibliothek und entwirft den Kostenanschlag für deren Bau. —
Mitten in diese freudige Thätigkeit hinein aber fällt wieder
der Schatten des Juliusdenkmales. Hin und her gerissen in
seinen Gefühlen zwischen zwei Pflichten, verlässt er plötzlich das ihm zugewiesene Haus und weigert sich, die Pension
Clemens' VII. anzunehmen. Die falsche Stellung, in welche
er durch die letztere den Erben Julius' II. gegenüber gerathen

war, ist seinem Stolze und seiner Ehrlichkeit unerträglich. Wir erfahren von diesem Schritte durch einen Brief seines Freundes Lionardo, der ihm am 24. März schreibt: „Mir wird auch gesagt, dass Ihr Eure Pension abgelehnt habt, was mir reine Tollheit zu sein scheint, und dass Ihr das Haus geöffnet habt und nicht mehr arbeitet. Freund und Gevatter, lasst mich Euch sagen, dass Ihr eine Menge von Feinden habt, welche das Übelste sagen; dass aber der Papst und Pucci und Jacopo Salviati Eure Freunde sind und Euch ihr Vertrauen schenken. Es ist Eurer unwürdig, das Wort, das Ihr Denselben gegeben, zu brechen, namentlich in einer Ehrenangelegenheit. Überlasst die Juliusgrabmalfrage Denen, die Euch wohl wollen und die in der Lage sind, Euch ohne die geringste Beschwerde zu befreien, und sorgt dafür, mit des Papstes Werk nicht zu kurz zu kommen. Sterbt lieber. Und nehmt die Pension, denn sie geben sie mit willigem Herzen." (Frey: Briefe S. 220.) Der gute Lionardo, der die Dinge vom einfach praktischen Gesichtspunkte aus ansah, war freilich nicht im Stande, das Peinigende dieser Verhältnisse dem stark und zart empfindenden Künstler nachzufühlen. Dass man Michelangelo wieder in die von ihm doch allein richtig beurtheilten Angelegenheiten der Marmorbeschaffung und -zubereitung hineingesprochen hatte, zeigt der unwillige Brief, welchen er (vermuthlich schon Ende 1523 oder Anfang 1524) an den Papst selbst absandte:

„Heiligster Vater. — Da die Mittelspersonen häufig Ursache von grossem Ärgerniss sind, so habe ich die Kühnheit, ohne Dieselben Euerer Heiligkeit über die Grabmäler von S. Lorenzo hier zu schreiben. Ich behaupte nicht zu wissen, was besser sei: das Übel, welches nützt, oder das Gute, welches schadet, aber ich bin sicher, so verrückt und schlecht ich auch bin, dass, hätte man mich fortfahren lassen, wie ich angefangen hatte, heute alle die Blöcke für genanntes Werk in Florenz und mit weniger Kosten, als sie bisher betragen, in zweckentsprechender Weise bearbeitet wären. Ja, sie wären ebenso wundervoll wie die anderen, die ich hierher geführt habe."

„Nun sehe ich aber, wie die Sache sich hinauszieht und

weiss nicht, wie es gehen wird. Daher entschuldige ich mich
bei Eurer Heiligkeit, dass, sollte etwas geschehen, was Euch
nicht gefiele, ich keine Schuld daran trage, da ich ja nicht
die Oberleitung habe: und ich bitte Euch, gebt mir nicht,
falls Ihr wollt, dass ich etwas mache, in meiner Kunst einen
Oberaufseher, vielmehr schenkt mir Glauben und gebt mir
freien Auftrag: dann werdet Ihr sehen, was ich thun werde
und welche Rechenschaft ich über mich selbst ablegen werde."

„Die Laterne der Kapelle von S. Lorenzo hat Stefano
auf die Kuppel gesetzt und enthüllt, und sie gefällt allgemein
jedem Menschen, und so hoffe ich auch Eurer Heiligkeit,
wenn Sie sie sehen wird. Jetzt lassen wir die Kugel machen
die ungefähr eine Elle hoch wird: und ich habe, um sie
von den anderen zu unterscheiden, daran gedacht, sie fassirt
zu machen, und so wird sie gemacht." (Lett. S. 424.)

Zu allen Nöthen und Lasten war im Januar desselben
Jahres 1524 auch noch der Auftrag, eine Zeichnung für die
Bibliothek von S. Lorenzo anzufertigen, vom Papst an ihn
ergangen. „Ich habe gar keine Nachricht darüber und weiss
nicht einmal, wo sie gemacht werden soll: und obgleich
Stefano mir davon gesprochen hat, so habe ich doch nicht
darauf Acht gegeben. Sobald er von Carrara zurückkommt,
werde ich mich von ihm unterrichten lassen und thun, was
ich kann, obgleich es nicht meine Profession ist." (Lett. S. 431.)

Diesem Stefano hat er, weil er nicht gut that, und nachdem er sich die grösste Mühe mit ihm gegeben hatte, bald
darauf entlassen: „ich habe Alles gethan, um ihm wohlzu-
thun, nicht zu meinem Nutzen, sondern zu seinem."

Es ist höchst bezeichnend, zu welch trübem Sichbeschei-
den solchen Erfahrungen gegenüber der Meister gelangt ist:

„Der arme Undankbare ist von Natur derart, dass er,
helft ihr ihm in seiner Noth, sagt, er selbst habe Euch Das,
was Ihr ihm gebt, vorgestreckt: gebt Ihr ihm, um ihm Gutes
zu erweisen, Arbeit, so behauptet er immer, Ihr wäret dazu
gezwungen gewesen, ihm die Arbeit zu übertragen, weil Ihr
selbst dieselbe nicht verstandet; und von allen Wohlthaten,
welche er empfängt, sagt er, der Wohlthäter sei zu ihnen
gezwungen gewesen. Und wenn die empfangenen Wohl-

thaten so offenkundig sind, dass sie nicht abgeleugnet werden
können, so wartet der Undankbare so lange, bis Derjenige,
von dem er Gutes empfangen hat, irgend einen öffentlichen
Irrthum begeht, damit ihm die Gelegenheit gegeben wird,
Böses zu sagen, was ihm geglaubt wird, um sich von der
Verpflichtung, welche er zu haben glaubt, zu befreien. So
ist man immer gegen mich verfahren: und doch hat sich nie
Jemand (ich spreche von Künstlern) mit mir eingelassen,
dem ich nicht mit meinem ganzen Herzen Gutes gethan
hätte: dann sich auf irgend eine Laune oder Verrücktheit,
von der sie behaupten, dass ich sie habe, und die keinem
Anderen als mir selbst schadet, stützend, sagen sie Böses
über mich und beschimpfen mich: das ist der Lohn, den
alle guten Menschen davontragen." (Lett. S. 433.)

Mit der Libreria zu beginnen, war unmöglich, so lange
er kein Geld erhielt. Er schreibt im Juli an Fattucci nach
Rom:

„Auf Euer letztes Schreiben hin habe ich den Spina aufgesucht, um zu erfahren, ob er Auftrag hat, für die Libreria,
wie für die Grabmäler Zahlungen zu machen; und da ich sah,
dass er keinen solchen Auftrag hat, habe ich das genannte
Werk nicht begonnen, wie Ihr mir rathet; denn ohne Geld
kann man nichts machen; soll aber etwas geschehen, so bitte
ich Euch, bewirkt dort, dass Spina hier zahle; denn man
könnte keinen Menschen finden, der geeigneter wäre und
derartiges mit mehr Liebe und Anmuth zu thun versteht."

„Was den Beginn der Arbeit betrifft, so muss ich die
Ankunft der Blöcke abwarten, glaube aber, sie werden niemals kommen, so hat man es eingerichtet. Ich könnte Dinge
schreiben, über die Ihr staunen würdet: aber man würde mir
doch nicht glauben. Genug, dass es mein Ruin ist; denn
vielleicht, wenn ich mit dem Werke weiter fortgeschritten
wäre, als ich bin, würde der Papst meine Angelegenheit
(Juliusdenkmal) in Ordnung bringen, und käme ich aus so
grosser Mühsal heraus, aber Zerstören macht viel mehr Arbeit,
als Ordnen. Gestern traf ich Einen, der mir sagte, ich sollte
gehen und zahlen, sonst würde ich am letzten dieses Monats
in Strafe verfallen. Ich glaubte nicht, dass es andere Strafen

als die der Hölle giebt oder zwei Dukaten für Schieds-
gericht, falls ich ein Waarenlager in Seide oder ein Gold-
schlägergeschäft machte und den Rest auf Wucher ausliehe.
Seit 300 Jahren haben wir die Abgaben in Florenz bezahlt:
wäre ich doch wenigstens einmal Gerichtsdiener beim Pro-
konsul gewesen! Und doch heisst es zahlen. Es wird mir
Alles genommen werden, weil ich keinen Ausweg sehe, und
werde nach dort kommen. Wäre meine Angelegenheit geordnet, so würde ich Einiges verkauft und Papiere des
Monte gekauft haben, um die Steuern damit zu zahlen, und
könnte dann doch in Florenz bleiben." (Lett. S. 436.)

Die drückende finanzielle Nothlage, in welche er gerathen, zwingt ihn, sich in zwei Briefen an Spina, den Agenten
des Papstes, zu wenden und ihm seinen durch die schlimmen
Verhältnisse gerechtfertigten Wunsch, die im Moment der Erregung zurückgewiesene Provision wieder zu erhalten, vor-
zutragen. Der erste Brief lautet:

„Mein theurer Giovanni. — Da die Feder immer muthiger
als die Zunge ist, schreibe ich Euch Das, was ich Euch
mehrere Male in diesen Tagen sagen wollte und aus Rücksicht auf die Zeiten nicht die Kühnheit hatte, Euch mündlich zu sagen: und zwar ist es dies, dass in Anbetracht der
meiner Kunst feindlichen Zeiten ich nicht weiss, ob ich noch
auf eine Provision hoffen darf. Wäre ich dessen gewiss,
sie nicht mehr zu erhalten, so würde das nichts ändern,
dass ich nicht für den Papst Alles, was ich vermöchte, arbeitete und thäte, aber ich würde nicht eine offene Bottega
halten aus Rücksicht auf die Schuld, welche ich, wie Ihr
wisst, habe, da ich ja ein Haus habe, wohin ich zurückkehren
und mit viel weniger Kosten leben könnte: und damit würde
auch die Plage der Miethe genommen. Wird aber meine
Provision weiter gezahlt, so bleibe ich hier, wie zuvor, und
werde mich anstrengen, meine Pflicht zu thun. Daher bitte
ich Euch, mir zu sagen, was Ihr davon wisst, damit ich an
meine Angelegenheiten denken kann, und werde Euch
immer sehr verpflichtet bleiben. Ich sehe Euch während
dieser Feiertage in S. Maria del Fiore." (Lett. S. 425.)

Man fühlt es aus diesen verlegenen Zeilen heraus, wie

314

schwer dem Künstler der Entschluss ankam, um jene Provision zu bitten. Bald darauf aber (jener erste Brief ist nicht datirt), hat er seine Sicherheit wieder gewonnen und schreibt, im Bewusstsein, sich selbst nichts vergeben zu können, am 29. August den zweiten Brief:

„Als ich Euch gestern verliess, dachte ich im Gehen über meine Angelegenheiten nach und erwägend, wie sehr dem Papste dieses Werk von S. Lorenzo am Herzen liegt, und wie sehr ich von Seiner Heiligkeit gedrängt werde, und wie Dieselbe mir aus freiem Willen eine gute Provision verordnet hat mit dem Zwecke, dass ich mehr Bequemlichkeit habe, ihm schneller zu dienen — und erwägend, dass diese Provision nicht anzunehmen, so viel heisst, als die Arbeit verzögern, und dass ich keine Entschuldigung dafür hätte, ihm nicht zu dienen — habe ich meinen Entschluss geändert, und ich, der ich sie bisher nicht angesucht habe, suche sie jetzt an: in der Meinung, es sei aus mehr Gründen, als zu schreiben angebracht ist, besser so; und hauptsächlich, um in das Haus von S. Lorenzo, welches Ihr mir genommen habt, wieder zurückzukehren und mich dort als ein anständiger Mensch einzurichten. Denn kehre ich nicht dorthin zurück, so veranlasst das viel Gerede und macht mir grossen Schaden. Daher wünschte ich, Ihr gäbet mir die Provision, so viel sie ausmacht von dem Tage, da sie verordnet wurde bis auf heute: und wenn Ihr Auftrag habt, es zu thun, so bitte ich Euch, sagt es Antonio Mini, der in meinen Diensten ist und dieses Schreiben überbringt, und gebt auch den Zeitpunkt an, wann Ihr wollt, dass ich sie hole." (Lett. S. 438.)

Welche neue Schwierigkeiten sich der Erfüllung seiner Bitte entgegenstellten, wissen wir nicht. Noch am 18. Oktober des Jahres, wie aus einem sehr verstümmelten Schreiben (Lett. S. 440) hervorgeht, hatte er die Provision nicht erhalten, erst am 19. Oktober quittirt er über den Empfang von 400 Dukaten als Provision für acht Monate „für die Figuren der Grabmäler von S. Lorenzo und alles Andere, was Seine Heiligkeit mich machen lässt". Dann aber hörte die Auszahlung des Gehaltes wieder für lange ganz auf, denn in einem noch mitzutheilenden Briefe vom 24. Oktober

1525 heisst es: „seit schon mehr als einem Jahre habe ich die Provision nicht empfangen."

Die Freudigkeit auch an diesem Werke, das in jener Zeit auf die zwei Denkmäler des Lorenzo von Urbino und Giuliano von Nemours eingeschränkt worden sein dürfte, war dem Meister genommen: an jeder konzentrirten Arbeit durch die Unruhe verhindert, welche aus den Verpflichtungen für das Juliusdenkmal entsprang, in beständiger Ungewissheit über Alles und Jedes und ohne Mittel vom Papste gelassen, hat er nur mit halber Kraft an den Grabmälern gearbeitet. Wie ganz anders doch klingen die Briefe aus diesen Jahren, als selbst noch diejenigen aus der Zeit der Beschäftigung mit dem grossen Projekt der Fassade von S. Lorenzo! Nichts von Begeisterung, Selbstvertrauen, Glauben! Erschöpfung, Zweifel, ja fast Theilnahmlosigkeit sind eingetreten, und nur das Pflichtgefühl scheint noch die Arbeitskraft aufrecht zu erhalten. Ein Jahrzehnt zweckloser Überanstrengung, innerer Konflikte zwischen Pflicht und Neigung und herbster Enttäuschungen hatte dem—hochfliegenden Streben die Schwingen gelähmt — nun traten langandauernde Stimmungen der Niedergeschlagenheit ein; die Wandlung des hohen Muthes in Schwermuth begann sich zu vollziehen!

Ein vom 24. Oktober 1525 datirter, an Fattucci in Rom gerichteter Brief, fast das einzige Zeugniss über den Fortgang der Arbeit an den Gräbern, fasst die äussere Lage, wie den Seelenzustand, während dieses Jahres in kurzen Worten zusammen:

„Als Antwort auf Euer letztes Schreiben: die vier angelegten Figuren sind noch nicht vollendet, ja es ist noch viel daran zu thun. Die vier anderen, als Flüsse gedacht, sind noch nicht begonnen, weil die Blöcke noch nicht dort sind, obgleich sie schon eingetroffen sind. Ich schreibe Euch nicht, wesshalb, da es mir nicht zukommt. Was das Juliusdenkmal betrifft, so bin ich bereit, ein Grabmal wie das des Pius in S. Peter zu machen, wie Ihr mir geschrieben habt, und werde es hier allmählich machen lassen, bald den einen Theil und bald den anderen, und werde die Kosten selbst bezahlen, erhalte ich die Provision und bleibt mir das Haus,

wie Ihr mir geschrieben habt; nämlich das Haus, in dem ich
in Rom lebte, mit den Marmorblöcken und den Geräthen,
die dort sind: derart, dass ich ihnen, d. h. den Erben des
Papstes Julius, um mich von der Verpflichtung für das Grabmal zu befreien, nichts Anderes zu geben habe, als was ich
bisher erhalten habe. Um das Grabmal aber nach Art des-
jenigen von Pius in S. Peter zu machen, bestimme man eine
passende Zeit; und ich werde die Figuren mit meiner eigenen
Hand machen. Und giebt man mir die Provision, wie gesagt wurde, so werde ich nicht ablassen, für Papst Clemens
mit den Kräften zu arbeiten, die ich besitze; freilich sind
sie klein, denn ich bin alt. Unter der Bedingung, dass mir
nicht Verdriesslichkeiten angethan werden, wie ich sehen
muss, dass man sie mir zufügt: denn die vermögen viel über
mich: schon seit Monaten hat man mich nichts von dem,
was ich wollte, machen lassen, denn man kann nicht mit
den Händen eine Sache und mit dem Gehirn eine andere
arbeiten, namentlich nicht beim Marmor. Hier sagt man,
das geschehe nur, um mich anzuspornen; ich aber sage Euch,
das sind schlechte Sporen, welche veranlassen, sich rückwärts
zu wenden. Schon mehr als ein Jahr ist es, dass ich die
Provision nicht erhalten habe, und ich kämpfe mit der Armuth: ich bin sehr allein in meinen Nöthen und habe deren
so viele, dass sie mehr, als die Kunst, mich in Anspruch
nehmen, da ich nicht die Mittel habe, um mir Einen halten
zu können, der mich bediene." (Lett. S. 454.) Und einem
solchen leidend Ringenden glaubte Clemens VII., dem es
freilich leicht war, freigebig mit Wünschen zu sein, und der
mitten in diese Noth hinein dem Künstler den neuen Auftrag auf ein Ciborium für S. Lorenzo und einen anderen ab-
surden auf den „Koloss" gab, mit freundlich huldvollen
Worten zu genügen, wie er sie als Nachschrift am 23. Dezember 1525 auf einen Brief seines Sekretairs setzte:

„Du weisst, dass Päpste kein langes Leben haben; und
Wir können uns nicht mehr, als Wir es thun, danach sehnen,
die Kapelle mit den Grabmälern Unserer Verwandten zu
sehen oder zu hören, dass sie vollendet ist. Und ebenso
die Bibliothek. Daher empfehlen Wir Beides Deinem Eifer.

Inzwischen aber wollen Wir (wie Du vor Kurzem sagtest),
Uns einer heilsamen Geduld befleissigen und Gott bitten,
dass er es Deinem Herzen eingebe, das Ganze zu gleicher
Zeit vorwärts zu bringen. Fürchte nicht, dass es Dir, sei es
an Aufträgen, sei es an Belohnungen je fehlen wird, so
lange Wir am Leben sind. Leb wohl mit Gottes und Unsrem Segen. — Julius." (Gotti 1, 166.)

Im Anfang des Jahres 1526 findet offenbar ein energischer Aufschwung der Thätigkeit statt, und zwar zu gleicher
Zeit in der Sakristei von S. Lorenzo wie in der Libreria,
wo eine grössere Anzahl von Künstlern als Hülfsarbeiter angestellt werden. Am 17. Juni 1526 kann der Meister Folgendes an Fattucci in Rom berichten:

„In der kommenden Woche werde ich die angefangenen
Statuen der Sakristei bedecken lassen, da ich die Sakristei
für diese Marmorsteinmetzen freilassen möchte, denn ich
wünsche, dass sie das andere Grabmal zu mauern anfangen
dem gegenüber, welches bereits aufgemauert und ganz oder
fast ganz nach dem Winkelmaass gerichtet ist. Und während
der Zeit, dass sie mauern werden, hatte ich gedacht, könne
man die Wölbung machen, und ich glaubte, dass man sie
mit vier Leuten in zwei oder drei Monaten machen könnte;
ich verstehe mich nicht darauf. Nach Ablauf der kommenden Woche kann unser Herr umgehend Meister Giovanni
da Udine senden, falls es ihm gut dünkt, dass die Wölbung
jetzt gemacht wird, denn ich werde in Ordnung sein."

„Von dem Vorraum der Bibliothek sind in dieser Woche
vier Säulen gemauert worden, und eine war schon früher
aufgemauert. Die Tabernakel halten die Arbeit ein wenig
auf, doch glaube ich, in vier Monaten, von heute an gerechnet, wird die Ausstattung vollendet sein. Die Dielen
würden schon jetzt in Angriff genommen werden, aber das
Lindenholz ist noch nicht gut genug: wir werden dafür sorgen, so viel es nur geht, dass es bald trocknet."

„Ich arbeite so viel ich nur kann und werde in vierzehn
Tagen den andern Feldherrn beginnen lassen; dann bleiben
von Arbeiten von Wichtigkeit nur noch die vier Flüsse.
Die vier Statuen, welche auf die Cassoni kommen, die vier

auf der Erde angebrachten Figuren, welche Flüsse sind, die
zwei Feldherren und die Madonna, welche an dem Grabmal
oben angebracht wird, sind die Figuren, welche ich mit
eigener Hand machen möchte, und von diesen sind sechs
angefangen und ich habe den Muth, sie in angemessener Zeit
zu machen und zum Theil auch noch die anderen, welche
von nicht so grosser Wichtigkeit sind, machen zu lassen.
Anderes fällt mir nicht ein: empfehlt mich Giovanni Spina,
und bittet ihn, ein wenig an Figiovanni zu schreiben und ihn
zu ersuchen, dass er uns nicht die Kärrner nähme, um sie
nach Pescia zu schicken, denn wir werden ohne Steine
bleiben; und auch, dass er uns nicht die Steinmetzen ver-
führe, um sich ihnen angenehm zu machen, indem er zu
ihnen sagt: Jene haben nicht viel Billigkeit und Rücksicht
für euch, euch jetzt, wo die Nächte nur zwei Stunden dauern,
bis zum Abend arbeiten zu lassen."

„Wir gebrauchen hundert Augen und grosse Mühe, auch
nur Einen zur Arbeit zu bewegen, und selbst der eine wird
uns verdorben von einem Herzensfreund. Geduld! Gott
wolle nicht, dass mir missfalle, was ihm nicht missfällt."
(Lett. S. 453.)

Über den weiteren Fortgang der Arbeiten in diesem Jahre
erfahren wir nur Weniges. Michelangelo beschäftigt sich
unter Anderem mit dem Ciborium und wird wieder durch
die Frage des Juliusdenkmals beängstigt. Die bedrohlichen
politischen Verhältnisse begannen Clemens VII. immer grössere
Sorgen zu bereiten. Gelüste nach der Befreiung von der
Mediceischen Herrschaft beunruhigten das politische Leben in
Florenz: von Aussen her konnte Michelangelo auf keine
lebhafte Unterstützung seiner künstlerischen Arbeiten mehr
rechnen. Erneute Anforderungen der Erben Julius' II. erregen
ihn (Brief an Fattucci vom November Lett. S. 454). Alles
vereinigte sich, den kaum entflammten Arbeitseifer wieder
zu dämpfen und ihm die innere Sammlung zu rauben. Unvollendet, selbst in ihrer höchst vereinfachten Form, war
die Kapelle mit den Gräbern, von deren Statuen, wie es
scheint, noch nicht eine fertig war, unvollendet die Bibliothek, als im Frühjahr 1527 unerhörte politische Verwirrung

über Italien und besonders Rom und Florenz hereinbrach: die
Plünderung Roms durch das spanisch-deutsche Heer, die
Gefangennehmung Clemens' VII. in der Engelsburg, die Ver-
treibung der beiden Medici Ippolito und Alessandro aus
Florenz und die Einsetzung der Republik, in deren politi-
schem Leben die alten Gegensätze der Optimaten und der
Popolani, der Arrabbiati und der Piagnonen (Savonarola-
Anhänger) die entscheidende Rolle spielten. Drei Jahre
lang, bis zum August 1530, blieb Florenz Republik: damals
gelang es den Medici ihre Herrschaft wiederherzustellen.

Was wir aus dieser Zeit von Michelangelo wissen, beweist, dass er sich allen politischen Bestrebungen fern hielt:
den Medici von Jugend an durch Dankbarkeit verbunden,
seinen Sympathieen nach aber der Partei Savonarolas zuge-
hörig, gleich anderen grossen Künstlern, trotz leidenschaftlicher Aufwallungen für den Gedanken menschlicher Freiheit, doch ohne jedes Verständniss und tiefergreifende Interesse für Politik, hat er einerseits den patriotischen Ansprüchen,
welche der Staat an ihn als Kriegsbaumeister stellte, mit
Eifer und Gewissenhaftigkeit genügt, andrerseits aber in
aller Stille, hierin die einzige tröstliche Zuflucht aus den
trüben Gährungen des Aussenlebens erkennend, an seinen
Statuen in der Mediceerkapelle gearbeitet.
Zuerst am 3. Oktober 1528, an welchem Tage er an einer
Berathung über die Fortifikationen theilnimmt, wird er in die
öffentliche Thätigkeit hineingezogen. Am 10. Januar wählt
man ihn in das Kollegium der Nove für die Befestigungsarbeiten. Am 6. April 1529 wird er zum Generalgouverneur
und Prokurator der Festungswerke von Florenz ernannt,
als welcher er im Sommer auch in Pisa und Livorno sich
bethätigt hat. Gleich diese Wahl scheint ihm die Parthei der
Vornehmen zu Feinden gemacht zu haben, und aus den neuen
Aufträgen erwächst ihm neuer Kampf. Mit dem scharfen
Blick des Genius, welcher auch gänzlich ungewohnten Anforderungen gegenüber, wie es für Michelangelo die Fortifikations-
kunst war, das Entscheidende entdeckt, erkannte er, dass

der für eine belagernde Armee wichtigste Punkt der ganzen
Umgebung der Stadt die Höhe von San Miniato sei: „würde
der Feind in Besitz des Hügels gelangen, so wäre er damit
sogleich Herr der Stadt." (Condivi.) Diesen Hügel durch
Bastionen zu sichern, betrachtete er als seine erste Aufgabe.
Aber sein weiser Plan fand unbegreiflicher Weise nicht den
Beifall des Gonfalonieres Niccolò Capponi. Busini, dessen
in späterer Zeit von Michelangelo selbst empfangene Mittheilungen über alle jene Vorgänge übrigens ihre Bestätigung durch einen unpartheiischen Anonymus erhalten, erzählt:

„Was immer der Grund gewesen sein mag, Niccolò Capponi,
so lange er Gonfaloniere war, wollte nicht die Erlaubniss
geben, dass der Hügel von S. Miniato befestigt würde, und
Michelangelo, der ein Mann von absoluter Wahrhaftigkeit
ist, erzählt mir, dass er grosse Mühe hatte, die anderen
Mitglieder der Regierung zu überzeugen, niemals aber Niccolò
überzeugen konnte. Gleichwohl begann er das Werk, in
der Art wie du weisst, mit Faschinen von Werg. Aber
Niccolò veranlasste ihn, es aufzugeben und sandte ihn an
eine andere Stelle; und als er unter die Neun (die „Nove
della Milizia") gewählt wurde, sandten sie ihn zwei- oder
dreimal aus der Stadt. Jedes Mal bei seiner Heimkehr fand
er den Hügel vernachlässigt, worüber er sich beklagte, da
er dies wie eine Befleckung seines Rufes und eine Beleidi-
gung seiner amtlichen Würde empfand. Gelegentlich aber
wurden die Arbeiten fortgeführt, bis sie, als die Belagerungs-
armee eintraf, zu behaupten waren."

Mit diesen Befestigungsarbeiten hing auch eine am 28. Juli
unternommene Reise zum Herzog von Ferrara, einem grossen
Kenner des Festungswesens, zusammen. Michelangelo war
selbst mit seinen Bastionen nicht zufrieden. „Darauf hin,"
sagt Busini weiter, „beschlossen die Zehn, ihn nach Ferrara
zu senden und die berühmten Vertheidigungswerke dort zu
prüfen. Dem entsprechend ging er auch dorthin; er glaubt
aber, dass Niccolò es mit Absicht that, um ihn aus dem
Wege zu haben und den Bau der Bastionen zu verhindern.
Als Beweis dafür giebt er die Thatsache an, dass er bei
seiner Heimkehr das ganze Werk unterbrochen fand."

Thode, Michelangelo I. 20

Andere Reisen führten ihn zur Sicherung der Arnolinie
nach Pisa und Livorno, und zur Befestigung der Stadt nach
Arezzo.

Mitten in diese Arbeiten hinein fällt das überraschende
Ereigniss der plötzlichen Flucht Michelangelos aus Florenz
am 21. September. Vieles ist über diese geschrieben und
verhandelt worden, da man in ihr eine der unerklärlichen Thatsachen seines Lebens fand. Ein eindringender Vergleich der
verschiedenen Angaben, die uns überliefert worden sind: —
nämlich Michelangelos eigene spätere Aussagen bei Condivi,
Busini und Varchi und sein Brief vom 25. September an
Battista della Palla, die Mittheilungen von Varchi, Segni und
Nardi in ihren Geschichtswerken und einzelne von Symonds
hinzugefügte Briefe an den Künstler — rückt, wie mir dünkt,
die Vorgänge in ganz helles Licht und lässt des Meisters
schnellen Entschluss als durchaus begreiflich erscheinen.

In fast ganz übereinstimmender Weise und doch unab-
hängig von einander schildern der vom Künstler selbst unter-
richtete Condivi und der auf Busini sich berufende Varchi
die der Flucht vorausgehenden Ereignisse. Condivi sagt:
„Michelangelos Scharfsinn (in Bezug auf die Bedeutung
von S. Miniato) gereichte der Stadt zum Heil und war die
Veranlassung grossen Schadens für den Feind. — — — Obgleich er solche Vorsichtsmaassregeln getroffen, hielt er sich
doch immer noch auf jener Höhe auf; und nach Ablauf von
etwa sechs Monaten begannen Gerüchte unter den Soldaten
über irgend einen Verrath herumzulaufen. Buonarroti, der hierauf aufmerksam ward und auch durch gewisse Offiziere, die er
zu Freunden hatte, benachrichtigt wurde, wandte sich an die Signoria und legte derselben dar, was er gesehen und gehört
hatte. Er wies auf die Gefahr hin, welche über der Stadt hing,
und sagte ihnen, noch wäre es Zeit, sich davor zu schützen,
wenn sie nur wollten. Anstatt für diesen Dienst Dank zu erhalten, wurde er geschmäht und getadelt, dass er furchtsam
und zu misstrauisch sei. Der Mann, welcher ihm diese
Antwort gab (der damalige Gonfaloniere Carducci), würde
besser gethan haben, seine Ohren dem guten Rath zu öffnen,
denn als die Medici zurückkehrten, wurde er enthauptet —

und hätte sich statt dessen am Leben erhalten können. Als Michelangelo bemerkte, wie wenig seine Worte beachtet wurden, und dass der Untergang der Stadt sicher sei, liess er sich eines der Thore kraft der Autorität, welche er besass, öffnen, ging mit zwei seiner Kameraden hinaus und begab sich nach Venedig."

Und nun Varchi (im X. Buch):

„Michelangelo, in meinem Namen von Giovanbatista Busini befragt, warum er von Florenz fortgegangen sei, antwortete: der Herr Mario Orsino, mit dem er innig befreundet war, habe ihm eines Tages bei der Unterhaltung gesagt, er fürchte lebhaft, dass Malatesta mit dem Papste sich verständigt habe und Verrath üben werde. Dies habe er, als ein rechtschaffener und für das Wohl seiner Vaterstadt eifrig Besorgter, unverzüglich der Signoria berichtet, aber der Gonfaloniere Carducci, anstatt ihn wegen seiner grossen Vorsicht und Liebe zu loben, habe ihn vielmehr als zu furchtsam und argwöhnisch gescholten und habe geringes Gewicht auf diese Mittheilung gelegt; in Folge dessen, theils aus dieser Furcht, theils weil Rinaldo Corsini nicht abgelassen habe, ihn zu drängen, er müsse zugleich mit fortgehen, und zu versichern, dass die Stadt im Laufe schon weniger Stunden, nicht einmal von Tagen, ganz in die Gewalt der Medici kommen werde, habe er 12000 Goldgulden in drei nach Art eines Wammses gemachte Kamisols einnähen lassen und sei mit Rinaldo und seinem Schüler Antonio Mino aus Florenz geflohen, nicht ohne einige Schwierigkeit, obgleich er ein Mitglied des Magistrats der Nove della Milizia war, durch das Thor „der Gerechtigkeit" als das am wenigsten verdächtige und daher am wenigsten bewachte."

Zu bemerken ist nun zunächst, dass jener Malatesta Baglioni, der zu ihrem Unglück von den Florentinern als Condottiere und Generalgouverneur ihrer Truppen gewählt worden war, in der That ein halbes Jahr später für einen Kaufpreis die Stadt dem Papst Clemens durch gemeinsten Verrath überliefert und damit ihrer Freiheit das Ende bereitet hat. Michelangelo, indem er gewissen Gerüchten und namentlich den Mittheilungen Orsinis Glauben schenkte, ist also ebenso im Rechte gewesen, wie mit seiner im Widerstand gegen die

20*

Signoria durchgesetzten Befestigung von S. Miniato, und es zeugt nur von seinem Herzen und seinem Muthe, dass er die Gefahr den Regierenden darlegte. Man wies ihn zurück und verspottete ihn. So tief ihn dies auch nach allen vorangegangenen Erfahrungen verletzt haben muss, es hätte ihn gewiss nicht veranlasst, seinen Posten zu verlassen. Aber man bedenke, in welche Situation ihn seine Ehrlichkeit und sein Eifer gebracht hatten: Baglioni musste es sofort erfahren, dass Michelangelo ihn als einen Verräther designirt habe. Er selbst, der Feldherr der Truppen, besass nach wie vor das Vertrauen der Regierung, welches dem Oberaufseher der Befestigungen, Michelangelo, nicht geschenkt wurde. Baglioni musste alles daran gelegen sein, den grossen und charaktervollen Mann, welchen Florenz in seinen Mauern hatte, zu beseitigen, um so mehr, als Buonarroti seine Niederträchtigkeit durchschaut hatte. Die ganze Lebensgeschichte Malatestas belehrt darüber, dass dieser Gewissenloseste der Gewissenlosen vor keinem Mittel zurückscheute, sich seiner Gegner zu entledigen — was blieb unter solchen Umständen Michelangelo, der von keiner Seite her Schutz erwarten konnte und zugleich auch jeder Möglichkeit, das Unheil abzuwenden, beraubt war, übrig, als aus Florenz zu fliehen?

Die Verkennung des gesammten Zusammenhanges dieser Thatsachen konnte nach meinem Dafürhalten nur daraus hervorgehen, dass man auf jenes Verhältniss des Künstlers zur Signoria und auf seine derselben gemachten Mittheilungen so gut wie kein Gewicht legte, dagegen gewissen geheimnissvollen Vorgängen, welche den definitiven Entschluss der Flucht hervorriefen, zu grosse Beachtung schenkte. Dadurch erhielt dieser Entschluss etwas rein Phantastisches und Willkürliches. Dazu kommt, dass Businis direkter Bericht den Anschein erweckte, als sei Michelangelo unverweilt, nachdem er von Orsini den Verdacht von Baglionis Verrath mitgetheilt erhalten hatte, geflohen. Busini fasst hier die Sache aber nur kurz zusammen, ohne zu erwähnen, dass der Künstler die Signoria gewarnt habe und erst dann sich zur Flucht gedrängt gesehen hat.

In welcher Weise aber Michelangelo schliesslich entschieden

wurde, zeigt der Brief, welchen er am 25. September von
Venedig aus an Battista della Palla schreibt. Dieser, als
Agent König Franz' I., für den Erwerb von Kunstgegenständen
aller Art thätig, hatte eine Reise nach Frankreich vor.
„Battista, theuerster Freund. — Ich verliess Florenz, wie
Ihr, glaube ich, wisst, um nach Frankreich zu gehen, und, in
Venedig eingetroffen, habe ich mich über den Weg unterrichtet, und man hat mir gesagt, dass man, um dorthin zu
gehen, deutsches Land passiren müsse, was gefährlich und
schwierig sei. Daher habe ich daran gedacht, mich bei Euch,
falls es Euch gefällt, zu erkundigen, ob Ihr noch die Neigung
habt, dorthin zu gehen und Euch darum zu bitten. Und so
bitte ich Euch, benachrichtigt mich davon und wo Ihr wollt,
dass ich Euch erwarte: wir würden dann zusammen gehen.
Ich verliess Florenz, ohne einem meiner Freunde ein Wort
zu sagen und in grosser Unordnung, und obgleich ich, wie
Ihr wisst, unter allen Umständen nach Frankreich gehen
wollte und mehrere Male um Urlaub gebeten hatte, ohne
ihn zu erhalten, so war ich desswegen doch entschlossen, ohne
jede Furcht das Ende des Krieges abzuwarten. Aber am
Dienstag Morgen, dem 21. September, kam Einer ausserhalb
der Porta S. Niccolò, wo ich bei den Bastionen war, und sagte
mir ins Ohr: wollte ich mein Leben retten, so dürfe ich nicht
länger in Florenz bleiben: und ging mit mir nach Hause
und ass mit mir und brachte mir Pferde und liess mich
nicht mehr, bis er mich aus Florenz hinaus hatte, indem er
mir bewies, es sei zu meinem Besten. Ob das Gott oder
der Teufel gewesen, weiss ich nicht.“
„Ich bitte Euch, antwortet mir am Tage des Empfangs
dieses Briefes und so schnell Ihr könnt, denn ich verzehre
mich vor Verlangen, zu gehen. Und habt Ihr keine Lust
mehr zu gehen, so bitte ich, lasst mich auch das wissen,
damit ich mich entschliesse, so gut es geht, allein zu gehen.“
(Lett. S. 457.)
Durch einen Anderen also ist Michelangelo erst darauf
aufmerksam gemacht worden, in welche Gefahr er sich durch
seine Mittheilungen an die Signoria gebracht hatte. Wovor
dieser so zur Flucht drängende Berather ihn gewarnt hat, kann

nicht zweifelhaft sein: es war die Rache, welche Baglioni
unfehlbar an ihm nehmen würde. Ob nun der Geheimnissvolle aber ein Freund oder ein Feind, d. h. ein von der
feindlichen Parthei, welche Michelangelo los sein wollte,
Abgesandter war, wusste der Künstler selbst nicht anzugeben.
Oder war der Unbekannte etwa jener Rinaldo Orsini, von
dem der Künstler (bei Varchi) sagt, er habe nicht nachgelassen, in ihn zu dringen, und hat er nur aus gewissen Gründen, vielleicht um den schon von Ferrara aus nach Florenz
zurückgekehrten Orsini nicht zu kompromittiren, Palla den
Namen nicht nennen wollen?

Gleichviel: Michelangelo wurde plötzlich durch glaub-
hafte Warnungen zu der Meinung veranlasst, sein Leben sei
bedroht und gab, in begründetem Schrecken, dem Rathe der
Freunde Gehör, welche ihn fast mit Gewalt zwangen, aus
Florenz zu fliehen. Mit Orsini und seinem Gehülfen Antonio
Mini verliess er die Stadt. Auf dem Wege in Castelnuovo
sollen sie dem einstigen Gonfaloniere Niccolò Capponi ihren
Verdacht bezüglich Baglionis mitgetheilt haben, und Dieser
wie Segni berichtet, darüber so erschrocken sein, dass er acht
Tage darauf starb. Ob Michelangelo, wie Varchi und Vasari
erzählen, auf der Flucht in Ferrara sich aufgehalten und dort,
die Gastfreundschaft des Herzogs nicht annehmend, Alfonso
als Gegengabe sein kleines mitgenommenes Vermögen angeboten hat, muss dahingestellt bleiben. Am 25. September
befand er sich schon in Venedig, wo er (nach Varchi), „um
die Besuche und Ceremonieen, deren grösster Feind er war,
zu umgehen und einsam nach seiner Gewohnheit und fern
von menschlichem Umgang zu leben, sich still nach der Giudecca zurückzog. Die Signoria, da die Ankunft eines solchen
Mannes in einer solchen Stadt nicht unbekannt bleiben konnte,
sandte zwei ihrer Edelleute, ihn in ihrem Namen aufzusuchen
und ihm in liebevoller Weise alles zur Verfügung zu stellen,
was er selbst oder einer der Seinen nöthig haben könnten;
ein Verfahren, welches ebensowohl für die Grösse Michelangelos, als für die Liebe, welche jene erlauchten und berühmten Herren für hohe Tugend besitzen, Zeugniss ablegt."
Vasari giebt an, auf Wunsch des Dogen Griti habe der Meister

damals einen herrlichen Entwurf für die Rialtobrücke gemacht. Die einzige direkte Nachricht von dem Aufenthalt in Venedig findet sich in einem Ricordo und bewahrheitet Varchis Angaben über die Einfachheit des Lebens, welche er den von der reichsten und glänzendsten Stadt der Welt ihm angebotenen fürstlichen Ehren vorzog.

„Ausgaben für die Reise und den Aufenthalt in Venedig.
Zehn Dukaten an Rinaldo Corsini.
Fünf Dukaten an Messer Loredan für die Miethe.
Siebzehn Lire für Strümpfe für Antonio.
Einen Dukaten für seine Stiefeln.
Zwanzig Soldi ein Paar Schuhe.
Für zwei Schemel zum Sitzen und einen Tisch zum Essen und eine Lade einen halben Dukaten.
Acht Soldi für Stroh.
Vierzig Soldi für die Miethe eines Bettes.
Drei Dukaten für Barken von Bondino bis Venedig.
Zehn Lire für den Mann, der von Florenz kam.
Zwanzig Soldi an Piloto für ein Paar Schuhe.
Sieben Dukaten für die Reise von Florenz nach Bondino.
Zwei Hemden fünf Lire.
Eine Kappe und ein Hut sechzig Soldi.
Vierzehn Tage in Venedig zwanzig Lire.
Ungefähr vier Dukaten für Piloto für Pferde von Florenz nach Bondino.“

Die Flucht Michelangelos hatte in Florenz grosses Aufsehen und Betrübniss erregt. Man bedurfte dringend Seiner und beauftragte den Gesandten in Ferrara, Galeotto Giugni, den Künstler zur Heimkehr zu bewegen, und stellte ihm einen freien Geleitsbrief aus. Auch Michelangelo selbst zeigte, obgleich der französische Gesandte in Venedig ihn für König Franz zu gewinnen suchte, den Wunsch, an seinen Posten zurückzukehren. Die Erregung war gewichen und das Pflichtgefühl stärker als alle Anerbietungen, welche ihm in Venedig gemacht wurden. Von enthusiastischer Vaterlandsliebe und Siegeshoffnung geschwellte Briefe des edlen Palla, der später bei der Rückkehr der Medici seinen Patriotismus mit dem Tode büssen musste, beschleunigten den Entschluss.

„Ich brauche Euch nicht zu wiederholen, was ich sehr ausführlich in meinem letzten Briefe schrieb, noch die Vermittlung von Freunden für diesen Zweck anzurufen. Sie alle,
ich weiss es, haben ohne die geringste Meinungsverschieden-
heit und ohne Zögern einstimmig Euch ermahnt, sogleich
nach dem Empfange ihrer Briefe und des Geleitsbriefes heim-
zukehren, um Euer Leben, Eure Heimath, Eure Freunde,
Eure Ehre und Euren Besitz zu erhalten und zugleich die
Zeiten, die Ihr so ernstlich ersehnt und erhofft habt, zu geniessen." Dann schildert er seine unbegrenzte Zuversicht in
den Sieg der guten Sache über alle feindlichen Mächte und
legt seine Pläne für die Ausbildung des Kriegswesens und
der Befestigung der Stadt, welche „unsere Stadt zum Himmel
tragen werden", dar. Er glaubt, das goldene Zeitalter sei
für Florenz zurückgekehrt.

Am 20. November ungefähr ist Michelangelo wieder in
Florenz eingetroffen. An eine Konfiskation seiner Güter, wie
sie andere Flüchtlinge über sich ergehen lassen mussten,
wurde nicht gedacht und als einzige Strafe verhängt, dass
er für drei Jahre vom Grossen Rath ausgeschlossen wurde.
Wie es scheint, hat der Künstler sogleich an der Befestigung
der Stadt seine Thätigkeit wieder aufgenommen, deren Ver-
geblichkeit er freilich bald einsehen musste. Pallas Hoff-
nungen waren phantastische Träume! Auf den Höhen vor
Florenz lagerte das feindliche spanische Heer, welches seit
dem Vertrage Karls V. mit Clemens VII. die Sache der
Medici vertrat. Baglioni stand in unausgesetzten heimlichen
Verhandlungen mit dem Feinde. Sein Verrath, vor dem
Michelangelo zu einer Zeit, da Alles noch zu retten war, die
Signoria gewarnt hatte, überlieferte am 12. August 1530 die
Stadt. Als Clemens, dessen Befehle durch seinen Kommissär
Baccio Valori ausgeführt wurden, seiner Rache in den ersten
Tagen freien Lauf liess, verbarg sich Michelangelo, als Einer,
der durch seine Stellung in der Republik und auch weil fälsch-
licher Weise von ihm allgemein gesagt wurde, er habe den
Pallast der Medici niederreissen wollen, Deren Zorn herauf-
beschworen hatte, bei einem vertrauten Freunde. „Als aber
Clemens' Wuth nachliess," sagt Condivi, „schrieb er nach

Florenz und befahl, man solle nach Michelangelo suchen, und, so fügte er hinzu, wenn er gefunden wäre und einverstanden sei, an den Mediceischen Denkmälern weiter zu arbeiten, solle er in Freiheit gelassen und mit schuldiger Höflichkeit behandelt werden." Die frühere Provision von fünfzig Dukaten wurde erneuert: Michelangelo wandte sich seiner Kunst wieder zu.

Wieder aber sollte ihm die Kunst, der er sich nach Jahren der Unterbrechung zurückgegeben sah, nicht Frieden und Befriedigung, sondern innere Konflikte und Leiden bringen. Kaum hatte er sich mit Leidenschaft an die Arbeit in der Sakristei von S. Lorenzo begeben, meldeten sich mahnend und fordernd die Erben Julius' II. Was wir aus dem Jahre 1531 wissen, ist fast nichts Anderes, als Verhandlungen mit ihnen, ja die Versuche, den beiden Aufträgen gerecht zu werden, übernehmen seine Kräfte. Schon im Juni ist er krank, und Clemens empfiehlt ihm weniger zu arbeiten. Im Herbst befürchtet man für sein Leben. Giov. Bat. Mini schreibt am 29. September 1531 an Bartolommeo Valori (Gaye II, 229): „er ist abgezehrt und abgemagert; und ich sprach neulich mit Bugiardino und Antonio Mini darüber, die immer mit ihm zusammen sind; und schliesslich kamen wir überein, dass Michelangelo nur kurze Zeit noch leben wird, wenn er sich nicht kurirt; es kommt daher, dass er sehr viel arbeitet, wenig und schlecht isst und noch weniger schläft. Seit einem Monat ist er sehr von Kopfschmerzen und Schwindel behindert." Der Papst befiehlt in einem Breve, er solle mit nichts Anderem, als mit dem Juliusdenkmal und den Medicigrabmälern, sich beschäftigen. Das liess sich wohl befehlen, aber wie ein Fiebergespenst verfolgte den erschöpften Mann eben gerade das Juliusdenkmal. Die Zähigkeit seiner mächtigen Natur und seine nicht zu überwindende Willenskraft erhielt ihn trotz Allem aufrecht. Im April 1532 kam es endlich zum neuen Vertrage, und von nun an bis zum Ende des Jahres 1534 theilte er seine Zeit zwischen den Verpflichtungen gegen Julius und jenen gegen Clemens, bald in Rom, bald in Florenz sich aufhaltend.

Gelang es ihm während dieser Jahre, wenigstens die beiden Werke: die Mediceergräber und die Bibliotheca Laurenziana zu vollenden? Keines von beiden. Nur die Wandgliederung der Vorhalle der Libreria und die Decke des Hauptraumes hatte ihren Abschluss erreicht, die Treppe war nicht einmal angefangen. Als der Grossherzog Cosimo im Jahre 1558 sie durch den Tribolo ausführen lassen wollte, fand sich kein Modell, keine Zeichnung des Meisters vor, welche benutzt werden konnte. Vasari wandte sich an Diesen mit der Bitte um nähere Angaben, und erhielt folgende Antwort: „Messer Giorgio, theurer Freund. Betreffend die Treppe der Bibliothek, von der mir so viel geredet worden ist, glaubt mir, dass ich mich nicht bitten lassen würde, könnte ich mich daran erinnern, wie ich sie angeordnet hatte. Mir kehrt wohl wie im Traume eine gewisse Treppe ins Gedächtniss zurück, aber ich glaube nicht, dass es dieselbe sei, die ich damals geplant hatte, denn so ist es ein tölpisches Ding." (Lett. S. 548.) Im folgenden Jahr schickt er ein Thonmodell, mit dem Vorschlage, die Treppe aus Holz zu machen, doch hält Cosimo an dem Gedanken der steinernen fest, deren Ausführung dann Vasari anvertraut wurde.

In der Medicikapelle aber war es, wie es scheint, nur zur Fertigstellung der architektonischen Wanddekoration gekommen. Selbst der doch so wesentlich vereinfachte letzte Plan gelangte nicht zur endgültigen Durchführung. Von den elf Statuen, welche Michelangelo eigenhändig machen wollte, hat er nur sieben, und auch von diesen einige nur theilweise ausgeführt: die beiden Feldherren, die vier allegorischen Gestalten und die Madonna. Nicht einmal angefangen wurden die vier Flüsse, die Figuren der Heiligen Cosmas und Damianus stammen von der Hand Raffaeles da Montelupo und Giovanni Montorsolis. Als die Skulpturen später aufgestellt wurden, was aber erst nach seinem Fortgang von Florenz stattfand, zeigte es sich, dass nicht mehr als die ganz allgemeine Idee der Ausstattung der Sakristei zu einer bloss andeutenden Veranschaulichung gelangte. Cosimos Wunsch einer Vollendung des Ganzen im Sinne des Meisters veranlasste im Jahre 1562 Vasari, sich Anweisungen von dem Letzteren einzuholen: welche Statuen für die leeren Nischen neben den Feldherren, oberhalb der Thüren und in den Ecktabernakels geplant gewesen seien und in welcher Art er sich die Malereien an den Wänden gedacht habe. Die begabtesten florentiner Künstler sollten das Fehlende in des Schöpfers Sinne, womöglich nach seinen Zeichnungen, ergänzen. Aus diesem Schreiben ersieht man, von welch' umfassender Art das Projekt Michelangelos gewesen war, welchen Antheil er selbst auch der Malerei in ihm zugedacht hatte, kurz welch' ein Stückwerk es ist, das auf unsere Zeit kommen sollte. Denn Cosimos Wunsch, „die Welt möchte sehen, dass, so lange noch Männer von Genie am Leben sind, das vornehmste Werk, welches jemals auf Erden erdacht wurde, nicht unvollendet gelassen werde", ging nicht in Erfüllung. Michelangelos Geist war nicht mehr irdischem Werke zugewandt! Wie eine ferne Traumwelt lag auch die Mediceerkapelle mit ihren dereinst in der Phantasie so hell erschauten steinernen und gemalten Gestalten hinter ihm: wie das namenlose Leiden, das er während der Verwirklichung dieser Visionen durchgemacht. Der Blick des Auges, das in Himmelsregionen die Urbilder der Schönheit suchte und fand, war durch keine Kraft der Erde mehr in diese neblige Niederung getrübten Schauens herabzuleiten.

Seine nicht erhaltene Antwort auf Vasaris Bitte mag geschlossen haben, wie jene in einem Briefe vom Jahre 1557:

„Ich danke dem Herzog, so gut ich weiss und kann, für seine Liebe, und Gott gebe mir Gnade, dass ich ihm mit dieser meiner armen Person dienen könne, denn anderes habe ich nicht mehr: das Gedächtniss und der Geist sind mir vorausgeeilt, in einer anderen Welt mich zu erwarten." (Lett. S. 547.)

Mit der im Herbst 1534 stattfindenden Übersiedlung nach Rom, wo er fortan bis zu seinem Tode verweilen sollte, schliesst der zweite grosse Abschnitt in Michelangelos Leben.

Im Lauf dieser zweiundzwanzig Jahre, welche seit der Vollendung der Sixtinischen Decke verstrichen waren, hatte er einen Leidensweg durchmessen, der alle seine Kräfte erschöpft hatte. Aus dem von freudigem Muth und stürmischer Kraft geschwellten Manne, welcher das Denkmal Julius' II. entwarf, war ein schwermüthig vom Leben sich abwendender Greis geworden. Die dreimalige Vereitelung mit höchster Begeisterung unternommener Riesenpläne bezeichnet die Stufen auf diesem Schmerzensgange, die immer entscheidenderen Siege eines unüberwindlichen Geschickes über seinen dämonischen Geist. Jedem Angriff des Schicksales folgt eine erneute Willenskonzentration, aber jedes Mal erscheint sie schwächer. Nicht von Menschen, von elementaren Mächten überwunden, kehrte der Müde, seines „Speeres Splitter" in der Hand, von seiner Heldenfahrt heim. —

Von diesen zweiundzwanzig Jahren höchster Manneskraft, von dieser unausgesetzten heissen Arbeit — was war ihm geblieben? Drei Statuen vom Juliusdenkmal, sieben nur halb vollendete Figuren in der Sakristei von S. Lorenzo, das unfertige Vestibul der Laurenziana, und sonst nur noch wenige Werke: der Christus in S. Maria sopra Minerva, die unausgeführte Statue des Apollo, welche er für Baccio Valori anfertigte, die Modelle für die Gruppe des Herkules und Cacus, deren Ausführung dem hämischen, gemeinen Baccio Bandinelli überwiesen wurde — nichts weiter! Und diese zwei Jahrzehnte hätten genügt, wäre ihm nur die volle Freiheit gewährt gewesen, das Juliusdenkmal mit seinen vierzig Statuen, die Lorenzofassade mit ihrem verschwenderischen Reichthum von Skulpturen, die Mediceerkapelle mit ihren sechs Grabmälern, ihren Malereien, Mosaiken und Stuccos entstehen zu lassen. Unwiderruflich verlorene Zeit, unwiderruflich verlorene Willensenergie, verlorene Hoffnung, verlorener Glaube! Es giebt keine zweite Tragödie gleich dieser in der Geschichte der Kunst, in der Geschichte der Genies!

6

DIE LETZTE THÄTIGKEIT IN ROM

Die Geschichte der noch übrigen dreissig Jahre, der dritten Epoche im Leben Michelangelos, ist, was die äusseren Schicksale und seine Thätigkeit anbetrifft, mit wenigen Worten zu geben. Ein innerlich Verwandelter erscheint er uns, den Blicken gleichsam in weitere, geheimnissvollere Ferne entrückt, der Öffentlichkeit entfremdet! Ein Schaffender ist er bis zum letzten Athemzuge geblieben. Aber diese nach Aussen gerichtete Thätigkeit macht nicht mehr den Eindruck eines das ganze Sein erfüllenden Inhaltes, sondern ist nur noch die Begleiterscheinung eines inneren, auf andere Ziele gerichteten geistigen Wirkens. Mehr und mehr verliert die Kunst für diese dem Trug der Sinne abgewendete Seele ihre absolute Bedeutung, in immer grösseren Tiefen unausdrückbaren Gefühles sucht der Geist die Erlösung in der Erkenntniss des Weltengeheimnisses, und an Stelle des Schauens von Gestalten tritt in der von Sehnsucht beschwingten Phantasie das Ahnen beseligender Glaubensvisionen. Religiöse Versenkung und philosophische Betrachtung werden Kern und Ziel des Lebens und in der Dichtkunst finden sie das Mittel ihres freieren Ausdruckes.

Der im September 1534 erfolgte Tod Clemens' VII. entschied Michelangelos Übersiedelung nach Rom. In Florenz war ohne den Schutz des Mediceerpapstes seines Bleibens nicht mehr. Der sittenlose, despotische, vor keinem Verbrechen zurückscheuende Herzog Alexander von Medici hasste ihn, wie Condivi erzählt: „er lebe in grösster Besorgniss, denn der Herzog, ein junger Mann von einer, wie Jedermann bekannt ist, wilden und rachsüchtigen Natur, hasste ihn sehr. Es ist kein Zweifel, dass er ihn, hätte er nicht Respekt

vor dem Papst gehabt, beseitigt hätte. Was Alessandros
Feindseligkeit steigerte, war Folgendes. Als er die Festung
plante, welche er später errichtete, sandte er Herrn Alessandro
Vitelli zu Michelangelo und befahl Diesem, mit ihnen zu reiten
und eine bequeme Position für die Festung auszusuchen.
Michelangelo weigerte sich, indem er sagte, er habe keinen
Auftrag vom Papste hierfür erhalten. Der Herzog wurde
sehr unwillig, und in Folge dieses neuen Anlasses, welcher
zu dem alten Übelwollen und der Natur des Herzogs hinzu-
kam, lebte Michelangelo nicht ohne Grund in Furcht. Es
war sicherlich durch Gottes Hülfe, dass er im Augenblick,
als Clemens starb, von Florenz abwesend war." Wäre er
in Florenz geblieben, er wäre ermordet oder ins Gefängniss
geworfen worden, meint der wohlunterrichtete Biograph.

Bei seiner Niederlassung in Rom dachte der Meister in
erster Beziehung an die Arbeit des nun zu vollendenden
Juliusdenkmales. Diemal aber war es Paul III., der ihn an
derselben hinderte. Bis zum Jahre 1542 lastete, wie wir
gesehen haben, die schwere Verpflichtung auf ihm. Die zwei
Statuen der Rahel und Lea sind in dieser Zeit entstanden.
Die grosse, bereits von Clemens VII. geplante, von Paul III.
sogleich in Angriff genommene Aufgabe der Ausmalung der
Altarwand der Sixtinischen Kapelle mit dem „Jüngsten Gericht" liess ihm von 1535 bis zur Vollendung im Jahre 1541
keine Zeit zu anderen Werken. Das Schicksal wollte es so,
dass diesem Bildhauer es nie vergönnt sein sollte, seine
grossen Skulpturenwerke, sondern nur Gemälde, die, wie er
selbst oft gesagt hat, nicht sein Beruf waren, zu vollenden.
Die erste Schöpfung, welche er seit der Ausmalung der Sixtinischen Decke ungestört zur Beendigung bringen sollte, war
das Fresko des Jüngsten Tages in demselben Raume. Wie
oft muss ihm dies wie eine Ironie des Verhängnisses erschienen
sein! Aber auch nicht eine Andeutung über die Stimmungen
und Gedanken, welche ihn während der sechsjährigen Arbeit beseelten, ist auf uns gekommen, von jenem einen Vorfall abgesehen, welchen Vasari berichtet:

„Michelangelo hatte das Werk schon zu drei Viertel vollendet, als Papst Paul hinging, es zu sehen; Messer Biagio

da Cesena, sein Ceremonienmeister und eine skrupulöse Person, welche mit dem Papst in der Kapelle war, sagte, befragt, wie das Gemälde ihm gefalle, es sei höchst unschicklich, an einem so feierlichen Ort so viele Nackte dargestellt zu haben, welche in unanständiger Weise ihre Blössen zeigten, und dass es ein Werk sei, welches nicht in die Kapelle des Papstes, sondern in eine Badestube oder eine Osteria gehöre. Michelangelo, dem das missfiel und der sich rächen wollte, porträtirte ihn, sobald er fortgegangen war, ohne ihn mehr vor Augen zu haben, in der Hölle in der Gestalt des Minos, mit einer grossen Schlange um die Beine gewickelt in Mitten eines Berges von Teufeln." Als Biagio sich hierüber beim Papste beklagte, soll Dieser ihm geantwortet haben: „hätte dich der Maler ins Fegefeuer versetzt, so würde ich alles gethan haben, dir zu helfen; da er dich aber in die Hölle gebracht hat, so ist es unnütz, dass du dich an mich wendest, denn von dort giebt es keine Erlösung."

Michelangelo sollte es noch erleben, dass Biagios und seiner Gegner Meinung am päpstlichen Hofe siegte: Paul IV. liess durch Daniele da Volterra Draperieen bei den anstössigsten Figuren malen. Er soll durch einen Boten den greisen Künstler über seine Meinung befragt haben. Dieser sagte: „Sage Seiner Heiligkeit, das sei ein kleines Ding und könne leicht in Ordnung gebracht werden. Er selbst solle nur trachten, die Welt in Ordnung zu bringen: ein Gemälde zu verbessern, kostet keine grosse Mühe." Eine Antwort, bezeichnend genug für die Höhen, von welchen aus der Greis das menschliche Leben betrachtete: keine Empörung, kein Schmerz darüber, dass man an sein Werk die korrigirende Hand legte, nur ein trübes Lächeln, das über die Erbärmlichkeit menschlichen Meinens und Treibens hingleitet!

Während der Arbeit in der Kapelle stiess ihm, vielleicht 1539, ein Unfall zu. Er fiel vom Gerüst und verletzte sich am Bein. „Aus Schmerz und Zorn wollte er von keinem Arzt behandelt sein", erzählt Vasari. Wie es scheint, hat er nicht viel von Medizin gehalten, schon im Jahre 1516 schreibt er einmal an seinen Vater über Buonarroto, der sich ein Leiden zugezogen hatte: „ich habe mich darüber beunruhigt, denn ich sorge mich, dass es durch Medizin ruinirt wird: und wie ich ihm schon gesagt, so würde ich nichts Anderes thun, als das Bein warm halten und vorsichtig sein und im Übrigen die Natur frei walten lassen." (Lett. S. 51.)

„Maestro Baccio Rontino von Florenz aber, sein Freund, der ein phantasievoller Arzt und von grosser Liebe für Michelangelos Kunst erfüllt war, empfand Mitleid mit ihm und ging eines Tages, an sein Haus zu pochen, und da ihm weder von den Nachbarn noch von Jenem geantwortet wurde, versuchte er auf geheimem Wege hinaufzusteigen und suchte von Zimmer zu Zimmer, bis er zu Michelangelo kam. Dieser war in Verzweiflung. Maestro Baccio aber wollte ihn, so lange er nicht geheilt war, nicht verlassen noch sich von ihm trennen." Auch in einer Krankheit, die ihn Anfang Juli 1544 befiel, pflegte ihn Baccio, der es damals wohl anordnete, dass dem Künstler von Luigi del Riccio eine bequeme Wohnung im Hause der Strozzi zur Verfügung gestellt wurde. Als er dieses nach treuer dort empfangener Pflege wieder verliess, schrieb er an Luigi (im Januar 1545): „ich bin geheilt und hoffe noch einige Jahre zu leben, da der Himmel meine Gesundheit in die Hände des Meisters Baccio und des Trebbianoweines der Ulivieri gelegt hat." (Lett. S. 502.) — Am Ende des Jahres 1545 ist er ein zweites Mal schwer erkrankt.

Die Fresken in der Capella Paolina waren, wie Vasari sagt, „die letzten Gemälde, welche er und zwar im Alter von 75 Jahren ausführte, und, nach dem, was er mir sagte, mit grosser Anstrengung; denn die Malerei, wenn man über ein gewisses Alter hinaus ist, und namentlich die Freskoarbeit, ist nicht eine Kunst für Greise." Die letzten Bildhauerarbeiten waren die auf Donato Giannottis Wunsch für den Kardinal Ridolfi begonnene, aber nicht vollendete Büste des Brutus, eine gleichfalls unvollendete Pietà, die im Hofe des Palazzo Rondanini in Rom aufbewahrt wird, und jene Gruppe der Beweinung Christi, die jetzt hinter dem Hochaltar des Domes in Florenz sich befindet. Über die Entstehung der letzteren berichtet Vasari:

„Der Geist und die Kraft Michelangelos konnte es nicht aushalten, ohne etwas zu schaffen: und da er nicht malen

konnte, machte er sich an ein Stück Marmor, um vier überlebensgrosse Figuren herauszuschlagen, worunter der todte
Christus war, aus Unterhaltung und um sich die Zeit zu ver-
treiben, und, wie er sagte, weil die körperliche Übung mit
dem Meissel ihn gesund erhielt. Später zerbrach er sie
aus folgenden Gründen: entweder weil der Block viel Schmirgel
enthielt und hart war, und häufig Feuer unter dem Meissel
sprühte, oder weil die Kritik dieses Mannes so gross war,
dass er sich nie mit etwas, was er machte, genug that: und das
ist wahr, denn wenige der im Mannesalter von ihm gemachten
Statuen sind vollendet, die fertigen sind von ihm in seiner
Jugend ausgeführt worden ... In jener Zeit war Tiberio
Calcagni, ein florentiner Bildhauer, durch Vermittlung von
Francesco Bandini und Messer Donato Giannotti ein grosser
Freund Michelangelos geworden; Dieser, eines Tages im
Hause Michelangelos, wo jene zerbrochene Pietà war, frug
ihn nach langer Unterhaltung, warum er sie zerbrochen und
so wundervolle Arbeit vernichtet habe; er antwortete, daran
seien die Belästigungen durch seinen Diener Urbino schuld,
der ihn jeden Tag gedrängt habe, sie zu vollenden; und dass
unter Anderem ein Stück vom Ellenbogen der Madonna abgeschlagen wurde, und dass er schon vorher eine Abneigung
gegen sie gefasst, weil ihm viele Unfälle wegen eines im
Block befindlichen Sprunges zugestossen wären; so dass ihm
die Geduld gerissen sei und er sie zerbrach, ja sie ganz
zerbrochen hätte, wenn ihm sein Diener Antonio sich nicht
ihm empfohlen und gebeten hätte, sie ihm zu schenken. Daraufhin sprach Tiberio, als er dies gehört, mit Bandino, der
etwas von des Meisters Hand zu besitzen wünschte; und
Bandino betrieb es, dass Tiberio dem Antonio 200 Goldskudi versprach und Michelangelo bat, zu erlauben, dass
Tiberio mit Hülfe seines Modells die Gruppe für Bandino
vollende: so würde diese mühevolle Arbeit doch nicht umsonst geschehen sein. Michelangelo war damit zufrieden und
machte sie ihnen zum Geschenk. Sie wurde fortgebracht
und von Tiberio wieder zusammengefügt und einige Stücke
ergänzt; doch blieb sie, in Folge des Todes von Bandini,
Michelangelo und Tiberio, unvollendet."

Thode, Michelangelo I. 21

Nur wenige Bildwerke also und diese unbeendet sind aus
der späteren Lebenszeit des Künstlers zu verzeichnen: seine
letzte Thätigkeit sollte der Architektur gewidmet sein, jener
Kunst, die er in früheren Zeiten, ebenso wie die Malerei,
als „nicht seine Profession" bezeichnet hatte. Die erste
Arbeit auf diesem Gebiete war die Vollendung des Palazzo
Farnese in seinem obersten Geschosse und der oberen Loggia
des Hofes. Am 1. Januar 1547 erhielt er nach Antonio da
San Gallos Tode die Stellung des Bauleiters von S. Peter.
Unter welchen Schwierigkeiten er, im Kampfe mit einer
gehässigen feindlichen Parthei, durch sechszehn Jahre Gott
zu Ehren, unter den Päpsten Paul III., Julius III., Marcellus II.,
Paul IV. und Pius IV. diese Aufgabe durchführte, ist bereits
früher geschildert worden. Er selbst sollte die Vollendung
auch dieses seines Werkes, der Kuppel, nicht erleben! Von
dem nach seinen Plänen gemachten Ausbau des Kapitols,
welcher schon 1546 unternommen wurde, sah er wenigstens
die grossartige Treppenanlage noch entstehen. Die kapitolinischen Bauten selbst sind ebenso, wie die Porta Pia, für die
er drei Skizzen entwarf, in veränderter Form erst später ausgeführt worden. Wie weit er mit der Umgestaltung der
Diokletiansthermen in eine christliche Kirche S. Maria degli
Angeli gelangte, ist nicht mehr zu bestimmen, da diese
1749 von Vanvitelli vollständig verändert wurde. Über alle
diese Unternehmungen sind wir wenig unterrichtet, nur die
Geschichte des Baues der Kirche der Florentiner in Rom,
S. Giovanni, wird durch einige Briefe erhellt: — noch einmal
in den allerletzten Lebensjahren des unermüdlichen Geistes
taucht ein gewaltiger Plan auf, seine letzte Erfahrung sollte
die auch hier vereitelter Hoffnungen und Pläne sein.

Schon im Jahre 1550 hat er sich mit dem Gedanken
eines Neubaues der florentinischen Kirche getragen. Papst
Julius III. wollte unter Oberaufsicht Michelangelos für zwei
Verwandte durch Vasari und Ammanati zwei Grabdenkmäler
in S. Pietro in Montorio errichten lassen. „Gestern (31. Juli),
als der Papst nach Montorio gegangen war, sandte er nach
mir. Ich kam nicht zur Zeit und traf ihn auf dem Heimwege
auf der Brücke. Ich hatte eine lange Besprechung mit ihm

über die Euch verdungenen Grabmäler, und zuletzt sagte er mir, er sei entschlossen, die Denkmäler nicht auf dem Berge, sondern in der Kirche der Florentiner zu errichten, und bat mich um meine Ansicht und eine Zeichnung. Ich bestärkte ihn sehr darin, in der Meinung, dass auf diese Weise es dazu kommen würde, die Kirche zu vollenden." (Lett. S. 529.) Wenige Monate später hat der Papst seinen Wunsch geändert. „An die Kirche der Florentiner ist nicht mehr zu denken." (13. Oktober. Lett. S. 531.) Jahre vergehen, da schreibt der Meister am 15. Juli 1559 an Lionardo:

„Die Florentiner wollen hier einen grossen Bau, nämlich eine Kirche, machen und haben mich alle einstimmig gezwungen, dies zu übernehmen, und bleiben dabei. Ich habe geantwortet, dass ich hier mit Einwilligung des Herzogs an S. Pietro beschäftigt bin, und ohne seine Erlaubniss nichts von mir erreicht werden kann." (Lett. S. 345.)

Die in Rom sich aufhaltenden Landesgenossen des Künstlers hatten den Beschluss eines vollständigen Neubaues gefasst, und die erwählten Prokuratoren, unter denen auch sein Freund Francesco Bandini war, wandten sich zugleich an ihn und an den Herzog Cosimo, welcher Michelangelo die Sache am 26. Oktober empfiehlt. Dieser antwortet am 1. November:

„Erlauchtester Herr Herzog von Florenz. — Die Florentiner haben schon mehrere Male grösstes Verlangen gehabt, hier in Rom eine Kirche San Giovanni zu bauen. Jetzt zur Zeit Eurer Herrschaft auf grössere Möglichkeit hoffend, haben sie sich entschlossen und haben fünf Männer an die Spitze des Unternehmens gestellt, welche mich mehrere Male aufgefordert und gebeten haben, ihnen einen Entwurf für besagte Kirche zu machen. Da ich weiss, dass Papst Leo diese Kirche begonnen hat, habe ich ihnen geantwortet, ich wolle nicht ohne Erlaubniss und Auftrag des Herzogs von Florenz mich der Sache annehmen. Jetzt, wie es weiter gegangen ist, sehe ich mich im Besitze eines sehr gütigen und huldvollen Schreiben von Eurer Erlauchtesten Herrlichkeit, welches ich für einen ausdrücklichen Befehl, dass ich besagte Kirche der Florentiner übernehmen soll, halte, und bezeuge die grösste Freude darüber. Schon habe ich mehrere

21*

Zeichnungen gemacht, welche der mir von obengenannten Deputirten für den Bau angewiesenen Örtlichkeit entsprechen. Als Männer von grossem Geist und Urtheil, haben sie einen dieser Entwürfe gewählt, der in Wahrheit auch mir als der ehrenvollste erschienen ist. Diesen werde ich abzeichnen und schärfer, als ich es bei meinem Alter thun konnte, ausführen lassen und Eurer Erlauchtesten Herrlichkeit senden; und was Ihr gefallen wird, soll zur Ausführung gelangen."

„Es schmerzt mich gerade in diesem Falle so alt und so wenig mit dem Leben einig zu sein, dass ich von meiner Seite nur wenig für den Bau versprechen kann; gleichwohl werde ich mich bemühen, in meinem Hause mich aufhaltend, zu thun, was Euere Herrlichkeit von mir verlangt, und Gott wolle, dass ich es an nichts Ihr gegenüber fehlen lasse. Am 1. November 1559. — Euerer Excellenz Diener Michelagniolo Buonarroti in Rom." (Lett. S. 551.)

Am 2. Dezember wird die Zeichnung eingesandt, welche Cosimo billigt und lobt. Am 5. März schreibt Michelangelo:

„Die Deputirten der Kirche der Florentiner haben sich entschlossen, Tiberio Calcagni an Eure Erlauchte Excellenz abzusenden. Das hat mich sehr erfreut, denn nach den Zeichnungen, welche er überbringt, werden Sie besser als nach dem Grundriss, den Sie sahen, zu beurtheilen im Stande sein, was zu thun nöthig sein wird. Und wenn sie Ihnen genügen, so wird man dann mit Hülfe Euerer Excellenz beginnen können, die Fundamente zu legen und dieses heilige Unternehmen fortzuführen. Und es erschien mir als meine Schuldigkeit, da Euere Excellenz mir befohlen hat, diesen Bau zu übernehmen, Ihnen mit diesen wenigen Zeilen zu sagen, dass ich es an nichts, was ich zu thun weiss und vermag, fehlen lassen werde, obgleich mein Alter und meine Unpässlichkeit mich daran hindert, so viel zu thun, als ich möchte, und als es meine Pflicht in Diensten Euerer Herrlichkeit und der Nation wäre. Mit meinem ganzen Herzen empfehle ich mich Ihnen und biete mich dar, und bitte Gott, dass er Sie in glücklichsten Verhältnissen erhalte." (Lett. S. 552.)

Am 25. April wiederholt er seine Versprechungen. — Näheres giebt Vasari an: unter den Entwürfen Michelangelos wählte die Baukommission einstimmig den reichsten. „Worauf ihnen Michelangelo sagte, dass, wenn sie diesen Entwurf ausführten, weder die Römer noch die Griechen jemals in ihren Tempeln etwas Ähnliches gemacht hätten: Worte, wie sie weder früher noch später jemals aus dem Munde Michelangelos hervorgingen, denn er war höchst bescheiden. Schliesslich beschlossen sie, dass alle Anordnungen Michelangelo vorbehalten blieben, und die Arbeit der Ausführung des Werkes Tiberio übernähme. Und sie waren mit Allem zufrieden, da er ihnen versprach, sie auf das Beste zu bedienen. Und so übergab er den Grundriss Tiberio, dass er ihn in klare und richtige Zeichnung übertrage, gab ihm die Profile aussen und innen an und liess ihn ein Thonmodell machen, indem er ihn lehrte, es so auszuführen, dass es aufrecht stünde. Innerhalb von zehn Tagen führte Tiberio das Modell in der Höhe von acht Spannen aus; und da es der ganzen Nation gefiel, liessen sie danach ein Holzmodell anfertigen, welches heute im Konsulat der Nation sich befindet: ein Werk von so seltener Kunst, wie man nie eine Kirche gesehen hat, sowohl wegen seiner Schönheit und seines Reichthums, als wegen seiner Mannichfaltigkeit: man machte den Anfang und gab 5000 Skudi aus; dann aber, da die Beiträge für den Bau stockten, blieb es so, und Michelangelo empfand den grössten Schmerz darüber."

So endet auch das letzte grosse Unternehmen, welches, vom greisen Meister muthvoll übernommen, von einer, wie es scheint, unvergleichlichen künstlerischen Bedeutung geworden wäre. Kein Modell, keine Zeichnung, die auch nur in allgemeinsten Formen die Idee auf die Nachwelt gerettet hätte, ist erhalten.

Und Sankt Peter? Das schliesslich versöhnte Walten des Schicksales, welches die Nachwelt in der Verwirklichung seines Planes der Peterskuppel gewahrte, blieb ihm selbst zu empfinden verwehrt — als er die Augen schloss, war das Werk kaum über die ersten Anfänge hinaus gediehen, und welche Hoffnung konnte er bei dem Rückblick auf die Ent-

täuschungen seines Lebens für die Vollendung dieser Gott
geweihten Arbeit gewinnen?

Was Michelangelo aber auch in den drei letzten römischen
Jahrzehnten seines Lebens erfahren hat, in wie furchtbare
Kämpfe mit dem Unverständniss und dem Neid seine Stellung
als Leiter des Petersbaues ihn verwickeln sollte, — nicht umsonst war er durch alle Leiden gegangen. Nicht mehr mit
leidenschaftlichem Aufbrausen und heftigen Entschlüssen, so oft
auch der alte Zorn seine starke Natur noch in einzelnen Augenblicken anwandeln mochte, trachtete er danach, die Menschen
und Verhältnisse zum Besten seiner Thaten zu zwingen. In
grösserer Tiefe als in dem Wirrsal willkürlicher Erscheinungen
hatte er das Leiden und die Noth der Welt zu suchen und
zu finden gelernt und nahm sein Loos in schwermüthiger Entsagung auf sich. „Das volle Glück kann man in dieser Welt
nicht haben" (Lett. S. 166), „je besser Einer ist, desto mehr
duldet er" (Lett. S. 241), „heute herrscht nur noch der Betrug, und man kann sich auf Keinen verlassen" (Lett. S. 190),
„die Eigenliebe betrügt alle Menschen" (Lett. S. 327) — diese
und ähnliche Worte finden sich in die Briefe eingestreut.
Als seinem Neffen Lionardo 1554 der erste Sohn geboren
wird, äussert er sich an Vasari in folgender Weise darüber:
„Messer Giorgio, theurer Freund. — Ich habe die grösste
Freude über Euren Brief gehabt, da er mir zeigt, dass Ihr
Euch noch des armen Greises erinnert, und mehr noch darüber, dass Ihr, wie Ihr schreibt, Euch bei dem Triumph befunden habt, einen neuen Buonarroto erstehen zu sehen: dafür danke ich Euch, so gut ich weiss und kann, aber gar
sehr missfällt mir solcher Pomp, denn der Mensch soll nicht
lachen, wenn die ganze Welt weint: daher scheint mir, Lionardo habe nicht viel Verstand, und namentlich nicht, solches
Fest für Einen, der geboren wird, zu machen mit einer Heiterkeit, welche man für den Tod Eines, der gut gelebt hat,
aufsparen sollte. Anderes habe ich nicht zu schreiben. Ich
danke Euch höchlichst für die Liebe, welche Ihr für mich
hegt, obgleich ich ihrer nicht würdig bin. Die Dinge stehen

hier noch so wie früher. Am, ich weiss nicht, wievielten des April 1554." (Lett. S. 533.)

Es sind dieselben Gedanken, die in mehreren Gedichten ihren poetischen Ausdruck gewonnen haben, so in dem Madrigal:

„Geführt von vielen Jahren nah' zum Ende,
Wohl spät, o Welt, erkenn' ich deine Freuden:
Den Frieden, den du nicht besitzst, versprichst du
Und Ruhe, die vor der Geburt schon stirbt.
Die Scham und Furcht, dem Alter
Vom Himmel zugewiesen,
Erneu'n den süssen Wahn,
Der, lebt man ihm zu sehr,
Die Seele tödtet und dem Leibe schadet.
Ich sag' es und ich weiss es aus Erfahrung
An mir gemacht: nur Dem wird droben Heil,
Dem, kaum geboren, schon der Tod sich naht."
                    (Guasti S. 123.   Frey CIX, 34.)

Und ähnlich im folgenden Madrigal:
„Wenn die Vergangenheit zurück mir kehrt,
Wie stündlich ich's erfahre,
Dann, falsche Welt, erkenne ich gar wohl
Des menschlichen Geschlechtes Wahn und Schaden.
Das Herz, das deinem Schmeicheln
Und deinen eitlen Freuden sich ergiebt,
Erwecket in der Seele schmerzlich Wehe:
Wohl weiss es, wer es fühlt,
Wie oft den Frieden du
Versprichst und Gutes, das du selbst nicht hast
Noch jemals haben wirst!
Wer lang' hier weilt, ist weniger begnadet;
Denn leichter führt zum Himmel kürz'res Leben."
                    (Guasti S. 124.   Frey CIX, 32.)

Oft spricht er von seinem Alter und seiner Müdigkeit: „ich bin alt", schreibt er 1549 an Martini, „und der Tod hat mir die Gedanken der Jugend genommen, und wer nicht weiss, was das Alter ist, habe so lange Geduld, bis er es erreicht, denn früher kann er es nicht wissen." (Lett. S. 524.)

„Ich bin alt und stehe hier grosse, wenig erkannte Mühe
aus und thue es aus Liebe zu Gott, und auf Ihn hoffe ich
und auf nichts Anderes." (Lett. S. 343.) Als Vasari ihn
eines Nachts aufsuchte, fand er ihn bei der Arbeit an jener
unvollendeten, halb zerstörten Pietà. „Michelangelo erhob
sich auf das Klopfen an der Thüre hin und nahm einen
Leuchter in die Hand. Als Vasari dann die Skulptur betrachten wollte, liess er das Licht fallen und verlöschen, damit Dieser nichts sehen könne. Und während Urbino ging,
ein neues zu holen, wandte sich der Meister zu Vasari und
sagte: ich bin so alt, dass oft der Tod mich an der Kutte
zieht, mit ihm zu gehen, und dieser mein Leib wird eines
Tages hinfallen wie dieser Leuchter und das Lebenslicht
verlöschen, wie er."

Alle Mühsal und Gebresten des Alters, von denen manche
Briefe sprechen, haben aber das innere, ewig junge Leben nicht
berührt. Andere, weltabgewandte Bereiche sucht er für seine
Bethätigung: Sphären des philosophischen Denkens und der religiösen Erhebung, in welche wir ihm erst später folgen können,
wenn uns die dichterische Seite seines Schaffens beschäftigen
wird. Denn in dieser letzten Lebenszeit sind, als der befreiende
Ausdruck innerer Sehnensnoth, weitaus die meisten seiner
Dichtungen entstanden. Immer mehr von menschlicher Gesellschaft sich zurückziehend, aber lange Zeiten im stillen Verkehr mit den Edelsten in Rom eine tiefere Gemeinsamkeit
der Gedanken suchend, mit Ehrfurcht in die dem inneren
Auge durch Vittoria Colonna neu erschlossenen Welten eines
erlösenden Glaubens sich versenkend, die Geheimnisse des
Evangeliums, die dichterische Weisheit Dantes und die Liebe-
predigten Savonarolas in sich zu starkem Leben erweckend,
und seine Kunst nur noch als ein Gott dargebrachtes Opfer
ausübend — so erwartete Michelangelo den Tod.

Aber an den vom Leben fast schon Abgeschiedenen erging noch einmal, fast gleichzeitig mit der Unternehmung
der Kirche der Florentiner, ein dringender Ruf aus der
Welt, und einige ausführliche Briefe, die uns von ihm erhalten sind und aus denen zum letzten Male sein erhabenes
Wesen zu uns redet, sind die Antwort auf diese Aufforderung.

Schon im Jahre 1546 hatte Herzog Cosimo von Florenz den Versuch gemacht, den Künstler in seine Heimathstadt zurückzuführen, und dann durch Cellinis Vermittelung wiederum 1552. Zwei Jahre später sucht Vasari ihn zu einer Übersiedelung zu bewegen. Der Meister antwortet ihm am 19. September:

„Ich ersehe aus Eurem Briefe die Liebe, die Ihr für mich habt: und wisst für gewiss, dass es mir lieb wäre, dieses mein kraftloses Gebein an der Seite meines Vaters zur Ruhe zu betten, wie Ihr mich bittet; aber ginge ich jetzt von hier fort, so würde ich die Ursache eines grossen Verderbens für den Bau von S. Peter, einer grossen Schande und einer grössten Sünde. Aber wann erst die ganze Anordnung so festgestellt ist, dass sie nicht verändert werden kann, so hoffe ich zu thun, was Ihr mir schreibt, wenn es gleich nicht Sünde ist, einige Schufte, welche darauf warten, dass ich fortgehe, in Unbehagen zu erhalten." (Lett. S. 534.)

Von neuem ergehen Aufforderungen im Mai, Juni und September 1555, und jetzt wird es deutlich, wesshalb der Herzog so drängt. Er möchte die Mediceerkapelle und die Bibliothek durch den Künstler vollendet sehen. Dieser entschuldigt sich wiederum in zwei Schreiben mit denselben Worten, er könne den Petersbau nicht verlassen: das bedeute für diesen den Ruin, für ihn selbst aber grösste Schande in der ganzen Christenwelt, und grösste Sünde für seine Seele. „Dankt dem Herzog für seine so sehr grossen Anerbieten, und bittet Seine Herrlichkeit, dass ich mit seiner guten Erlaubniss und Huld hier fortfahren könne, so lange, bis ich mit gutem Namen und Ehre und ohne Sünde fortgehen kann." (Lett. S. 537.) Den anderen Brief schliesst er: „Mein theurer Messer Giorgio, ich weiss, dass Ihr an meinem Schreiben erkennt, dass ich in der vierundzwanzigsten Stunde angelangt bin, und kein Gedanke entsteht in mir, in den nicht der Tod eingemeisselt wäre: und Gott gebe, dass ich ihn noch auf einige Jahre hinhalten kann." (Lett. S. 538.)

Anfang des Jahres 1557 scheint er vom Herzog wieder gedrängt worden zu sein, denn in einem Brief vom 13. Februar bittet Michelangelo seinen Neffen, Cosimo mitzutheilen, dass zur Vollendung des Modells für die Kuppel noch mindestens ein Jahr nöthig sei, „und ich bitte den Herzog aus Liebe zu Christus und dem h. Petrus mir diese Zeit noch zu gestatten, damit ich ohne diesen Stachel nach Florenz zurückkommen kann, mit der Absicht niemals mehr nach Rom zurückzukehren . . . ., denn würde mir die Komposition dieses Baues verändert, wie es der Neid zu thun versucht, so wäre es so gut, als hätte ich nichts für denselben gethan bis zur heutigen Stunde." (Lett. S. 333.) Der Herzog aber lässt sich in seinem Wunsche nicht beirren, sondern richtet am 8. Mai einen sehr herzlichen Brief an ihn, in welchem er ihn versichert, dass er ihn mit keinerlei Mühe beschweren werde, da er die Achtung, welche sowohl sein Alter wie die Grösse seiner Kunst erheischten, gut kenne. Michelangelo antwortet:

„Etwa vor drei Monaten oder etwas weniger liess ich Eure Herrlichkeit wissen, dass ich noch nicht ohne grossen Schaden und ohne meine eigene grösste Schande den Bau von S. Peter im Stich lassen könne, und dass mir noch ein Jahr nöthig sei, ihn in dem erwünschten Zustande derart nämlich, dass nichts Nothwendiges mehr ihm fehle, verlassen zu können; und es schien mir, dass Eure Herrlichkeit damit zufrieden war, mir diese Frist zu bewilligen. Jetzt erhalte ich ein neues Schreiben von Eurer Herrlichkeit, welches mich mehr, als ich erwartete, drängt, zurückzukehren: das versetzt mich in Erregung und zwar nicht kleine, denn ich habe gerade jetzt mehr Mühen und Verdruss mit dem Bau, als jemals; und das kommt daher, dass an der Wölbung der Kapelle des Königs von Frankreich, welche eine sehr kunstreiche und bisher nie angewandte ist, weil ich alt bin und nicht mehr oft hingehen konnte, ein gewisser Fehler entstanden ist, dessentwegen ich einen grossen Theil von dem, was schon gemacht war, wieder zerstören muss: welche Kapelle das ist, davon kann Bastiano von San Gimignano, welcher hier Oberaufseher war, Zeugniss ablegen und auch darüber, von welcher Bedeutung sie für den ganzen übrigen Bau ist. Und wenn diese Kapelle wieder hergestellt ist — und ich glaube, sie wird in diesem Sommer beendigt werden können —, so bleibt mir nichts Anderes mehr zu thun, als

das Modell für den ganzen Bau zurückzulassen, wie ich von
Jedermann und hauptsächlich vom Kardinal von Carpi gebeten werde, und dann nach Florenz zurückzukehren, in
der Absicht, im Tode mich auszuruhen, mit dem ich Tag
und Nacht mich vertraut zu machen suche, damit er mich
nicht schlechter als andere Greise behandle."

„Und so, um zur Hauptsache zurückzukehren, bitte ich Eure
Herrlichkeit, mir die erbetene Frist von einem Jahr noch für
den Bau zu bewilligen, so wie ich es glaubte, dass Sie es auf
mein anderes Schreiben hin einverstanden gewesen wären."

„Eurer Herrlichkeit geringster Diener Michelagniolo
Buonarroti in Rom." (Lett. S. 543.)

Aus den Zeilen liest man deutlich heraus, wie beunruhigend
dieses beständige Drängen des Herzogs für den vielgequälten
alten Meister war. Schliesslich waren es doch ganz egoistische
Pläne, welche Cosimo verfolgte, wie es aus den im folgenden
Jahre an Michelangelo ergehenden Anfragen bezüglich des
Treppenbaues der Laurenziana ersichtlich wird: man wollte
den Künstler in Florenz haben, damit er die Mediceischen
Unternehmungen zu Ende führe. Cosimo scheint jene ab-
schlägige Antwort nicht gut aufgenommen zu haben, denn
im Juli 1557 schreibt Michelangelo an Lionardo:

„Ich wünschte viel lieber den Tod als beim Herzog in
Ungnade zu stehen. In allen meinen Angelegenheiten bemühe
ich mich wahrhaftig zu sein, und wenn ich gezögert habe,
nach dort zu kommen, wie ich versprochen, so habe ich
es immer unter dieser Bedingung verstanden, nicht früher
von hier fortzugehen, als bis ich den Bau von S. Peter so
weit geführt habe, dass mein Plan nicht mehr zerstört oder
verändert werden kann, und keine Gelegenheit mehr geboten
ist, dass das Stehlen wieder beginnt, wie es die Diebe gewohnt waren und noch heute die Gelegenheit dazu abwarten:
und dieser Sorgfalt habe ich mich immer beflissen und befleissige mich ihrer noch, weil Viele, wie auch ich selbst,
glauben, dass ich von Gott auf diesen Posten gestellt bin.
Aber mit dem Bau so weit zu gelangen, ist mir noch immer
nicht gelungen, da Geld und Menschen mir fehlen. Ich aber,
weil ich alt bin und nichts Anderes von mir hinterlassen

kann, habe ihn nicht aufgeben wollen, und weil ich aus Liebe zu Gott diene und auf ihn alle meine Hoffnung setze. Damit der Herzog den Grund meiner Verzögerung wisse, schreibe ich über sie mit einiger Betonung des obwaltenden Irrthumes, auf dass Messer Giorgio dem Herzog Mittheilung davon mache." (Lett. S. 336.)

Ganz ähnlich, nur viel erregter schreibt er an Vasari: wäre es ihm noch möglich zu reiten, er wäre auf einige Tage nach Florenz gekommen, um dem Herzog Alles auseinanderzusetzen, aber er habe Muth nur zu Einem noch, zum Sterben. (Lett. S. 545.)

Wie die Befreiung von einer schweren Last empfindet er die im August vom Herzog ihm gewährte Erlaubniss, in Rom zu bleiben: „Von der so grossen Güte, Liebe und Mitleid des Herzogs fühle ich mich so überwältigt, dass ich nicht weiss, was sagen. Es thut Noth, dass Messer Giorgio mir hilft, denn er weiss, wie sehr ich zu danken habe und mit welchen Worten, als Einer, der mein Leben mehr achtet als ich selbst und namentlich als Einer, der ohne Gleichen ist. Nichts weiter. Das Schreiben ist mir sehr mühsam, da ich alt und voller Verwirrung bin." (Lett. S. 337.)

Bereits im Mai 1558 betreibt aber Cosimo von neuem seine Absichten und verspricht alle Ehren und Wohlthaten, die Michelangelo verdiene, ihm zu gewähren. Letzterer habe beim Empfang der Botschaft aus Rührung geweint, schreibt Lottini an Cosimo, doch verhinderten ihn vielfache Leiden daran, das Anerbieten anzunehmen. Und die gleiche Antwort empfängt der vom Herzog im April 1560 abgesandte Vasari, welcher, wohl im Auftrage Cosimos, bei dieser Gelegenheit den Plan der Brücke von S. Trinità in Florenz mit dem Meister, der ihn weinend und mit tausend Küssen empfing, besprach.

Im November desselben Jahres kam Cosimo selbst nach Rom mit seiner Gemahlin, der Herzogin Leonora: „und Michelangelo ging sogleich, als der Herzog eingetroffen, ihn zu besuchen. Derselbe erwies ihm viele Liebkosungen, liess ihn aus Achtung vor seiner grossen Tugend neben sich sitzen und unterhielt sich sehr vertraulich mit ihm über Alles, was Seine

Excellenz in der Malerei und Bildhauerei in Florenz hatte
machen lassen und noch zu machen beabsichtigte, und namentlich über den (von Vasari ausgeführten) Saal. Von neuem
ermuthigte und bestärkte ihn Michelangelo darin und beklagte
es, weil er jenen Herrn liebte, nicht mehr jung zu sein, um
ihm dienen zu können. Und da Seine Excellenz ihm mit-
theilte, dass er die Art, den Porphyr zu bearbeiten, gefunden
habe und er es nicht glauben wollte, schickte er ihm den
vom Bildhauer Francesco del Tadda gefertigten Christuskopf,
worüber er erstaunte: und er kam, während der Herzog in
Rom weilte, mehreremale zu ihm zu seiner grössten Genugthuung. Und dasselbe that er, als kurze Zeit darauf der erlauchteste Don Francesco de' Medici, des Herzogs Sohn,
nach Rom kam. An Demselben hatte Michelangelo grosses
Gefallen wegen der liebenswürdigen Aufnahme und der
Huldbezeugungen, welche ihm Seine Erlauchte Excellenz zu
Theil werden liess, welche immer, aus unbegrenzter Ehrfurcht vor einem so seltenen Manne, das Barett in der Hand
mit ihm sprach." (Vasari.)

Bei diesem Besuche mag sich Cosimo davon überzeugt
haben, dass dem betagten Künstler eine Übersiedlung nach
Florenz nicht wohl zuzumuthen sei. In den folgenden Jahren
ist nicht mehr die Rede davon gewesen.

Es war ein freundlicher Schein, der durch diese von
Cosimo und Francesco ihm erwiesene Ehre in das Ende
seines Lebens hineinfiel, eine wenn auch schwache Sühne
für alles Leid, das ihm durch die Medici veranlasst worden
war, und in ferner, ferner Erinnerung mochte dem Künstler
die hoffnungsfreudige Zeit, die er, ein Knabe, im Hause
Lorenzo Magnificos zugebracht hatte, in die Erinnerung
zurückkehren, Traumbilder wie aus einem anderen Leben.
Kaum sich erhellend, erbleichten sie wieder vor dem Lichte
des neuen Tages, in welches hoffend und glaubend das
geistige Auge unverwandt schaute.

„Den Tod in jeden Gedanken eingemeisselt", hatte schon
oft Michelangelo sich dem Ende nahe gefühlt, aber sein
starker Körper überwand immer wieder alle Anwandlungen von Krankheit und Schwäche. Nur wenige, ganz

kurze Briefe sind aus den Jahren 1561, 1562 und 1563, fast alle an den Neffen gerichtet, erhalten. Sie beziehen sich zumeist auf die Ordnung seiner Angelegenheiten oder enthalten den Dank für kleine, von Florenz aus gemachte Sendungen. Nur einer (vom 21. August 1563) lenkt besonders die Aufmerksamkeit auf sich, weil er die unverminderte geistige Kraft und Willensenergie des 88jährigen Mannes zeigt. In unwilliger Weise lehnt er die aus übertriebener Besorgniss für sein Wohl und seinen Besitz hervorgegangene Einmischung Lionardos ab:

„Ich sehe aus deinem Briefe, dass du gewissen Neidern und Schuften Glauben schenkst, welche, weil sie mich nicht handhaben noch berauben können, dir viele Lügen schreiben. Das ist eine Gesellschaft von Hallunken: und du bist so thöricht, dass du ihnen betreffs meiner Angelegenheiten Glauben schenkst, als wäre ich ein Kind. Hebe dich von ihnen, wie von Leuten, die Ärgerniss geben, neidisch sind und ein erbärmliches Leben führen. Was du mir aber darüber schreibst, dass ich unter der Bedienung und Anderem leide, so sage ich dir, dass, was die Bedienung anbetrifft, ich gar nicht besser daran sein noch treuer in jeglicher Beziehung bedient und behandelt sein könnte; was aber das Bestehlen anbetrifft, wovon du, wie ich glaube sprechen willst, so sage ich dir, die Leute in meinem Hause sind derart, dass ich darüber in Frieden sein und ihnen vertrauen kann. Darum denke du selbst daran zu leben und denke nicht an meine Angelegenheiten, denn ich weiss mich im Nothfall schon zu schützen und bin kein Kind. Leb gesund!“ (Lett. S. 371.)

Dieselben Befürchtungen, welche Lionardo hegte, veranlassten nach Vasaris Bericht auch Cosimo und den Papst, Vorsichtsmaassregeln zu treffen:

„Etwa ein Jahr vor seinem Tode hatte Vasari heimlich veranlasst, dass Herzog Cosimo de' Medici durch Vermittlung seines Gesandten Messer Averardo Serristori beim Papste es bewirkte, dass, in Ansehung von Michelangelos Kräfteverfall, sorgfältige Aufsicht über Diejenigen, welche ihn bedienten und in seinem Hause verkehrten, gehalten würde;

damit, falls, wie es bei Greisen zu geschehen pflegt, irgend
ein plötzliches Ereigniss zustiesse, vorgesorgt würde, seine
Habseligkeiten, Zeichnungen, Kartons, Modelle, Geld und all'
sein Gut inventarisirt und verwahrt würden, um dann sowohl
dem Bau von S. Peter, als der Sakristei und Bibliothek von
S. Lorenzo die Dinge, welche etwa Bezug auf sie hätten,
zu übergeben und nicht zuzulassen, dass sie etwa, wie es
häufig zu geschehen pflegt, fortgetragen würden. Und diese
Sorgfalt bewirkte auch schliesslich, dass Alles in Ordnung
ausgeführt wurde."

Der Meister scheint von diesen Anordnungen nichts ge-
ahnt zu haben. Er erkrankte im Februar an einem schleichenden
Fieber. Am 14. schreibt Tiberio Calcagni: „Als ich heute
durch Rom ging, hörte ich von Vielen, dass Michelangelo
krank sei. Darauf hin ging ich, ihn zu besuchen und fand
ihn, obgleich es regnete, zu Fuss ins Freie gegangen. Als
ich ihn sah, sagte ich ihm, ich hielte es nicht für richtig,
dass er in solchem Wetter ausgehe. ‚Was wollt Ihr?‘ antwortete er, ‚ich bin krank und kann nirgends Ruhe finden.‘
Die Unsicherheit seiner Sprache, zugleich sein Blick und
seine Gesichtsfarbe, machten mich sehr besorgt um sein
Leben. Das Ende braucht noch nicht gerade jetzt zu kommen,
aber ich fürchte sehr, es ist nicht ferne." (Symonds II, 308.)

Die nächsten Tage verliess der Meister nicht mehr das
Zimmer. Er liess am 15. Februar durch Daniele da Volterra,
welcher mit Tommaso de' Cavalieri und dem Diener Antonio
für ihn sorgte, seinem Neffen schreiben, er möge zu ihm
kommen, „aber mit Vorsicht, da die Wege schlecht seien".
„Ich verliess ihn eben jetzt", schreibt Daniele, „etwas nach
8 Uhr im vollen Besitz seiner Fähigkeiten und geistig ruhig,
nur von dauernder Schläfrigkeit überkommen. Dies belästigte
ihn so sehr, dass er zwischen 3 und 4 Uhr diesen Nachmittag
auszureiten versuchte, wie er es bei gutem Wetter jeden
Abend gewöhnt ist. Das kalte Wetter und die Schwäche
seines Kopfes und seiner Beine hinderte ihn daran; so kehrte
er zum Kamin zurück und liess sich in einem Lehnstuhl
nieder, den er dem Bette durchaus vorzieht." Als das Übel
in den nächsten Tagen zunahm, machte er in Gegenwart

seiner Ärzte Federigo Donati und Gherardo Fidelissimi, sowie der Freunde und Hausgenossen, sein Testament mit
vollstem Bewusstsein in den Worten: dass er seine Seele
den Händen Gottes, seinen Körper der Erde und seine Habe
seinen nächsten Verwandten überlasse. Dann befahl er
den Seinen, ihn beim Hinscheiden aus diesem Leben an
das Leiden Jesu Christi zu erinnern. Und so, am 18. Febr.
1564, in der dreiundzwanzigsten Stunde (um $4^3/_4$ Uhr Nachmittags) hauchte er seine Seele aus, um in ein besseres
Leben einzugehen.“

SCHLUSS

Der letzte Gedanke Michelangelos galt dem Leiden Christi. Ein zwiefaches Bekenntniss ist hierin einbeschlossen: dieses, dass sein eigenes Leben ein Martyrium gewesen, zugleich aber auch das andere, dass das Leiden ihm die Erkenntniss und die Gewissheit der Erlösung gebracht. So ist er, nach Allem, ein Sieger, der sich aus tausendfachen Banden die Freiheit erkämpft, in den Tod gegangen.

Dass ein Held geschieden, dessen sind sich die Zeitgenossen bewusst gewesen, und Florenz übernahm es, sein Gedächtniss wie das eines der Grössten der Menschen zu verherrlichen, als es dem Sohne die Leichenfeier bereitete und Fürst und Land ihn unter unerhörten Ehren und Trauerveranstaltungen zur Ruhestätte in der Franziskanerkirche S. Croce geleitete. Einem Könige gleich ist der einfache Mann, der wie ein Armer gelebt, bestattet worden.

Von Denen, die seiner Bahre folgten, hat ihn Einer ganz gekannt? Bewundert, angestaunt, verehrt war er von Vielen worden, und Manche gab es, die mit Condivi, Vasari und Cavalieri zu ihm aufschauten, wie zu einer überirdischen Erscheinung. Kein Name, wie der seine, war in Italien gefeiert, ja weit über dessen Grenzen bekannt. Es wird uns von vornehmen Deutschen erzählt, welche 1557 Pier Vittori (Brief bei Gaye II, 418) anflehten, den Meister wenigstens nur sehen zu dürfen. Man nannte ihn „den Göttlichen". Aber ward er in gleichem Grade auch geliebt? Der Eine, der in der Einfalt seines treuen Herzens und in rückhaltloser Hingebung vielleicht einzig alle Herrlichkeit dieses Wesens fühlend erfasst hatte, Urbino, war, wie der getreue Condivi, seinem Herrn vorangegangen, „ihn zu erwarten, dass er bei ihm

wohne". Selbst sein ergebenes Herz aber, wie hätte es
begreifen können, was auch den vertrautesten Freunden
verborgen bleiben musste — das Leiden seines Meisters?
Erst in weite Vergangenheit musste dies entrückt sein, ehe
es sich der Welt verkündigen konnte. Aus seinen Briefen
und Dichtungen musste Michelangelos eigene Stimme selbst
wieder zu uns sprechen. Da enthüllte sich in aller Mannichfaltigkeit der Äusserungen sein Wesen nach seiner Einheitlichkeit, und alle scheinbaren Widersprüche verschwinden.
Da zeigte es sich, dass unermessliches Liebesbedürfniss des
Herzens, unbegränzte Empfänglichkeit der Phantasie und
leidenschaftliche Gewalt des Willens in ihrem gemeinsamen, sich
gegenseitig beeinflussenden Walten dieses Wesen ausmachen.

In Treue und Langmuth, Milde und Gerechtigkeit, Barmherzigkeit und Demuth bethätigt sich die Güte des Herzens,
in schwärmerischer Hingebung und begeisterten Freundschafts-
empfindungen beschwingt die Phantasie das Gefühl, in Hoffnung, Geduld und Glauben bewährt sich der feurige Muth.
Mit allen hohen, zu gewaltigster Art gesteigerten Eigenschaften tritt der erhabene Mann, vom Drange nach künst-
lerischem Schaffen getrieben, der Welt gegenüber — und
Menschen und Schicksal widersetzen sich der freien seelischen
und künstlerischen Äusserung seiner Natur. Das Missverständniss, das durch seine Leidenschaft, der Neid und der Hass,
die durch seine Grösse hervorgerufen werden und in demselben Grade zunehmen, wie die Kraft seines Genies wächst,
„wehren" seinem Streben, das, unpersönlich, nur auf das
Gemeinsame, Ideelle gerichtet ist, „die Pfade". Verkannt und
angefeindet sieht sich die zartbesaitete, wehrlose Natur genöthigt, auf die eigene Vertheidigung und Rettung bedacht
zu sein. Das tiefe Bewusstsein von ihrer Lauterkeit, ihrer
ethischen Bedeutung und der Würde ihrer künstlerischen Aufgabe zeigt sich im Widerstand gegen die Lieblosigkeit als
Stolz, der in gewissenhafter Pflichterfüllung das Recht der
individuellen Freiheit, wie die Ehre des Namens und der Familie
findet und Freiheit wie Ehre gegen jede unberechtigte Zumuthung schützt. Drohenden Angriffen aber, die mit gleichen
Waffen feindseliger Willkür zurückzuschlagen der Edelmuth des

Charakters unfähig ist, lernt, durch harte Erfahrungen von früher Jugend an beängstigt, die Leidenschaft durch heftige Ausbrüche, lernt die Phantasie durch Argwohn zuvorzukommen. Die Ironie bietet ihre Hülfe dar, wenn es gilt, falsche Beurtheilung zurückzuweisen. Nur als eine Abwehr, als eine durch die Verständnisslosigkeit und Gehässigkeit der Welt aufgezwungene verneinende Bethätigung von Gefühl und Geist sind diese aus Schmerzen hervorgegangenen und Schmerzen verursachenden Äusserungen, die zu einer Verkennung Michelangelos dereinst reichlichen Anlass gegeben haben, zu verstehen.

So offenbarte sich uns sein Leiden einmal als die Unbefriedigtheit des Liebesverlangens eines überstarken Herzens, dessen Anforderungen das unendlich viel schwächere Gefühlsvermögen der Menschen in keiner Weise entspricht, als die Noth einer Seele, deren hohe, von der Phantasie gesteigerte Kraft, da sie ein Andere beschämendes, ja vernichtendes Zeugniss für das auf dieser Welt mögliche Gute war, den Widerstand und Hass kleiner Geister herausforderte.

Seinen anderen Ursprung hatte das Leiden in der Noth, in der Unbefriedigtheit des Schaffensdranges. So oft auch Willkür und Laune einzelner Personen, so oft das ungestüme Temperament Buonarrotis dazu beitrugen, in einem höheren Sinne ist es doch das Schicksal, eine Verkettung von allgemeinen Ereignissen und persönlichen Verhältnissen gewesen, welche diese übermenschliche künstlerische Thatkraft gelähmt und fast alle ihre grössten Pläne vereitelt hat. Mit unversieglicher Energie ausgestattet, musste der Schöpfer seine eigenen Thaten vor sich sterben sehen, dahingerafft von Mächten, deren er nicht Herr war. Der Ersatz für die unerreichte Liebesvereinigung mit den Menschen, welchen die meisten Genies in der Schaffenswonne finden, war ihm nicht voll vergönnt, denn jene Werke der Malerei, die einzig ganz auszuführen ihm möglich ward, entsprachen seinem künstlerischen Wollen nicht. Der Entzückung und Hoffnungsfreudigkeit, von welcher sein Geist während der Konzeption und ersten Inangriffnahme geschwellt ward, folgte unerbittlich tiefe Enttäuschung, und in heftigen Aufwallungen des Zornes,

22*

ja der Verzweiflung rang unter furchtbaren Qualen seine
Prometheische Kraft mit dem unentrinnbaren, ihr auferlegten
Zwang, bis sie in Schwermuth entsagen lernte. Auch hier
also ist das Bejahen der auf Schaffen und Wirken ausgehenden Kraft das Wesentliche des Temperamentes, sind
die Affekte und die trüben Stimmungen nur dessen negative
Äusserung: Ausdruck des Leidens!

Und die aus zwei Quellen: der Noth des Gemüthes und
der Noth des Schaffensdranges entspringenden Leiden durchdringen sich wechselseitig und verstärken sich zu einer
Schmerzensgewalt, welche die liebeglühende, schwärmerische,
wohlwollend heitere, thatenfreudige Seele mit unausserprech-
lichen Martern beängstigte. Solches war die Kreuzeslast
Michelangelos, soweit sie in dem Widerspruch zwischen
seinem Wesen und der Welt begründet erscheint.

Aber ist hiermit Alles gesagt? In den einleitenden Worten
ist bereits die Antwort gegeben worden: Nein! Noch einem
anderen Leiden war dieses Leben verfallen, jenem, das aus
dem inneren Widerstreit zweier sein künstlerisches Schaffen
bestimmender Welten hervorging. Obgleich, ja vielleicht gerade weil Michelangelo sich nur der Folgen solchen Kampfes,
nicht der Ursachen desselben bewusst geworden, liegt in diesem
Konflikt in noch höherem Grade, als in dem bisher geschil-
derten, die Tragik seiner Existenz. Weit über die Persönlichkeit hinaus führt uns deren Betrachtung in das grosse
Walten historisch bedingter Anschauungen und Mächte,
deren Unversöhnlichkeit in seinem Schaffen zum deutlichen
Ausdruck kam. Sie lassen sich mit zwei kurzen Worten
bezeichnen: der antike Schönheitskultus und die christliche
Glaubensversenkung!

ANHANG

MICHELANGELOS LEBEN IN ANNALEN

Um die nähere Bestimmung zahlreicher Daten in Michelangelos Leben hat sich nach Milanesi (Lettere d. M. A., wo freilich viele Irrthümer untergelaufen sind, und Kommentar zur Vasariausgabe mit dem Prospetto Cronologico), Aurelio Gotti (Vita di M.) und Louis Fagan, der in seinem Buch: The art of M. (1883) Regesten aufstellte, ganz besonders, wie schon im Vorwort erwähnt wurde, Carl Frey durch seine „Studien zu M." im Jahrbuch der königlich Preussischen Kunstsammlungen 1895 und 1896, durch seine Anmerkungen zu seiner Ausgabe der „Dichtungen" und durch seine Exkurse in der „Sammlung ausgewählter Briefe" verdient gemacht. Auf seine Nachweise, deren Nachprüfung die grosse Zuverlässigkeit seiner Untersuchungen erwies und nur ausnahmsweise zu einer Korrektur berechtigte, gehen viele der im Folgenden verzeichneten Angaben zurück. Der weitaus grösste Theil der schwierigen und peinlichen Arbeit blieb doch, da Frey nur Bruchstücke (Regesten zur Geschichte der Sixtinischen Malereien, der Mediceergräber, der dichterischen Thätigkeit und Einzelanmerkungen zu den an M. gerichteten Briefen) geliefert hat, mir selbst zu thun übrig. Es mag mir Eines oder das Andere noch entgangen sein, doch glaube ich annähernde Vollständigkeit erreicht zu haben. Die zum Theil nicht unwichtigen Resultate, die sich für die Kunstwerke ergaben, werden im III. Bande ihre übersichtliche Verwerthung finden. — Einiges Neue brachten nach Erscheinen der ersten Auflage dieses meines ersten Bandes Steinmann und Pogatscher (namentlich aus den Manuskripten im Besitze von Miss Hertz) in „Dok. und Forsch. zu M.", im Rep. f. Kunstw. XXIX, S. 387—457, Carl Frey in den „Studien", Jahrbuch XXX, Beiheft S. 103—180, (alle dokumentarischen Notizen über Marmordavid, 12 Apostel, Karton der Schlacht und Modell der Peterskuppel) und G. Gronau im Jahrb. XXXII, Beiheft S. 62—81 (Medicikapelle, Libreria).

1472. Lodovico di Lionardo Buonarroti (geb. 1446) heirathet Francesca di Neri (geb. 1455). (Gaye: Carteggio II, 255.)
1473. Ihr erster Sohn Lionardo wird geboren. (Gaye II, 255.)
1475. 6. März. Michelangelo in Caprese geboren.
1477. 26. Mai, dritter Sohn: Buonaroto geboren.
1479. 11. März, vierter Sohn: Giovan Simone geboren.
1481. 22. Januar, fünfter Sohn: Sigismondo geboren.
1481 stirbt Francesca di Neri. (6. Dez. beerdigt.)
1485. Lodovico di Lionardo heirathet Lucrezia Ubaldini. (Für diese Familienangaben s. Mil. Vasari. — Gaye II, 255. — Gotti II, 7. 19. I, 3.)
1488, vor. Michelangelo in der Schule bei Francesco da Urbino. (Condivi.)
1488. 1. April. Er kommt auf Francesco Granaccis Antrieb als

Lehrling auf drei Jahre zu Domenico und David Ghirlandajo. (Vasari.)

1488.   16. April.   Ghirlandajo zahlt ihm zwei Gulden (Vasari). — (Zeichnungen, Kopie nach Schongauer.)

1489?   Er verlässt die Werkstatt Ghirlandajos und beginnt seine Studien bei Bertoldo in den Gärten der Medici. (Vasari. Condivi.)

1490—1492.   Als Hausgast des Lorenzo Medici. Studien unter Bertoldos Leitung in den Gärten. Studien in der Brancaccikapelle. Verletzung seiner Nase durch Torrigiani. — Es entstehen die Faunsmaske, die Madonna an der Treppe, der Kentaurenkampf (Vasari. Condivi), ferner das Relief Apollo und Marsyas (?), die Apollostatuette (in Berlin).

1491.   4. Juli.   Sein Bruder Lionardo tritt in den Dominikanerorden ein. (Gotti II, 19.)

1492.   8. April stirbt Lorenzo Medici.

1492—1494 bei Piero Medici. — Anatomiestudien beim Prior von S. Spirito. Holzkruzifix für diesen. — Verlorene Herkulesstatue. Befand sich bis 1530 im Palazzo Strozzi. (Vasari VII, 145.) Agostino Dini verkaufte sie für Filippo Strozzi an Giov. Bat. della Palla. (Ebd. Anm.) — Er hört die Predigten Savonarolas. (Condivi. Vasari.)

1494.   20. Januar.   Schneefall in Florenz. Macht eine Statue von Schnee für Piero. (Condivi. Vasari. Mil. Anm. VII, 341.)

1494.   24. September stirbt Angelo Poliziano.

1494.   Vor 14. Oktober.   (Riv. d'Arte IV, 33.) Flucht nach Bologna. Dann nach Venedig, da ihm aber das Geld mangelt, wieder nach Bologna zurück. Beziehung zu Gian Francesco Aldovrandi. (Condivi.)

1494.   9. November.   Flieht Pietro Medici mit Giuliano nach Bologna.

1494.   17. November.   Karl VIII. zieht in Florenz ein. Giovanni Pico della Mirandola stirbt. — Lorenzo di Pier Francesco Medici und Bruder Giovanni kehren nach Florenz zurück. Lodovico di Lionardo verliert sein Amt.

1494 und Anfang 1495.   M. arbeitet den h. Petronius und einen Engel für die Arca di S. Domenico in Bologna. (Condivi.)

1495.   Frühling.   Rückkehr nach Florenz, wo er an den Berathungen über den neuen Rathssaal theilnimmt, dessen Bau am 15. Juli 1495 Simone Cronaca übertragen wird. Damals vielleicht erste Begegnung mit Lionardo da Vinci. (Vasari. Mil. IV, S. 448. 457.)

1495.   Der Giovannino für Lorenzo di Pier Francesco. (Condivi.)

1496.   Der schlafende Amor entstanden, an Baldassare del Milanese verkauft. Dieser verkauft die Statue an Raffaele Riario, was Veranlassung zur Reise nach Rom wird. (Vasari. Condivi. Mil. Prosp. cron. 342.)

1496. 25. Juni trifft er in Rom ein mit Empfehlungsbrief von Lorenzo di Pier Francesco an Riario. Dieser bestellt Statue bei ihm. Der Adonis? (Lett. 375. 3.) M. wohnt ein Jahr lang bei ihm. — Karton einer Stigmatisation des h. Franz für S. Pietro in montorio. (Lett. 375. Vasari. Condivi. Varchi.)

1497. Piero Medici bestellt Statue, die M. aber für sich selbst ausführt. (Brief an Vater vom 19. August. Lett. S. 3. 4.) — Beziehung zu Jacopo Galli: Bacchus. Cupido. (Vasari. Condivi.)

1497. Anfang Juli stirbt Lucrezia Ubaldini. — Ende Juni flieht Bruder Lionardo aus Viterbo nach Rom. Im August kommt Bruder Buonarroto nach Rom. (Lett. 3. 4.)

1497. Herbst. Auftrag vom Kardinal Jean de Villiers de la Grolaye auf die Pietà.

1497. Nach 18. Nov. in Carrara? (Contr. 613. Campori: Notizie biogr. 1874. Gotti II, 33.)

1498. Anfang März in Rom. Am 7. April in Carrara. (Gotti II, 34.)

1498. 23. Mai wird Savonarola verbrannt.

1498. 26. August. Kontrakt über die Pietà. 450 Golddukaten. (Gotti II, 33. Contratti S. 613.)

1499. Arbeit an der Pietà.

1500. Herbst. Buonarroto in Rom. M. hat als einen Gehülfen einen Piero di Giannotto. (Brief des Vaters vom 19. Dez. bei Frey: Briefe S. 1 f.) Arbeit wohl an Madonna von Brügge.

1501. Frühjahr (wann?) Heimkehr nach Florenz. — Im Januar ist Lionardo da Vinci in Florenz, der im April am Karton der h. Anna arbeitet.

1501. 22. Mai. Erklärung betreffend den Kontrakt mit dem Kardinal Francesco Piccolomini. Beziehung zu Diesem wird wohl durch Jacopo Galli vermittelt. (Contratti S. 615.)

1501. 5. Juni. Kontrakt mit Piccolomini. 15 Figuren für den Altar im Dom zu Siena. 500 Dukaten. Am 19. Juni unterschrieben. (Contratti S. 616.) Dann in Siena (Contratti 624).

1501—1504 entstehen 4 Figuren für den Altar: Petrus, Paulus, Pius und Gregor. (Contratti S. 627.)

1501. 22. Juni. Wunsch des Pierre de Rohan, eine Statue in der Art des Bronzedavid von Donatello zu erhalten. (Gaye II, 52.)

1501. 2. Juli. Beschluss der Domopera, einen angehauenen Block mit der Figur eines Giganten, welcher 1464 dem Agostino di Duccio in Auftrag gegeben worden war (Gaye II, 466), nach Vasari VII, 153 Anm. aber nicht von Agostino, sondern von Bartolommeo di Pietro verhauen ward, auf die Möglichkeit der Ausführung zu prüfen. (Mil. Prosp. cron. 345.)

1501. 16. August. Kontrakt mit M. über die Anfertigung des David. Monatliche Provision von 6 Goldgulden. (Gaye II, 454.)

Pier Soderini hatte erst an Lionardo und an Andrea Sansovino gedacht. (Vasari VII, 153.)
1501. 13. September. Beginn der Arbeit am David. (Gaye II, 454.)
1501. 14. Oktober lässt sich M. eine Turata bauen in der Domopera.
(Vasari VII, 154.)
1501. Das Gemälde der Madonna von Manchester?
1502. 28. Febr. ist die Statue halb fertig. M. soll für die ganze
Arbeit 400 Gulden erhalten. Monatlich 6 Goldgulden. (Gaye
II, 454.)
1502 zwischen Mai und August verlässt Lionardo da Vinci Florenz
in Diensten Cesare Borgias.
1502. 12. August übernimmt M. zu 10 Goldgulden die Ausführung
des Bronzedavid für den Marschall Pierre Rohan. (Gaye
II, 55.)
1502. 1. November wird Pier Francesco Soderini Gonfaloniere auf
Lebenszeit.
1502. 14. Dez. Rohan verlangt sehr nach dem Bronzedavid.
(Gaye II, 58.)
1502. 31. Dezember antwortet die Signoria: es sei nicht zu bestimmen, wann er fertig würde. (Gaye II, 59.)
1503. 13. Januar mahnen die Gesandten und erhalten 28. Jan. Ver-
sicherung, die Angelegenheit werde nicht vergessen. (Gaye
II, 59.)
1503. März. Lionardo da Vinci wieder in Florenz.
1503. 24. April. Auftrag von den Konsuln der Arte della Lana und
der Domopera auf zwölf Apostelstatuen für den Dom auf
12 Jahre. Es entstand nur die unvollendete Figur des Matthäus. (Contratti 625. Gaye II, 473.)
1503. 29. April. Zahlung von 20 Goldgulden a conto des Bronzedavids. (Mil. Prosp. cron. S. 346.)
1503. 30. April. Nach Paris wird gemeldet, der Marschall werde
die Statue erhalten, falls M. sein Versprechen halte. M. habe
wiederum Geld erhalten. (Gaye II, 59f.)
1503. April. Ein Haus im Borgo Pinti nach Entwurf von Simone
Cronaca (Auftrag 12. Juni) wird für ihn bestimmt. (Gaye II,
477 mit offenbar unrichtigem Datum: 27. Feb. 1503. J. d. kgl.
pr. Ks. XXVII. Beiheft S. 48.)
1503. 19. Juni. Rohan will die Figur über Livorno geschickt haben.
(Gaye II, 60.)
1503. 19. Juli. Man betreibt bei M. den Bronzedavid, aber so
rasch könne man bei M.s Art ihn nicht spediren. (Gaye II, 60.)
1503. 25. August. Rohan drängt. (Gaye II, 60.)
1503. 22. September bis 18. Oktober. Pius III. Papst.
1503. 10. Oktober. Zahlung von 20 Goldgulden a conto des Bronzedavid. (Mil. Prosp. cron. 346.)

1504. 25. Januar. Berathung der Künstler über die Aufstellung des David. (Gaye II, 454.)

1504. 23. Februar. Rohan drängt. (Gaye II, 60.)

1504. 27. Febr. Cronaca soll wegen Hausbau mit M. sich verständigen (J. d. kgl. pr. Ks. XXVII. Beiheft 49.)

1504. 28. Februar. Gerüst für Lionardo behufs Anfertigung des Kartons der Schlacht von Anghiari. (Gaye II, 88.)

1504. 1. April erhalten Simone del Pollajolo und M. den Auftrag den David aus der Domopera zum Palazzo della Signoria zu überführen. (Gaye II, 462.)

1504. 1. April. Rohan drängt wegen des Bronzedavids. (Gaye II, 61.)

1504. 30. April. Die Priori befehlen den Operaj des Domes, Simone del Pollajolo, Antonio da San Gallo, Baccio d'Agnolo und Bernardo della Cecca alle nöthige Hülfe beim Transport zu gewähren. Von Jenen wurde ein Holzgerüst gemacht, in welchem die Statue schwebend befestigt ward. (Gaye II, 462.)

1504. 14. Mai bis 18. Mai. Transport. Am 8. Juni ist die Aufstellung vollendet. (Gaye II, 464.) Am 11. Juni erhalten Cronaca und Antonio da San Gallo den Auftrag, die Basis zu machen. (Gaye II, 463.) Am 8. September ist die ganze Arbeit vollbracht. (Landucci: Diario fior. Florenz 1883, S. 271.)

1504. 4. Mai beginnt Lionardo den Karton der Anghiari-Schlacht.

1504. Zwischen Mai und August wohl die 2 weiteren Statuen Piccolomini.

1504. August. Michelangelo erhält von Soderini den Auftrag auf den Karton der Schlacht bei Cascina. Für 3000 Dukaten. (Lett. S. 426.)

1504. 15. September. II. Kontrakt bezüglich des Piccolominialtares mit Jacopo und Andrea Piccolomini. (Contratti S. 616.)

1504. 11. Oktober. Ratifikation des Piccolominikontraktes. (Contratti S. 627.)

1504. 31. Oktober. Bezahlung für das Papier des Kartons der Schlacht bei Cascina. (Gaye II, 92.)

1504. 31. Dezember. Bezahlung für das Zusammenleimen des Kartons. (Gaye II, 93.)

1504. M. hat Lust, in die Türkei zu gehen, wovon ihm Tommaso di Tolfo abräth. (Frey: Briefe S. 137.)

1505. 28. Februar. Zahlung von Lire 280 für den Karton. (Gaye II, 93.) — Das Gerüst für die Ausführung des Kartons Lionardos als Wandmalerei wird aufgestellt. (Gaye II, 89.)

1503—1505 entstehen in Florenz: das Gemälde der h. Familie für Agnolo Doni und die Madonnenreliefs für Taddeo Taddei und Bartolommeo Pitti. (Condivi. Vasari.)

1505. März. M. wird von Julius II. nach Rom gerufen. (Lett. S. 429ff.) I. Entwurf für Grabdenkmal des Julius. 10,000

Dukaten auf 5 Jahre. (Lett. 429.) Er erhält zunächst 1000 Dukaten. (Lett. 427.)

1505. April geht M. nach Carrara (ebendaselbst).

1505. April bis August. Lionardo mit der Wandmalerei im Rathssaale beschäftigt. (Gaye II, 89.)

1505. 30. August. Für Michelangelos Karton, um ihn darauf zu stellen, werden „panchonelle" bestellt. (Gaye II, 93.)

1505. 27. September. Brief Francesco Pandolfinis an die Signoria betreffend den Bronzedavid, der nach Rohans Entlassung für Florimond Robertet bestimmt wird. (Gaye II, 77.)

1505. 12. November. In Carrara. Kontrakt mit zwei Schiffseignern, Marmorblöcke vom Porto dell' Avenza nach Rom zu transportiren. (Contratti S. 630.)

1505. 10. Dezember. In Carrara. Kontrakt mit Steinmetzen, Guido d'Antonio di Biagio und Matteo di Cuccarello. (Contratti S. 631.)

1505. 18. Dezember. Die Verpflichtung auf die zwölf Apostel für den Dom wird gelöst, das für M. gebaute Haus soll anderweitig vermiethet werden. (Gaye II, 477.)

1505. Dezember kehrte er — vermutlich über Florenz, wo er wohl nach Gehülfen sich umgesehen — nach Rom zurück.

1506. Nach 14. Januar. Besichtigt mit Giuliano da San Gallo den neu gefundenen Laokoon. (Bottari III, 474. Reumont, Rom III b, 79.)

1506. 27. Januar. M. kauft ein Grundstück in Pozzolatico (Capiteto). (Gaye II, 253.) 1537 giebt er es seiner Nichte Francesca als Mitgift, kauft es 1540 aber für 700 Dukaten wieder zurück. (Mil. Vasari. S. 350.)

1506. 31. Januar. In Rom, wo er Atelier hinter S. Catarina hat. Er schreibt seinem Vater in Angelegenheiten jenes Grundstückes, erwartet die Ankunft der Marmorsendungen. (Lett. S. 6.) Er hat damals seine Wohnung an der Piazza di S. Pietro hinter S. Catarina. (Lett. 491.)

1506. Januar. Julius II. hat sich zum Neubau von S. Peter entschlossen. Auf Bramantes Intriguen giebt der Papst den Plan des Denkmals auf und fasst den anderen der Ausmalung der Sixtinischen Decke (vgl. Brief Rosellis vom 10. Mai 1506).

1506. 17. April. M. flicht aus Rom nach Florenz. (Lett. S. 377.) Von Poggibonsi schreibt er an den Papst.

1506. 18. April. Grundsteinlegung von S. Pietro.

1506. 2. Mai. Er bietet sich an, das Grabmal Julius' II. in Florenz auszuführen. (Brief an Giuliano da San Gallo. Lett. S. 377.)

1506. 10. Mai. Berichtet Roselli an M., dass der Papst Giuliano nach Florenz schicken wolle, ihn zurückzubringen, und von einem Gespräch des Papstes mit Bramante, welcher behauptet, M. wolle sich nicht mit den Malereien in der Sixtinischen Kapelle befassen, weil er nicht den Muth dazu habe. (Gotti I, 46.)

1506. 9. Mai. Nach einem Brief Giovanni Balduccis ist M. in
        Florenz mit Arbeit — wohl dem Schlachtenkarton — be-
        schäftigt. (Gotti II, 52.)
1506. 20. Mai. In Carrara? (Vasari. Lem. XII, 347. Steinmann:
        Sixt. Kap. II, 149 Anm.).
1506. 8. Juni. Breve des Papstes fordert M. zur Rückkehr auf.
        (Bottari: Lett. pitt. III n. 195.)
1506. 28. Juli. Pier Soderini schreibt, Michelangelo lasse sich nicht
        zur Rückkehr überreden. (Gaye II, 84.)
1506. Juli. Soderini schreibt, der Kardinal von Pavia, Alidosi, möchte
        in einem Schreiben die Sicherheit M.s garantiren. (Gaye II, 83.)
1506. 4. August. In einem Briefe von Giovanni Balducci ist die
        Rede von der Madonnenstatue, die durch Francesco del
        Pugliese nach Brügge an die Moscheroni geschickt werden soll.
        (Gotti II, 51.) — Offenbar die Madonna aus Marmor, die M.
        am 31. Januar 1506 seines Vaters Fürsorge empfiehlt, dass
        Niemand sie sehe. (Lett. 6.)
1506. 27. August. Julius II. zieht in den Krieg gegen Perugia und
        Bologna.
1506. 31. August. Die Signoria empfiehlt in einem Briefe M. dem
        Kardinal von Pavia. Doch hat sich M. damals noch nicht ent-
        schlossen, zum Papst zurückzukehren. (Gaye II, 85.)
1506. 11. November. Julius II. zieht in Bologna ein.
1506. 21. November. Der Kardinal theilt der Signoria mit, der Papst
        wünsche, Werke von M. in Bologna ausgeführt. (Gaye II, 91.)
1506. April bis November. M. arbeitet in Florenz an dem Karton.
        (Vasari. Condivi. Brief Soderinis vom 27. Nov.) Auch scheint
        der Plan der 12 Apostel wieder aufgenommen. (Brief Sod. vom
        27. Nov. an Kard. von Volterra.) Der Sultan macht ihm durch
        Franziskaner das Anerbieten, nach Konstantinopel zu kommen
        und dort eine Brücke nach Pera zu bauen. (Condivi.)
1506. 8. Juli. Breve Julius' II. (Steinmann: Sixt. Kap. II, 695.)
1506. 27. November. Soderini empfiehlt in zwei Briefen M. den
        Kardinälen von Pavia und Volterra. (Gaye II, 91.)
1506. Letzte Tage November geht M. nach Bologna zu Julius II.
        Begegnung mit Diesem am Sonntag d. 29. Nov.? (Freys Ver-
        muthung.) Erhält den Auftrag, (für 1000 Dukaten) die Bronze-
        statue des Papstes zu machen. (Lett. S. 427.)
1506. 10. Dezember erhält der Bildhauer Lapo d'Antonio di Lapo die
        Erlaubniss, zu M. nach Bologna zu gehen. (Lett. S. 8.) — Als
        andere Mitarbeiter hat er den Bronzegiesser Lodovico del
        Guglielmo del Buono, gen. Lotti, und Pietro Urbano.
1506. 19. Dezember erhält er aus Florenz durch Buonarroto Auftrag
        von Pietro Aldobrandini auf einen Dolch, den er von einem
        Goldschmied ausführen lässt. (Lett. S. 62. 63.)

1507.   29. Januar erhält er im Atelier den Besuch des Papstes. (Lett. S. 65.)

1507.   29. Januar jagt er Lapo und Lodovico fort. (Lett. S. 8ff. S. 65.)

1507.   22. Februar verlässt Julius II. Bologna.

1507.   6. März schickt M. den Dolch nach Florenz, den statt des unzufriedenen Aldobrandini Fil. Strozzi erhält. (Lett. 70. 73.)

1507.   28. April. Die Figur ist im Wachs vollendet. (Lett. 148.)

1507.   15. Mai. Bernardino d'Antonio dal Ponte, Giesser, erhält die Erlaubniss, zu M. nach Bologna zu gehen. (Gotti I, 63.)

1507.   Zwischen 20. Juni und 1. Juli. Der Guss der Statue misslingt. Vor dem 10. Juli erneuter Guss. Bernardino kehrt nach Florenz zurück. (Lett. S. 78. 79. 80.)

1507.   Juli bis 1508 Febr. Arbeit an Bronzestatue. (Lett. S. 80—91.)

1507.   21. Aug. Brief Soderinis an Malaspina: M. sei am Ende der Arbeit. (Misc. d'A. I, 139.)

1508.   21. Februar. Die Statue wird an der Fassade von S. Petronio aufgestellt. (Stellen aus Chroniken bei Gotti I, 65 f.)

1508.   Wohl bald darauf kehrt M. nach Florenz zurück.

1508.   13. März. Lodovico, sein Vater, emanzipirt ihn. (Gotti I, 70.) Dies wird am 28. März registrirt.

1508.   18. März miethet er dort das einst für ihn gebaute Haus im Borgo Pinti. (Gaye II, 477.) Offenbar will er wieder an die Ausführung der zwölf Apostel gehen.

1508.   Ende März? Anfang April? M. wird von Julius II. zur Ausmalung der Decke der Sixtinischen Kapelle nach Rom berufen. Nach dem ersten Plane sollen an der Wölbung die zwölf Apostel in den Lunetten und Ornamente gemalt werden. Er soll 3000 Dukaten dafür erhalten. (M.s Brief an Fattucci. Lett. S. 427.) Im Frühjahr wird das Dach der Sixtinischen Kapelle reparirt. (10. Juni. Steinmann: Die Sixt. Kap. I, S. 135 und II, 699 nach Paris de Grassis.)

1508.   10. Mai. Soderini bittet den Marchese Alberigo Malaspina von Massa, einen Marmorblock für ihn aufzuheben, aus dem M. eine Statue für die Piazza machen solle — vermuthlich Herkules mit Cacus. Dieselbe Bitte am 4. September. (Gaye II, 97.)

1508.   10. Mai. Beginn der Arbeit in der Sixtina. M. erhält 500 Dukaten. (Ricordi S. 563.) Francesco Granacci ist von Florenz zu ihm gekommen. In der Zeit bis zum 27. Juli bereitet Piero di Jacopo Roselli, Maurermeister, die Decke für die Malerei. Nach Condivi hätte Bramante das Gerüst gebaut, aber er fing es ungeschickt an, und M. thut es dann selbst. (Ricordi 563.)

1508.   13. Mai. Bitte an Frate Jacopo Gesuati (in Florenz) um Azurfarbe. (Lett. 379. Steinmann: Sixt. Kap. II, 698.)

1508.   Sommer zwischen April und September wird Raphael zur

Ausmalung der Stanza della Segnatura durch Bramantes Vermittlung nach Rom berufen.

1508. Juni? Juli? Erweiterung des Planes. Nicht die Wölbung allein, sondern auch die Wände herab bis zu den älteren Fresken sollen ausgemalt werden. Das Honorar wird verdoppelt. (Lett. 417. 429.) — Giovan Simone zu Besuch bei M. 2. Juli. (Lett. 92.)

1508. 18. Juni. Michelangelos Onkel Francesco stirbt.

1508. 24. Juni. Matteo il Cuccarello schreibt aus Carrara an M., dass er eine Ladung Marmor (für das Juliusdenkmal) sende: darunter werden erwähnt: „die grosse Statue", zwei „Statuen" und die „Statue Seiner Heiligkeit", also die aus dem Groben zugehauene Statue Julius' II. (Frey, Briefe S. 5.)

1508. 30. Juni. Der Bronzedavid wird von Frankreich (Giov. Ridolfi) aus erbeten. Soderini schreibt: er sei noch unvollendet. Man müsse M. abwarten. (Gaye II, 101.)

1508. Juli. Granacci in Florenz, um fünf Gehülfen zu werben für M. (Ricordi 563.) Verhandlung mit Raffaelino del Garbo. Giovanni Michi bietet sich am 22. Juli an. M.s Diener Piero Basso, der Steinmetz, ist (25. Juli) nach Florenz gereist. Granacci berichtet (7. Aug.?) von seinen Verhandlungen mit Giuliano Bugiardini, Jacopo Indaco, Agnolo Donnino und Bastiano da San Gallo. (Frey: Briefe S. 7. 8. 10. Lett. 94.) Alle Diese kommen dann nach Rom, dazu noch Jacopo di Sandro. (Nach Vasari.)

1508. 21. Juli. Brief Lodovicos an M., worin von M.s Unzufriedenheit die Rede. (Steinmann: Sixt. Kap. II, 701.)

1508. 27. Juli (registrirt 11. August). M. verzichtet in Rom auf die Hinterlassenschaft seines Oheims Francesco. (Gotti I, 70.) Dessen Witwe Cassandra geräth wegen der Mitgift mit ihrem Schwager in Streit und Prozess. (Lett. 11. 12.)

1508. 24. August. Man erwartet M. zu Aller-Heiligen in Florenz. Dann soll er den Bronzedavid vollenden. So Soderini an Ridolfi. (Gaye II, 102.) — Dann aber lässt man ihn von Benedetto da Rovezzano (Mil. Vasari S. 353) fertig machen während der Monate Sept., Okt. Robertet drängt (24. Sept.) ihn zu erhalten. Am 6. Nov. ist die Statue verpackt und wird wohl Ende Nov. (letzte Anordnung vom 21. Nov.) über Livorno versandt. (Gaye II, 101. 102. 105. 106.)

1508. 28. August empfiehlt Sigismondo di Trotto aus Ferrara M. den venez. Bildhauer Antonio Lombardo. (Frey: Briefe S. 11.)

1508. 2. Sept. Buon. schickt Farben. 4. Sept. Soderini an Malaspina. (St. Sixt. Kap. II, 707.)

1508. 6. Sept. Biagio Buonaccorsi schreibt an den in Rom befindlichen Niccolò Macchiavelli, dass er Diesem durch Michelangelo Geld von einer nicht mit Namen genannten Frau gesendet habe. (Lett. Fam. di N. Macchiavelli. Ed. Alvisi, Florenz 1883, S. 143.)

1508.   7. Okt.   Lodovico schreibt an M. Jacopo di Sandro hat M. betrogen. (St. Sixt. Kap. II, 707.)

1508.   I. Hälfte Dez. wollte man M. in Florenz haben, damit er den von Malaspina erbetenen Block bearbeite. Aber der Papst bewilligt keinen Urlaub. Soderinis Brief vom 16. Dez. (Gaye II, 107.)

1509.   3. Januar erhält M. für sich und Benedetto da Rovezzano 10 Goldgulden für den Bronzedavid. (Mil. Vasari 353.) Am 4. Jan. schreibt Soderini an die Gesandten in Paris, welche sich beklagt hatten, dass die Statue kein Postament habe, davon sei nie die Rede gewesen. Der Bronzedavid wird an Bedeutung über die Statue Julius' II. gestellt. Am 3. Februar wird beschlossen, von dem Postament ganz abzusehen. (Gaye II, 108f.)

1509.   27. Januar klagt M., dass die Arbeit in der Sixtina nicht, wie er wünsche, vorwärtsgehe. Jacopo Indaco, der sich über ihn beklage, sei nach Florenz zurückgekehrt. (Lett. 19.) Wann die anderen Gehülfen Rom verlassen haben, ist nicht genau zu bestimmen. Vielleicht schon vorher. Giovanni Michi aber ist noch am 28. Sept. 1510 bei M. (Frey: Briefe S. 8.)

1509.   5. Mai. Buonarroto räth M., Rom zu verlassen (Frey: Briefe S. 13). Gerüchte von M.s Überanstrengung waren nach Florenz gekommen. Ja, man sprach von seinem Tode, denn

1509 im Juni erwähnt M. dies Gerücht, doch sei er nicht sehr wohl, unzufrieden, denn er habe seit dem Mai 1508 kein Geld erhalten (Lett. 11, falsch datirt), und sehr in Arbeit. Bald darauf hat er sich über Giovan Simones Benehmen sehr zu beklagen und übernimmt die Prozessführung gegen Cassandra in Rom. (Lett. S. 12. 13. 150. Wie Frey nachwies, von Mil. falsch datirt.)

1509.   15. September. M. hat Geld vom Papst erhalten und schickt 350 Golddukaten dem Vater. (Lett. 32. Falsch von Mil. datirt.)

1509.   5. Okt. Brief des Thomas de Vio.

1509.   12./13. Oktober (nach Frey). Der angekündigte Besuch Gismondos und Lorenzo Strozzis kommt ihm unbequem. (Lett. 97.)

1509.   2. November macht ihm der Sensal Raffaelo di Giorgio aus Florenz Vorschläge zum Ankauf eines Landbesitzes. (Frey, Briefe S. 14.) M. kann sich nicht entschliessen. (Lett. S. 43. Wie Frey nachwies, falsch von Mil. datirt, wohl Nov. 1509.) — Ende 1509 war Gismondo zu Besuch in Rom. (Frey, Briefe S. 15.)

1510.   April? Mai? Schreibt, dass er in der nächsten Woche mit dem „Theil der Wandmalerei", den er begonnen, fertig werde. Dann wolle er nach Florenz kommen. (Lett. 98. Wie Frey nachgewiesen hat, falsch von Mil. ins Jahr 1509 versetzt. Doch bleibt die auch von Frey hervorgehobene Möglichkeit, dass das Schreiben in den Sommer, vor 1. September, zu versetzen sei. Falls nämlich das folgende Datum falsch angegeben wäre):

1510.   3. Mai. Der Kardinal Alidosio schreibt von Ravenna aus an

M. in Florenz (?), mit der Bitte, ihm für eine Kapelle eine Taufe Christi zu machen. (Daelli 9.)

1510. 25. Juni. Brief Lodovicos an M., betreffend die Piccolomini-statuen. (St. Sixt. Kap. II, 715. — Zahlung für grosses Fenster in der Sixtina. (Ebenda.)

1510. 1. September ist jedenfalls jener eine Theil der Malerei vollendet. Am 17. Aug. brach Julius II. von Rom nach Bologna auf. Am 5. und 7. Sept. schreibt M., der Papst schulde ihm 500 Dukaten für die vollendete Malerei und ebensoviel für die nun in Angriff zu nehmende, für welche ein neues Gerüst nothwendig ist. Er habe dem Papst geschrieben. (Lett. 30. 31.) An anderer Stelle sagt er: der Papst sei nach Bologna gegangen, „als die Wölbung fast vollendet gewesen", ,quasi finita la volta'. (Lett. 427, Brief an Fattucci 1524.)

1510. 22. Sept. Der Papst zieht in Bologna ein. Bald darauf muss M. nach Bologna gekommen sein, aber ohne Geld vom Papste zu erlangen. (Lett. 427.)

1510. 26. und 28. September ist M. in Florenz. Sein Vater, der vom 22. Sept. bis 22. März 1511 Podestà von S. Casciano war, schreibt nach dort an ihn einen Brief, in dem er sich wegen der Ausgabe ihm anvertrauter Gelder entschuldigt. (Frey: Briefe S. 17; auch S. 8, Brief Michis.) Er hat drei Gehilfen in Rom: Michi, Giovanni und Bernardino.

1510. Im Oktober kehrt M. nach Rom zurück. Am 25. Okt. erhält er 500 Dukaten vom Datario des Papstes: Lorenzo Pucci (offenbar eine III. Zahlung für das Juliusdenkmal), und sendet davon 463$^1/_2$ Dukaten an Buonarroto. (Lett. 99.) Vgl. Brief Manfidos vom 12. Nov. (Frey: Briefe S. 19.)

1510. Im Dezember geht er wieder zum Papste nach Bologna über Florenz. (Lett. 100.) Wenn die Intriguen, welche nach Condivi beabsichtigten, Raphael die weitere Arbeit in der Sixtina zuzuwenden, wirklich gespielt haben, so muss es damals gewesen sein.

1511. 7. Januar (Dienstag) trifft er wieder in Rom ein. Er erhält 500 Dukaten und schickt 228 nach Florenz. (Lett. 101. 103.)

1511. Januar-Februar, zurückgekehrt nach Rom macht er Kartons für die „teste e faccie attorno di ditta capella", also die Zwickel- und Lunettenbilder. (Brief an Fattucci 1524. Lett. 427.) Beginn der II. Periode der Arbeit.

1511. 23. Februar befürchtet er, nochmals nach Bologna gehen zu müssen. (Lett. 100. Wie Frey nachgewiesen, falsch von Mil. auf 1510 datirt. Oder hat Buonarroto sich geirrt, als er das Datum Febr. 1511 auf die Rückseite schrieb, und wäre der Brief 23. Okt. 1510 zu datiren?)

Thode, Michelangelo I. 23

1511.   27. Juni.   Einzug Julius' II. in Rom.

1511.   14. August.   Messe in der Sixtina. (Vigilie von Mariä Himmelfahrt.) Nach Paris de Grassis bestimmte Julius die Feier dort, aus Devotion veranlasst oder „um die neuen, neuerdings dort enthüllten Fresken zu sehen" (ut picturas novas ibidem noviter detectas videret). Der vollendete Theil (parte) der Fresken, welcher die eigentlichen Deckenbilder: Geschichten und Einzelgestalten umfasste, wäre nach Frey also erst damals enthüllt worden. Das ist aber eine irrige Auffassung: schon Anfang September 1510 (s. oben) ist ja jener Theil (parte oder metà) fertig. Die „neuen neuerdings aufgedeckten Fresken" müssen also andere sein, als jener Theil. Vermuthlich hat der Papst die Anfang September vollendete Arbeit noch vor seiner Abreise nach Bologna, also Ende August gesehen. Wenn dies aber nicht der Fall war, so hätte er dies gewiss gleich nach seiner Heimkehr am 27. Juni gethan und nicht bis zum 14. August gewartet! Die Bilder, die er an letzterem Tage sehen wollte, waren also neue, schon der zweiten Periode (Hälfte) der Arbeit angehörige: Lunetten und Zwickelbilder.

1511.   4. Oktober. (Von Frey mit Recht in dieses Jahr verlegter, von Mil., Lett. 33, 1510 datirter Brief an Vater.) M. ist zweimal vom Papste empfangen worden — in welchen Angelegenheiten, will er erst später mittheilen — und er hat von Demselben 400 Golddukaten erhalten. Er denkt nun an Landerwerb vom Spedale di S. Maria nuova. Er schliesst: „bittet Gott für mich, dass mir Ehre hier zu Theil werde und ich den Papst zufrieden stelle, denn ich hoffe, wir werden, falls er zufrieden ist, etwas Gutes von ihm erfahren." — Dass hier auf neue Pläne, nicht auf die Sixtina angespielt wird, erscheint unzweifelhaft. Und da kann es sich wohl nur um Wiederaufnahme der Arbeit am Juliusdenkmal handeln. Diese Annahme findet ihre volle Bestätigung durch die folgenden Briefe, welche Mil. und auch Frey (Herbst 1508 und Anfang 1509) falsch ansetzen.

1511.   5. November.   Er verspricht dem Vater eine Prokura und bittet, ihm einen Knaben zu schicken, der sein Haus besorge. (Lett. 16. Steinmann irrthümlich: 1512.)

1511.   Dezember.   Es ist ihm ein Anerbieten eines Landgutes von Girolamo Cini gemacht worden. Er überlässt die Entscheidung, ob dieses oder eines von S. Maria nuova zu kaufen sei, dem Vater. Will Nachricht, damit er die Prokura schicke. — Er selbst ist mit dem Gedanken des Ankaufes und der Herstellung eines Hauses (wohl des ihm vom Papste zur Miethe gelassenen) beschäftigt. (Lett. 24.)

1511.   30. Dezember.   Die Statue Julius' II. in Bologna wird bei Rückkehr der Bentivoglio heruntergerissen und zertrümmert.

25. Jan. 1512 Verhandlungen mit Alfonso d'Este wegen der Übersendung der Bronze. Alfonso sendet einen Bombardiere Quirino nach Bologna, um die Stücke zu holen. (Campori: Atti e Mem. d. Deput. di St. p., per le Prov. dell' Emilia VI, p.l.)

1511? Anfang 1512? M. und Raphael beim Papst, der sich über die Zerstörung seiner Statue beklagt. (Crowe u. Cav. Raph. II. 107.)

1512. 5. Januar. Ausser dem Landgut von Cini ist ihm ein anderes in Pazolatico (von einem solchen ist schon für den Vater als zu miethendem Frühjahr 1509 die Rede: lett. S 14) angeboten worden. Er wäre einverstanden, beide zu kaufen. Die Frage des Hauses ist noch nicht entschieden. Buonarroto will heirathen, er räth davon vorläufig ab. Der Bildhauer Bernardino di Pier Basso, der schon früher, wie es scheint, bei ihm war (Brief vom 28. Sept. 1510 von Michi), will wieder zu ihm kommen. Er lässt ihn bitten, sich gleich einzufinden.

1512. 10. Januar. Er räth dringend Buonarroto ab, aus Habsucht zu heirathen. Wenn er (M.) beabsichtige, Landerwerb zu machen, so hindere ihn das doch nicht, auch an die Bottega für die Brüder zu denken. (Lett. 102.)

1512. Januar. Buonarroto ist in Rom gewesen. M. will 100 Dukaten für die Bottega schicken, er schiebt den Landkauf noch auf. Bernardino di Pier Basso möge noch mit dem Kommen warten, bis das Haus hergerichtet sei. Erst dann wolle er mit der Arbeit (ohne Zweifel: am Juliusdenkmal) beginnen. — Den Knaben, der ein Thunichtgut ist, will er wieder los sein. (Lett. 27.)

1512. Januar. Er schickt die 100 Dukaten, drängt nochmals, dass der Knabe abgeholt werde, und meldet, dass er wenig arbeite, auch nicht arbeiten lasse. Doch sobald das Haus fertig ist, hofft er stark zu arbeiten.

Anmerkung: Der ganze Zusammenhang der Thatsachen ergiebt die Berechtigung, die vorhergehenden Nachrichten (vom 3. Oktober an) in diese Zeit zu setzen. Die in ihnen enthaltenen Pläne des Landerwerbes, die dann im Mai zum Ankauf führen, die Pläne einer Bottega für die Brüder, das Versprechen einer Prokura, das dann im Mai 1512 ausgeführt wird, die am 10. Januar geäusserte Absicht, in 3 Monaten nach Florenz zu kommen, welche ihre Bestätigung in einem anderen Briefe (Lett. 36), der vor dem 11. April geschrieben ist (s. unten), findet — Alles dies beweist die Richtigkeit meiner Datirung. Für dieselbe spricht aber weiter: das in diesen Nachrichten sich ausdrückende Eintreten neuer Pläne der Arbeit, deren Wichtigkeit aus den Verhandlungen mit dem Papste und aus seiner hoffnungsvollen Stimmung (Brief vom 3. Okt.) hervorgeht. Seine

23*

Existenz in Rom scheint für die Dauer gesichert: er will das
Haus kaufen, in dem er zu Miethe wohnt, und es herstellen.
Er beruft den Bildhauer Bernardino, den er zu der vorge-
nommenen Arbeit braucht. — Alles dies wäre in den vorhergehenden Jahren, in denen die Arbeit in der Sixtina ihn ganz
in Anspruch nimmt, nicht denkbar — und nirgends ist ein An-
halt für eine solche Annahme gegeben. Wohl aber begreift sich
zu einer Zeit, als die Thätigkeit in der Sixtina sich ihrem Ende
zuneigte, wie es Ende 1511 und Anfang 1512 der Fall ist, die
ja immer leidenschaftlichere Rückkehr des Meisters zu seiner
eigentlichen Thätigkeit, der Bildhauerei, zum Juliusdenkmal.
So ergeben sich denn folgende Thatsachen: Als die Malerei
an den Lunetten und Zwickeln schon weit vorgeschritten ist, bittet sich kurz vor dem 3. Oktober in zwei
Audienzen M. die Erlaubniss vom Papste aus, wieder
an das Juliusdenkmal gehen zu dürfen. Es werden
ihm Hoffnungen gemacht. Nun richtet er sein Haus
für die Arbeit neu ein, und möchte den Bildhauer
Bernardino zu Hülfe haben. In der folgenden Zeit
aber werden seine Hoffnungen enttäuscht. Die politischen Wirren treten ein, und nur die Arbeit in der
Sixtina schreitet fort.

1512.   Im ersten Quartal. Vor Ostern. (11. April.) M. will nach Ostern
nach Florenz kommen. Diese Absicht hat er schon am 10. Jan.
(s. oben) ausgesprochen. Am 21. März wird das über Florenz
verhängte Interdikt aufgehoben, wovon ein Brief aus derselben
Zeit spricht (nach Frey. Lett. 48).

1512.   17. April Schlacht bei Ravenna. Darauf Rüstungen in Rom.
3. Mai. Eröffnung der Lateransynode (vgl. Frey, Studien Reg. 75).

1512   vor 28. Mai theilt er dem Vater mit, dass er im Sommer nach
Florenz kommen wolle. (Lett. 38. 39. vergl. Frey, Studien Reg.
76. — Lett. 20. 21. 22.) Frey hat nachgewiesen, dass noch
andere Briefe, welche den Plan von Landerwerb behandeln, in
diese Zeit oder Juni fallen: nämlich Lett. 41. 41. 42. Im Mai
stellt er nun die früher versprochene Prokura aus (Lett. 41).

1512.   Um jene Zeit erlangt M. durch Bernardo da Bibbiena und
Atalanta Migliorotti 2000 Dukaten a conto des Grabmales.
(Lett. 428. 42.) So nach Frey, Studien Reg. 77. Es wäre aber
auch denkbar, dass es — nach Vollendung der Sixtina — im
Spätherbst 1512 geschehen sei, da er von seiner Beschäftigung
mit den Marmorblöcken spricht.

1512.   28. Mai kauft M. ein Grundstück in S. Stefano in Pane vom
Spedale di S. Maria nuova. (Gaye II, 254.) Am 20. Juni ein
zweites in Stradello. (Gaye II, 253. Lett. S. 44 Anm. u. dazu
Frey, St. Reg. 78.) Er denkt nun an eine Bottega für die Brüder.

1512. Juni bis August. In grosser Thätigkeit und Qual (er hat Todes-
gedanken: Lett. 25. August. S. 106), Anordnungen wegen Landerwerb. Im Juli besucht Alfonso I ihn auf dem Gerüste. (St.
Sixt. Kap. II, 729. Pastor.) Er hofft bis Ende September die
Malereien in der Sixtina zu vollenden. (Mil. 35. 104. 105.
106.) — Die Verwirrung der politischen Verhältnisse führt zum

1512. 29. August: Sacco di Prato durch die Kaiserlichen, welche
die Medici zurückführen.

1512. 30. August. Abdankung Piero Soderinis.

1512. 5. Sept. M. räth den Seinen, nach Siena zu fliehen (Lett. 107).
Am 12. Sept. kehren die Medici nach Florenz zurück. Nun
räth M. dem Vater, dort zu bleiben (Lett. 108). In einem
anderen Briefe (Lett. 46) leugnet er, übel von den Medici gesprochen zu haben, wie ein Gerücht in Florenz aussagt. Die
Medici zeigen sich aber dem Vater nicht günstig, er soll von
Ämtern ausgeschlossen sein. Da schickt M. ihm eine Empfehlung an Giuliano Medici (Lett. 47), und Lodovico richtet
ein Bittschreiben an Diesen, ihm seine einstige Stellung als
Ragionere an der Dogana wiederzugeben. (Gotti II, 31.)

1512. 18. Sept. Er ist noch an der Arbeit. (Lett. 108.)

1512. Herbst. Der Karton der Schlacht bei Cascina wird gelegentlich der Verwirrung bei der Rückkehr der Medici (von
Baccio Bandinelli?) zerstückelt. (Vasari. Mil. VI, 138.)

1512. Anfang Oktober. Die Malereien in der Sixtina sind beendigt. Der Papst ist zufrieden, aber die anderen Dinge gelingen nicht (wohl die Angelegenheit des Juliusdenkmales). Er
wird nicht, wie er versprochen, zu Allerheiligen nach Florenz
kommen können. (Lett. 23. Frey hat überzeugend nachgewiesen, dass dieser von Mil. 1509 datirte Brief in das Jahr
1512 gehört. Stud. Reg. 87.)

1512. (Fälschlich ist auf den 15. Okt. dieses Jahres ein Brief Sebastianos del Piombo, vielmehr 1520 geschrieben, datirt worden in welchem er berichtet, dass der Papst in einem Gespräche
mit ihm bemerkt, sie Alle, auch Raphael, hätten von Michelangelo gelernt. Letzterer hätte den Peruginoschen Stil aufgegeben und sich M., so weit er könne, genähert. Aber M. sei
„terrible" und „es lasse sich nicht mit ihm verkehren".) — Es
war zu keinem Einverständnisse gekommen über das Juliusdenkmal. In einem Briefe (Lett. 46), wohl aus der I. Hälfte
des Oktober, sagt M.: er habe Nichts zu thun und warte, dass
der Papst ihm zu thun gebe.

1512. 31. Oktober. Vigilie von Ognissanti wird die Sixtinische
Kapelle dem Besuche geöffnet. (Paris de Grassis. Condivi.)

1512? 1513? Paolo Giovio verfasst seine kurze Vita des M. Vgl.
darüber Frey: Le vite di M. XIX.

1513.   21. Februar stirbt Julius II.

1513.   11. März. Wahl Leos X.

1513.   19. März. Krönung Leos X.

1513.   6. Mai M. schliesst mit den Testamentsexekutoren
(Leonardo Grossi della Rovere, Kardinal Aginense und Lorenzo
Pucci, Kardinal von Santiquattro) Julius' II. den II. Kontrakt
über das Juliusdenkmal ab. Er verpflichtete sich, dasselbe in
sieben Jahren zu vollenden, keine andere Arbeit von Bedeutung
auszuführen; solle er in dieser Zeit nicht fertig werden, so sei
er verpflichtet, die Arbeit fortzusetzen und auf jede Weise sie
zu beendigen. Als Salair soll er 16500 Dukaten im Ganzen erhalten. Da er schon 3500 bei Lebzeiten Julius' II. empfangen
hat, hat er noch 13000 zu bekommen. Hiergegen hat M. zuerst Einspruch erhoben, da die von ihm früher aus Carrara über-
führten Marmorblöcke zum Theil abhanden gekommen; aber er
musste sich fügen. (Lett. 428. 493.) In den nächsten zwei
Jahren sollen ihm monatlich 200, in den folgenden 7 Jahren monatlich 136 Dukaten ausgezahlt werden, bis die Summe von
13000 Dukaten erreicht ist. — M. hat ein kleines Modell angefertigt und legt folgenden, gegen früher vergrösserten
(Lett. 491) Entwurf vor. Ein Bau, dessen eine Schmalseite
an die Wand gelegt ist: 20 Palmi breit, 35 Palmi tief. An
jeder der drei Seiten zwei Tabernakel, enthaltend je eine
Gruppe von zwei Figuren, an jedem der Pilaster, welche die
Tabernakel flankiren, eine Statue. Zwischen den Tabernakeln
Bronzereliefs. Auf der Plattform die Figur des Papstes, von vier
Figuren gehalten. Rings herum 6 Statuen auf Postamenten. An der
Wand ein Aufbau, 35 Palmi hoch, mit 5 Statuen, die, weil weiter
entfernt, grösser als alle anderen sein sollen. (Contratti 635 ff.)

1513.   Einem später, am 14. Mai 1548 ausgestellten Akt von Bernardo
Bini zufolge hätte M. im Anfang der Regierung Leos X. vom
Kardinal Aginensis 3000 Dukaten erhalten, was aber irrig.
(Contratti 720. Condivi.)

1513 bis 1516.   Arbeit am Juliusdenkmal.

1513.   Die im Jahre 1505 nach Rom gebrachten Marmorblöcke, die
auf dem Petersplatz und am Landungsplatz befindlich waren, sind
inzwischen geplündert worden, namentlich die kleinen Stücke.
(Lett. 493.) Unter anderem sind zwei Blöcke, die 4½ Ellen
gross waren, im Werthe von 50 Dukaten, von Agostino Chigi
genommen worden. (Lett. 427.) — Er nimmt nun seine Wohnung am Macello dei Corvi, überführt dorthin den Marmor (Lett.
491) und beruft Meister aus Florenz zu seiner Hülfe. (Condivi.)
Drei derselben sind namhaft zu machen: Antonio del Ponte a
Sieve, Pietro Roselli und Michele di Piero di Settignano. Sein Hausgenosse ist damals Silvio Falconi (s. folg. Kontrakt u. Lett. 109).

1513. 9. Juli. Vertrag M.s mit Antonio del Ponte a Sieve, welcher
für 60 Dukaten die Vorderseite der Architektur des Grabmales
anzufertigen sich verpflichtet. (Contratti 640.)

1513. 30. Juli. M. wirft in einem Briefe Buonarroto (der in diesem
Jahre zu den buonomini gehört) Dessen Begehrlichkeit vor, die
er auch bei einem Besuche in Rom gezeigt. Er hat die Absicht,
den Brüdern für Begründung einer Bottega 1000 Goldgulden zu
senden. (Lett. 109.) Dies scheint er gethan zu haben, obgleich

1513. 10. Nov. ein Unbekannter davor warnt (Frey: Gedichte S. 503).

1513. In diesem Jahre macht Luca Signorelli persönlich ein Anlehen
bei ihm, das er nicht zurückzahlt, so dass M. sich 1518 an den
Capitano von Cortona wenden muss. (Lett. 391.)

1513. M. arbeitet damals an dem mit den Händen rückwärts ge-
fesselten Sklaven. (Lett. 391.)

1513. Er erhält in diesem Jahre 1200 Dukaten. (Gotti II, 8. Ricordi — fälschlich 1515 datirt — S. 564.)

1513. M. zeichnet in diesem Jahre einen Meteor, dessen Strahlen nach
Rom, Florenz und dem Osten weisen und den er als böses
Vorzeichen betrachtet. (Grimm II, 26.)

1514. 11. März stirbt Bramante.

1514. 14. Juni. Bernardo Cencio, Kanonikus von S. Pietro, maestro
Maria Scapucci und Metello Varj geben M. die Statue des
Christus für S. Maria sopra Minerva für 200 Golddukaten und
mit dem Termin von 4 Jahren in Auftrag. (Contratti 641.)

1514. Erste Hälfte August ist M. in Florenz. Dies geht aus einem
Briefe Silvio Falconis vom 19. August hervor. Eine Figur (ein
Block soll aufgerichtet (zugerichtet) werden. Von Gehülfen, die
damals bei M. arbeiteten, werden ausser Antonio, Bernardino
(di Pier Basso), ein Rinieri, ein maestro Bernardo, ein Cecho
und ein Lombarde genannt. Wie es scheint, wollte M. schon vor
dem 12. Aug. von Florenz abreisen, da an diesem Tage sein
Vater einen Brief an ihn nach Rom sendet. (Frey: Briefe S. 21 f.)

1514. An Zahlungen werden in diesem Jahre verzeichnet 800 Dukaten. (Gotti II, 52. Mil. Ricordi — fälschlich 1516 datirt — S. 564.)

1515. Er reist am 1. April nach Florenz. (Lett. 111.) Ein Brief
Giovanni Gellesis aus Rom vom 14. April lässt uns seinen näheren
Freundeskreis — eine geschlossene Gesellschaft — dort, be-
stehend aus Gellesi, einem Canigiano, Giovanni Speziale, Bar-
tolommeo Verrazano und Domenico Buoninsegni, kennen. (Frey:
Briefe S. 23. Studien II. Reg. 6.)

1515. 28. April kehrt er von Florenz nach Rom zurück.

1515. 18. Mai. Die Arte della Lana erwirbt von der Kommune
Seravezza den Marmorsteinbruch des Monte Altissimo und des
Monte Ceresola. (Contratti 643.) Auf dies Ereigniss hat sich
wohl ein Brief, den M. durch Buonarroto heimlich (die Dom-

opera in Florenz darf nichts davon erfahren) nach Carrara
am 2. Juni schicken lässt, bezogen. (Lett. 114.) Michele von
Settignano ist damals wieder in Florenz.

1515. 16. Juni. M. arbeitet angestrengt, um im Sommer mit der
Arbeit (also einem bestimmten Theile des Denkmales) fertig
zu werden, weil er glaubt, Leo X. werde seine Dienste in
Anspruch nehmen. Damals also taucht vielleicht zuerst der
Plan der Fassade von S. Lorenzo auf, oder hat er geglaubt,
dass ihm demnächst der Bau von S. Peter anvertraut werde?
(Am 1. Juli tritt der alte Giuliano da San Gallo von S. Peter
zurück.) Er lässt sich Geld von Florenz aus seinem Depot
von S. Maria nuova schicken. (Lett. 115.)

1515. Juli. Die Strasse Pietrasanta zu den Steinbrüchen, für deren
Ausbeutung die Medici sich interessiren, ist so gut wie fertig.
M. frägt am 7. Juli bei Michele in Florenz an, ob es bestimmt sei,
dass er in diesem Sommer Marmor aus Pietrasanta erhalten
solle. (Lett. 117.) Er gebraucht Marmor, kann nicht nach
Carrara selbst gehen, auch Niemanden, dem er Vertrauen
schenkte, dorthin senden — darum schreibt er am 28. Juli (so
Frey, Mil.: 1. August) wieder an Michele. Bernardino di Piero
Basso hat ihm Schaden dort verursacht, hat übel über ihn ge-
sprochen — so hat er ihn offenbar (nach Florenz) fortgeschickt.
(Lett. 119.)

1515. Mai bis Anfang August ist er gar nicht zur eigentlichen Arbeit
gekommen. Er hat nur Modelle gemacht und Alles vorbereitet,
damit er durch eine Gewaltanstrengung mit Hülfe von Mit-
arbeitern das Denkmal im Laufe von zwei bis drei Jahren vollende. (Lett. 16. Aug. 121.) Auch hat er Kupfer gekauft, um
gewisse Figuren zu giessen. (Lett. 115.) Er setzt sich mit
Domenico Fancelli in Carrara in Verbindung. (Lett. 122.) Er
gebraucht Geld aus seinem Depot; die Verhandlungen darüber
ziehen sich durch Monate hin. (Lett. 115—131.)

1515. 7. August wird Raphael Oberleiter des Baues von S. Pietro.

1515. 1. September weist er das Anerbieten Benedettos da Rovezzano, zu ihm zu kommen, zurück, da er keinen Marmor zu
bearbeiten für ihn habe. (Lett. 125.) Domenico Fancelli, gen.
Zara, bietet ihm seine Dienste an, worauf er vorläufig am 8. Sept.
noch nicht eingeht. Er verhandelt mit dem Kanzler des Marchese
von Carrara. (Lett. 126.)

1515. 1. Oktober verlässt Leo X. Rom.

1515. 20. Oktober spricht er von einem Gemälde, das ihm Pier
Francesco Borgherini aufgetragen. (Lett. 129.) Der Vertrag
zwischen Franz I. und Leo X. erfreut ihn hoch. Die politischen
Verhältnisse hatten ihn sehr besorgt gemacht. Wiederholt fordert
er die Seinen auf, an ihre Seele zu denken. (Lett. 125. 126. 128.)

1515.   3. Nov. schreibt er, er habe so viel Geld im Voraus gefordert, dass er es in zwei Jahren erst abarbeiten könne. (Lett. 130.)

1515.   30. November zieht Leo X. in Florenz ein und bricht dort am 3. Dezember nach Bologna auf, wo am 7. bis 11. die Begegnung mit Franz I. stattfindet. Buonarroto, welcher im November und Dezember zu den Prioren gehörte, schildert M. in einem Briefe die Festlichkeiten in Florenz, auch die Rückkehr des Papstes nach Florenz am 22. Dezember und die von Buonarroto als Zweitem vollzogene Darreichung des Wassers vor Beginn der Messe. (Frey: Briefe S. 25.) Am 25. Dezember wird Buonarroto, wie die anderen Prioren zum Comes palatinus ernannt. Auch erhalten die Buonarroti das Recht, im Wappen die Mediceische Palla mit drei Lilien und den Namenszug des Papstes zu führen. (Gotti II, 20. Frey: Briefe S. 27.) Während jenes Aufenthaltes Leos in Florenz war nach Vasari (VII, 188) Raphael wegen der Fassade von S. Lorenzo nach Florenz berufen worden. Für diese hatten auch Baccio d'Agnolo, Antonio da San Gallo, Andrea und Jacopo Sansovino dem Papst Zeichnungen eingereicht. — Noch ehe Raphael und M. nach Florenz gekommen wären, hätte Sansovino den Entwurf der Fassade gemacht und dann den Auftrag von Leo erhalten, mit M. nach Pietrasanta zu gehen. Zu gleicher Zeit wären die Modelle von M. und Sansovino angefertigt worden. Als aber Sansovino nach Rom gekommen, hätte der Papst eben in Torre Borgia M.s Entwurf angenommen. So Vasari an anderer Stelle. (Vasari: Vita di Sans. VII, 496.)

1515.   In diesem Jahre kauft M. ein Grundstück in der Gemeinde S. Maria in Settignano. (Gaye II, 253.)

1515.   In diesem Jahre werden an Zahlungen für das Juliusdenkmal an M. verzeichnet: 2600 Dukaten. (Gotti II, 53. Ricordi 564.)

1516.   17. März stirbt Giuliano, Herzog von Nemours.

1516.   In den ersten Monaten Arbeit am Denkmal. Am 21. April bittet der Kardinal Aginense M., der Herzogin von Urbino die Besichtigung der Arbeiten zu gestatten. (Daelli N. 11.)

1516.   19. Mai heirathet Buonarotto Bartolommea di Ghezzo. (Frey: Briefe 44.)

1516.   10. Juni ist M. in Florenz. (Frey: Briefe S. 29.) Von dort ist er nach Carrara gegangen, wohin ihm sein Vater am 23. schreibt. Donna Argentina de' Soderini, Gemahlin Pietros, schreibt am 15. Juni eine Empfehlung für ihn an den Marchese Don Lorenzo Malaspina, die er dann aber erst am 7. August zngesandt erhielt und daher nicht benutzte. (Frey: Briefe 28.)

1516.   4.—11. Juli. M. wieder in Rom. Abschluss des III. Kontraktes über das Juliusdenkmal mit Lorenzo Pucci, Kardinal von Santiquattro und Leonardo Grossi, Kardinal Aginense. Michelangelo verpflichtet sich, keine andere grössere Arbeit zu übernehmen, sondern im Laufe von 9 Jahren (vom 6. Mai 1516 ab) das Werk zu vollenden nach einem neuen Plan, welcher eine Reduktion des früheren auf etwa die Hälfte der Ausdehnung enthält. Die Tiefe wird auf weniger als die Hälfte eingeschränkt: die Seitenfassaden enthalten nur je ein Tabernakel zwischen zwei Pilastern. Die Front, jetzt ungefähr 11 Ellen breit, behält ihre zwei Tabernakel und vier Pilaster, die Mitte zwischen den Tabernakeln soll ein Bronzerelief einnehmen. Die Anzahl der Statuen vor Pilastern und in den Tabernakeln am Unterbau ist jetzt 12. Neu ist die Anlage eines Obergeschosses über dem Gesims, welches, den Pilastern unten entsprechend durch Halbsäulen, die das Kranzgesims tragen, gegliedert ist. In den zwischen ihnen befindlichen Nischen sind sitzende Figuren geplant : zwei an der Front, je eine an den Seitenwänden. Der Raum zwischen den Nischen und dem oberen Gesims ist mit Bronzereliefs: drei vorne, einem an jeder Seitenwand ausgefüllt. In der Mitte der Front ist zwischen den sitzenden Figuren eine „Tribunetta" mit der Statue Julius' II. zwischen zwei anderen Figuren. Darüber bildet eine Madonnenstatue den Abschluss. — An dem früher festgesetzten Preis von 16500 Dukaten wird festgehalten; zwei Jahre lang monatlich 200 Dukaten, dann monatlich 130. Ein Haus in der Regione di Trevi bei S. Maria del Loreto, wo er schon viele Monate gearbeitet hat, wird ihm zur freien Verfügung gestellt. Auch erhält er die Erlaubniss, die Arbeit auszuführen, wo es ihm beliebe, in Florenz, Pisa, Carrara oder sonstwo. (Contratti 644 ff.)

1516.   Anfang August ist er in Florenz. Dorthin schreibt ihm Pietro Soderini am 7. August und am 9. Lionardo Borgherini sellajo, welcher die Aufsicht über das Haus in Rom führt und ihn an das Bild für Pier Francesco Borgherini und an eine Zeichnung für Sebastiano del Piombo (wohl für die Geisselung Christi) erinnert. Jenes Bild auszuführen, ist dann von M. dem A. del Sarto übertragen worden. (Frey: Briefe 43.) Borgh. aber ist unzufrieden und Seb. Piombo will es übernehmen (ebend. 63). Giovanni Gellesi schreibt ihm am 10. August und es folgen drei weitere vom Sellajo, der letzte vom 30. August. (Frey: Briefe S. 30—34.)

1516.   27. August wird Raphael Oberaufseher der Ausgrabungen.

1516.   5. September trifft M. wieder in Carrara ein und miethet am 7. dort ein Haus des Francesco di Pelliccia. Gismondo besucht ihn dort. M. hat begonnen, Marmor brechen zu lassen, und hofft in zwei Monaten allen nöthigen Marmor zu haben. Wo er dann arbeiten wird: in Carrara, Pisa oder Rom, weiss er noch nicht. (Frey: Briefe 34. Lett. 51.) Er hat die Zeichnung für Sebastiano del Piombo geschickt, der den Karton danach sogleich begonnen hat. (Frey: Briefe 34. 37. Lionardo sellajo am 22. September und 11. Oktober.)

1516.   Im September haben die Verhandlungen zwischen Giulio Medici und Domenico Buoninsegni über den Plan der Fassade von S. Lorenzo stattgefunden. Der Kardinal hat mit dem Papste darüber gesprochen. Mit M. zugleich soll Baccio d'Agnolo an dieser Arbeit beschäftigt werden. (Vasari. Mil. Prosp. cronol. 357. Frey: Brief des Domenico vom 7. Oktober. S. 35.) Nach einem Briefe Domenicos vom 21. Nov. hätte M. im August in Florenz nicht von der Fassade gesprochen, dann aber (wohl Sept.) den Einfall gehabt, den Bau zu übernehmen und Domenico gebeten, darüber mit dem Kardinal zu sprechen. (Frey: Briefe 47.)

1516.   7. Oktober. Domenico Buoninsegni, der den Vermittler spielt, macht Baccio d'Agnolo von dem Fortschreiten des Planes auf dem Wege von Florenz nach Rom Mittheilung und räth, den Papst noch vor seiner Heimkehr nach Rom in Montefiascone aufzusuchen, da hier „der Freund" nicht hindernd eintreten könne. Er empfiehlt Geheimniss. — Diesen Brief Domenicos schickt Baccio am 13. Okt. an M. (Frey: Briefe 36. 38.) M. hat darauf geantwortet, er wolle nicht nach Rom kommen, Baccio allein solle die Angelegenheit regeln (eb. 39).

1516.   1. November. Vertrag mit Francesco Pelliccia in Carrara, der sich verpflichtet, vier Statuen nach Weisung M.s (4½ Ellen hoch), sowie 15 Figuren (4¼ Ellen hoch) aus Blöcken zu hauen. Er erhält als erste Zahlung 100 Dukaten. Der Vertrag wird am 7. April 1517 annullirt, nachdem Francesco die 100 Dukaten M. zurückerstattet hat. (Contratti 652.)

1516.   3. November. Domenico schreibt an M., der Papst sei einverstanden, dass M. nur die Hauptstatuen für die Fassade mache, die anderen nach seinen Modellen ausführen lasse. Offenbar sind in M., nachdem er sich im September bereit erklärt, ernste Bedenken aufgestiegen in Bezug auf die Übernahme der Arbeit an S. Lorenzo. Er möchte jetzt nur noch die Hauptstatuen ausführen. M.s Vorschlag, den Marmor in Carrara zu brechen, findet aber keinen Beifall, da Leo für die Ausbeutung der Steinbrüche von Pietrasanta ist und den Bau der Strasse dort befördert. — Auf Bernardo Niccolinis und Baccios Bitte, nach Rom zu gehen, geht M., der nun in Konflikt mit seiner Pflicht gegen die Erben Julius' II. zu gerathen beginnt, nicht ein. (Frey: Briefe 39.)

1516.   12. Nov. Der Vater Lodovico erkrankt (Briefe Buonarrotos. Frey 44. 45). M. schreibt besorgt darüber am 23. Nov. (Lett. 132.)

1516.   18. November. Bartolommeo Mancino in Carrara hat drei Marmorblöcke an M. verkauft und verpflichtet sich, für ihn zu brechen. (Contratti 654.)

1516.   November. M. hat den Gedanken gefasst, nach Rom zu gehen,

ihn dann aber wieder aufgegeben. In Briefen vom 21. bis
29. Nov. wird er von Buoninsegni und Baccio d'Agnolo dazu
gedrängt. Letzterer wagt nicht, allein zu gehen, da über den
Entwurf der Fassade noch nichts entschieden ist und er der
Meinung des Kardinals Bibbiena und Giovanni Batista dell'
Aquilas entgegengetreten ist. (Frey: Briefe 47ff.)

1516.   5. Dezember reist M. nach Rom. (Ricordi 564.) Er macht
dort eine Zeichnung für die Fassade, auf welche hin er
von Leo X. den Auftrag erhält, Marmor für dieselbe zu brechen.
(Lett. 414.) Der Entwurf zeigt 10 Statuen: vier am unteren
Geschoss: die Heiligen Lorenzo, Johannes d. T., Petrus und
Paulus, am zweiten Stockwerk vier sitzende Figuren: die vier
Evangelisten, und ganz oben die Heiligen Cosmas und Damianus.
Ausserdem waren Bronzereliefs geplant. (Brief Buoninsegnis
an M. vom 2. Febr. 1517. Mil. Prosp. cron. 359.)

1516.   Mitte bis Ende Dezember ist M. in Florenz, wo er Baccio
d'Agnolo den Auftrag ertheilt, nach seiner Zeichnung ein
Modell anzufertigen, und über die Fundamentirung der Fassade
Untersuchungen anzustellen. (Ricordi 567. Frey: Briefe 54.)

1516.   31. Dezember trifft er wieder in Carrara ein. (Ricordi 567.)

1516?   Vielmehr 1520. Baccio d'Agnolos Kranzgesims an der Kuppel
des Domes von Florenz wird von M. als „Grillenkäfig" getadelt.
M. macht selbst ein Modell für das Gesims, das aber auch
nicht ausgeführt wird. (Vasari: Vita di Baccio. V, 353.)

1516.   In diesem Jahre hat er für das Juliusdenkmal 1500 Dukaten erhalten. (Gotti II, 53.)

1516?   17? Vasari spricht im Leben des Andrea da Fiesole von einem
Auftrag, den M. erhalten hätte, wie auch Andrea Sansovino und
Bandinelli), eine Apostelstatue für den Chor des Domes
zu machen. Die Zeit ist kaum zu bestimmen. (Vasari IV, 478.)

1517.   3. (6.?) Januar erhält er von Jacopo Salviati 1000 Dukaten
für Beschaffung des Marmors für die Fassade. (Ricordi 565.
566. 567.) Später giebt er an, dieses Geld damals zunächst
mit für das Juliusdenkmal ausgegeben zu haben. (Lett. 492.)

1517.   3. Januar. Vertrag mit Steinmetzen Jacopo da Turano und
Antonio da Puliga über Bearbeitung von vier Marmorblöcken
(4¹/₄ Ellen hoch). (Contratti 655.) Im Februar verklagt er sie
wegen Nichteinhaltung des Vertrages. (Contratti 656.)

1517.   7. Januar nach Pietrasanta. (Ricordi 567. Frey: Briefe 55.)

1517.   Erste Hälfte Januar. Die von Baccio gefundenen Fundamente
sind die des alten Portikus von S. Lorenzo und unbrauchbar.
Es heisst neu fundiren. (Frey: Briefe 55.) — In Florenz sind
wohl nicht unbegründete Gerüchte verbreitet, M. halte es mit
Malaspina für Carrara gegen die florentinischen Steinbrüche
von Pietrasanta (ebend. 57).

1517. 21. Januar geht M. auf zwei Tage nach Florenz, von Vieri de' Medici im Auftrag Giulios gebeten. (Ricordi 567. Frey: Briefe 58. Notiz auf Zeichnung in Casa Buon. XXXVII, 69.)

1517. 19. Januar. Sebastiano del Piombo hat den Auftrag des Gemäldes (die Auferweckung des Lazarus) übernommen, trotz Raphaels Gegenbemühungen (?). Er benützte für Einzelnes in der Komposition Zeichnungen M.s (Vasari: Vita di Seb. V, 570. Frey: Briefe 58.) Auch eine Pietà in S. Francesco zu Viterbo hat Seb. nach einem Karton M.s gemacht (ebd. 568).

1517. 7. Februar. In Carrara. M. zahlt Bartolommeo Mancino für Marmor und schliesst Vertrag mit Lionardo gen. Cagione über Marmorlieferung (eine Figur $4^1/_2$ Ellen hoch. Contratti 659). — Am 12. Febr. kauft er einen 6 Ellen hohen Block von Domenico Zara. (Ricordi 569.)

1517. Dann muss M. wieder in Florenz gewesen sein des Modelles wegen. (Ricordi 567. 565. Frey, Zeichn. S. 19. Anm. andrer Ansicht.) Damals ist er mit Jacopo Sansovino in Beziehung getreten.

1517. 12. Februar. Abschluss einer Kompagnie mit Lionardo Cagione behufs Ausbeute einer Steingrube für die Fassade von S. Lorenzo. (Contratti 660.)

1517. 17. Februar nach Carrara. M. hat Jacopo Sansovino einen Block versprochen. Dieser stellt sich ihm zu Diensten. (Frey: Briefe 59.)

1517. 19. Februar. Buonarroto theilt ihm mit, dass er zum 1. Mai Podestà von Castro Focogniano geworden sei.

1517. 6. März. Vertrag mit Matteo di Cuccarello und Lazarino di Bellone über Anfertigung zweier Säulen für S. Lorenzo. (10 Ellen hoch. Contratti 661.)

1517. 13. März. Er schreibt an Buonarroto, er brauche nicht mehr das nun fertige Modell Baccios zu sehen, da er selbst eines begonnen. (Lett. 133.) Bernardo Niccolini bittet ihn auch zweimal, zu kommen. 7. u. 12. März. (Frey: Briefe 63. 64.)

1517. 14. März. Vertrag mit Lionardo Cagione über zwei Marmorfiguren (5 Ellen hoch), 4 Figuren (4 Ellen hoch), auch ev. 2 Säulen. (Contratti 662.)

1517. Nach 14. März geht er zum dritten Male nach Florenz, um das Modell zu sehen, das er in einem Briefe vom 20. März aus Florenz an Buoninsegni kindisch nennt. Er hat nach heftigen Szenen mit Baccio mit Francesco di Giovanni gen. Grassa abgemacht, dass Dieser nach seiner Zeichnung ein kleines Modell in Thon ausführe. (Lett. 381. 382.)

1517. 21. März kehrt er nach Carrara zurück.

1517. 7. April. Kontrakt mit Pelliccia aufgehoben. (Contratti 653.)

1517. 17. April. M. kauft in Florenz ein Terrain in der Via Mozza (heute Via S. Zanobio) vom Domkapitel, um dort eine Werkstatt für seine Arbeiten für die Fassade zu bauen. (Lett. Mil. Note 1. S. 141.) 1518. 24. November kaufte er Terrain dazu. (Ricordi 575.)

1517.   20. April. Jacopo Sansovino meldet M., er wolle in etwa einem Monate zu ihm kommen, um die versprochenen Blöcke zu verladen. (Frey: Briefe S. 65.)

1517.   25. April kauft M. einen 4 Ellen hohen Block von Lotto da Carrara. (Ricordi 568. Zahlung durch seinen Gehülfen Pietro Urbano.)

1517.   25. April. Brief des Bruders. M. ist in Florenz zornig gegen Baccio d'Agnolo geworden. Er glaubt ihn im Einverständniss mit seinen Feinden, auch mit Raphaels Parthei. Baccio hat dies nun Buonarroto gegenüber ganz abgeleugnet, seiner Liebe zu M. Ausdruck gegeben, aber er wolle nichts mehr mit der Arbeit zu thun haben. Buonarroto räth, Baccio doch die Ausführung des Modelles zu überlassen, da Grassa ganz unfähig sei. (Frey: Briefe 66.)

1517.   30. April. Vertrag mit einem Pollina in Carrara bezüglich einiger Marmorblöcke. (Ricordi 569.)

1517.   Ende April. M. hat ein kleines Modell anfertigen lassen in Carrara und ist bereit, es Buoninsegni zu senden. (Lett. 382. Frey: Briefe 69.)

1517.   3. Mai. Niccolini vermittelt Buoninsegnis Briefe und Aufträge. Papst und Kardinal Giulio wünschen, dass M. die Fundamente der Fassade lege. Er möge bald nach Florenz auch das Modell senden. (Frey: Briefe 68.) Am 13. Mai wiederholt N. diese Wünsche. (Ebend. 70.)

1517.   16. Mai. M. giebt Lionardo Cagione in Carrara 10 Skudi. (Ricordi 569.)

1517.   15. Juni. Niccolini drängt M., nach Florenz zu kommen, um die Fundamente zu beginnen, auch auf Fertigstellung des Modelles. Auch Jacopo Salviati bittet ihn zu kommen, ehe er verreisen müsse. — Es sind wieder Zahlungen für die Strasse in Pietrasanta gemacht worden. (Frey: Briefe 71. 72.)

1517.   19. 20. Juni. M. in Florenz (ebend. 72). Ordnet die Fundamentirungsarbeiten an. Er übernimmt damit gleichsam die Aufgabe. (Brief Buonarrotos. Frey: Briefe 77.)

1517.   21. Juni. M. wieder nach Carrara. Sansovino schreibt ihm erbittert. Der Papst hatte Sansovino die Bronzereliefs der Fassade in Auftrag gegeben. M. bevorzugt den jungen Baccio Bandinelli. (Frey: Briefe 72.)

1517.   25. Juni. Zahlung an Lionardo Cagione. (Ricordi 569.)

1517.   8. Juli. Andrea Ferrucci, Leiter der Fundamentirung der Fassade, berichtet über die Arbeit und fordert im Namen Salviatis M. auf, am 12. Juli nach Pietrasanta zu gehen, wohin

auch Baccio d'Agnolo und Baccio Bigio wegen dem Strassenbau geschickt werden. (Frey: Briefe 74.)

1517. 12. Juli. Niccolini bittet von Neuem um das Modell. (Frey:
Briefe 75.) Lodovico an demselben Tage warnt M. vor Niccolini (ebend. 76).

1517. 12. Juli ist M. wohl nach Pietrasanta gegangen. Pietro
Urbano macht eine Zahlung. Sechs andere Zahlungen für
Marmor werden im Juli verzeichnet. (Ricordi 570.)

1517. Wohl im Juli schreibt M. an Buoninsegni, es müsse zu einer
bestimmten Entscheidung über die Fassade kommen, die er
auszuführen sich getraue, ja so, dass sie ein Ruhm für ganz
Italien werde. Ohne einen Vertrag aber komme er in Verlegenheit und könne keine Rechnung ablegen. Er habe viel
Kosten. Zwei Säulen seien misslungen. Auch habe er ja die
Verpflichtungen gegen die Erben Julius' II. Er berechnet die
Kosten auf nicht weniger als 35000 Dukaten. Er habe Verlangen, Carrara zu verlassen. (Lett. 383. Frey möchte den
Brief, der fälschlich 2. Mai von Mil. datirt ist, Ende Nov. Dez.
verlegen. Dies verbietet aber die in ihm enthaltene Mitthei-
lung, M. habe nur ein kleines Modell bisher angefertigt.)

1517. 8. und 11. August. Zahlungen an Matteo Cuccarello. (Ricordi 570.)

1517. 20. August geht, dem Wunsche des Papstes folgend, M.
nach Florenz, um das Modell zu machen. (Ricordi 571.)
Nach einem anderen, aus dem Gedächtniss irrig gemachten
Ricordo (565 und 567) wäre es am 31. August gewesen.

1517. September. M. fertigt mit Pietro Urbano das Modell an.
Ein Zimmermann führt die Holzarbeit aus, er selbst macht die
Figuren aus Wachs. (Ricordi 567. 565. Lett. 414.)

1517. Ende September erkrankt M. (auch Pietro Urbano). Beide
„waren dem Tode nahe". Am 26. Sept. hat der sellajo bessere
Nachrichten aus Florenz. Er schreibt von den Fortschritten,
welche Sebastianos Gemälde macht. (Frey: Briefe 78.) Noch
am 3. Oktober aber schreiben der Sellajo und Gellesi besorgt
(ebend. 79. 80).

1517. September hat Metello Varj M. die Ausführung der Christusstatue in Erinnerung gebracht. (Frey: Briefe 85.) Am 26. Sept.
bittet sich M. dafür 150 Skudi aus (ebend. 80). Daraufhin frägt
Varj in einem etwas erregten Briefe am 13. Dez. an, wann die
Statue geschickt werde (ebend. 85).

1517. 20. Oktober. Nach einem Briefe des Francesco Perini steht
M.s Reise nach Rom nahe bevor. Lionardo sellajo ermahnt
ihn am 24. Okt., zugleich im Auftrage des Kardinals Giulio,
erst sich ganz wiederherzustellen. (Frey: Briefe 80. 81.) Auch
die Freunde in Carrara äussern ihm innige Theilnahme, so

der Notar Leonardo Lombardello, (zugleich im Namen Mala-
spinas), welcher für die gewissenhafteste Aufbewahrung des
Marmors sorgt. (Ebend. 81.)

1517. 14. November schreibt Lionardo sellajo aus Rom: Agostino
Chigi habe einige der Blöcke an der Ripa für sich genommen
und gesagt, er werde sie M. zahlen. (Frey: Briefe 82.) Er
berichtet dann weiter am
5. Dezember, dass er mit dem Kardinal Aginensis gesprochen.
Lionardo habe Diesem gesagt, das Denkmal werde in 2 Jahren
so gut wie fertig sein, und Jener habe versprochen, nach Vollendung der Arbeit M. das Haus zu schenken und ein Amt zu
verschaffen (ebend. 83).

1517. 6. Dezember. M.s einstiger Gehülfe Silvio Falcone drückt
ihm seine Theilnahme an der Krankheit und zugleich seine
Reue über sein einstiges Benehmen aus. Pietro Urbano solle
nicht handeln, wie er, Silvio, es gethan. (Frey: Briefe 84.)

1517. Mitte Dezember ist das Modell fertig, und Pietro Urbano
erhält den Auftrag, es nach Rom zu bringen. Am 22. Dez.
überbringt er es Buoninsegni, bei dem es der Papst und
Kardinal Giulio in Augenschein nehmen. Buoninsegni deutet
an, M. müsse selbst nach Rom kommen. (Ricordi 565. 567.
Lett. 414. Frey: Brief Urbanos vom 29. Dez. 86.)

1517. 19. und 29. Dezember. Abrechnung über die unter Andrea
Ferruccis Leitung ausgeführten Fundamentirungsarbeiten und
Zahlung der beiden Modelle von Baccio und M. (Ricordi
571. 572.)

1517. In diesem Jahre erhält er (am 2. Januar) 400 Dukaten für das
Juliusdenkmal. (Gotti II, 53. Ricordi 564.)

1517? Etwa in diesem Jahre dürfte M. die Loggia am Palazzo
Medici geschlossen und die zwei finestre inginocchiate daran
gemacht haben. (Vasari: Vita di Giov. da Udine VI, 557.)

1518. 1. Januar fordert Buoninsegni M. auf, nach Rom zu kommen.
Pietro Urbano schreibt auch von diesem Wunsche am 2. Jan.
(Frey: Briefe 87. Anm. 88.)

1518. Um den 10. Januar. M. geht nach Rom. (Lett. 414. Ricordi 565. 567.)

1518. 19. Januar wird der Vertrag, betreffend die Fassade
von S. Lorenzo, zwischen Leo X. und M. abgeschlossen. Dieselbe soll in 8 Jahren (vom 2. Februar 1518 an gerechnet) vollendet werden für die Summe von 40000 Dukaten, von denen
jährlich 5000 Dukaten gezahlt werden sollen. Doch sollen ihm
sogleich für die Beschaffung von Marmor 4000 Dukaten angewiesen werden. Der Plan der Fassade ist folgender: ein unteres
Stockwerk, durch acht Säulen (11 Ellen hoch) gegliedert, mit
drei Portalen und vier Statuen (5 Ellen hoch), sowie Reliefs, an

den Seiten: eine Statue zwischen zwei Säulen. Das II. Stockwerk ist durch Pilaster (6—7 Ellen hoch) gegliedert und enthält vorne vier, an jeder Seite eine sitzende Bronzestatue ($4^1/_2$ Ellen
hoch). III. Stockwerk mit Pilastern und 4 Tabernakeln vorne,
je 1 Tabernakel an der Seite, welche Marmorstatuen ($5^1/_2$ Ellen
hoch) enthalten, und darüber 7 Marmorreliefs: 2 runde und
5 viereckige mit sitzenden Figuren. Ein Giebel krönt die ganze
Fassade. — M. erhält volle Freiheit, die Arbeiten selbst auszuführen oder nach seinen Modellen von Anderen ausführen
zu lassen. Ein Haus in der Nähe von S. Lorenzo soll ihm zugewiesen werden. (Contratti 671.)

Die Erben Julius' II. müssen dem Wunsche Leos X.
nachgeben, der aber Michelangelo erlaubt, in Florenz am
Juliusdenkmal zu arbeiten. (Condivi.)

1518. 6. Februar trifft er wieder in Florenz ein, wo er bis zum
25. Februar bleibt. (Lett. 414. Ricordi 568.) Hier erhält er
einen am 2. Febr. vom Kardinal Giulio geschriebenen Brief, der,
ein Schreiben M.s beantwortend, Diesem im Namen des Papstes
energisch befiehlt, den Marmor für S. Lorenzo nicht aus Carrara,
sondern aus Pietrasanta zu beziehen. M. solle seine Hartnäckigkeit zu Gunsten Carraras aufgeben. (Daelli 12. Nach
Freys richtiger Muthmaassung 1518, nicht 1517.) — Am 25. Febr.
erhält er 800 Dukaten (Anordnung von Kardinal Giulio. Frey:
Briefe 89) und begiebt sich nach Carrara, wo Urbano am
22. für ihn ein Haus gemiethet hat. (Ricordi 572. 568.)

1518. Februar. Lionardo sellajo überwacht die Auflösung des
Haushaltes in Rom. Die Marmorblöcke für das Grabmal werden
nach Florenz überführt, wofür Leo X. die Kosten zu tragen verspricht. (Lett. 414.) Nur die Statuen (also der Moses und die
Sklaven) bleiben unter Verschluss in Rom. Auf ausdrücklichen
Wunsch M.s werden die „Kartons" (wohl die für die Gemälde
der Sixtina?) verbrannt. Der Hausrath wird M. nachgeschickt
werden. (Frey: Briefe 88.) — Domenico da Terranuova, il
Menighella, betreibt in Rom die Einforderung der Schulden Luca
Signorellis und eines Simone da Urbino. (27. Febr. ebend. 90f.,
weitere Briefe darüber bis 27. April ebend. 91.)

1518. Am 5. März will M. angeblich nach Florenz, in Wahrheit aber
nach Pietrasanta gehen. (Ricordi 568: er borgt sich desswegen Geld.)

1518. Damals kommt es zu Streitigkeiten mit den Carraresen wegen
nicht eingehaltener Verträge; sie wollen ihn in seinem Hause
belagern. Er begiebt sich nach Seravezza bei Pietrasanta.
(Lett. 415.)

1518. 15. März. Vertrag M.s mit 9 Steinmetzen in Pietrasanta für die Beschaffung sämmtlichen Marmors, der für die
Fassade nöthig ist, im Laufe von 5 Jahren. (Contratti 673.)

Thode, Michelangelo I.   24

1518. 20. März erhält M. von Salviati aus Florenz Zusicherungen für jene Marmorbrüche und Auftrag, die Strasse in Pietrasanta zu bauen. (Frey: Briefe 92.) Am 23. schreibt Kardinal Giulio erfreut über die Nachrichten aus Pietrasanta, dass für den Bau der Strasse gesorgt werden soll, den leiten zu können, M. den Papst gebeten hat. (Daelli 13. Lett. 134.)

1518. Ende März. Da die Carraresen aufsässig sind, hat M. nach Genua gehen müssen, um dort Barken für den Marmortransport zu miethen. Die Barkenführer sind aber von Jenen bestochen worden. (Lett. 134.)

1518. 2. April geht er wegen Barken nach Pisa. (Lett. 135.) Dort macht er mit Salviatis Hülfe einen Kontrakt mit einem Francesco Peri. (7. April. Lett. 136. Auch Lett. 385 an Urbano, falsch von Mil. datirt, ist am 2. April geschrieben.) Pietro Urbano ist damals krank in Florenz. M. sorgt in rührender Weise für ihn. (Lett. 385. 388. 135. Frey: Briefe 93.)

1518. 4. April giebt ihm Salviati aus Florenz beruhigende Auskünfte. Wie er über den Bau der Strasse beschliesse, sei es recht, ob er selbst ihn ausführe oder ihn Donato Benti übertrage. Auch wird Steuerfreiheit für den Marmor von S. Lorenzo bewilligt. Er schlägt den Bau eines Studio auf der Piazzo di S. Lorenzo vor. (Frey: Briefe 94.) — Es handelt sich darum, die Strasse von Carrara bis Seravezza, wo der Marmor für die Statuen gebrochen werden soll, zu erweitern. (Brief M.s an Buoninsegni. Lett. 386.)

1518. M. bestellt nun Donato Benti zum Leiter des Strassenbaues und drängt auf die Ausstellung der Vollmacht durch die Domopera. Erhält er dieselbe nicht, so will er zum Kardinal Giulio reisen und wieder nach Carrara zurückgehen, wie sie es dort heiss wünschen. Er leidet unter furchtbaren Mühen. Die Steinmetzen, die er von Carrara geholt, verstehen nichts von dem Marmor und den Brüchen in Pietrasanta. Die in Pisa gemietheten Barken sind nicht gekommen. Er verwünscht die Stunde, da er Carrara verlassen. (Lett. an Buon. 137, vom 18. April.)

1518. 22. April ertheilen die Proveditori dell' Arte della Lana M. für seine ganze Lebenszeit die Vollmacht, ohne Abgaben Marmor in Pietrasanta zu brechen, für welche Zwecke immer es sei. (Contratti 679. Frey: Briefe 98.)

1518. 27. April bestellt M. den Donato Benti zu seinem Prokurator in Pietrasanta während seiner Abwesenheit. (Contratti 681.) — M. geht nach Florenz. — Menighella schreibt aus Rom, dass er zu ihm kommen wolle. (Frey: Briefe 92.)

1518. Vom 28. April bis etwa 17. Mai M. in Florenz. (Frey: Briefe 100f.)

1518. Vom 19. Mai bis Anfang Juni in Pietrasanta, wo die Pietra-
santesen die Arbeit ausgesetzt haben. (Lett. 389.) Am 18. Mai
Vertrag mit Steinmetzen von Settignano, am 22. Vertrag mit
Alessandro Bertini über Anfertigung von Säulen und Thür-
wandungen. (Contratti 682. 683.) 1. Juni Vertrag mit zwei
Steinmetzen durch Donato Benti. (Contratti 685.)

1518. Von Ende Mai oder Anfang Juni bis Ende Juli in Florenz
und Settignano.

1518. 7. Juni erbittet Piero Soderini M.s Rath und Beistand für einen
Altar und Umrahmung, welche er für die Reliquie des
Hauptes Johannes des Täufers in S. Silvestro stiften will, sowie
für zwei damit verbundene Grabdenkmäler. Weitere
Briefe belehren darüber, dass M. eine Zeichnung für das Ganze
angefertigt und an S. geschickt hat kurz vor 30. Okt. 1518. Die
Ausführung sollte, wie es scheint, Federigo Frizzi übernehmen.
Als Architekten hatte Soderini, der 500 Golddukaten ausgeben
wollte, Piero Roselli gewählt. (Frey: Briefe 101 ff.)

1518. 2. Juli berichtet Lionardo sellajo, der in Florenz gewesen war,
aus Montelupo über einen Besitz in Florenz, den M. erwerben
möchte. (Frey: Briefe 104.)

1518. 2. Juli schreibt Sebastiano del Piombo aus Rom. Seine „Auferweckung des Lazarus" ist noch nicht vollendet. Raphael hat
seine „Transfiguration" noch nicht begonnen, aber zwei Bilder
nach Frankreich geschickt. Menighella ist nach Florenz geflohen, weil er einen Gegner verwundet hat, und bittet um
Empfehlung an Buoninsegni. — Es liegt Sebastiano daran, sein
Bild noch in Rom vergolden zu können, wogegen Raphael angeblich intriguirt. M. solle die Vermittlung Buoninsegnis bewirken. — Diese Angelegenheit wird dann am 20. Juli auch
von Menighella betrieben. (Frey: Briefe 104. 106.)

1518. 14. Juli kauft M. vom Domkapitel ein Terrain in Via Mozza,
um dort ein Haus zu bauen. (Ricordi 575. Gaye II, 254.) Er
schreibt darüber am 15. Juli an den Kardinal Giulio, beklagt
sich, dass er es mit 300 Dukaten zu theuer habe zahlen müssen,
und bittet, zu vermitteln, dass ihm kostenfrei ein anstossendes
Stück Land überlassen werde. (Lett. 393.)

1518. 26. Juli wendet sich Metello Varj mit der Bitte um Vollendung
der Christusstatue an M. Dieser solle sie von einem Schüler
ausführen lassen und nur die letzte Hand anlegen. (Frey:
Briefe 108.)

1518. Ende Juli geht M. mit einem Gehülfen: Baccio di Berto da
Filicaja und einem Maulthier nach Pietrasanta, wo er bis
28. September nachzuweisen ist aus zahlreichen kleinen
Zahlungen. (Ricordi 575 f.) Veranlassung der Reise war das
Zerbrechen einer Säule. (Ricordi 574.)

24*

1518.   Vom 12. August an bis in den Oktober steht M. in Verhandlungen mit Francesco Peri in Pisa wegen Barken für die Marmorverladung. (Frey: Briefe 109ff.)

1518.   Anfang August. M. hat Ärger mit den Steinmetzen aus Settignano, sie gehen nach Florenz zurück, und M. befürchtet, dass sie böses Geschwätz machen (Lett. 140). Buonarroto hat Jacopo Salviati und Berto da Filicaja einen erfreulichen Brief M.s vorgelesen. Salviati dankt selbst dafür am 14. August. (Frey: Briefe 114. 115.)

1518.   Anfang September geht Pietro Urbano, der noch (mit verwundetem Finger) in Florenz ist, im Auftrage M.s zu Lionardo sellajo in Montelupo. Francesco Pallavicini in Savona soll durch seinen Einfluss ihm Fahrzeuge für den Transport des Marmors verschaffen. Pallavicini erlangt Ende Sept. ein Breve vom Papst und Empfehlungsbriefe an den Dogen von Genua und Scipione Fiesco. (Frey: Briefe 114. 119.)

1518.   Auf einen Brief Buonarrotos vom 11. Sept. hin schreibt M. etwa am 16. Sept. an Berto da Filicaja: die Strasse sei so gut wie fertig, eine Säule sei ihm zerbrochen; er beklagt sich über die Steinmetzen von Pietrasanta. (Lett. 394.) Darauf spricht ihm Salviati am 20. Sept. Muth ein; auf solche kleine Unfälle komme es bei grossen Unternehmungen nicht an. Er solle nach Pisa in das Haus des Salviati gehen und dort sich erholen. (Frey: Briefe 117.) — Damals verhandelte M. auch über den Ankauf eines Hauses bei Carmine und eines Grundstückes in Fiesole mit Buonarroto. (Ebend. 116. Lett. 142. 143.)

1518.   Um den 20. September erkrankt M. in Seravezza, offenbar überarbeitet und geärgert. Der Bruder räth ihm, nach Florenz zu kommen, wohin er etwa am 22. bis 24. Sept. gegangen ist. Bis Ende Oktober bleibt er in Florenz.

1518.   Am 8. Oktober schreibt M. an den Kardinal Aginensis wegen jenes Breve für den Marmortransport. Er hat mit einem Hieronimo von Porto Venere den Transport der Blöcke für das Juliusdenkmal vereinbart. Darüber freut sich der Kardinal, der ihn in einem Briefe vom 23. Okt. an die zwei versprochenen Statuen erinnert, aber hinzufügt, M.s Wort gelte ihm mehr als alles Gerede, das offenbar von den Feinden des Meisters, um gegen ihn zu hetzen, gemacht wird. — Lionardo sellajo räth M., wenigstens die eine Figur zu vollenden, damit den Gegnern der Mund gestopft werde. (Frey: Briefe 121. 122.)

1518.   Etwa 25. Okt. schickt M. an Soderini in Rom die Zeichnung für das Tabernakel, doch ist der Entwurf zu hoch (Frey: Briefe 103).

1518.   26. Okt. berichtet Donato aus Seravezza, dass er das Breve an den Marchese von Massa und Carrara: Alberigo überbrachte, der über dieses Vorgehen M.s sehr erstaunt ist, da er behauptet, niemals etwas gegen diesen gethan zu haben. In Avenza wird der Marmor verladen. (Frey: Briefe 123.)

1518. 29. Okt. schliesst M. Vertrag mit dem Steinmetzen aus Settignano: Domenico Bertini, betreffend die Bearbeitung von Säulen, Thürpfosten und -architraven. (Contratti 686. Ricordi 574.)

1518. 30. Okt. geht er, um den Beginn der Arbeit dieses Domenico zu überwachen, nach Pietrasanta, wohin er acht Tage vorher schon Pietro Urbano gesandt hat. (Ricordi 575.)

1518. 5. Nov. kehrt er nach Florenz zurück, wo er bis Anfang Januar bleibt.

1518. 24. Nov. Der Ankauf des Grundstückes in Via Mozza wird abgeschlossen. In den nächsten Monaten lässt M. dort bauen. (Ricordi 575. 576.)

1518. Nov. Dez. M. beabsichtigt, für die Ausführung der Skulpturen von S. Lorenzo ein Atelier auf der Piazza Ognissanti zu errichten, das Ende Dezember noch kein Dach hat. (Lett. 398.) Er erwartet eine grosse Ladung Marmor bei günstigem Wasser, da die Carraresen in Folge des Breves demüthiger geworden sind. (Lett. 397.) — In diesen zwei Monaten entwickeln sich die Intriguen gegen ihn in Rom zu bedenklicher und energischer Wirksamkeit. Briefe vom 31. Oktober bis zum Ende des Jahres aus Rom von Lionardo sellajo und Buoninsegni geben darüber Aufschluss. Der Kardinal Aginensis, der von den Gegnern mehr und mehr beeinflusst wird, besteht darauf, dass wenigstens eine der versprochenen Figuren bis zum Frühjahr fertig werde, die anderen könne M. ja von Gehülfen ausführen lassen. Der Marchese von Massa entschuldigt sich beim Papste und giebt M. alle Schuld an der Opposition der Carraresen. Metello Varj (24. Nov.) drängt auf Vollendung des Christus bis zu Ostern. Es kommt so weit, dass Lionardo dem Kardinal versichert, M. sei bei der Arbeit am Juliusdenkmal in Pisa (wohin zu gehen M. damals durch Unwohlsein abgehalten wurde: Lett. 399); denn ein „grosser Meister" (Jacopo Sansovino: s. Frey Briefe 138) hat Jenem gesagt, M. arbeite nicht und werde niemals das Denkmal vollenden. Der Kardinal will Francesco Pallavicini absenden und sich davon überzeugen. (18. Dez. Frey: Briefe 123—128.) — Der gequälte Künstler antwortet endlich am 21. Dez. Er sterbe vor Ungeduld: die Schiffe können von Porto Venere nicht abgehen, da der Arno trocken sei; auf ihnen sei auch der Block für die Christusstatue. Er schreibe nicht an Metello Varj, bis er nicht die Arbeit angefangen, denn er komme sich selbst wie ein Betrüger vor. — Am 22. Dez. verspricht er in einem ergreifenden, dankbaren Schreiben Francesco Peri, demnächst nach Pisa zu kommen. (Lett. 399.) Da Peri

gleich darauf nach Florenz gekommen und dort acht Tage
bleiben will, verschiebt er die Reise, welche den Zweck der
Regelung der Rechnungen und Auszahlungen hat, und vertröstet
am 26. Dez. Donato Benti. (Lett. 400. 401.) — Die Nachrichten von den Anklagen des Marchese von Massa und von
den Klagen des Kardinales haben M. zu einem heftigen Ausbruch veranlasst: Bernardo Niccolini hat ihm einen Brief Buoninsegnis öffentlich in einem Laden vorgelesen. M. hat sich be-
schwert, dass Buoninsegni nicht ihm, sondern einem Anderen
solche Dinge schreibe. (Lett. 402.)
Auf jenen Brief M.s vom 21. Dez. antwortet der Kardinal
Aginensis freundlich. Er wünscht, dass M. bald den Marmor
nach Rom sende und selbst komme. (Frey: Briefe 129.) —
Am 21. Dez. hat M. auch an Salviati in Rom geschrieben (nicht
erhalten). Die darin gegebenen Versicherungen haben Leo X.
erfreut. Dieser hofft sehr, im Mai nach Florenz kommen zu
können und wenigstens Etwas von begonnener Arbeit zu sehen.
Auch von dieser Seite also wird ein gewisser Druck ausgeübt.
Der Papst sähe am liebsten einige Reliefs. (Frey: Briefe 130.)

1518.   18. Dezember hat M. einen Vertrag für eine Marmorsäule mit
einem Raffaelo gen. Bardoccio geschlossen. (Contratti 688.)

1518.   In diesem Jahre (im Febr.) hat M. 400 Dukaten für das Juliusdenkmal erhalten. (Gotti II, 53. Ricordi 564.)

1519.   1. Januar schreibt Lionardo sellajo aus Rom, dass Sebastianos
Auferweckung so gut wie fertig ist und Raphael weit übertrifft.
Die Deckengemälde in der Farnesina sind enthüllt und eine
Schande für Raphael. (Frey: Briefe. 132.)

1519.   Etwa am 4.—6. Jan. geht M. nach Pisa und weiter nach Seravezza. (Ric. 576: am 3. ist er noch in Florenz. Frey: Briefe 132.)

1519.   4. Januar schreibt M. einen Brief (nicht erhalten) an Salviati,
worin er sagt, er wolle Modelle oder Figuren anfertigen, damit
der Papst sie sehen könne. Er möchte zwei oder drei Säulen in
Carrara anfertigen lassen, wo er vermuthlich damals wieder Beziehungen angeknüpft hat. Dies wird ihm ungern in einem
Briefe Salviatis vom 15. August zugestanden. (Frey: Briefe 134.)

1519.   Mitte Januar ist M. wieder in Florenz.

1519.   22. Jan.   Lionardo schreibt aus Rom, der Verleumder beim
Kardinal sei Jacopo Sansovino gewesen. Er mahnt M., die eine
Statue zu machen.

1519.   13. Februar.   Salviati hat dem Kardinal Aginensis versichert,
M. werde im Laufe des Sommers vier Statuen für das Denkmal
vollenden. Vielleicht die vier prigioni des Boboligartens.

1519.   14., 17. Febr., 28. März.   Zahlungen für die Fassade. (Rep.
XXIX, 390. 392.) Ausgaben für Atelier Via Mozza.

1519.   19. März.   Metello Varj drängt von Neuem auf Vollendung der Christusstatue. Wenn M. nicht eine neue Figur machen wolle, so solle er wenigstens die einst in Rom begonnene vollenden. (Frey: Briefe 136.)

1519. 26. März erhält M. 500 Dukaten für die Fassade von S. Lorenzo. 6 Säulen sind bereit zum Transport. (Ricordi 566. 576.)

1519. 29. März geht M. nach Pietrasanta, wo er bis Anfang Mai bleibt. Es handelt sich nun um den Transport. (Ricordi 576.)

1519. 1. April fordert Tommaso di Tolfo in Adrianopel M. auf, nach dort in die Türkei zu kommen und Malereien für den Herrn von Adrianopel (einen Pascha? den Sultan Selim I. ?), welcher kunstverständig sei und soeben eine Antike angekauft habe, auszuführen. Falls M. nicht wolle, solle er einen anderen Maler senden. (Frey: Briefe 137.)

1519. Erste Tage April ist wieder eine Säule zerbrochen, durch die Schuld Donato Bentis, der einem unfähigen Schmied den Trageering aufgetragen. (Frey: Briefe 139. 140. 141. Lett. 403. 404.)

1519. Anfang April sind drei Marmorblöcke in Florenz eingetroffen. (Frey: Briefe 140.)

1519. 6. u. 7. April. Metello Varj drängt von Neuem auf die Vollendung der Christusstatue. (Frey: Briefe 142.)

1519. 13. April. M. schliesst Vertrag mit Steinmetzen in Carrara, Blöcke für 8 Statuen zu behauen, führt also seinen Plan erneuter Ausnutzung der Carraresischen Steinbrüche aus. (Contratti 689.)

1519. 30. April tritt Jacopo Guidi in die M. verpflichtete Steinmetzenkompagnie in Carrara ein. (Contratti 691.) Eine Anzahl Zahlungen an Steinmetzen in Seravezza und Carrara werden im April verzeichnet. (Ricordi 577.)

1519. 4. Mai stirbt Lorenzo, Herzog von Urbino.

1519. Etwa 10. Mai ist M. wieder in Florenz. Er schickt Pietro Urbano nach Carrara, der dort am 18. Mai sich weigert, eine Zahlung zu machen, da die Bedingungen des Kontraktes noch nicht erfüllt sind. (Lett. 405. Contratti 692. Ricordi 578.)

1519. Mai und Juni baut M. das Haus Via Mozza. (Ricordi 578. 579.)

1519. 19. Mai schreibt ihm der Kardinal Aginensis (von S. Pietro in vinculis) und ermahnt ihn, die Arbeit am Juliusdenkmal zu beschleunigen. Pallavicini werde nach Florenz kommen. (Frey: Briefe 143.)

1519. 20. Mai bittet Martino Bernardino in Lucca um M.s Urtheil über zwei Modelle, welche Baccio (Bigio?) und Donato (Benti?) für eine Kirche in Lucca gemacht haben. (Gotti I, 145.)

1519. 21. Mai ist M. in Carrara. (Frey: Briefe 144.)

1519. 28. Mai. Federigo, March. von Mantua bittet Castiglione, ihm von M. und Raphael sechs schöne Zeichnungen für ein Grabmal seines Vaters zu senden. Da M. nicht in Rom, zeichnete es Raphael. (Campori, s. Arch. stor. d. A. I, 6.)

1519. 41. Mai ist er wieder in Florenz, wo er bis zum 10. Juni
nachzuweisen ist. (Ricordi 579.) Damals wohl kommt als
Abgesandter des Kardinals Aginensis Francesco Pallavicini zu
ihm und findet ihn bei der Arbeit am Juliusdenkmal im neuen
Hause. Daraufhin, scheint es, hat der Kardinal Giulio ihm
verboten, jene Arbeit fortzusetzen. (Lett. 491.)

1519. Juni? Juli? geht M. nach Rom — man weiss nicht, in welchen Angelegenheiten, von wo er vor dem 6. August zurückkehrte, denn

1519. 6. August ist er in Seravezza, von wo er Anordnungen über
Marmortransport von Porto Venere nach Pisa trifft. (Lett. 407.)

1519. 19. August ist er wieder in Florenz, wohin ihm Pietro
Urbano an diesem Tage und am 24. August von den Marmor-
blöcken und dem Transport aus Carrara berichtet. (Frey:
Briefe 144. 145.)

1519. Anfang September erkrankt Urbano in Carrara. M. eilt
zu ihm, lässt ihn nach Seravezza transportiren und sorgt in
jeder Weise für ihn. (Ricordi 578.)

1519. 12. September ist M. wieder in Florenz und bezahlt dort
eine Marmorsendung. (Ricordi 578.) Bald darauf bietet er
Pietro an, ihm ein Maulthier zu senden (Lett. 412), und schickt
ihm am 17. Sept. Kleidungsstücke. (Lett. 408.) Pietro dankt
ihm am 18. von Pistoja aus, wohin er, sich zu erholen, gegangen ist. (Frey: Briefe 147.)

1519. 25. September wird Lionardo, Sohn Buonarrotos geboren.

1519. Sept. Okt. Marmorsendungen für S. Lorenzo treffen ein.
(Lett. 411. 412.)

1519. 20. Oktober unterschreibt sich M. auf der an Leo gerichteten
Bittschrift der Akademiker von Florenz, welche die Übertragung der Reste Dantes aus Ravenna nach Florenz be-
antragen und bietet sich an, ein Grabdenkmal Dantes auszuführen. (Condivi, Ausg. 1796, S. 112. Gotti II, 84.)

1519. 27. Oktober kauft M. ein Grundstück in der Gemeinde S. Michelagnolo in Rovezzano, gen. il Fattojo. (Gaye II, 254. Mil.
Prosp. cron. 361. Ricordi 581.)

1519. 10. Dezember. Brief Lionardos aus Rom, nach welchem M.
eine Zeichnung einsenden will.

1519. 29. Dezember schreibt Sebastiano del Piombo aus Rom, dankt
ihm, dass er die Pathenschaft bei seinem Sohne angenommen
habe, theilt ihm mit, dass der Kardinal Giulio die „Auferweckung
Lazari" erhalten habe und bittet M., auf Grund einer übersandten
Rechnung den Preis dem Kardinal zu bestimmen. (Bottari VIII,
S. 42 mit falschem Datum 1510. Mil. Prosp. cron. S. 362.)

1519. II. Hälfte. M. arbeitet an der Christusstatue. (Frey:
Briefe 148.)

1519. Vielleicht in diesem Jahre hat M. sein Gutachten über den
Werth von Rusticis Gruppe am Baptisterium abgegeben.
(Vasari: Vita di Rustici VI, 605.)

1520. 10. 12. Januar. M. in Seravezza, wo er Zahlungen an
Domenico Bertini gen. Topolino und an Donato Benti für
Marmor für S. Lorenzo macht. (Ricordi 579.) Wohl bald
darauf geht M. nach Florenz zurück.

1520. 13. Januar. Metello Varj hat von M.s Thätigkeit an der
Christusstatue gehört und bittet M., die Statue ganz fertig
zu machen. (Ebend.)

1520. 28. Januar bittet Sebastiano, für den am 25. Jan. auch Lionardo sellajo sich verwendete, M. sein Gutachten über den
Preis der „Auferweckung Lazari" zu senden, welcher von
Baldassare Peruzzi auf 850 Dukaten geschätzt wurde. Weitere
Briefe Lionardos darüber vom 29. Jan., 4. Febr., 11. Febr. M.
taxirt sie dann auf 800 Dukaten. (Milanesi: Les correspondants, S. 2. 10. Frey: Briefe 149—152.)

1520. Anfang Februar erhält Baccio Bandinelli vom König von
Frankreich den Auftrag, eine Kopie des Laokoon zu machen.
(Frey: Briefe 151. 152.) Ende Januar hat Jacopo Sansovino
in Rom eine Statue vollendet. (Ebend. 151.)

1520. 29. Februar schreibt der Steinmetz Francesco di Giovanni
Michele aus Carrara an M. Die dem Meister früher dort ver-
pflichteten Steinmetzen Bello von Torano, Leone und Quindici
haben zwei Blöcke, die für M. gebrochen waren, an Jacopo
Sansovino in Rom verkauft. Sie waren im Dez. nach Florenz
gegangen, um Arbeit zu finden, dann nach Rom, wo sie mit
Sansovino handelseinig wurden. Sie sagen, um Geld zu machen,
würden sie selbst ihre Kinder verkaufen. (Frey: Briefe 153.)

1520. 4. März macht Urbano in Seravezza Zahlungen im Auftrage.
Michelangelos an Domenico Bertini, Donato Benti und Andere. (Ricordi 580.)

1520. Damals im Anfang des Jahres haben Verhandlungen M.s
mit dem Kardinal Giulio stattgefunden, betreffend die Lösung
des Vertrages für die Fassade von S. Lorenzo. In einem
Briefe an Sebastiano del Piombo berichtet M. davon und legt
die ganze Geschichte der Arbeiten für S. Lorenzo dar. (Lett. 414.)
Die Domopera hat den Plan gefasst, den Fussboden von S. Maria
del Fiore zu pflastern, und Steinmetzen zu diesem Zwecke nach
Seravezza gesandt. Dies Unternehmen wird von Giulio begünstigt. Ohne dass M. befragt würde, werden die von ihm
für die Fassade gebrochenen Blöcke von der Domopera in Anspruch genommen. M. beklagt sich darüber, dies sei nicht
zulässig, ehe nicht der Vertrag des Papstes mit ihm gelöst sei.
Darauf fordert ihn der Kardinal zur Rechenschaftsablage auf,

um ihn dann von seinen Verpflichtungen zu befreien und jenen
Marmor für die Domopera und für sich (nämlich den Kardinal)
zu nehmen. M. weist nach, dass er von den erhaltenen
2300 Dukaten 1800 Dukaten ausgegeben habe, also ihm für alle
Arbeit seit drei Jahren, für die Kosten des Juliusdenkmales, für
alle seine Verluste u. s. w. nur 500 Dukaten verblieben. In
bitteren Worten lässt er sich über die ganze Angelegenheit, die
verlorene Zeit und den Schimpf aus. (Lett. 414.) In späterer
Zeit (1542. Lett. 491) meinte er, Leo X. habe den ganzen Plan
nur „vorgegeben", gar nicht ernstlich gewollt — offenbar nur,
um ihn von dem Denkmal für Julius II. abzuziehen.

1520.   10. März. Durch eine Breve des Papstes (nicht erhalten) wird
der Vertrag über die Fassade von S. Lorenzo gelöst,
und nach der angegebenen Rechenschaftsablage M. von allen
Verpflichtungen freigesprochen. (Ricordi 581.)

1520.   Anfang März. Schon damals also hat der Kardinal Giulio, da
er Marmor für sich in Beschlag nimmt (Lett. 414), den Plan
der Mediceischen Grabdenkmäler gefasst und vermuthlich
M. mitgetheilt.

1520.   Am 10. März dankt der Bildhauer Federigo Frizzi aus Rom
M., dass er ihm die Ausführung des Tabernakels für die
Christusstatue in S. Maria sopra Minerva übertragen habe.
Er habe für die Aufstellung einen Pfeiler im Mittelschiff vor-
geschlagen. (Frey: Briefe 154.)

1520.   Im April wird die Christusstatue vollendet. Metello Varj
bittet am 24. April, sie möglichst bald zu senden. (Frey:
Briefe 156.) In einem anderen Briefe (ebend. 157) theilt Varj
M. mit, dass die Testamentsexekutoren des Kastellans Pier
Paolo erst nach Eintreffen der Statue die 25 Dukaten, zu denen
Dieser sich 1514 verpflichtet hatte, zahlen wollen.

1520.   6. April stirbt Raphael. Am 11. April wird berichtet, dass
M. in Florenz krank ist. (Brief des Marcantonio Michiel an
Antonio Marsili. Anonimo Morelliano, ed. Morelli, Anmerk. 128.
Bottari: lettere I, 574.)

1520.   12. April schreibt Sebastiano del Piombo und bittet M., beim
Kardinal Giulio sich für ihn zu verwenden, dass er Antheil an
den Malereien der Sala dei Pontefici erhalte. (Milanesi: Les
corresp. 6.)

1520.   Ende Juni empfiehlt M. in einem Briefe voll Bitterkeit Sebastiano del Piombo dem Kardinal Bernardo Dovizi Bibbiena,
dem Gönner Raphaels, für die Malereien im Vatikan. (Lett. 413.)

1520.   3. Juli dankt Sebastiano für dies Schreiben. Der Kardinal
Bibbiena hat es dem Papste gezeigt, und man hat im Vatikan
sehr darüber gelacht. So erzählt Bandinelli. Die Malereien
seien den Schülern Raphaels übergeben worden, die eine Figur

mit Öl auf die Wand gemalt. Der Papst aber sei nicht damit zufrieden. Seb. meinte, es sei eine Aufgabe für M. selbst; Lionardo sellajo werde nach Florenz kommen und mit ihm darüber sprechen. (Milanesi: Les corresp. 6.)

1520. 11. Juli. Restzahlung für das am 27. Oktober gekaufte Grundstück: il Fattojo. (Ricordi 581.)

1520. 29. Juli erhalten die Steinmetzen Bello und Pollina in Seravezza Restzahlung von 25 Dukaten für 5 Blöcke. (Contratti 693.)

1520. Im Juli hat Sebastiano Figuren in der unteren Sala dei Pontefici im Vatikan zu machen begonnen. Darüber berichten die Maler Bernardino und Giovanni aus Reggio, welche im Juli auf der Durchreise von Rom nach Reggio M. besuchen wollten, ihn aber nicht antrafen. (Frey: Briefe 158.) Damals sind Lionardo sellajo, Francesco Borgherini und Domenico Buoninsegni in Florenz.

1520. 6. Sept. berichtet Sebastiano aus Rom. Der Papst, welcher jene Idee, Michelangelo Malereien im Vatikan zu übertragen, aufgenommen und Seb. zu schreiben aufgetragen hat, erwartet Nachricht von ihm. Sebastiano hat das Anerbieten der Ausmalung des unteren Saales erhalten, will aber nicht hinter den Schülern Raphaels, die in der schöneren Sala del Costantino oben arbeiten, zurückstehen. Falls M. sich bereit finde, würde er diese Aufgabe erhalten, und die Schüler Raphaels würden anderswo beschäftigt werden. — Gleich darauf erhält Seb. den ersehnten Brief M.s, welcher (nicht erhalten), wie es scheint, unmuthige Äusserungen über den ganzen Vorschlag und gewisse Schmeicheleien Sebastianos enthalten hat und keine bestimmte Antwort gab. Seb. bittet um Ja oder Nein. (Milanesi: Les corresp. 12 ff., 16 ff.)

1520. 27. September stirbt der Kardinal Aginensis.

1520. September. M. hat den Maler Giovanni da Reggio mit einem Empfehlungsschreiben an den Grafen Alessandro Canossa gesandt. Der Graf antwortet

1520. 8. Oktober hierauf mit dem Bedauern, dass M. nicht selbst zu ihm gekommen sei, „sein Stammhaus und seine Familie" kennen zu lernen. Schon früher, hätte er von M.s Aufenthalt in Carrara gewusst, würde er ihn zu einem Besuche gezwungen haben. Doch giebt er die Hoffnung nicht auf. Er habe in seinen alten Papieren die Angabe gefunden, ein Simone da Canossa sei Podestà von Florenz gewesen. (Gotti I, 4. Dieser Brief wird auch in einem Schreiben M.s an Lionardo vom 6. Jan. 1548 genannt. Lett. 216.)

1520. 15. Okt. Der oben S. 357 erwähnte Brief Sebastianos. (Gaye II, 487.)

1520. Oktober. Auf dem Heimwege nach Rom hat Giovanni da Reggio den Auftrag an Sebastiano erhalten, beim Papste sich zu erkundigen, ob M. nach Rom kommen solle. Dem Papst, so schreibt Giovanni am 26. Oktober aus Rom, wäre es sehr willkommen. Giovanni bittet, M. solle ja kommen, er habe ja den Vorwand des Juliusdenkmales. M. hat eine Breve Leos X. für die Malereien im Vatikan verlangt, Dieser aber will, um Gerede zu vermeiden, dasselbe nicht geben. — Das Geld für die Christusstatue werde von Cenci und Varj gesandt werden. — Bernardino, der noch in Reggio, werde sich nach den Einkünften jenes Kastells (des Kastells Canossa) erkundigen. Die Phantasie und der Familienstolz haben offenbar dem Meister den Gedanken angeregt, das Stammschloss seiner Ahnen zu erwerben. (Frey: Briefe 160.)

1520.   Am 27. Oktober schreibt auch Sebastiano. Der Papst wolle das Breve nicht ausstellen, da er M. nicht an seinen Arbeiten hindern wolle. Er, Seb., habe erwidert, da der Kardinal Aginensis gestorben, könne die Arbeit am Juliusdenkmal wohl eine Weile unterbrochen werden. Aber Leo hätte bemerkt, er wolle nicht die Ursache hierzu geben. Offenbar habe er Angst vor dem Geschwätz, denn es gehe das Gerücht, der Kardinal sei vergiftet worden. — Auf alle Fälle solle M. nach Rom kommen, auch wegen dem Juliusdenkmal und weiter wegen jenem Kastell. Er werde nicht allein Kastelle, sondern ganze Städte erhalten, denn der Papst spräche mit Liebe und unter Thränen von ihm. (Milanesi: Les corresp. 18.)

1520.   4. und 9. November. Weitere Briefe von Sebastiano, als Antworten auf solche von M. Der erste Auftrag hat nicht ausgeführt werden können, weil der Papst verreist ist. Sobald Derselbe zurückkehrt, will er versuchen, ihn zu sehen, und danach wird sich das Weitere entscheiden. Auf jeden Fall wäre es gut, wenn M. selbst nach Rom komme. Giovanni da Reggio sei in der Angelegenheit der Christusstatue ungeschickt gewesen: er habe geäussert, Pietro Urbano habe dieselbe ausgeführt. (Milanesi: ebend. 22 ff.)

1520.   Im Herbste haben Verhandlungen des Kardinals Giulio mit M. betreffend den Plan der Mediceischen Grabdenkmäler stattgefunden. Am 23. Nov. sendet ihm M. nach Rom einen Entwurf der Kapelle mit den vier Freigrabdenkmälern für Lorenzo Magnifico, Giuliano d. Ae., Lorenzo, Herzog von Urbino, und Giuliano, Herzog von Nemours. Der Kardinal bittet am 28. Nov. M., das Werk weiter zu betreiben. (Gotti I, 150. Frey: Briefe 161.)

1520.   1. und 15. Dezember giebt Lionardo sellajo, der nach Rom zurückgekehrt, Nachrichten. Er hat Pallavicino in den Sachen des Juliusdenkmales noch nicht gesprochen. Mit dem Papste hoffe er zu sprechen. Sebastiano, der ein Gemälde für S. Maria della Pace macht, wird vielleicht von Leo berufen werden, da die Malereien der Schüler Raphaels in der Sala del Costantino erbärmlich sind. Man hofft, dass M. nach Rom komme. M. solle nicht eher die Christusstatue senden, bis ihm nicht das Geld gesandt sei. Wegen dem Kastell Canossa solle M.s Freund, der Priester Giovan Francesco Fattucci, an den Gouverneur von Reggio schreiben. (Frey: Briefe 162.)

1520. In diesem Jahre macht M. ein Modell für das Gesims der Domkuppel. (Vasari: Vita d. Baccio V, 353.)

1520. In diesem Jahre kauft M. ein Stück Land in der Gemeinde S. Maria von Settignano. (Gaye II, 254.)

1521. 30. Januar senden Metello Varj und Bernardo Cencio das Geld für die Christusstatue, bittend, sie zu senden. (Frey: Briefe 163.)

1521. 17. Februar. Lionardo sellajo nimmt an, dass M. die Christusstatue schon abgeschickt, sonst solle er es gleich thun und selbst auf einige Tage nach Rom kommen.

1521. Anfang März. Die Statue wird abgeschickt. Pietro Urbano geleitet sie nach Rom. (Frey: Briefe 165—166.) In diese Zeit verlegt — ob mit Recht? — Frey (Briefe 165) den Brief, in welchem M. seinen Vater beschwört, in sein Haus zurückzukehren. Ein Streit wegen Pietro Urbano hat Veranlassung hierzu gegeben. (Lett. 49, von Mil. 1516 datirt.)

1521. Am 22. März berichtet Lionardo, dass Urbano in Rom eingetroffen, noch nicht aber die Statue. M. hat Sorge, dass ihm das einst für das Juliusdenkmal zugesicherte Haus in Rom genommen werden könne. Lionardo räth M., selbst nach Rom zu kommen. Weitere Briefe bis zum 14. April von Urbano und Lionardo melden die Verzögerung der Ankunft der Statue, berichten wiederholt von dem Hause und von Urbanos einstweiliger Thätigkeit bei Giovanni da Reggio. (Frey: Briefe 166—171.)

1521. Um 20. März. M. beabsichtigt, ein Haus der Masina an der Via Mozza hinzuzukaufen. (Lett. 417. Daelli 7.)

1521. Vor 25. März begann M. die Arbeit an der Mediceersakristei von S. Lorenzo (nach Giovanni Cambi T. XXII, 161; Gotti I, 151).

1521. 9. April erhält M. von Buoninsegni im Auftrag des Kardinals Giulio 200 Dukaten, um in Carrara Marmor zu brechen.

1521. 10. April erhält Scipione da Settignano den Auftrag, die Arbeiten dort zu überwachen. M. geht nach Carrara und lässt als seinen Stellvertreter und Leiter des Baues der Kapelle den Miniator Stefano di Tommaso Lunetti zurück. (Ricordi 582.)

1521. Bis etwa 1. Mai in Carrara, wo er nach Thonmodellen und Zeichnungen die Maasse der Skulpturen macht und am 22. April einen Vertrag mit zwei Kompagnien von Steinmetzen (darunter jene früher erwähnten Pollina, Leone, Bello und Quindici) für das Behauen von Blöcken (Figuren und Architektur) abschliesst. Die Madonnenstatue wird erwähnt. (Contratti 694. 696. Ricordi 582.)

1521. April. In Florenz wird inzwischen an der Sakristei gebaut. Es kommt zu Diskussionen zwischen Stefano und Buoninsegni über die Art des Einganges. Der Kardinal will die Gesimse nicht. Zwei Steinmetzen: Cechone und Nicholajo machen Unruhen, beklagen sich über M. beim Kardinal, benehmen sich selbständig, werden aber von Diesem in ihre Schranken verwiesen. Ein Domenico Naldini hat den Carraresen ein „vaso" oder „piatto" in Auftrag gegeben und bittet um Sendung desselben nach Pisa. Dies ist nicht der von Condivi erwähnte „vaso della libreria di S. Lorenzo", der zugleich mit den Mediceerdenkmälern M. in Auftrag gegeben worden sei. (Frey: Briefe 171—174.)

1521. 21. April bittet ihn der Gemmenschneider Valerio Belli aus Vicenza um eine Zeichnung für eine Gemme. (Gotti I, 145.)

1521. 2. Mai ist M. wieder in Florenz. Er zahlt an Lionardo sellajo Geld, das Dieser an Urbano geliehen. (Daelli 2.) Schon am 18. April hat er Urbano 16 Dukaten schicken lassen. (Ricordi 582.) Am 2. Mai warnt Lodovico Buonarroti von Settignano aus M. vor dem Ankauf des Grundstückes eines Piero Busini. (Frey: Briefe 174.)

1521. 9. Juli. Der Papst zeigt sich sehr zufrieden über die Nachrichten von M. (Frey: Briefe 175.)

1521. 20. Juli. M. erhält von Buoninsegni 100 Dukaten und geht nach Carrara, von wo er etwa am 30. Juli wieder nach Florenz zurückkehrt. (Ricordi 582.)

1521. Juni bis Mitte August ist Pietro Urbano mit Arbeit an der Christusstatue, die nun in Rom eingetroffen ist, beschäftigt. Was er macht: am vorderen Fusse, an den Händen und am Barte, missräth vollständig. Er hat sich einem dissoluten Leben ergeben und verlässt angeblich kurz vor dem 14. August heimlich Rom, ohne die Arbeit vollendet zu haben. (Frey: Briefe 176—178.)

1521. Sommer. M. macht dem Kardinal Giulio seine Vorschläge für die Mediceergräber. Dieser aber zweifelt an seinen ernsten Absichten. Da schlägt M. ihm vor, die Modelle in der richtigen Grösse aus Holz zu machen und die Statuen in Thon; auch daraus wird nichts. (Lett. 421.)

1521. 16. August empfangen die zwei Kompagnieen von Steinmetzen aus Carrara in Florenz ihre Bezahlung. Am 19. erhält Scipione Restzahlung für 4 Monate. (Ricordi 583.)

1521.	Anfang September beauftragt M. den Bildhauer Federigo Frizzi in Rom, den Christus zu vollenden. Dieser ist bereit, das Wenige auszuführen, was noch zu machen ist. So schreibt er am 6., Sebastiano am 7. Sept. Es stellt sich aber heraus, dass Urbano noch in Rom ist. Daraufhin wollte Frizzi zurücktreten. Aber M. wünscht, dass er den Auftrag ausführe, wovon auch Metello Varj schreibt am 27. Sept. M. will zu Allerheiligen nach Rom kommen. (Frey: Briefe 178—180. Milanesi: Les corresp. 28.)

1521.	7. Sept. bezeugt ihm Bartolommeo Angiolini aus Rom seine Verehrung. (Frey: Dichtungen S. 504.)

1521.	September wird M. als einer der Prioren ausgeloost, kann aber das Amt nach dem Gesetze nicht antreten, da am 8. Sept. sein Bruder Buonarroto einer der 16 Gonfalonieri di Compagnia geworden ist. (Milanesi: Prosp. cronol. 363.)

1521.	Kurz vor der Abreise des Kardinals Giulio nach der Lombardei am 29. September hat M. mit ihm ein erneutes Gespräch wegen der MedicEergräber. Giulio wünscht, dass der Meister die Arbeit an den Blöcken betreibe, Gehülfen sende und so viel arbeite, als möglich, bis zu seiner Rückkehr. Wenn er am Leben bliebe, wolle er die Fassade ausführen lassen. Er macht Domenico Buoninsegni zu seinem Bevollmächtigten. An Diesen wendet sich M. und theilt ihm seine Bereitschaft mit. (Lett. 411, von Frey richtig auf Herbst 1521 datirt, nicht 1519.) Buoninsegni erwidert, er habe keine bestimmten Aufträge vom Kardinal. (Lett. 421. An Fattucci: Bericht über die Angelegenheit.)

1521.	13. Oktober bittet Niccolò Soderini, Neffe des einstigen Gonfaloniere, M. um die Pathenschaft bei seinem Sohne. (Frey: Briefe 181.)

1521.	19. Oktober antwortet Frizzi aus Rom auf Anfrage, wie viel er für seine Arbeit verlange: 4 Dukaten. Die Statue ist am Pfeiler neben dem Chor aufgestellt worden. Noch am 2. Nov. aber ist sie nicht enthüllt. (Frey: Briefe 181.)

1521.	26. Oktober schickt M. Frizzi die 4 Dukaten. (Ricordi 583.)

1521.	13. November dankt Varj für M.s Anerbieten, eine neue Statue statt der von Urbano schlecht vollendeten herzustellen, und lehnt es ab. (Gotti I, 143.)

1521.	19. November schreibt der Bildhauer Vittorio Ghiberti aus Neapel, dass Pietro Urbano dort einen h. Sebastian arbeite und nach Spanien gehen wolle. (Frey: Briefe 183.)

1521.	1. Dezember stirbt Leo X.

1521.	Dezember. Kardinal Giulio, der nach Florenz zurückgekehrt, spricht mit M. in vagen Ausdrücken, ohne ihm den Auftrag, die Denkmäler auszuführen, zu geben. (Lett. 421.)

1521. 14. Dezember. Lionardo sellajo schreibt aus Rom, Metello Varj wünsche jene angefangene Christusstatue, die in M.s römischem Atelier sei, und räth ab, sie zu geben, da die Vollendung zu viel Zeit in Anspruch nehmen würde. (Frey: Briefe 184.) — Von dieser älteren Statue, die wegen einer schwarzen Ader im Kopf nicht ausgeführt worden war, schrieb Varj am 13. Dez. an M. Varj befrägt ihn damals um seine Meinung über eine Statue für den Hof seines Hauses. M. bietet sich sogleich an und bittet um die Maasse. Doch will ihm Varj keine neue Last aufbürden. (Gotti I, 143.)

1521. 27. Dez. Die Christusstatue ist enthüllt worden. Man glaubt, dass Giulio Medici Papst werde und erwartet dann M. in Rom. (Frey: Briefe 185.)

1521. Ende des Jahres ist M. krank. Lionardo sellajo beglückwünscht ihn am 4. Jan., von einer Krankheit geheilt zu sein, von der Wenige nur geheilt werden. (Frey: Briefe 186.)

1522. Erste Tage Januar. M. will die unvollendete ältere Christusstatue Metello Varj schenken. (Frey: Briefe 186.)

1522. 9. Jan. Hadrian VI. wird Papst.

1522. 12. 22. Jan. Auf M.s Wunsch hat doch Varj die ältere Christusstatue zum Geschenk erhalten. Lionardo hat dafür gesorgt, dass man wisse, der Christus in der Minerva sei nicht von M. selbst ausgeführt, sondern nur von ihm retouchirt worden. Auch im Februar und März steht M. noch in Beziehung mit Metello Varj. (Frey: Briefe 187. 189.)

1522. 31. Januar. Gherardo Perini aus Pesaro, der im Kreise M.s in Florenz gewesen, schreibt an Diesen und drückt ihm seine Verehrung aus. (Frey: Dichtungen 505.) M. dankt ihm im Februar in einem sehr höflichen Briefe und drückt seine, Fattuccis und des Goldschmieds Piloto Freude darüber aus, ihn bald wieder in Florenz zu sehen. (Lett. 418.)

1522. 11. März zahlt M. an das Ospedale di S. Maria nuova 70 Goldgulden a conto des 1514 gekauften Hauses ein. (Ricordi 583.)

1522. 17. März. Frizzi, der den Auftrag auf ein Grabdenkmal für Bologna übernommen hat, bittet um Auskunft über den Marmor von Pietrasanta. (Frey: Briefe 189.)

1522. 8. April. Kardinal Giulio hat der Bona Marchesana in Massa den Auftrag gegeben, bei den dortigen Steinmetzen auf die Befolgung der Kontrakte für Marmorlieferung an M. zu sorgen. Sie berichtet, dass es geschehen. (Frey: Briefe 190.)

1522. 27. April. Giovanni da Udine schreibt aus Venedig an M., welcher Lust gehabt, auf einige Tage dorthin zu kommen. Er räth ihm dazu, da man ihn dort hochschätze und an Aufträge für ihn denke. (Frey: Briefe 191.)

1522.   23. Mai. Der Kardinal Fiesco hat die Absicht, eine Madonnenstatue machen zu lassen, und scheint an M. gedacht zu haben.
Varj vermittelt den Auftrag für Frizzi. (Frey: Briefe 192.)
1522.   2. Juli. M. wird gebeten, nach Bologna zu kommen, um sein
Gutachten über die Pläne für die Fassade von S. Petronio
abzugeben, scheint dieser Aufforderung aber nicht gefolgt zu
sein. (Gotti I, 176. Brief eines Notars Ascanio da Novi.)
1522.   6. u. 19. Juli. Gherardo Perini giebt seiner Sehnsucht nach
M. Ausdruck und wünschte, dass Dieser ihn in Pesaro besuchte. (Frey: Dichtungen 505.)
1522.   Sommer. M. steht in besonderem Freundschaftsumgange mit
dem Goldschmied Piloto und dem Kapellan des Domes: Giovanni Francesco Fattucci, an welch Letzteren ein Brief aus dieser
Zeit gerichtet ist, der von einem Schneider handelt. (Lett. 419.)
1522.   2. August. Lionardo sellajo lädt M. nach Montelupo ein.
(Frey: Briefe 193.)
1522.   29. August. Hadrian VI. zieht in Rom ein.
1522.   September. Die Erben Julius' II haben sich beim Papste be-
schwert über M. und verlangen Rückerstattung der bezahlten
Gelder und Zinsen. (Lett. 422.) Die Freunde suchen zu vermitteln. Jacopo Salviati hat (nach Brief vom 18. Nov.) mit
dem Prokurator der Erben des Kardinals Aginensis: Hieronimo
von Urbino, Verhandlungen gepflogen und hiervon Fattucci
benachrichtigt. Dessen Schreiben mit den näheren Darlegungen ist leider nicht erhalten. Es soll ein Akkord gemacht werden. (Frey: Briefe 193.)
1522.   13. November. Ein Marco di Rubei erhält für Rechnung M.s Geld
von Domenico Bertini von Settignano in Carrara. (Contratti 697.)
1522.   29. November. Lionardo sellajo erbittet sich für seinen Ghobo
eine Zeichnung von M., nach welcher Ghobo ein Bild machen
könne. (Frey: Briefe 194.)
1523.   4. März. Metello Varj erbittet sich eine Empfangsbescheinigung
für die 175 Dukaten, die er M. gezahlt, da er mit den Erben
des Kastellans Pietro Paolo abrechnen will. — Er wiederholt
die Bitte am 27. Juni, am 27. Juli, dann später am 7. April 1526,
endlich noch 1532 am 1. Juni, 13. Juli und 2. August. (Frey:
Briefe 196.)
1523.   Frühjahr. M. schreibt an Fattucci in Rom. Der Kardinal
Giulio will, dass M. an den Mediceergräbern arbeite.
M. sagt, er müsse am Juliusdenkmal sich bethätigen, falls ihm
Giulio nicht in Rom die Befreiung von dieser Pflicht verschaffe. (Lett. 421.)
1523.   16. Juni. Kontrakt M.s mit Bruder Gismondo betreffend die
Erbschaft der Mutter Lucrezia. M. verpflichtet sich, 500 Dukaten innerhalb zweier Jahre an Gismondo zu zahlen. Der Vater

Thode, Michelangelo I.   25

Lodovico verpflichtet sich, M. Geld auszuzahlen, will dann aber den Vertrag annullirt sehen. Es kommt zu einer lebhaften Auseinandersetzung in Briefen und bitteren Äusserungen seitens M.s. Am 5. Mai 1525 hat M. dann Gismondo die 500 Dukaten gezahlt. (Lett. 54. 55. 57.)

1523. 16. Juni. Ein Entwurf von M. für eine Villa mit Garten, den der Marchese von Mantua in Marmiruolo auszuführen gedachte, wird von Baldassare da Castiglione von Rom nach Mantua gebracht. (Milanesi: prosp. cronol. 364.)

1523. 18. Juni. Lionardo sellajo bittet M., bei Fattucci es durchzusetzen, dass er seine Werkstatt wieder erhalte. (Frey: Briefe 197.)

1523. 28. Juni vermittelt Bartolommeo Angiolini den Wunsch des grossen Kunstliebhabers, Kardinals Domenico Grimani, Patriarchen von Aquileja, von M. ein kleines Kunstwerk, sei es ein Gemälde, einen Bronzeguss oder eine Skulptur zu erhalten, wie M. es versprochen. (Gotti I, 176. Frey: Dichtungen 505.) — M. erklärt sich, trotz seiner grossen Beschäftigung, dazu bereit. Hocherfreut dankt ihm der Kardinal selbst, überlässt ihm ganz den Preis für das „quadretto" und ordnet durch Angiolini an, dass M. nach 3 Monaten Bedenkzeit gleich zu Beginn der Arbeit 50 Dukaten als Anzahlung gemacht werden. (Frey: Dichtungen 506. Daelli 16.) — Darauf antwortet M., er wolle gern Alles thun, was in seinen Kräften stehe, doch sei er überhäuft mit Arbeit und alt: wenn er einen Tag arbeite, müsse er vier ruhen. (Lett. 420, Juli 1523.)

1523. 6. Sept. Kard. Monti beantragt, Francesco Maria solle ihm Prokura in Julius Grabangelegenheit geben. (Gronau: J. d. kgl. pr. K. XXVII. Beiheft.)

1523. 23. September stirbt Hadrian VI.

1523. 3. November. Als Agent des Kardinals Giulio schliesst Dom. Bertini in Carrara Vertrag mit einigen Steinmetzen über Marmorlieferung ab, zu früheren Preisen. (Contratti 698.)

1523. 19. November wird Giulio Medici Papst Clemens VII. In einem Briefe vom 25. Nov. an Dom. Bertini in Carrara, dem er Bernardino di Pier Basso, seinen einstigen Gehülfen, empfiehlt, spricht M. die Hoffnungen aus, die er auf des neuen Papstes künstlerische Unternehmungslust setzt. (Lett. 423.)

1523. Anfang Dezember, etwa 8.— 10., ging M. nach Rom, um vom Papste bestimmte Zusagen zu erhalten. Es ist dort über die Mediceergräber (und den Bau der Bibliothek von S. Lorenzo?) verhandelt worden; auch die Angelegenheit des Juliusdenkmales kommt zur Sprache. Dies geht aus den folgenden Briefen hervor. Etwa am 20. Dezember ist M. nach Florenz zurückgekehrt. Er nimmt Antonio Mini als Gehülfen an. (Frey: Briefe 197. 198.) Vasari verlegt irrthümlich: 1525. (Vasari VII, 191.)

1523. 22. Dezember. Giov. F. Fattucci berichtet aus Rom über seine Verhandlungen mit Francesco Pallavicino betreffend das Juliusgrabdenkmal. Der Erzbischof von Avignon verlangt es vollendet zu sehen, da M. schon den grösseren Theil des Honorares erhalten. Dies bestreitet Fattucci und bittet M. um eine Darlegung der ganzen Angelegenheit und der empfangenen Gelder. (Frey: Briefe 198.) Die zwei Konzepte des Schreibens, in welchem M. dies thut, sind uns erhalten. (Lett. 426. 429.) — Am 30. Dez. dankt Fattucci für den erhaltenen Kontrakt. Er hat mit Salviati verhandelt, welcher wissen möchte, wie viel M. seit dem 3. Juli 1516 für das Juliusdenkmal erhalten habe. — Der Gedanke einer von Clemens VII. zu zahlenden Provision ist aufgetaucht. Fattucci und Salviati sind der Meinung, eine Pension auf Grund eines Benefizes empfehle sich mehr. Fattucci hat von M. eine — aber nicht von M., sondern von Stefano — ausgeführte Zeichnung für die Laurenzianabibliothek erhalten, die dem Papste vorgelegt werden soll. (Frey: Briefe 201.)

1523. In diesem Jahre wünscht der Senat Genuas von M. eine Statue Andrea Dorias zu erhalten. 300 Dukaten werden dafür bestimmt. (Gotti I, 177.)

1524. 1. Januar. Andrea Sansovino, der zu Weihnachten mit dem Papste gesprochen, bietet sich aus Loreto zur Mitarbeit an S. Lorenzo an. M. ist aber weder auf diesen Brief, noch auf andere vom 2. März und 5. Dez. eingegangen. (Frey: Briefe 202f.)

1524. Januar. Wohl in Beziehung hiermit steht ein nicht datirter Brief M.s an den Papst, worin er bittet, dass Niemand anderes in seiner Kunst über ihn gesetzt werde, sondern dass er ganz frei sei. Stefano habe die Laterne der Kuppel vollendet. Der Brief muss in dieser Zeit, nicht, wie Frey will, im Herbst 1524 oder 1525, geschrieben sein, da die Laterne doch fertig sein musste, ehe die Stuckarbeiten, von denen ja schon am 18. Jan. 1524 die Rede ist, begonnen werden konnten. (Lett. 424.)

1524. 2. Januar. Fattucci meldet des Papstes Wunsch, einen Entwurf für die Libreria von M. selbst zu erhalten, der ihn ja von Stefano, dem früher erwähnten Bauleiter der Kapelle, zeichnen lassen könne. — Der Papst wolle ihm eine Pension auf ein Benefiz hin zusichern, dann müsse M. aber sich verpflichten, nicht zu heirathen, und die niederen Weihen empfangen. Vor der Hand solle ihm eine Provision zu Theil werden. (Frey: Briefe 204.) — M. antwortet: er sei noch gar nicht unterrichtet über die Libreria. Stefano habe ihm davon gesprochen, er habe aber nicht Acht gegeben. Sobald Stefano von Carrara heimkehre, wolle er sich von ihm unter-

25*

richten lassen und thun, was er könne, „obgleich es nicht
seine Profession sei". Was die Pension anbetrifft, so könne
er sich nicht binden. (Lett. 431.)

1524.   7., 12. Januar. Beginn der Arbeit an den Modellen der
Mediceergräber. (Lett. 560. Ricordi 583.)

1524.   9. Januar. Die von Chigi genommenen Blöcke sollen taxirt
werden. Lionardo sellajo bittet M., durch beständige Übersendung von Zeichnungen den Papst auf dem Laufenden der
Arbeit zu halten. (Frey: Briefe 205.)

1524.   13. Januar. M. hat bescheiden um eine Pension von 15 Dukaten gebeten. Salviati hat 50 Dukaten in Vorschlag gebracht. M. solle Buch führen über alle Ausgaben. Der Papst
wünsche, dass Alles, auch was Bibliothek und Fassade betreffe, durch M.s Hand gehe. (Frey: Briefe 206.)

1524.   18. Januar. Fattucci und Salviati setzen M. von des Papstes Ge-
neigtheit in Kenntniss, fordern ihn zu freudiger Arbeit auf.
Agnolo Marzi in Pisa habe Anweisung erhalten, ihm ganz zu
Diensten zu sein. Er solle gute Gehülfen für die Ausführung
der Modelle sich wählen und die Dekoration der Kuppel
der Kapelle in Stuck von Stefano machen lassen. Auch solle
er einen Raum bei S. Lorenzo miethen und sich von Giovanni
Spina die Mittel dazu geben lassen. (Frey: Briefe 207. 208.)

1524.   21. Januar hat M. geantwortet und den Grundriss der
Libreria eingeschickt. Fattucci bittet um Einsendung des
Grundrisses auch vom unteren Geschoss. Der Papst wünsche,
dass jährlich 3000 Dukaten ausgegeben würden, und bittet,
dass alle neuen Zeichnungen, z. B. für die Kassettirung der
Kuppel, eingesendet würden. (Frey: Briefe 209.)

1524.   26. Januar. Es hat Missverständnisse zwischen M. und Stefano
gegeben. M. ruft die Vermittlung Piero Gondis an. (Lett. 433.)

1524.   Januar. Der Tischler Bastiano ist an den Holzmodellen
thätig. (Ricordi 584. 585.)

1524.   6. Februar. Stefano erhält 15 Dukaten a conto der Modelle.
(Lett. 435.)

1524.   9. Februar. M. hat Zeichnungen eines Tabernakels,
einer Thüre und der Kuppel eingesandt, die dem Papste
gefallen. Bezüglich der Libreria soll noch ein anderer Platz
ausgesucht werden, da nach dem ersten Plan das halbe Kloster
zerstört werden müsse. Bezüglich der Stukkaturen solle M.
Vitruv studiren, dem auch Giovanni seine Kunst verdanke.
(Frey: Briefe 211.)

1524.   11. Februar verzeichnet M. den Empfang von Miethe für ein
Haus von einem Marco Fantini. (Ricordi 583.)

1524.   18. Februar. Fattucci sendet die Zeichnung der Libreria
zurück, bittet um Kostenanschlag. Für den Marmortransport

sollen Anordnungen gemacht werden. — Ende Februar dankt er für M.s nähere Angaben, erbittet aber noch weitere Nachrichten, wie viele Zimmer zerstört werden müssten. Die Verhandlungen mit dem Kardinal von Santiquattro betr. das Juliusdenkmal sind dem Abschluss nahe. Dann will Fattucci nach Florenz zurückkehren. (Frey: Briefe 213.)

1524. Februar. Es wird an den Modellen der Grabmäler gearbeitet, in der Kapelle das Gerüst für die Wölbung errichtet und Stuck für den Schmuck derselben angefertigt. (Ricordi 585. 586.)

1524. 5. März. Fattucci schreibt über das von M. zu miethende Haus; er habe sich das von Macciangnini entgehen lassen. M. wolle allen Marmor in Florenz haben. F. bittet ihn, das nicht abzuwarten und mitzutheilen, wenn er die Figuren in Thon auszuführen beginne. Der Papst müsse immer unterrichtet werden über Alles. (Frey: Briefe 214.)

1524. M. hat zwei neue Pläne der Libreria eingesandt. Der Papst acceptirt den einen, äussert aber seine Wünsche dazu: nämlich Einwölbung der Stuben unterhalb der Libreria, eine schöne Holzdecke (nicht kassettirt) für die Bibliothek, zwei Studietti für die geheimen Bücher am Ende derselben und zwischen ihnen ein Fenster. Wie denke sich M. die 6 Ellen hohe Treppe? (Fattuccis Brief vom 10. März. Gotti I, 165.)

1524. 10., 19. März. Fattucci hat mit dem Kardinal von Santiquattro über das Juliusdenkmal verhandelt. M. habe im Ganzen 8500 Dukaten empfangen und habe demnach noch 8000 zu erhalten. Er will es bei den Erben: dem Herzog von Urbino und dem Bruder des Aginensis vermitteln, dass diese 8000 Dukaten deponirt würden und dagegen M. sich zur Arbeit verpflichte. Für das, was der Aginensis M. schuldig geblieben, solle M. das Haus in Rom erhalten. M. solle sich äussern. Der Kardinal, früher feindlich gesinnt, trete jetzt, nachdem er mit Clemens VII. gesprochen und von M.s ganzem Verhalten Kenntniss erhalten, als des Künstlers Protektor auf. (Frey: Briefe 215. 216.)

1524. M. hat Fattucci missverstanden, als solle er (M.) an den Herzog von Urbino und Bartolommeo della Rovere schreiben. Von Unmuth über die quälende Angelegenheit des Juliusdenkmales überwältigt, hat er seine Provision nicht erhoben und das ihm zur Arbeit überwiesene Haus bei S. Lorenzo im Stiche gelassen. In einem sehr heftigen Briefe vom 22. März hält ihm Fattucci vor, wie besinnungslos er gewesen. Der Kardinal habe ja ganz zu M.s Gunsten gehandelt: wollten der Herzog von Urbino und Bartolommeo della Rovere nicht die 8000 Dukaten hinterlegen, so sei M. ja der Arbeit ledig — thäten sie es, so werde M. Zeit zur Ausführung gewährt werden oder M. könne Sansovino mit derselben betrauen. Die Marmorfiguren und Blöcke würden auf

9600 Dukaten berechnet: doch solle M. noch die Madonna, die dazu gehöre, machen. Statt sich seinen Phantasieen hinzugeben, solle M. den Freunden vertrauen. Auch Lionardo schreibt in diesem Sinne am 24. März. (Frey: Briefe 218. 219. 220.)

1524. 29. März. Beginn der Steinarbeit an den Mediceer-gräbern; die Oberaufsicht erhält der Dombaumeister Andrea Ferrucci. (Ricordi 584.) Die Architektur der Gräber soll nach M.s Plan im Laufe des Jahres vollendet werden. (Frey: Briefe 221.)

1524. März. Arbeit an den Modellen und Vorbereitung der Stukkatur. Am 12. März wird eines der beiden Modelle vollendet. Am 21. März wird das Gerüst mit Brettern bedeckt, damit die Stuckarbeit ausgeführt werden kann. (Ricordi 590. 588.)

1524. 3. April. Über den Beginn der Steinarbeit ist, nach Fattucci, der Papst sehr erfreut. F. wiederholt Dessen Wünsche bezüglich der Libreria. M. solle sich die Provision holen und das Haus bei S. Lorenzo übernehmen. (So auch am 7. April. Frey: Briefe 221.)

1524. 4. April berichtet M.s „Agent und Geschäftsführer" in Carrara, Domenico Bertini, gen. il Topolino, dass noch zwei Sarkophagdeckel (coperchi) und eine liegende Figur gebrochen werden müssen, und erwähnt zwei andere Figuren in Arbeit. Stürme hemmten den Transport. (Frey: Briefe 223.)

1524. 13. April. Clemens VII. hat die neuerdings von M. geschickten Zeichnungen der Libreria gesehen und billigt sie, äussert aber noch einige Wünsche. (Frey: Briefe 224.)

1524. 17. April. M. hat Fattucci gebeten, ihm Gehülfen zu besorgen. Dieser empfiehlt den Mosca, der in einem Monate frei wäre, einen Thona, der bei Bandinelli gearbeitet hat, und einen Mantuaner. (Frey: Briefe 225.)

1524. 29. April. Der Papst ist einverstanden mit M.s Gedanken, unter der Libreria Tonnengewölbe und die Treppe als Doppeltreppe zu machen. Er wünscht Näheres über die Fundamente zu erfahren und meint, eine so grosse Verstärkung der Mauern, wie sie M. geplant, sei nicht nöthig. Ein Modell solle M. nicht anfertigen. Bezüglich der „crociera" wünsche er noch Angaben. M. hat Baccio Bigio für den Bau engagirt, dessen Kunst der Papst nicht recht traut. (Frey: Briefe 226.)

1524. April. Arbeit an den Modellen. (Ricordi 592.)

1524. M. hat geschrieben und die Nothwendigkeit eines ganz neuen Mauernbaues dargelegt. Hiervon räth Fattucci am 13. Mai ab und schlägt eine mässige Verdickung der Mauern, wie Baccio Bigio, vor. (Frey: Briefe 227.)

1524. 23. Mai. In einem Gespräche mit Clemens VII. hat Salviati Demselben den Gedanken nahegelegt, zu den zwei Denk-

mälern mit den vier Sarkophagen des älteren Lorenzo und
Giulianos und der zwei Herzöge Lorenzo und Giuliano noch
ein drittes mit den Sarkophagen Leos X. und Clemens' VII. zu fügen. Der Papst geht auf den Gedanken ein.
Fattucci fordert M. auf, darüber nachzudenken. (Frey:
Briefe 228.) — Auch am 29. Mai kommt Fattucci auf die Idee
zurück: die Päpste sollten den ehrenvollsten Platz, die Herzöge
den zweiten, die Magnifici den „wenig ehrenvollsten" erhalten.
Wie charakteristisch! (Frey: Briefe 229.)

1524. Mai. Arbeit an den Modellen. (Ricordi 593.)

1524. Anfang Juni. M. hat einen Entwurf für die sechs Sarko-
phage eingesandt. Fattucci hätte einen grösseren Raum für
das Denkmal der Päpste gewünscht, dasselbe an Stelle der
Herzöge gesetzt. Das ist aber zu spät. Nun erwartet der
Papst eine ausführlichere Zeichnung des Päpstedenkmales.
So schreibt Fattucci am 7. Juni. (Frey: Briefe 230.)

1524. Mitte Juni hat M. die genauere Zeichnung des Päpstedenkmales eingesandt. Darauf theilt ihm Fattucci mit, der
Papst sei sehr befriedigt dadurch, wenn er selbst auch noch
immer befürchtet, das Herzögedenkmal werde schöner sein.
Um Licht für das Fenster über einem Lavamani bei der Treppe
zu schaffen, hat M. vorgeschlagen, einige Häuser anzukaufen
und niederzureissen. Dies wird genehmigt. Im Übrigen drängt
Fattucci M., dass er sich endlich seine Provision zahlen lasse.
(Frey: Briefe 231.)

1524. Juni. Arbeit an den Modellen. (Ricordi 593.)

1524. 9. Juli. Fattucci — wie auch Lionardo sellajo — wiederholt
jene Bitte. M. hat die Zeichnung der Pilaster für die
Libreria eingesandt. Der Papst genehmigt sie und wünscht,
dass der Bau begonnen werde. M. solle nur die guten Marmorblöcke benutzen, sich andere bessere aus Carrara kommen
lassen. Für Alles komme der Papst auf. (Frey: Briefe 232.)

1524. Mitte Juli. M. theilt Fattucci mit, dass er zu Giovanni Spina,
dem Bevollmächtigten des Papstes in Florenz, gegangen und
ihn gefragt, ob er die Vollmacht von Clemens habe, für die
Libreria und die Grabmäler zu zahlen. Spina hat es verneint.
Nun setzt M. seine ganze Nothlage in bitteren Worten aus-
einander. Er hat keinen Glauben; die Marmorladung aus Carrara
kommt nicht. Die Juliusdenkmalangelegenheit lastet auf ihm.
Man hat ihm gedroht, er werde in Strafe fallen. (Lett. 436.)
Frey versetzt ein Billet an Meo delle Corte (Lett. 409. 410),
welches Denselben bittet, zur Prüfung von Marmor auf die Piazza
von S. Lorenzo zu kommen, in diese Zeit. (Frey: Briefe 234.)

1524. 21. Juli antwortet Fattucci, M. solle, wie er es wünsche, mit
Spina in allen diesen Fragen zu thun haben. Der Papst

wünsche, einen Kostenanschlag für die Bibliothek zu erhalten. M. solle sich Marmor aus Carrara kommen lassen. Auch möge er prüfen, ob nicht ein anderer Platz für das Päpstedenkmal im Chor der Kirche oder sonstwo sich besser eigene, als der beim Lavamani, obgleich auch dieser dem Papste recht sei. (Frey: Briefe 233.)

1524. Ende Juli schickt M. den Kostenanschlag oder die Abrechnung der Libreria. Fattucci schreibt am 2. August. Der Papst drängt, M. solle keine Zeit verlieren und den Bau so schnell wie möglich betreiben und viele Arbeiter dingen. — Ähnlich am 13. August. (Frey: Briefe 234. 235.)

1524. Juli. Arbeit an den Modellen. Marmor wird in die Sakristei geschafft. (Ricordi 594.)

1524. 8. August lässt M. einem Niccolò di Giovanni, der Steine für die Bibliothek bricht, drei Dukaten von Giovani Spina auszahlen. (Lett. 437.)

1524. 29. August entschliesst sich M. endlich, Giovanni Spina zu schreiben und ihn um Auszahlung der vom Papste zugesicherten Provision zu bitten, auch in das Haus bei S. Lorenzo zurückzukehren. Offenbar hat sich M. bis dahin auf Grund seiner Verpflichtungen für das Juliusdenkmal nicht für berechtigt gehalten, die Provision anzunehmen. — Zugleich sendet er die Abrechnung über das erste für die Libreria angeschaffte Material. (Lett. 438.)

1524. August. Arbeit an den Modellen und in der Sakristei. Bernardino di Pier Basso ist Mitarbeiter in den nächsten Monaten. (Ricordi 595.)

1524. 14. September theilt Spina M. mit, dass er Dessen Auftrag dem Kardinal von Cortona ausgerichtet. Baccio Bigio soll die Aufsicht über den Bau der Libreria erhalten, damit M. an den Denkmälern arbeiten könne. — So auch Fattucci am 17. Sept.: doch trage M. die Verantwortung für Alles, was Baccio mache. (Frey: Briefe 235. 236.)

1524. September. Der Prior von S. Lorenzo: Figiovanni macht Schwierigkeiten und verleumdet M.: die Libreria werde ein Taubenhaus. So berichtet Fattucci am 1. Okt., welcher hofft, dass die Juliusdenkmalangelegenheit jetzt bald in Ordnung kommen werde. Dann kehre er nach Florenz zurück. (Frey: Briefe 237.)

1524. September. Arbeit an den Modellen und in der Sakristei. (Ricordi 595.)

1524. 19. Oktober erhält M. 400 Dukaten als Provision für acht Monate. (Ricordi 596. Lett. 440.)

1524. 26. Oktober. Spina theilt M. mit, dass er das Haus Macciagnini bei S. Lorenzo im Auftrage Salviatis gemiethet und es M. für seine Arbeit zur Verfügung stelle. (Frey: Briefe 237.)

1524. 27. Oktober erhält M. 40 Dukaten für zwei Blöcke, die er nach S. Lorenzo überführt hat: der eine ist für eine liegende Sarkophagfigur bestimmt. (Ricordi 596.)

1524. 31. Oktober. Fattucci warnt M. vor Buoninsegni, welcher behaupte, M. habe 2000 nicht verzeichnete Dukaten von Julius II. erhalten. (Frey: Briefe 238.)

1524. Oktober. Arbeit an den Modellen. — Von Okt. bis Dez. Francesco da San Gallo an dem Architektonischen (der Libreria) mit thätig. (Ricordi 595. 596.)

1524. 22. November schreibt Fattucci. Andrea Sansovino hat, wie es scheint, wieder einen Versuch gemacht beim Papst, Antheil an den Arbeiten von S. Lorenzo zu erhalten. Doch lässt Clemens M. ganz freie Hand. (Frey: Briefe 238.)

1524. 5. Dezember. Andrea Sansovino bietet M. seine Dienste wieder an. (Frey: Briefe 203.)

1524. 16. Dezember. Fattucci, welcher Verlangen zeigt, nach Florenz zurückzukehren, bittet M., ihm von Ser Albizo eine für den Kardinal von Santiquattro einst ausgefertigte Prokura zu senden. (Frey: Briefe 240.)

1524. 24 Dezember antwortet M., Fattucci möge doch sogleich nach Florenz zurückkehren. Er habe schon in früheren Briefen ihn darum gebeten. Seinetwegen solle er nicht in Rom bleiben. Nur er, M. selbst, könne in Person die Angelegenheit des Juliusdenkmales in Ordnung bringen. (Lett. 441.) Aber Fattucci bleibt seiner übernommenen Aufgabe treu noch 2 Jahre lang in jenen Angelegenheiten für M. in Rom thätig.

1524. 23. Dezember berichtet Lionardo, dass er dem Papste und Salviati M.s Auftrag ausgerichtet und dass sie zufrieden sind. Auch wollen sie für die Ordnung der Juliusangelegenheit sorgen — das Haus in Rom solle ihm gesichert werden. (Frey: Briefe 241.)

1525. Erste Tage Januar. Fattucci bittet wiederum M. um Zusendung der Prokura, d. h. (wie Frey darlegt), des Kontraktes von 1516, damit die Juliusdenkmalangelegenheit definitiv geregelt werden könne. Derart, dass M. das Haus in Rom behalte und das Grabmal mache, wie es ihm gutdünke. Fattucci will Rom nicht eher verlassen, bis Alles geregelt. M. solle die „Porticelle" der Kapelle machen, die Leute schwätzen lassen und beständig den Papst von Allem unterrichten. (Frey: Briefe 242.)

1525. 5. Januar. Der Herzog von Suessa möchte sein und seiner Gemahlin Grabmal machen lassen und hat sich an Sebastiano del Piombo gewandt mit der Bitte um Vermittlung bei M. Er möchte wenigstens eine Skizze von Demselben erhalten. Bandinelli einerseits, die Schüler Raphaels andrerseits bewerben sich um die Aufgabe. Sebastiano schlägt vor, dass M. den Auftrag Jacopo Sansovino verschaffe. (Frey: Briefe 244.)

1525. 21. Januar wünscht Salviati wiederum (durch Lionardo) Nachrichten von jenen Porticelle zu haben. (Frey: Briefe 245.) So auch

1525. 28. Januar, Fattucci, der zugleich frägt, ob M. dem Kardinal von Santiquattro einen kleinen Dienst erweisen wolle. (Frey: Briefe 246.) Darauf schreibt M., Stefano sei Schuld an den Porticelle.

1525. 8. Februar antwortet Fattucci: der Kardinal Santiquattro wolle die Fassade seines Palastes bauen und würde M. sehr dankbar für eine Skizze sein. — Der Papst wolle M. eine Pension von 1000 Dukaten geben. (Frey: Briefe 247.)

1525. 22. Februar. M. hat J. Sansovino dem Herzog von Suessa für das Grabdenkmal empfohlen. Sansovino dankt ihm. (Das Denkmal kam aber nie zur Ausführung.) (Frey: Briefe 248.)

1525. 16. März. Brief Fattuccis, aus dem hervorgeht, dass Bernardo Niccolini und Domenico Buoninsegni M. das Leben schwer machen. M. soll fortan nur noch mit Giovanni Spina zu thun haben. (Frey: Briefe 248.)

1525. März. Arbeit an dem Mauerwerk der Libreria. (Ricordi bis 3. April. 597.)

1525. 8. April. Lionardo sellajo berichtet von einem Prozess, der von Savona aus in Rom angestrengt werde. M. solle einen Prokurator einsetzen. (Frey: Briefe 249.) Sebastiano habe ein schönes Porträt von Antonio Francesco degli Albizzi gemacht. Auf diese Nachricht hin meldet M. dem Sebastiano seine und der Freunde Verlangen, das Bild bald in Florenz zu sehen. (Lett. 445.)

1525. 12. April. Fattucci beklagt sich, keine Nachrichten zu erhalten, er sendet die Zeichnung des Päpstedenkmales zurück. Bezüglich der Libreria stelle der Papst M. Alles anheim, nur wünsche er statt zweier Treppen eine, und nicht eine Kapelle, sondern ein geheimer Bibliothekraum für die kostbarsten Bücher solle an das Ende der Libreria kommen. M. solle noch einmal den Entwurf senden. — Weiter erbittet Fattucci eine Prokura für sich in Sachen des Juliusdenkmales. (Frey: Briefe 250.)

1525. 19. April. M. schreibt an Spina, er wolle keine Prokura einsenden, denn er wolle wegen dem Juliusdenkmal nicht Prozess führen. Wenn er eingestehe, Unrecht zu haben, könne man doch nicht für ihn prozessiren. Für ihn sei es so gut, als habe er prozessirt und verloren. Er sei bereit, den Erben Julius' genug zu thun. Falls der Papst Vermittler sein wolle, solle er den Wunsch äussern, M. möge wiedererstatten, was er für das Denkmal empfangen habe, jedoch womöglich mit Berücksichtigung der Einbusse an Arbeit und Zeit, die er erlitten. Er wolle dann verkaufen und Alles wiederersetzen. Dann sei er die Last los, die ihn nicht leben noch arbeiten lasse. Auf diese Weise die Angelegenheit zu regeln, lasse er durch Salviati den Papst bitten. (Lett. 442.)

1525. 22. April. Die Freunde in Rom gehen auf diese Wünsche M. nicht ein. Lionardo spricht M. Muth auf eine befriedigende Lösung ein. (Frey: Briefe 252.)

1525. 22. April. Sebastiano del Piombo bittet M., dem Albizi mitzutheilen, das Porträt werde in zwei Tagen fertig sein. Er dankt für die Empfehlung Sansovinos an den Herzog von Suessa, doch habe Dieser den Plan aufgegeben. Pietro Aretino, als er die Aufschrift von M.s Brief an Sebastiano: „an den einzigen Sebastiano" gelesen, habe gesagt, der Ehrentitel: „einzig" komme nur ihm und nicht Seb. zu. Er, Seb., aber meine: Michelangelo nur sei „der Einzige". — Endlich meldet er P. F. Borgherini: in zwei Tagen werde Dessen Bild, die Geisselung Christi in S. Pietro in montorio, die Seb. nach einer kleinen Zeichnung M.s gefertigt, vollendet sein. (Milanesi: Les corresp. 32.)

1525. 29. April. Sebastiano theilt M. mit, dass er eine „Geisselung Christi" für Giovanni da Viterbo gemacht. Dieser habe zum Schiedsrichter über den Preis M. ernannt. Seb. bittet, dieses Ansuchen zurückzuweisen. (Milanesi: Les corresp. 34.)

1525. Mai. M. antwortet auf den ersten Brief Sebastianos in liebenswürdigster Form. Bei einem Mahle, zu dem er gegangen, um sich von seiner Melancholie zu befreien, habe ein Capitano Cujo (Dini) Sebastiano „einzig" genannt. So solle Seb. es nicht mehr leugnen, zumal das neue Werk, offenbar das Porträt Albizis, ein Zeugniss dafür sei. (Lett. 446.)

1525. 18. Mai sendet ein Fra Zanobi de' Medici aus S. Miniato al Tedesco M. geistliche Segenswünsche und bittet ihn um eine Zeichnung einer Madonna mit dem Erzengel Michael. Er könne dieselbe an einem Sonntag ausführen, da es sich ja um ein Almosen handle. (Gotti I, 177. Frey: Briefe 253.)

1525. 1. Juni wird M.s Vater Lodovico für 6 Monate Podestà von Castelfranco. (Gotti II, 18.)

1525. 14. Juni macht M., durch die Freunde in Rom bestimmt, nun doch Giov. Franc. Fattucci zu seinem Prokurator in der Kontroverse des Juliusdenkmales mit Bartolommeo Rovere. (Contratti 699.)

1525. 23. Juni bittet Salviati M., sich ganz an die Anweisungen der Freunde in Rom zu halten und ihnen zu vertrauen. (Frey: Briefe 254.)

1525.   15. Juli.   Spina hat die Steinmetzen in Carrara angefeuert,
welche zwei Figuren an den Hafen zur Verladung gebracht
haben.   (Frey: Briefe 255.)

1525.   16. Juli miethet M. eine Wirthschafterin, Namens Mona Lorenza.
Er schickt am 22. die frühere: Mariagniola weg. (Ricordi 597.)

1525.   3. August nimmt er als famiglio einen Niccolò da Pescia auf.

1525.   26. August.   Fattucci schreibt: er sei in Verhandlungen mit
dem Prokurator Bartolommeos della Rovere. Er hat vorgeschlagen, dass die Erben Julius' entweder die 8000 Dukaten
als Provision feststellen oder die Verpflichtung M.s auf das
Denkmal aufgehoben wird. Der Prokurator der Erben sagt,
der Herzog von Urbino und die Anderen wollten nicht einen
Groschen mehr hergeben. M. möge nun seine Auffassung eines
Akkords melden — auch ob er bereit sei, die Statue Julius' in
Thon auszuführen oder ausführen zu lassen. (Frey: Briefe 256.)

1525.   2. September.   Fattucci dringt bei Spina auf Antwort. (Frey:
Briefe 257.)

1525.   4. September.   M. weiss nicht mehr, was er Fattucci antworten
soll.   Er schreibt: die für Papst Clemens übernommenen Arbeiten
nähmen lange Zeit in Anspruch. Er wolle lieber in Geld, als
mit Arbeit seinen Verpflichtungen den Erben Julius' gegenüber
genugthun. Der Gedanke, das Grabmal als Wanddekoration
zu machen, ist aufgetaucht und sagt M. zu, als kürzeste Arbeit.
Er bittet erneut F. dringend, nach Florenz zu kommen und die
Angelegenheiten ruhen zu lassen. Der Papst werde sie schon
ordnen. (Lett. 447.)

1525.   6. September.   M. erhält vom Steinmetz Sandro, den er zur
Überwachung der Arbeiten nach Carrara geschickt hat, Nachricht
über das Behauen von Figuren. (Frey: Briefe 257.)

1525.   3. Oktober.   Der Kanonikus von S. Petronio in Bologna, Bartolommeo Barbazza, der vor einigen Jahren eine Zeichnung
für das Grabdenkmal seines Vaters von M. erhalten hat
und dasselbe jetzt ausführen lassen will, lässt durch die Bildhauer Tribolo und Solosmeo, die damals in S. Petronio beschäftigt sind, M. um seine Ansicht darüber, wie weit das Grabdenkmal von der Wand vorspringen solle, bitten. — M. hat
dann seine Ansicht geschrieben und das Profil des Denkmales
eingeschickt, wofür Barbazza am 29. Okt. und auch Tribolo
dankt. (Frey: Briefe 259.)

1525.   14. Oktober.   M. hat über das Juliusdenkmal geschrieben,
und, wie es scheint, angenommen, der Papst wolle Bandinelli
die Arbeit zuwenden. Clemens sagt daraufhin Fattucci: er habe
dem Kardinal schreiben lassen, Dieser solle das Denkmal auf-
richten lassen und dann eine Konkurrenz für die Modelle eröffnen und die Arbeit dem besten Künstler übertragen. — Der

Papst wünsche, M. solle an seine Aufträge denken, an das Päpstedenkmal und an ein Ciborium über dem Altar von S. Lorenzo auf vier Säulen. Dort sollten in den Gefässen des Lorenzo Magnifico viele schöne Reliquien untergebracht werden, und es solle ein Umgang gemacht werden, um sie dem Volke zeigen zu können. — Ferner wünsche der Papst an der Ecke des Mediceischen Palastes einen Koloss, 25 Ellen hoch, errichtet zu sehen. — Endlich sei er mit dem beabsichtigten Akkord, betreffend das Juliusgrabmal, nicht einverstanden. M. solle sich nicht selbst zur Arbeit verpflichten, sondern dieselbe nur ausführen lassen. Es genüge, „dass man sage", M. kümmere sich darum und betrachte zuweilen die Arbeit. Es solle ihm ganz freistehen, ob er die Papststatue und die Madonna machen wolle. — Ob M. noch an anderen Figuren als jenen vier arbeite, und wann er die „Flüsse" beginnen werde? (Frey: Briefe 260.)

1525. Der bekannte Entwurf des ironischen und humorvollen Briefes, mit welchem M. die absurde Zumuthung des Kolosses zurückweist, dürfte etwa am 20. Okt. entstanden sein. (Lett. 448.)

1525. 24. Oktober beantwortet M. Fattuccis Schreiben ernsthaft. Die vier Figuren (Allegorien der Tageszeiten) seien noch nicht vollendet. Die vier Flüsse seien noch gar nicht angefangen, da keine passenden Blöcke da wären. — Das Juliusdenkmal denke er sich als Wandbau, wie das des Papstes Pius; er wolle es allmählich ausführen lassen, vorausgesetzt, dass er die Provision (von 8000 Dukaten) erhalte und das Haus in Rom behalte. Die Statuen wolle er selbst ausführen. Er sei bereit, obgleich alt, dem Papste mit allen Kräften zu dienen, doch unter der Bedingung, dass ihm Ruhe zur Arbeit vergönnt und er nicht beständig daran gehindert werde. „Man könne nicht mit den Händen eine Sache und mit dem Gehirne eine andere machen." Seit einem Jahre habe er seine Provision nicht mehr bezogen und kämpfe mit der Armuth. (Lett. 450.)

Man sieht, in welch tiefem Konflikt M. sich befindet. Er muss für den Papst arbeiten, der ihm mit lauter Aufträgen und beständig neuen Einfällen und Wünschen keine Ruhe lässt, und doch verbietet ihm sein durch den einstigen Kontrakt gebundenes Rechtsgefühl, offiziell diese Aufträge zu übernehmen. So versagt er sich selbst die ihm von Clemens zugesicherte Provision. In eben jener Zeit hat er sich, durch Gerede beunruhigt, von aller Arbeit zurückgezogen.

1525. 30. Oktober. Fattucci ist erfreut, dass M. auf die Vorschläge der Erben Julius' II. eingeht, bittet, die Zeichnung zu senden, die an den Herzog von Urbino und Bartolommeo della Rovere geschickt werden soll. Der Papst ist verwundert, dass M. gar nicht auf seine Wünsche, betreffend den Koloss, die Denkmäler und das Ciborium, eingegangen sei. Fattucci fügt hinzu, es sei M.s eigene Schuld, wenn er die Provision nicht bezogen. Auch solle er nicht auf übelwollendes Geschwätz hören, sondern wieder an die Arbeit gehen. Dem Papste ist diese Arbeitsunterbrechung nicht lieb. Er käme gern in Jahresfrist, die Dinge zu sehen, nach Florenz. — Ähnlich ermuthigend schreibt am 30. Okt. auch Jacopo Salviati. (Frey: Briefe 262 ff.)

1525. Oktober. M. theilt Fattucci mit, dass er von verschiedenen Seiten gebeten werde — unter anderen von Lorenzo Morelli und Luigi della Stufa — die Ausführung der Statue für die Piazza zu übernehmen. Er habe sich willig erzeigt, die Arbeit ohne Honorar zu machen, vorausgesetzt, dass der Papst seine Einwilligung gebe. — Es ist die Gestaltung des am 10. Mai 1508 durch Soderini vom Marchese von Massa erbetenen Blockes, der 1525 nach Florenz gebracht worden ist und aus dem man nun beabsichtigte, einen Herkules mit Cacus zu machen. (Lett. 452. Contratti 700.)

1525. 1. November. Spina bietet auf Briefe von Rom hin M. wieder die Auszahlung der Provision an. (Frey: Briefe 265.)

1525. 10. November. Fattucci hat Zeichnungen der „kleinen Libreria" von Spina erhalten. Der Papst wünscht sie ausgeführt und desshalb Ankauf des Hauses des Larione Martelli. Er wünscht das Ciborium ausgeführt, hat die Säulen dafür gefunden. Der Architrav solle aus Bronze sein. M. möge eine Zeichnung einsenden. Was die Statue für die Piazza anbetreffe, so wolle er M. für sich ganz allein und für das Juliusdenkmal. Von neuem kommt er auf den Plan des Kolosses zurück. — Fattucci hat mit dem Prokurator der Rovere gesprochen; Dieser sei einverstanden mit dem neuen Plan des Juliusgrabmales. Der Kontrakt mit dem Kardinal Aginensis soll annullirt und ein neuer aufgesetzt werden. M. möge womöglich doch zwei Zeichnungen einsenden, die an den Herzog von Urbino und Bartolommeo della Rovere gesandt werden sollen. (Frey: Briefe 265.)

1525. 29. November. M. hat empfohlen, im Dache der Libreria Fenster anzubringen. Der Papst lobt, wie Fattucci schreibt, die Erfindung, findet sie aber nicht praktisch. Für das Ciborium hat sich der Papst als Platz auch den oberhalb der Mittelthür von S. Lorenzo oder über der Thür der neuen Sakristei ausgedacht. Komme es über den Hochaltar, so müsse eine Treppe hinaufführen. Clemens wundert sich, dass M. gar nicht auf den Plan des Kolosses antworte. Fattucci wird M. im Hinblick auf den neuen Entwurf des Juliusdenkmales eine Zeichnung nach den Denkmälern Pius' II. und Pauls II. senden. (Frey: Briefe 267.)

1525.   2. Dezember erhält er zwei Dukaten Ertrag von seinem Grundstück in Rovezzano.   (Ricordi 598.)

1525.   2. Dezember hat M. geschrieben, bezüglich Ankaufes eines Hauses, welchen der Papst billigt, und der Nothwendigkeit, die Wölbung des Kapitels zu erniedrigen, was Jenem nicht einleuchtet. Der Koloss sei doch nur ein Scherz. So berichtet Fattucci am 8. Dez., der zugleich meldet, dass der Vorschlag an die Erben Julius' II. abgegangen ist. Nur die Zeitfrage der Anfertigung des Denkmales bleibe noch — Jene wünschten sie kurz. Die gewünschten Zeichnungen werde er senden. (Frey: Briefe 269.)

1525.   Anfang Dezember. Vielleicht ist, wie Frey will, der ironische Brief über den Koloss an Fattucci erst jetzt geschrieben.

1525.   23. Dezember. Pier Paolo Marzi schreibt an M. im Auftrage Clemens' VII., der den Schluss des Briefes selbst hinzufügt. Der Papst wiederholt seine Besorgniss bezüglich der Fensteranlage der Libreria, überlässt sie aber M.s besserem Wissen. Der Koloss sei kein Witz, sondern ernsthaft gemeint. Clemens VII. selbst betont seinen lebhaften Wunsch, die Grabmäler und die Bibliothek noch bei seinen Lebzeiten vollendet zu sehen. (Gotti I, 166.   Frey: Briefe 270.)

1525.   23. Dezember nimmt M. endlich von Spina seine Provision für das ganze Jahr 1525 mit 600 Dukaten an.   (Daelli 4.)

1525.   23. Dezember verkauft Spina einen der Blöcke, die auf der Piazza di S. Lorenzo sich befinden, an die Capitani von Orsanmichele für die Gruppe der Anna selbdritt, die Francesco San Gallo ausführen soll.   (Ricordi 598.)

1525.   Ende. Die Palla für die Laterne der Sakristei ist gemacht. (Gronau: J. d. k. p. K. S. 72). Hier auch die Spese für Libreria u. Sakristei.

1526.   20. Januar schreibt der Goldschmied Piloto aus Venedig an M., nicht allzu erfreut über seinen Aufenthalt dort. Er hätte Aussicht gehabt auf den Auftrag eines Altares mit Figuren und würde von M.s Güte ein kleines Modell erbeten haben. Doch sei wenig Hoffnung mehr. Valerio Belli grüsst M. und wolle ein Beispiel einer neuen von ihm erfundenen Art von Kupferstich einsenden.   (Frey: Dichtungen 506.)

1526.   22. Januar. Der Vater Lodovico empfiehlt M. einen jungen Mann aus Settignano als Gehülfen.   (Frey: Briefe 272.)

1526.   4. Februar schickt M. Zeichnungen des Ciboriums ein und empfiehlt dem Papst ein Krystallkreuz.

1526.   8. Februar dankt Fattucci dafür. Dem Papste gefalle das Ciborium für den Hochaltar sehr, doch möchte er nicht die Aussicht auf die Kapelle genommen sehen. Er wünsche, womöglich das Krystallkreuz zu sehen. — F. versichert dann M., dass er nicht daran denke, eine Provision für seinen Freundschaftsdienst in der Juliussache zu nehmen. (Frey: Briefe 272.)

1526. 17. Februar schreibt M. wieder (nicht erhalten): sein Studio sei fertig und er wolle nun alle Figuren der Denkmäler vollenden.

1526. 23. Februar. Fattucci verkündet des Papstes Freude hierüber. Das Ciborium über dem Hochaltar gefalle ihm wohl, nur wolle er nicht den Ausblick auf die Kapelle genommen haben, denn er hoffe, M. werde dieselbe eines Tages ausmalen. — Noch einmal versichert Fattucci, er denke nicht daran, eine Provision für seine Bemühungen zu verlangen. (Frey: Briefe 274.)

1526. Zwei Briefe von Lionardo, der in Florenz bei M. gewesen war, vom 3. und 10. März verrathen, dass die Feinde des Meisters wieder in voller Thätigkeit sind, ihn anzuklagen, dass er nicht arbeite. M. hat einen Brief an den Papst geschrieben und Lionardo beruhigt Denselben, indem er ihm von dem Fortgang der Arbeit an den Mediceergräbern berichtet. Dass bis zum September die Modelle der acht Figuren fertig sein würden, vier aber schon demnächst vollendet würden. Der Papst lässt M. sagen, er solle sich durch den Neid nicht hindern lassen, zu arbeiten und ganz frei sein, von den Gehülfen zu behalten oder wegzuschicken, wen es ihm beliebe. Es würde genügen, wenn M. nur vier Figuren mit eigener Hand ausführte. Die Ausführung des Ciboriums solle aufgeschoben werden. Clemens interessirt sich auch für Antonio Mini und lässt ihm sagen, er solle fleissig studiren. Offenbar setzt M. Hoffnungen auf diesen Schüler. — Bezüglich des Juliusdenkmales zeige sich der Herzog von Urbino entgegenkommend gesinnt, und der Papst wolle die Sache beigelegt sehen. (Frey: Briefe 275 ff.)

1526. 3. April schreibt Fattucci. Auch er ermahnt M. zur Geduld dem Geschwätze gegenüber. Der Papst will die Decke der Libreria, entsprechend der Anordnung der Bücherpulte, der Länge nach dreigetheilt. M. solle in der Raumeintheilung auf die „piccola libreria" von vornherein Rücksicht nehmen. Das Modell des Ciboriums solle M. erst anfertigen, wenn er nicht mehr so beschäftigt sei; die Säulen sollten dann aus Porto geholt werden. — M. solle wöchentlich schreiben. (Frey: Briefe 279.)

1526. 14. April. Die Spesen der Libreria bis zu diesem Tage sind 59615 Lire. (Gronau: a. a. O. S. 78.)

1526. 15. April verkauft M. Korn vom Gut Pozzolatico. (Ricordi 598.)

1526. 18. April. M. hat geschrieben und eine Zeichnung der Thüre zur Libreria geschickt, welche Clemens ausnehmend bewundert und für welche er von Paolo Giovio eine Inschrift entwerfen lässt. Dem Wunsche M.s, dass Giovanni da Udine ihm gesandt werde, um die Kuppel der Mediceerkapelle zu verzieren, soll entsprochen werden. (Frey: Briefe 280.)

1526. 20. April bittet der Prior von S. Lorenzo, Francesco Campano, M., doch sogleich für die Herrichtung seiner Wohnung im Kloster, deren er durch den Libreriabau beraubt war, Sorge zu tragen. (Frey: Briefe 281.)

1526. 2. Juni. Lionardo sellajo versichert M. seine Anhänglichkeit. — Es ist der letzte Brief Lionardos, der wohl bald darauf gestorben ist. (Frey: Briefe 282.)

1526. 6. Juni. Fattucci erwartet noch Nachricht von M. wegen Giovanni da Udine, sendet die Zeichnung der Thüre der Libreria mit verschiedenen Entwürfen von Inschriften, die aber alle dem Papste nicht zusagen, und berichtet von einem Gespräche mit Diesem betr. die Gräber. Fattucci schlägt vor, da der Raum mit dem Lavamani zu klein sei, die Päpstegrabmäler in der Kirche anzubringen oder S. Giovannino dazu zu benutzen. Der Papst aber meint, zunächst sollen die angefangenen Herzögegrabmäler vollendet werden — M. lässt an den Bücherständern für die Libreria arbeiten. (Frey: Briefe 283.)

1526. 17. Juni (so richtig von Frey datirt) schreibt M. an Fattucci und giebt folgenden Bericht. Das eine Grabmal ist aufgemauert — nun soll das andere (der Architektur nach, die so gut wie fertig ist) gegenüber gemacht werden. Zu gleicher Zeit beabsichtigt M. die ornamentale Ausschmückung der Kuppel und bittet, dass Giovanni da Udine in der nächsten Woche gesendet werde. — Die eine Capitanostatue ist begonnen — mit der anderen soll in 14 Tagen begonnen werden. Auch die vier Allegorieen auf den Sarkophagdeckeln sind begonnen, sowie die Madonna — noch nicht aber die vier Flüsse. Alle diese Statuen möchte er mit eigener Hand ausführen — auf die anderen komme es nicht so an. — In dem „ricetto" der Libreria sind vier Säulen gemauert: er hofft ihn in vier Monaten zu vollenden. Jetzt kommen die Tabernakel daran. Die Holzdecke wäre schon begonnen worden, aber das Holz ist noch nicht trocken genug. — Zum Schluss beklagt sich M. über Figiovanni, der seine Arbeiter aufhetze. (Lett. 453.)

1526. 30. Juni antwortet Fattucci. Giovanni da Udine, der jetzt noch mit Bannern für die Doriasche Flotte und mit Mosaiken in der Vigna beschäftigt sei, will im August kommen und bittet, den Kalk von Capraja zu nehmen und in Pisa löschen zu lassen. (Frey: Briefe 285.)

1526. 17. Juli vermittelt Fattucci des Papstes Auftrag, alles Geld jetzt für die Grabmäler — für die Libreria nur wenig zu verwenden.

1526. August. Donato Benti schickt M. durch Bernardino Basso eine Rechnungsablage. (Ricordi 598.)

1526. 12. September. Fattucci dankt M. für Dessen Theilnahme an Allem, was er in der Juliusdenkmalfrage durchgemacht. M.

Thode, Michelangelo I. 26

möge die Zeichnung senden. Clemens, durch alle Verhandlungen unbeeinflusst, freut sich an M.s Arbeit und denkt, nach Beendigung der Herzögedenkmäler die Päpstedenkmäler vornehmen zu lassen, die M. nach des Papstes Ideen machen solle. Giovanni da Udine könne erst im Frühjahr kommen. (Frey: Briefe 287.)

1526. Anfang Oktober. M. hat die Zeichnung des Juliusdenkmales eingesandt. Fattucci berichtet (16. Okt.), dass er sie dem Agenten des Bartolommeo della Rovere gegeben und Dieser um Erlaubniss bittet, sie dem Herzog von Urbino übersenden zu dürfen. Der Papst wolle, den Vertrag betreffend, ein Breve erlassen. An der Decke der Libreria solle jetzt nicht gearbeitet, sondern das Geld für die Denkmäler verwendet werden. (Frey: Briefe 289.)

1526. 1. November schreibt M. an Fattucci. Er ist sehr beängstigt wegen der üblen Gesinnung, welche die Erben Julius' gegen ihn haben. Wenn der Prozess dazu führe, dass er Verlust und Interessen zahlen müsse, was solle aus ihm werden? Er hat Spina beauftragt, beim Papste, der sein einziger Halt sei, zu drängen. Dieser könne doch nicht seine Schande und seinen Ruin wollen. Er fleht um Erlaubniss, an dem Juliusdenkmal arbeiten zu dürfen. Dieser Verpflichtung nachzukommen, daran liege ihm mehr, als am Leben. Er habe den Kopf vollständig verloren. (Lett. 454.)

1526. 10. November. M. schreibt Spina, Dieser solle Piero Buonacorsi entlassen, denn er wolle nicht, dass man von Demselben sage, er werfe das Geld des Papstes weg. Er überlässt die Entscheidung aber Spina, offenbar mit dem Wunsche, dass Dieser Piero nicht entlasse. (Lett. 455.)

1526. 23. November. Fattucci an M. Die Verhandlungen über das Juliusdenkmal haben nichts Neues ergeben. Der Papst hat sich die Zeichnung für dasselbe geben lassen, drängt aber mit Ungeduld auf die Vollendung der Grabmäler und bittet M., das Ciborium in der geplanten Grösse vorläufig ganz aus Holz herzustellen. Die Reliquien werde er senden. Später soll es dann in Marmor ausgeführt werden. (Frey: Briefe 291.)

1526. 8. Dezember beklagt sich Fattucci bei Spina, dass er noch keine Nachricht bezüglich des Ciboriums erhalten habe. Die Reliquien seien zur Absendung bereit. Über das Juliusdenkmal nichts Neues, doch hofft F. die Sache bald im Reinen zu haben. (Frey: Briefe 292.)

1526. 21. Dezember. Fattucci an M. M. hat sich offenbar bereit erklärt, das Ciborium aus Holz zu machen, fürchtet aber das Geschwätz. Clemens VII. beruhigt ihn darüber; auch sei Figiovanni, der behaupte, M. arbeite nicht, „eine Bestie". — Der

Unterhändler in Sachen des Juliusdenkmales, Hieronimo von Urbino, gebe Hoffnungen. (Frey: Briefe 293.) — Bald darauf scheint Fattucci nach Florenz zurückgekehrt zu sein nach Jahren quälender Thätigkeit für M. in Rom.

1527. Aus diesem Jahre sind so gut wie keine Angaben erhalten. Es ist das Jahr der grossen politischen Vorgänge, des Einfalles des deutsch-spanischen Heeres, das Ende April gegen Florenz zieht. Zu allen Erschütterungen kam auch noch die Pest in Florenz.

1527. 26. April. Aufstand in Florenz, als sich der Kardinal von Cortona mit den beiden Medici nach der Villa Castello zur Zusammenkunft mit dem Herzog von Urbino begeben hatte. Einnahme des Palazzo della Signoria, bei welcher Gelegenheit durch einen Steinwurf der linke Arm des David von M. abgeschlagen wird. Die Medici werden für Rebellen erklärt. Als Diese aber Abends mit Hülfe des Herzogs von Urbino einziehen, wird der Aufruhr unterdrückt und verziehen. (Varchi.)

1527. 27. April: das spanische Heer unter Herzog von Bourbon, das dicht vor Florenz gekommen, giebt die Eroberung und beabsichtigte Plünderung von Florenz auf und zieht auf dem Wege nach Siena auf Rom zu. Der Aufstand in Florenz beginnt wieder.

1527. 29. April lässt Piero Gondi mit M.s Erlaubniss heimlich Dinge aus seinem Besitz, um sie zu sichern, in die Sakristei von S. Lorenzo bringen, zu der ihm M. den Schlüssel giebt. (Ricordi 598.)

1527. 6. Mai. Einnahme Roms durch das deutsch-spanische Heer.

1527. 17. Mai ziehen die Medici: Ippolito und Alessandro aus Florenz ab.

1527. 21. Mai. Der Grosse Rath tritt zusammen. Niccolò Capponi wird zum Gonfaloniere erwählt.

1527. M. scheint zurückgezogen gelebt und gearbeitet zu haben — wie es heisst, auch an den Mediceergräbern. Vom 4. Juni und 19. Juli sind zwei häusliche Notizen erhalten: die eine, das Weggehen seiner Haushälterin Mona Chiara, die andere seinen Landbesitz betreffend. (Ricordi 598. 599.)

1527. 22. August wird M. ein kleines Amt übertragen: das eines scrivano straordinario de' Cinque del Contado. Er will es anfangs seinem Bruder Buonarroto übertragen, dann stellen sich Schwierigkeiten ein, und auch in Rücksicht auf die Pest will er seinem Bruder nicht zumuthen, von Settignano nach Florenz zu kommen. So weist er das Amt zurück. (Lett. 144. 145.)

1527. 17. November. So ist ein Brief Andrea Dorias an Luigi Alemanni in Florenz datirt, in welchem die Rede von jener 1523 geplanten Statue Dorias ist, die M. hatte ausführen sollen. (Gotti I, 177.)

1527. Der Marchese von Mantua wünscht irgend ein Werk für den Palazzo del Te oder wenigstens eine Zeichnung.

26*

1527. 9. Dezember begiebt sich Clemens VII., aus der Gefangenschaft in der Engelsburg befreit, nach Orvieto.

1528. Benvenuto Cellini kommt nach Florenz und verkehrt mit M., der die Skizze eines Atlas mit der Weltkugel für ihn macht, welche Cellini aber durch seinen eigenen Entwurf für Federigo Ginori übertrifft. (Vita.)

1528. Auch aus diesem Jahre sind nur ganz wenige Notizen erhalten. M. ist in aller Stille wohl mit dem Juliusdenkmal und den Mediceergräbern beschäftigt.

1528. 2. März. Clemens VII. trägt in Orvieto dem Leonardo Niccolini auf, M. mitzutheilen, er solle, falls er in Florenz arbeiten wolle, 500 Dukaten ausgezahlt erhalten. M. hatte mitgetheilt, dass er von Geldauslagen erdrückt sei und nicht wisse, woher Geld nehmen. (Frey: Briefe 294.)

1528. 26. März. M. hat Land von Bartolommeo Vieri von Settignano gekauft (wann?), und das Hospital von S. Maria Nuova bekennt, ihm 80 Gulden zu schulden, falls dieser Besitz „molestirt" wird. (Frey: Briefe 295.)

1528. 27. April ist der Herzog von Urbino in Florenz, der vermuthlich mit M. verkehrt haben wird.

1528. Am 30. Juni ist Buonarroto erkrankt (Ricordi, Ausgaben für den Arzt, 599). 2. Juli stirbt er an der Pest in M.s Armen. Am 8. Juli bezahlt Dieser die Kosten des Begräbnisses in S. Croce (Frey: Dichtungen 507) und andere Ausgaben (Ricordi 599).

1528. 22. August. Die Signoria beschliesst, dass der 1525 aus Carrara gebrachte Block, dessen Bearbeitung M. damals Clemens VII. wegen hatte ablehnen müssen und der in Folge dessen Baccio Bandinelli verdingt war, nun doch von M. ausgeführt werde. Es stehe ihm frei, welche Gruppe von zwei Figuren er daraus machen wolle. Bis zum 1. Nov. solle er die Arbeit beginnen. (Contratti 700. Gaye II, 88.) M. plant einen Samson mit zwei Philistern. (Vasari: Vita Bandinelli.)

1528. 13. September bringt M. Buonarrotos Tochter Francesca zur Erziehung in das Kloster Boldrone, wo er jährlich für sie 18 Dukaten zahlt, und stattet sie mit Wäsche und Geräth aus. (Ricordi 599. 600.)

1528. 16. September erstattet er der Wittwe Buonarrotos Bartolommea ihre Mitgift. (Ricordi 600.)

1528. 23. September. Der Vater schreibt an M., welcher ihn gebeten hatte, Buonarrotos 9jährigen Sohn Lionardo nach Florenz zu schicken, er wünschte das Kind wieder bei sich in Settignano zu haben. (Frey: Briefe 295.) — Nov. 1. und 15. zahlt dann M. für Kleidung Lionardos. (Ricordi 601.)

1528. 3. Oktober bestellt der Gonfaloniere Niccolò Capponi M. für den nächsten Tag nach San Miniato, wo auch die „compagni" des Meisters sich einfinden werden. Wie Frey richtig bemerkt, hat es sich offenbar um eine Konferenz von Sachverständigen betreffend die Fortifikationsarbeiten der Stadt an jener Stelle gehandelt. Damals wohl geräth M. zuerst in Konflikt mit Capponi, weil er gegen Dessen Willen die Befestigung von S. Miniato betreibt. (Busini: Lett. 103. Frey: Briefe 296.)

1528. 12. Oktober bittet man sich vom Herzog von Ferrara den Architekten Sebastiano Serlio aus, der die Fortifikationsarbeiten prüfen solle. (Gaye II, 168.)

1528. Sept., Okt. und folgende Zeit ist Francesco da San Gallo unterwegs, um überall (in Prato, Pistoja, Pisa etc.) die Befestigungen zu prüfen. (Gaye II, 160 ff.) So auch der Ingenieur Amadio d'Alberto, der am 30. Sept. engagirt wird. (Gaye II, 172. 173.)

1528. 21. November bezahlt M. eine Mona Ginevra, die Wärterin Buonarrotos während Dessen Krankheit gewesen war. (Ricordi 601.)

1529. Das Jahr der Thätigkeit M.s als Festungsbaumeister. — Er leiht der Kommune 1000 Skudi. (Vasari.)

1529. 10. Januar wird M. in das Kollegium der Nove di milizia für die Befestigungsarbeiten gewählt. (Vasari Mil. Prosp. cron.) Am 4. Januar hatte man den Herzog von Urbino gebeten, den Ingenieur Pierfrancesco von Urbino zu senden. (Gaye II, 177.)

1529. Erste Monate (?) giebt M. eine Stimme für die Wahl eines Pagolo di Benedetto Bonsi als Proveditore ab. (Lett. 456.)

1529. 3. April. Amadio d'Alberto wird von der Balia nach Livorno zu den Befestigungen gesandt und ist bis Ende April dort und in Pisa thätig. (Gaye II, 180 ff.)

1529. 6. April wird M. zum Governatore Generale und Procuratore der Fortifikationen auf ein Jahr mit einem Goldgulden Gehalt täglich angestellt, nachdem er bis dahin gratis seine Dienste der Aufgabe gewidmet hatte. (Mil. Prosp. cron. 366. Contratti 701.) — M. betreibt im Widerspruch zu Niccolò Capponi die Befestigung von S. Miniato.

1529. 17. April wird Francesco Carducci Nachfolger des Niccolò Capponi, welcher der Beziehungen mit den Medicis verdächtig war, als Gonfaloniere. — In demselben Monat wird Malatesta Baglioni zum Generalgouverneur der florentinischen Truppen gemacht.

1529. 22. April erhält M. 30 Gulden.

1529. 28. 29. 30. April, 3. 6. Mai bittet der Generalkommissär in Pisa: Ceccotto Tosinghi, M. nach dort zu senden wegen Ent-

scheidungen über die Citadelle von Pisa, die Befestigung von
Livorno und die Flussregulirung am Arno. Amadio d'Alberto
konferirt mit M. in Florenz. Bezüglich der Flussregulirung
sind Amadio und der Ingenieur Goro, deren Plan von M. gebilligt wird, anderer Ansicht, als Francesco da San Gallo.
(Gaye II, 184—190.)

1529. 4. Juni trifft M. in Pisa ein und geht am 5. nach Livorno.
Er lehnt die Einladung Tosinghis, bei ihm zu wohnen, ab. Er
hält an seiner alten Ansicht betreffend die Flussregulirung fest.

1529. Am 13. Juni ist M. wieder in Florenz und legt seine Ansichten der Balia vor, so auch am 17. Juni. Am 19. Juni wird
dann der durch M. informirte Amadio mit einem Colombino
nach Pisa gesandt. (Gaye II, 194.)

1529. Sommer scheint der Einbruch in M.s Atelier stattgefunden zu haben, dessen Bandinelli verdächtig ist. Etwa 50 Zeichnungen und Kartons, sowie 4 Modelle (aus Wachs und Thon)
wurden gestohlen. (Gotti I, 203.)

1529. 19. Juni erbittet der Prior von S. Martino in Bologna, Fra
Gianpietro Caravaggio, für Matteo Malvezzi ein Gemälde
oder wenigstens den Karton zu einem solchen — wie dies schon
früher mit M. besprochen worden ist. Es soll eine Madonna
mit 4 Heiligen darstellen und 8 Fuss hoch, 5 Fuss breit sein.
Am 20. Juli wendet sich der Prior, der auf Wunsch M.s Demselben nähere Mittheilungen über S. Martino zukommen lassen
will, wiederum an M., und noch am 21. Nov. 1530 hegt Malvezzi Hoffnungen, den Karton zu erhalten. (Frey: Briefe 297.)

1529. 27. Juni. Bündniss Karls V. mit Clemens VII.

1529. 2. Juli beginnt Amadio nach M.s Zeichnung die Reparaturen.
(Gaye II, 196.)

1529. Mitte Juli kommt die Nachricht von der Aussöhnung und
Familienverbindung des Kaisers und des Papstes nach Florenz.
Man betreibt die Vertheidigungsarbeiten mit um so grösserem
Eifer. (Gaye II, 197.)

1529. 28. Juli sendet die Signoria M. mit einem Empfehlungsschreiben für den florentinischen Gesandten in Ferrara, Galeotto Giugni, zum Herzog von Ferrara, damit er die Fortifikationen dieses durch seine Kriegskunst berühmten Feldherrn sehe. (Gaye II, 197 f.)

1529. 2. August ist M. in Ferrara eingetroffen. Er lehnt die Einladung Giugnis, bei ihm zu wohnen, ab. Der Herzog empfängt
ihn mit grosser Auszeichnung und zeigt ihm am 4. August selbst
die Festungswerke. Dafür dankt die Balia am 8. August und
wünscht, dass M. sogleich zurückkehre, da er bei der ange-
strengtesten Thätigkeit Aller für den Bau der Werke nöthig
sei. (Gaye II, 198. 199.) Auch in Arezzo wird er gewünscht,

von wo aus am 8. Sept. ein Schreiben an die Balia gerichtet wird. (Ebend. 206.) — M. hat diese Sendung nach Ferrara aufgefasst, als hätten Capponis und der Mediceischen Parthei Intriguen ihn entfernen wollen — wie schon früher —, um die Befestigung von S. Miniato zu hindern und seine Arbeiten daselbst wieder zu vernichten. (Condivi. Busini: Lett. 103.)

Alfonso von Ferrara, der M. seine Kunstschätze zeigt, erbittet sich von ihm ein Werk. M. verspricht es und führt dann in Florenz das Gemälde der Leda aus. (Condivi. Vasari.)

1529. Wohl am 9. Sept. kehrt M. nach Florenz zurück. (Die Reise nach Venedig, die, nach einem Ricordo vom 10. Sept., anzunehmen wäre, kann, wie nachgewiesen worden ist, damals nicht stattgefunden haben.) Nachrichten von einem bevorstehenden Verrath Bagliones dringen zu ihm. Er theilt sie der Signoria mit, die aber nicht darauf hört und ihn der Feigheit beschuldigt. Die Truppen werden an den Festungswerken vertheilt. M. bemerkt, dass Baglioni seine acht Kanonen nicht innerhalb der Bastionen, sondern unterhalb derselben aufstellt. Als er Mario Orsini um den Grund befrägt, antwortet Dieser: alle Baglionis seien Verräther.

1529. 14. September verzeichnet ein Ricordo eine Zahlung an M.s Magd Caterina. (Ricordi 602.)

1529. 21. September. Während M. an den Bastionen beschäftigt ist, kam Jemand zu ihm, der ihm rieth, wolle er sein Leben retten, solle er fliehen. Diese Person begleitet ihn nach Hause, verschafft ihm Pferde und in Gesellschaft von Rinaldo Corsini, Piloto und Antonio Mini findet die Flucht aus Florenz statt, auf welche M. 3000 Dukaten mitnimmt. Offenbar haben seine Feinde, vielleicht auch Baglioni, denen er in seiner Thätigkeit an S. Miniato unbequem war, indem sie seine Phantasie erregten und ihn erschreckten, ihn auf diese Art zum Verlassen der Stadt gezwungen. (Condivi. Varchi. Busini: Lett. 457.) — Die Flüchtlinge kommen nach Castelnuovo in der Garfagnana, wo Niccolò Capponi und Tommaso Soderini sich aufhalten. Rinaldo Corsini sucht Dieselben auf und theilt ihnen Malatestas Verrätherei mit, was nach Segni Capponi so erregt haben soll, dass er sieben Tage später am Fieber starb. (Busini. Segni.)

1529. etwa 23. September trifft M. mit seinen Begleitern in Ferrara ein. Der Herzog, der damals genaue Aufsicht über die Fremden führte, erfährt von des Meisters Ankunft und sendet Hofleute zu ihm, ihm Wohnung in seinem Palaste anzubieten. M. macht seine Aufwartung, wobei ihm Alfonso von neuem seine Kunstschätze, auch sein von Tizian gefertigtes Portrait zeigt und ihn bittet, in seine Dienste zu treten. M. aber lehnt das Anerbieten und die Gastfreundschaft ab und übernachtet in der Herberge.

(Vasari.) Rinaldo Corsini kehrt von hier aus nach Florenz zurück.

1529. 25. September ist M. in Venedig und schreibt an seinen Freund Battista della Palla in Florenz. Er macht Mittheilungen über seine Flucht und über seine Absicht, nach Frankreich zu gehen, was schon lange sein Plan gewesen. Ob Palla auch noch die Absicht habe? Dann solle er ihm einen Ort für die Begegnung angeben. (Lett. 457.)

1529. Vom 25. Sept. bis Anfang November weilt M. in Venedig. Um einsam zu leben und dem Zudrange der Edelleute sich zu entziehen, die ihn Alle kennen zu lernen wünschen, wohnt er auf der Giudecca. Die Signoria schickt ihm zwei Edelleute, um ihm ihre Dienste anzubieten, aber er macht keinen Gebrauch davon. Damals soll er auf Wunsch des Dogen Andrea Griti (Griti war schon 1528 gestorben, sein Nachfolger war Pietro Lando) einen Entwurf für die Rialtobrücke gemacht haben. (Condivi. Varchi. Vasari.) Ein Ricordo berichtet, dass er in einem Hause eines Messer Loredan sich eingemiethet hatte, einige wenige Möbel: zwei Stühle, einen Speisetisch, eine Truhe, ein Bettgestell und einige Kleidungsstücke sich angeschafft hat. (Ricordi 602, offenbar aus Versehen von M. 10. Sept. statt 10. Okt. datirt.) Condivi erzählt von einer Berufung, welche die Signoria von Venedig an M. habe ergehen lassen — offenbar in späteren Jahren, wann ist nicht zu sagen, indem sie Brucciolo nach Rom sandte und ihm eine jährliche Provision von 600 Dukaten ohne Verpflichtungen anbot.

1529. 30. September erlässt die Signoria ein Edikt, nach welchem die Geflohenen, auch M., zu Rebellen erklärt und verbannt werden, falls sie nicht bis zum 7. Oktober zurückkehren. (Gotti II, 63. Mil. prosp. cron. 372.)

1529. 8. Oktober. Werden die nicht Zurückgekehrten als Rebellen erklärt und ihre Güter konfiszirt. Auf der Liste steht aber nicht M.s Name. (Gotti I, 193.)

1529. 12. Oktober. Da man trotzdem die Konfiskation des Besitzes M.s befürchtet, sorgen die Freunde und die Magd Caterina dafür, dass seine Habe versteckt wird, worüber von Francesco Granacci eine Schrift aufgesetzt wird. (Ricordi 602.)

1529. 13. Oktober schreibt Galeotte Giugni aus Ferrara an die Signoria, im Auftrage M.s, der zu spät von jener Verordnung der Heimkehr erfahren habe und bereit sei, zurückzukehren, wenn ihm Gnade widerfahre. Giugni empfiehlt ihn und sagt, dass M., werde ihm Sicherheit gewährt, sich einfinden und der Signoria ganz zu Diensten sein werde. (Gaye II, 209.) Varchi dagegen erzählt, die Dieci della Guerra hätten Giugni dringend aufgefordert, M. zur Heimkehr zu bewegen.

1529.   20. Oktober antwortet die Signoria Giugni, dass sie Michelangelo freies Geleit zugesichert und er daher in seine Stellung zurückkehren könne. An demselben Tage wird der Geleitbrief ausgestellt und am 22. Okt. durch den Steinmetz Bastiano di Francesco nach Venedig geschickt. Dieser überbringt M. auch einen Brief Batt. della Pallas und zehn Briefe von anderen Freunden, die alle ihn beschwören, zurückzukehren. (Gotti, I, 195. Mil. Prosp. cron. 875. Gaye II, 210. Ricordi 210.)

1529.   Oktober. Die Vororte von Florenz werden zerstört. Die Höhe von S. Miniato ist stark befestigt, so dass die Feinde ohne Erfolg sie beschiessen. (Varchi. Gaye II, 210.)

1529.   24. Oktober schreibt Battista della Palla einen von Muth, Vaterlandsliebe und Hoffnung glühenden Brief an M., in welchem er ihn bittet, nach Lucca zu kommen. Dort werde er ihn erwarten und nach Florenz geleiten. (Gotti I, 195.)

1529.   Anfang November scheint sich M. aufgemacht zu haben. Er begiebt sich nach Ferrara. Am 9. Nov. giebt ihm Giugni ein Begleitschreiben an die Signoria mit, am 10. Nov. stellt der Herzog Alfonso ihm einen Geleitbrief durch seine Staaten über Modena und die Garfagnana aus. (Gaye II, 212. Gotti II, 74.) Die Reise ist aber langsam von Statten gegangen. Am 11. Nov. ist Palla nach Lucca gegangen und wartet vergeblich auf M. Am 18. im Begriff nach Florenz zurückzukehren, schreibt er an M., den er noch in Venedig glaubt, und beschwört ihn wiederum, zu kommen. Fil. Calandrini habe Auftrag, ihn sicher nach Florenz zu bringen. (Frey: Briefe 301.)

1529.   16. Nov. ist inzwischen ein drittes Dekret ausgegangen, nach welchem M. seine Provision entzogen wird. (Gotti I, 193.)

1529.   Um den 20. November ist M. nach Florenz zurückgekehrt.

1529.   23. November. Der Bann wird aufgehoben von der Signoria, aber bestimmt, dass M. für drei Jahre nicht in den Grossen Rath gewählt werden dürfe, wenn auch jedes Jahr ein Antrag darauf gestellt werden könne, der zur Annahme $^3/_4$ der Stimmen bedürfe. (Gaye II, 214.) Nach einem Briefe an Sebastiano del Piombo hätte M. der Commune 1500 Dukaten zahlen müssen. (Lett. 458.)

1529.   23. November verkauft M. ein Pferd an Niccolò di Matteo (Fanfani 116.)

1529.   Ende November. M. geht sogleich daran, den von den Feinden arg beschossenen Campanile von S. Miniato neu zu befestigen, und zwar durch Matratzen, welche er frei schwebend vor ihm anbrachte, so dass die Kugeln unschädlich gemacht wurden. (Condivi. Varchi.)

1529?   Die Statue des Herkules, Jugendarbeit M.s, wird von Filippo Strozzi durch Agostino Dini an Giovanni Battista della

Palla verkauft, welcher Ankäufe für Franz I. machte. Sie war
1642 in Fontainebleau im Jardin de l'Estang. (Vasari VII,
145 Anm. M. Montaiglon: La vie de Michelange in Gaz. d. b.
arts 1876.)

1530. 1. Januar. Ein Pietro Paesano, der von M.s Flucht gehört
hat, lädt ihn zu sich nach Argenta ein. Da der Brief aber
nach Venedig adressirt war und zurückkam, ist er erst 1532
mit einem anderen Schreiben (21. April), das die Einladung
wiederholt, in M.s Hände gelangt. (Frey: Briefe 304.)

1530. 31. Januar (vermuthlich 1530 bietet ein Artillerielieutenant
Miniato in Alessandria M. seine Dienste an. (Frey: Briefe 305.)

1530. 22. Februar erhält M die Erlaubniss, mit zwei Genossen auf
die Domkuppel zu steigen — offenbar um die Bewegungen
der Feinde zu überschauen oder zu sehen, ob die Kuppel
unversehrt sei. (Gotti I, 197.)   .

1530. 24. Februar. Krönung Karls V.

1530. Februar bis Juli. Wir hören nichts von M. während der Zeit
der Belagerung von Florenz. Angeblich hätte er im Stillen
an den Mediceergräbern gearbeitet. Auch entsteht wohl
das Gemälde der Leda für Alfonso von Ferrara.

1530. 4. April. Brief des Vaters aus Pisa. (St. u. Pog. S. 396.)

1530. 2. August. Malatesta Baglionis Verrath. 3. Aug. Ferruccis
Tod. 8. August gewinnt nach letzten Versuchen gegen ihn
Baglioni die Oberhand in der Stadt.

1530. 12. August. Kapitulation von Florenz an den Kaiser, der die
Stadt Clemens VII. übergiebt. Baccio Valori als Kommissär
des Papstes in Florenz. Konfiskationen und Hinrichtungen.
Auch der edle Battista della Palla erleidet den Tod. M. hat
sich bei einem treuen Freunde (oder im Thurm von S. Niccolò) verborgen. Der Papst befiehlt, ihn zu suchen, und verspricht ihm die Freiheit, wenn er an den Gräbern weiter-
arbeite. Daraufhin verlässt M. seine Verborgenheit. (Condivi.)

1530. Sept. Okt. M. arbeitet wieder an den Medicigräbern.

1530. 20. Okt. schreibt Alfonso wegen Leda u. sendet Pisanello,
sie zu holen. (Campori: M. u. Alf. 1881.) Über Dessen Un-
höflichkeit empört, verweigert M. das Gemälde und schenkt
es dann seinem Schüler Mini. (Condivi.)

1530. 11. 19. 25. November äussert sich erfreut Clemens VII. in
einigen für Figiovanni bestimmten Briefen: er wünsche, dass
M. grösste Freundlichkeit erwiesen werde. (Gaye II, 221.)
Dieser erhält 11. Nov. wieder Monatsgehalt.

1530. 17. November. Der Kardinal Cibo begehrt, (durch Figiovannis
Vermittlung) die Grabdenkmäler zu sehen. (Frey: Briefe 306.)

1530. 25. November. Clemens lässt dem Bischof von Assisi, Agnolo
Marzi in Florenz, schreiben: er möge Näheres wissen. Er höre,

dass an M. einige Hundert Dukaten ausgezahlt worden seien
(von Wem? von den Feinden der Medici? von den Erben Julius'?),
was ihm nicht gefallen habe. Sei es so, so müsste M. in Angst
gesetzt werden, um ihn zu grösserer Thätigkeit bei dem Bau
(Bibliothek?) anzuspornen. (Frey: Briefe 306.)

1530.   11. Dezember. Der Papst ordnet an, dass M. wieder seine
alte Provision von monatlich 50 Skudi erhalte. (Gaye II, 222.)

1530.   Herbst. M. führt für Baccio Valori, um sich Denselben zum
Freunde zu machen, die Statue eines Apollo aus. (Vasari.)
An Stelle Valoris trat im Herbst Nicolaus von Schomberg, Erz-
bischof von Capua.

1530.   Herbst. Clemens VII. giebt den Marmorblock des Herkules und Cacus, der 1528 vom Gonfaloniere M. überwiesen
war, wieder dem Bandinelli in Arbeit.

1531.   15. Januar. Brief des Vaters an Michelangelo. (St. u. Pog.
S. 398.)

1531.   29. Januar schreibt ein Orlando Dei aus Lyon an M. und bittet
ihn, dem Bildhauer Giovanni Battista, der ein Denkmal für den
Prinzen von Orange auszuführen habe, mit Rath beizustehen.
(Frey: Briefe 307.)

1531.   Februar ist wohl ein Brief Baccio Valoris an M. anzusetzen,
in welchem der Meister um den Entwurf eines Hauses gebeten wird. (Frey: Briefe 323 setzt das undatirte Schreiben in
April 1532, da von einer Reise M.s nach Rom die Rede ist.
Nun wollte M., wie folgender Brief zeigt, im Februar 1531 nach
Rom gehen. Darauf wird sich Valoris Bemerkung beziehen, der
in dem Briefe ja auch von dem Apollo spricht, den 1530 M.
für ihn auszuführen unternommen.)

1531.   24. Februar schreibt Sebastiano del Piombo an M. aus Rom,
der ihm Nachrichten durch Domenico Menichella gesandt hatte.
Er versichert M. der Theilnahme, die er in den vergangenen
bösen Zeiten für ihn gehabt und wie er es bedaure, nicht gewusst zu haben, dass M. nach Venedig gegangen sei. Er meint,
es sei nicht nothwendig, dass M. nach Rom komme, es sei denn,
dass er nach seinem Hause sehen wolle, das allerdings in
traurigem Zustande sei. (Milanesi: Les corresp. 36.)

1531.   11. April. Der Erzbischof von Capua wünscht ein Gemälde
von M. für den Marchese di Guasto, Alfonso Davalos, und der
Papst ist für Erfüllung dieses Wunsches. Wahl und Format
bliebe M. ganz überlassen. Derselbe möge nur eine Skizze
senden. (Frey: Dichtungen 507.) M. versprach ein „Noli me
tangere", die Erscheinung Christi vor Magdalena, zu machen.
(Vasari I. Aufl. bei Frey: Vite 170. Frey: Dichtungen 327.)
Pontormo führt es später in Farben aus.

1531. 29. April. Sebastiano del Piombo schreibt an M. Er hat durch
Benvenuto della Volpaja von M. einen Brief erhalten, und zwar
geöffnet, was Seb. veranlasst, M. einen sicheren Weg der Korre-
spondenz anzugeben. M. hat wieder von Verleumdungen in
Rom gehört und möchte dorthin kommen. Seb. beruhigt ihn,
versichert ihn der Liebe des Papstes, welcher wisse, dass M.
Tag und Nacht arbeite, und ihm seine Betheiligung an der Vertheidigung von Florenz nicht übel genommen habe. M. solle irgend
eine Figur für den Papst arbeiten, das werde Diesen hoch erfreuen.
Was das Juliusgrabmal anbeträfe, hätte er, Seb., bei seiner
Heimkehr in Urbino mit dem Maler Girolamo Genga gesprochen.
Dieser habe seine Vermittlung bei dem Herzog Francesco Maria
angeboten. Letzterer wolle wohl die 8000 Dukaten aufwenden,
aber er sei in Zorn gerathen und habe gesagt, er wolle nicht
zugleich das Geld und das Werk einbüssen. Nun solle M. klug
handeln, wenigstens den Anschein von irgend welcher Arbeit
hervorbringen. — Auf Wunsch M.s fertigt Seb. ein Porträt des
Papstes für ihn an. M. wünscht dies für Giuliano Bugiardini,
der den Auftrag auf ein Porträt des Clemens von Baccio Valori,
auch von Ottaviano dei Medici erhalten hat. (Vasari: Vita di
Seb. Milanesi: Les corresp. 38.)

1531. 26. Mai. Der Marchese Federigo Gonzaga schreibt an
Francesco Gonzaga. Er habe durch Giovanni Borromeo M. gebeten, ihm ein Werk für den Palazzo del Te, Gemälde oder
Skulptur, anzufertigen. Dieser aber habe geantwortet, er könne
keinen Auftrag übernehmen, ehe er nicht des Papstes Wünsche
ausgeführt. Nun lässt Federigo Clemens VII. bitten, M. die Erlaubniss zu geben, an den Festtagen oder sonst in freier Zeit
dieses Werk auszuführen. (Gaye II, 227.) Brief Francesco Gon-
zagas an Fed. 5. Juni. (Pastor. IV, 2. S. 760.) Der Papst zeigt sich
dem Wunsche geneigt und will an M. in der Angelegenheit
schreiben. Dafür dankt der Marchese am 16. Juni (ebend. 228).

1531. 16. Juni. Sebastiano hat einen Brief M.s dem Papste übergeben. Dieser sei erstaunt, dass jene Figuren: „Nacht“ und
„Morgen“ schon vollendet seien, und sei M. wohlgesinnt trotz
aller Verleumdungen. Er wolle auch die Angelegenheit des
Juliusdenkmales befördern. M. solle seine Wünsche äussern.
Seb. fügt hinzu, er habe drei Freunde in Urbino, welche hülf-
reich sein würden. (Milanesi: Les corresp. 50.)

1531. Juni. Durch Überanstrengung wird Michelangelo leidend.
Der Papst, erfreut über den Fortgang der Arbeiten, lässt ihn
am 20. Juni selbst durch den Sekretär Pier Paolo Marzo ermahnen, er solle sich nicht so übermüden, sondern Maass halten.
In der Juliussache wolle Clemens vermitteln, so dass M. die Be-
unruhigung genommen werde. (Frey: Dicht. 508, Brief des Marzo.)

1531.   Ende Juni theilt M. seine Ansichten über das Juliusdenkmal Seb. mit. (Brief nicht erhalten. Milanesi: Les corresp. 58.)

1531.   1. Juli.   Der Kardinal Salviati hat das Anerbieten eines Gemäldes von M. erhalten, wofür er seinen Dank ausspricht. (Gotti I, 212.)

1531.   6. Juli wird Alessandro Medici zum Regenten von Florenz eingesetzt, doch verlässt er schon am 8. Juli der Pest wegen Florenz, und der Erzbischof von Capua führt die Regierung weiter.

1531.   22. Juli.   In jenem Briefe vom 30. Juni hat M. — offenbar aus grosser Verzweiflung heraus — das Anerbieten gemacht, er wolle 2000 Dukaten zahlen und das Haus in Rom hergeben und das Juliusdenkmal in drei Jahren ausführen lassen. Nun erwidert Sebastiano, der Papst und er fänden dieses Anerbieten zu grossmüthig. Auf Wunsch des Papstes hat Seb. mit dem Gesandten des Herzogs von Urbino und Dessen Agenten, Hieronimo Staccoli, gesprochen. Letzterer hat verlauten hören, M. wolle das Haus in Rom verkaufen und mit dem Gelde weiterarbeiten. Das Haus gehöre ihm aber gar nicht. Auch sonst zeigt sich der Agent den Vermittlungsversuchen Sebastianos, der nichts von jener Absicht M.s verlauten lässt, gegenüber schwierig. Sebastiano aber weiss schliesslich Beide davon zu überzeugen, dass es doch Alles darauf ankäme, dass M. das Werk vollende, und man müsse seinen Vorschlägen sich zugänglich zeigen. Die herrlichsten Statuen seien schon vollendet — und einen zweiten M., das Werk auszuführen, gäbe es nicht. — Schliesslich hat Staccoli, der nach Urbino gegangen ist, versprochen, für die Vermittlung zu sorgen. Sebastiano bittet sich von M. einen Brief aus, der an den Herzog von Urbino gesandt werden könnte. M. solle gar nichts davon sagen, dass er die Arbeit von Anderen werde ausführen lassen. — Weiter erzählt Seb. von dem Porträt, das er vom Papste gemacht; Dieser wünsche jetzt noch ein anderes. (Milanesi: Les corresp. 54.)

1531.   Juli.   M. lebt ganz zurückgezogen und leidend. Davon ist ein Zeugniss auch der Brief des Gismondo aus Settignano vom 30. Juli über landwirthschaftliche Angelegenheiten. (Frey: Briefe 308.)

1531.   Mitte August.   M. schreibt an Sebastiano. Er habe sich die Frage wieder überlegt. Es gäbe nur zwei Möglichkeiten: entweder das Denkmal zu machen oder Jenen das Geld zu geben, dass sie es machen liessen. Der Papst habe darüber zu entscheiden. Da Dieser ihm die Arbeit aber nicht erlauben werde, so bleibe nichts übrig, als der zweite Ausweg. Er, M., wolle die Zeichnungen, Modelle und die fertigen Statuen übergeben, und 2000 Dukaten hinzufügen. Es gäbe junge Künstler, welche die Arbeit besser, als er selbst machen würden. (Lett. 459, wohl so, nicht 26. Juni zu datiren.)

1531. 19. August antwortet Sebastiano. Er wiederholt, M.s Anerbieten sei zu gross. Am besten wäre es, Dieser führe zwei Figuren aus, für welche er ihm etwa 2000 Dukaten zusichern könne. Doch ginge das eben des Papstes wegen nicht. — Wenn der Papst hören werde, dass M. schon die 3. Statue der Mediceergräber angefangen, werde er jubeln. (Milanesi: Les corresp. 62.)

1531. Etwa August oder September macht M. den Karton zum Noli me tangere für den Marchese di Guasto. (Frey: Dichtungen 508.)

1531. 29. September berichtet Giovanbatista di Paolo Mini an Bartolommeo Valori; M. habe ihn in der letzten Zeit zwei Mal mit Bugiardini und Antonio Mini besucht. Auch habe er die zwei Statuen (die Nacht und den Morgen) selbst gesehen; und den jetzt von M. vollendeten einen Alten (wohl den „Abend"). M.s Befinden gäbe zu grosser Besorgniss Anlass, er arbeite zu viel, esse wenig und schlecht und schlafe nicht. Er leide am Kopf und am Herzen. — Der Papst solle doch befehlen, dass M. nicht während des Winters in der Sakristei arbeite, sondern in dem anderen Zimmer die Madonna beendige und den Herzog Lorenzo ausführe. Inzwischen könne ja die Architektur der beiden Denkmäler vollendet und die andern Statuen angebracht werden, welche dann später an Ort und Stelle vollendet werden können. — Die Juliusgrabmalangelegenheit mache den Meister melancholisch. Wenn der Papst sie in Ordnung bringe, sei M. das lieber, als wenn ihm 10000 Dukaten geschenkt würden. (Gaye II, 229.)

1531. 3. Oktober. Sebastiano antwortet auf einen Brief M.s. Noch sei jener Agent Hieronimo Staccoli nicht von Urbino zurückgekehrt, doch interessire sich auch Pallavicino, Bischof von Aleria, für die Sache. Der Papst und Bartolommeo Valori bemühen sich, ein Ende herbeizuführen. — Er bittet um Entschuldigung, dass er M. noch nicht das Porträt des Papstes gemacht: der Herzog von Albanien hat das eine genommen; ein anderes wünsche Valori. (Valori scheint sich also jetzt direkt an Sebastiano gewandt zu haben.) Doch werde er selbst bald mit Giovanni Gaddi nach Florenz kommen und es dann M. überbringen. (Milanesi: Les corresp. 66.)

1531. 8. Oktober. Auf ein beruhigendes Schreiben Valoris, der nach Florenz kommen will, drängt Giovanbatista di Paolo Mini Denselben von neuem, doch Alles zu thun, um M. den Frieden in

der Juliusgrabmalfrage zu verschaffen. — Auch er bittet,
dass Sebastiano das Porträt des Papstes an M. sende, oder dass
Valori es mitbringe. (Gaye II, 230.)

1531. Ende Oktober. Figiovanni theilt M. des Papstes Wunsch mit
für die Anbringung des Mediceischen Wappens (ohne päpstliche Insignien) unter dem „pergamo", welches zur Aufnahme der Reliquien in S. Lorenzo geplant ist — also an Stelle
des früher beabsichtigten Ciboriums. Das Wappen ist unter
dem Pergamo, über dem Hauptportal von S. Lorenzo, von M.
schon angefangen worden: aber mit den Papstinsignien.
Figiovanni bittet M., dies zu ändern. — Der Vorschlag M.s, dass
der Karton des Noli me tangere von einem Maler (Jacopo
Pontormo) ausgeführt werde, findet den Beifall des Erzbischofs
von Capua. (Frey: Dichtungen 327. 509. Briefe 309.) Pontormo
malt (wie auch Battista Franco) dasselbe Bild noch einmal für
Alessandro Vitelli. (Vasari: Vita di Pont. VI, 276.) — Pontormo
hat in den nächstfolgenden Jahren auch ein Gemälde nach einem
von M. für Bart. Bettini angefertigten Karton: Venus und
Amor ausgeführt, welches dann der Herzog Alessandro sich
nahm. (Ebend. 277.) Auch Vasari hat für Ottaviano Medici
die Venus gemalt. (Vita di Vas. VII, 669.)

1531. Etwa 19. oder 20. November schreibt Sebastiano aus Rom.
Er berichtet zunächst, dass der Papst ihn zum Piombatore und
Frate gemacht hat, dann, dass Hieronimo Staccoli aus Urbino
zurückgekehrt ist. Der Herzog Francesco Maria will nicht den
grossen alten Plan des Juliusdenkmales ausgeführt haben, da
er kein Geld mehr dafür ausgeben will, sondern den neuen einfachen. Seb. schlägt Staccoli vor: der alte Kontrakt (mit Kardinal Aginense) soll annulirt und ein neuer gemacht werden,
des Inhalts, dass M. für das erhaltene Geld das Grabmal
in der vereinfachten Form innerhalb drei Jahren herstelle
und seinerseits noch 2000 Dukaten dafür verwende. Hierfür
aber solle er das Recht haben, das Haus in Rom zu verkaufen
und den Erlös zu verwerthen, sowie nach eigenem Gutdünken
das Werk zu gestalten. Seb. erbittet nun den Entwurf eines
solchen Kontraktes und die Prokura. — Das Porträt des Papstes
will er in der nächsten Woche senden. (Milanesi: Les correspond. 48; hier ist der Brief, dessen Datirung sich genau ergiebt, zu früh [vor 16. Juni] angesetzt.)

Am 21. November sendet Seb. ein Postskript. Die Agenten
des Herzogs verlangten, dass M. die Figuren und die Architektur
des Denkmales nach Rom sende, wo dasselbe fertig gemacht
werden solle. Seb. verspricht dies. Doch haben die Agenten
noch Bedenken wegen dem Papste. Daher geht Seb. zum Papst
und legt Diesem nahe, eine oder die andere Figur des Julius-

denkmales für sich zu nehmen, was Clemens aber schroff ab-
lehnt. Derselbe wünscht vielmehr die Vollendung des Juliusgrabmales ebensosehr, wie die der Mediceergräber. Er fügte
hinzu: „wir werden ihn um 25 Jahre jünger machen". Auch
werde er sich freuen, wenn M. auf ein oder zwei Monate nach
Rom komme zur Ordnung der Sache. Dies werde M. auch gut
thun, der sich überanstrenge. Der Papst schreibe selbst an M.
Der Gesandte des Herzogs gehe jetzt zu Diesem und werde die
Sache erledigen. M. könne in Ruhe schlafen und solle nicht
zweifeln an des Papstes Wohlwollen setzen. (Milanesi: Les
corresp. 68.) Hierzu zwei Dokumente 28. Nov., 15. Dez. (Gronau.)

1531. 21. November ist ein Breve datirt, in dem der Papst (im
8. Jahre seines Pontifikates), aus Sorge für M.s Gesundheit, ihm
befiehlt, bei der Strafe der Exkommunikation, an keinem
anderen Werke, sei es Malerei oder Skulptur, zu arbeiten ausser
an dem Grabmal und den Werken für Clemens. (Bottari: Lett.
pitt. VI, 54.) — Es ist sehr aufgefallen, dass in diesem Breve
scheinbar nur die Rede von „des Papstes Grabmal" ist, das ja
wohl von Clemens früher zusammen mit dem Leos X. geplant
war, damals aber gar nicht in Arbeit ist, und weiter dass es
heisst: „damit du länger Rom, deine Familie und dich selbst
verherrlichen mögest". Alle Thätigkeit M.s bezieht sich doch
damals auf Florenz, nicht auf Rom. Schon Bottari sind diese
Widersprüche aufgefallen, und er meint, das Breve passe mehr
für Julius II., als für Clemens VII. — doch schliesse die Jahres-
zahl 1531 erstere Vermuthung aus. Dies ist richtig. Auch wird
das Breve von Volpaja am 26. Nov. erwähnt. Es wäre freilich
auffallend, dass gerade Nov. 1531, in diesem Augenblicke hoff-
nungsvoller Verhandlungen mit den Erben Julius', M. streng-
stens auf die Arbeiten für Clemens verpflichtet worden ist!
Prüft man den Text genau: „ne aliquo modo laborare debeas,
nisi in sepultura et opera nostra, quam tibi commisimus", so
ergiebt sich die Lösung, wie mir scheint, leicht. Der italienische
Übersetzer hat nicht richtig übersetzt: „fuori che nella opera che
ti abbiamo commessa della nostra sepoltura". Es muss so übersetzt werden: ausser an dem Grabmal (scil. des Julius) und
an unserem Werk, das wir dir in Auftrag gegeben haben
(scil. der Mediceergräber und der Bibliothek).

1531. 26. November. Benvenuto della Volpaja, der am 31. Okt.
nach Rom gekommen ist, schreibt an M. Er hat die Aufträge
an den Kardinal Salviati ausgerichtet. Der Papst habe sich
darüber geärgert, dass M. durch Andere mit Aufträgen bedrängt
werde. „Er solle sich einen Pinsel an den Fuss binden, vier
Striche machen und sagen: das Bild ist gemacht." Dies bezieht sich wohl auf das Bild für Salviati. Mit Bartolommeo

Valori, der, wie es scheint, M. auch um ein Werk gebeten,
wolle der Papst selbst reden, der das Breve ausgestellt, um M.
von solchen Belästigungen zu befreien. — M. solle nicht in der
Sakristei arbeiten (auf welche Erlaubniss Volpaja wieder gedrungen hat), sondern sich einen anderen Raum nehmen und
nach seinen Modellen die Figuren ausführen lassen, damit das
Werk zur Vollendung gelange. Auf Redereien, die, wie es
scheint, von Bandinelli ausgehen, solle M. nichts geben (es war
unter Anderem gesagt worden, Antonio Mini habe sich fort-
gemacht und M. habe Niemanden mehr, der ihm helfe). Der
Papst interessire sich auch sehr für die Leda, von der er viel
gehört. — Die Angelegenheit des Juliusdenkmales stünde gut,
liesse Seb. sagen. (Frey: Briefe 311.)

1531. Ende November hat M. den Antonio Mini, welcher sich in
die Tochter einer armen Witwe verliebt hatte, auf Wunsch von
Dessen Verwandten für einige Zeit von Florenz fortgeschickt.
Antonio hat den Plan gefasst, nach Frankreich zu gehen. M.
schenkt ihm ausser dem Gemälde der Leda und dem Karton
hierzu noch viele Zeichnungen und Modelle. Von Barberino
aus schreibt Antonio, in Dessen Gesellschaft sich ein junger
Maler Benedetto del Bene befindet (wohl am 29. Nov.), dass
die zwei Kisten mit diesen Sachen noch nicht angelangt seien.
Nach allerlei Erlebnissen mit widerspänstigen Maulthieren sind
die Reisenden am 1. Dez. in Bologna eingetroffen und gelangen
über Piacenza, ganz erfüllt von Hoffnungen auf die Munificenz
des Königs von Frankreich, in der zweiten Hälfte des Dez. nach
Lyon, von wo Antonio am 31. schreibt, er wolle dort die Leda
erwarten bei Francesco Tedaldi. Am 11. Januar 1532 ist sie
noch nicht eingetroffen. Am 9. März berichtet er, dass er nach
dem Karton noch drei Bilder der Leda auszuführen haben werde:
er schwimmt in Glückseligkeit. Dann geht er mit dem Gemälde
und einer Kopie nach Paris, wo alle seine Hoffnungen enttäuscht
werden, da der König nicht dort ist. Er lässt die Bilder bei
Giuliano Buonaccorsi und kehrt nach Lyon zurück, von wo aus
er (8. Mai 1533) nach Paris zurückkehrt. Hier hat Buonaccorsi unrechtmässiger Weise unter dem Vorgeben, nicht Mini,
sondern Luigi Alamanni habe die beiden Ledabilder ihm gebracht, die Leda an den König verkauft, was dem armen
Antonio so zu Herzen gegangen ist, dass er krank wurde und
Ende 1533 starb. — Aus einem Briefe Francesco Tedaldis vom
1. Juli 1540 ergiebt sich, dass Dieser (offenbar auf Vorschüsse
hin, die er Antonio gemacht) die Hälfte des Gemäldes erworben,
also auch von Buonaccorsi betrogen worden war. (Vasari.
Milan. 334. Gotti I, 200. Frey: Briefe 313 ff.) Die Leda ist
auch von Vasari gemalt worden (Vita di Vas. VII, 669). So

wurde Michelangelos grossmüthige Absicht, Antonio
Minis Glück zu machen, vereitelt.

1531. 1. Dezember. M. schreibt Sebastiano, er wolle in einer bestimmten Zeit das Geld für das Juliusdenkmal zahlen, nennt
die Arbeiter, welche es ausführen sollen, will ihnen mit Zeichnungen und Modellen beistehen, aber nicht selbst das Werk
übernehmen. (So nach Brief Sebastianos vom 5. Dez.)

1531. 4. Dezember. Der Kardinal Cybo bittet M., ihm den Entwurf oder das Modell seines Grabmales, für das er 1800
bis 2000 Dukaten ausgeben will, zu machen. Auch ihm einige
seiner Schüler zu senden, die nach der Zeichnung das Werk
ausführten. (Gotti I, 212.)

1531. 4. Dezember schreibt der Gesandte Giovan Maria della Porta
an den Herzog von Urbino. Er habe mit dem Papste von der
Denkmalsangelegenheit gesprochen. Dieser biete alle seine
Unterstützung an und wolle M. nach Rom kommen lassen.
Inzwischen möge der Herzog für ihn (Porta) und Hieronimo
Staccoli eine gemeinsame Prokura senden. (Gotti II, 76.)

1531. 5. Dezember. Sebastiano erhielt M.s Anerbieten, das ihn und
den Papst einigermaassen ausser sich gebracht hat, da darauf
die Erben Julius' nicht eingehen werden. M. solle doch unbedingt die Leitung des Werkes übernehmen; ohne dies sei der
Vertrag unmöglich. Er könne dann ja ruhig Andere die Arbeit
ausführen lassen. Der Papst wünsche, M. solle nach Rom
kommen, damit in seiner Gegenwart der Vertrag mit den
Agenten des Herzogs von Urbino und der Tochter Julius' II.,
Signora Felice, abgeschlossen werde. (Milanesi: Les correspondants 74.)

1531. Daraufhin verspricht M. nach Rom zu kommen. Er sendet
Seb. die Zeichnung der Kapelle für Giovanni da Udine,
den er bittet, nach Florenz zu kommen. Seb. bittet, die Reise
in etwa 1 oder $1^1/_2$ Monat zu unternehmen, dann werde die
Prokura vom Herzog von Urbino da sein. (Ebend. 78.)

1531. 25. Dezember schreibt Giovanni da Udine an M.: der Papst
habe ihm befohlen, im Sommer die Mosaiken in der Mediceerkapelle auszuführen. Giov. sagt, er habe keine geübten Gehülfen
mehr, auch sei es nicht seine Sache, grosse Historien, wie der
Papst angedeutet habe, auszuführen. Er bäte um genauere
Angaben der Art des Werkes und der Feldereintheilung, dann
wolle er eine Zeichnung für den Papst entwerfen. (Frey:
Briefe 319.)

1531. 29. Dezember meldet Giov. Maria della Porta dem Herzog
von Urbino, dass er das Mandat betr. das Juliusdenkmal erhalten habe. M. wolle nach Rom kommen. Noch habe aber
der Papst ihm nicht den Urlaub hierzu gegeben. (Gotti II, 77.)

1531. In diesem Jahre wohl hat Giuliano Bugiardini für Ottaviano Medici das Porträt M.s gemacht, das dann zugleich mit Sebastianos Porträt Clemens' VII. Ottaviano geschenkt wird. (Vasari: Vita di Bug. VI, 206.)

1532. 3. Januar. Giovanni Gaddi, von Florenz nach Rom zurückgekehrt, fordert im Namen des Papstes M. auf, nach Rom zu kommen und bei ihm abzusteigen. (Frey: Briefe 320.)

1532. 6. Januar verzeichnet ein Ricordo Ausgaben für das Grundstück Pozzolatico. (Ricordi 603.)

1532. 18. Januar. M. hat an Sebastiano seine Ankunft angekündigt und Gaddi danken lassen. Seb. antwortet und bittet M., bei ihm (in seinen bescheidenen Verhältnissen) absteigen zu wollen. Die Zustimmung des Herzogs von Urbino ist eingetroffen, doch wäre es gut für den Abschluss des Vertrages, die Rückkehr des Gesandten von Urbino, der nach Pesaro gegangen, abzuwarten. (Milanesi: Les corresp. 78.)

1532. Inzwischen hat am 13. Jan. M. an seinen Freund Benvenuto della Volpaja in Rom geschrieben und Diesen um ein Quartier gebeten. Am 18. Jan. erwidert Volpaja, welcher Oberaufseher des Belvedere geworden ist, und stellt M. entweder ein Zimmer im Belvedere in seiner Wohnung, oder ein solches bei seinem Bruder Fruosino im Borgo nuovo zur Verfügung. In ersterem Falle könne M., ohne die Stadt zu betreten, auf der Bramanteschen Wendeltreppe in den Vatikan gelangen. (Gotti II, 75. Falsch 1531 datirt.)

1532. 8. Februar. M. hat auf Sebastianos Nachricht von dem Gesandten von Urbino die Reise noch aufgeschoben. Seb. theilt ihm mit, dass Volpaja das Zimmer im Belvedere bereit halte. Sobald der Herzog zurückkehre, werde er Nachricht geben. (Milanesi: Les corresp. 80.)

1532. 11. Februar theilt Francesco Tedaldi aus Lyon M. die Ankunft von Antonio Mini und Benedetto del Bene mit, und dass Diese eine Leda nach dem Karton zu malen begonnen haben. (Gotti I, 202. Frey: Briefe 322.)

1532. 15. März meldet Sebastiano, der Gesandte von Urbino sei mit Vollmacht des Herzogs eingetroffen. Der Vertrag solle so gemacht werden: M. schicke alle für das Juliusdenkmal gemachten Arbeiten von Florenz nach Rom zu den hier befindlichen und zahle 2000 Dukaten (das Haus mit eingeschlossen) — dann solle er im Übrigen ganz freie Hand haben. Seb. befürchtet, M. werde hiermit nicht einverstanden sein. Doch solle er nur ein paar Stücke aus Florenz senden, das genüge, denn Jene wüssten ja gar nicht, was M. von Arbeiten für das Denkmal in Florenz habe. Sebastiano hat sich ausgedacht, M. solle dann einen Künstler aussuchen, der nach seinem Entwurfe das

27*

Denkmal ganz fertig mache, aber auch ganz für dasselbe verantwortlich sei. In dem neuen Kontrakte dürfe aber nur dieser
Künstler, nicht M., genannt werden. Die Agenten des Herzogs
wissen ja, dass der Papst M. doch nicht erlauben werde, andere
Arbeiten zu übernehmen, so sei der Papst als Schild zu benutzen,
und M. werde ganz frei. Wenn M. damit einverstanden sei,
solle er nach Rom kommen, sonst aber nicht, denn dann
würde die Sache nur verschlimmert. — Zugleich bittet Seb.
um Entschuldigung, dass er noch nicht das Porträt des Papstes
gesandt. (Milanesi: Les corresp. 82.)

1532.   5. April. Sebastiano hört, dass M. seinen Brief nicht erhalten
hat. Er wiederholt den Inhalt desselben in einem zweiten
Schreiben. (Milanesi: Les corresp. 90.)

1532.   6. April trifft das Antwortschreiben M.s (vom 24. März) auf
Seb.s Brief vom 15. März ein. M. ist einverstanden mit Dessen
Vorschlägen, nur will er, dass die Erben Julius' selbst den
Künstler bestimmen und dingen, der das Grabmal fertig mache.
Sebastiano räth, dass M. dies thue und den von ihm gewählten
Meister mit seinen Entwürfen versehe. (Milanesi: Les corres-
pond. 94.)

1532.   Daraufhin ist M. zwischen 6. und 7. April in Rom eingetroffen. (Damals hat M., wie es scheint, dem Papste Montorsoli für die Restauration der Antiken im Belvedere empfohlen.
[Vasari: Vita di Montorsoli VI, 632].)

1532.   29. April wird der IV. Vertrag über das Juliusgrabmal
abgeschlossen. M. ist aber bei dem Abschluss nicht zugegen,
sondern auf Befehl Clemens' VII. an diesem Tage nach Florenz
zurückgereist. (Lett. 489.) Folgendes wird zwischen Giovanni
Maria della Porta, dem Gesandten des Herzogs, und Hieronimo
Staccoli, als Prokuratoren des Herzogs einerseits, M. andrerseits
festgesetzt. Die früheren Kontrakte und die ausgezahlten
8000 Dukaten werden annullirt. (M. bestreitet später, diese
Summe erhalten zu haben. Lett. 490. Auch Condivi versichert, M. habe von Julius selbst nur 1000 Dukaten, von den
Erben etwa 3000 erhalten. Vergl. auch die Beglaubigung Binis
14. Mai 1548.) M. verspricht ein neues Modell oder Zeichnung,
die sechs begonnenen Statuen und Alles, was er sonst für das
Grabmal in Arbeit genommen hat. Ausserdem hat M. im Laufe
von 3 Jahren 2000 Dukaten, wofür ihm das Haus in Rom geschenkt wird, und ferner Das, was die Ausführung noch mehr
kostet, zu zahlen. Der Papst erlaubt M., während dieser drei
Jahre jährlich zwei Monate — oder auch länger oder kürzer, wie
es dem Papst beliebt — in Rom an dem Werke zu arbeiten.
M. darf die Arbeit an Künstler verdingen. — Die Erben Julius':
der Herzog Francesco Maria von Urbino, der Kardinal de Monte,

Antonio Bischof Portuensis, Kardinal Ercole Gonzaga und
Signora Felice della Rovere Orsina versprechen die Ratifikation
innerhalb zwei Monaten. (Contratti 702. Berichte des Giov.
Maria della Porta an den Herzog von Urbino. Gotti II, 78.
Mil. Prosp. cron. 379.) Della Porta hat nun S. Pietro in
vincolis für das Denkmal in Vorschlag gebracht, da M. in
S. Maria del Popolo keinen passenden Raum noch Licht findet.
(Ebend.) Nach einem späteren zusammenfassenden Berichte
Michelangelos (Lett.489) müsste man annehmen, dass Clemens VII.
an demselben Tage della Porta zu M. nach Florenz gesandt
habe, und dass der Vertrag Clemens in anderer Form mitgetheilt
worden sei, als er dann abgefasst wurde. M. habe dadurch
einen Verlust von 1000 Dukaten gehabt, da das Haus in Rom
ihm mit angerechnet worden sei. Nun hat ja M. aber am
30. Juli 1531 selbst dies Anerbieten gemacht. Offenbar hat er
es also später zurückgezogen — im Briefe von Mitte August
1531 ist nicht mehr die Rede davon. Wider seinen Willen also ist
ihm doch später von Porta das Haus angerechnet worden. Etwas
anders erzählt Condivi den Vorgang. M. habe, um den Erben
Julius' mehr verpflichtet zu erscheinen und dadurch mehr Freiheit
von den Arbeiten für Clemens zu erlangen, heimlich mit Staccoli
abgemacht, dass Dieser einige Tausend Skudi, die M. erhalten
habe, angebe. Ohne M.s Wissen wurde dies aber in den
Kontrakt gebracht, worüber sich M. sehr erregt, doch habe ihn
Staccoli beruhigt, das ändere gar nichts.

1532. 1. Mai wird Alessandro Medici Herzog von Florenz.

1532. Mai. M. denkt sogleich an die Beschaffung der 2000 Dukaten.
Er hat Andrea Quaratesi in Pisa den Auftrag gegeben, ein
Haus, das er in Florenz besitzt, abzuschätzen, da er es verkaufen wolle. Darüber schreibt Quaratesi am 14. Mai. (Frey:
Briefe 509.) M. wendet sich dann wohl im Juni (wie Frey
richtig bemerkt) an Quaratesi. Der Verkauf macht sich noch
nicht, und es sei besser zu warten, als zu verschleudern. (Lett.461.)

1532. 10. Mai berichtet della Porta an den Herzog: M. könne die
Zeichnung für das Grabmal erst machen, wenn er alle vorhandenen Figuren und Blöcke geprüft habe. Im Herbst wolle
er mit der Arbeit in Rom beginnen. Der Herzog möge dem
Meister doch einige freundliche Zeilen senden, dann würde
er sicher Wunder thun. (Gotti II, 79.)

1532. 24. Mai. Volpaja schreibt einen Brief herzlicher Ergebenheit
an M., der bei ihm in Rom gewohnt hat, und sendet ihm durch
Sebastiano einen Fiasco Malvasier, einen Degen und zwei
Köpfe. (Frey: Briefe 325.)

1532. 25. Mai (nicht, wie Milanesi fälschlich angiebt, 25. März) schreibt
Sebastiano an M. Dieser hatte Seb. gebeten, in Rom zu be-

treiben, dass Giov. Franc. Fattucci seine Pension erhalte. (Lett.
460, von Mil. fälschlich in den März verlegt.) Sebastiano erbittet
sich hierfür die nöthige Prokura. Den Kontrakt werde er bald
erhalten, auch habe der Gesandte gesagt, dass die Ratifikation
vom Herzog bald eintreffen werde. 25. Mai, 4. Juni. M. solle
sich nicht übereilen mit Verkauf seiner Habe. — Offenbar hat
Seb. M. um eine Zeichnung für ein Gemälde gebeten, auch
um seine Hülfe bei einem Bilde der „Geburt der Maria". Das
Porträt des Papstes hat er an M. abgesandt. Danach hätte,
wie Vasari im Leben Sebastianos mittheilt, dann Giuliano
Bugiardini seine Gemälde für Valori und Ottaviano de' Medici
angefertigt. Dem Letzteren machte M. das Original selbst zum
Geschenk. (Les corresp. 86. Dass dieser Brief 25. Mai geschrieben
ist und nicht am 25. März, ergiebt sich sicher 1. daraus, dass
nach dem Briefe am 5. April das Porträt noch nicht abgesandt ist; 2. dass die Rede von der im Vertrage am 29. April
ausbedungenen Ratifikation des Herzogs von Urbino die Rede
ist; 3. die Anspielung auf M.s Pläne, seinen Besitz zu Geld zu
machen; 4. aus dem Zusammenhang der Briefe vom 15. März,
5. und 6. April.)

1532. 1. Juni. Metello Varj stellt eine Bescheinigung darüber aus,
dass die Angelegenheit der Christusstatue zwischen M. und
ihm vollständig geregelt sei. Offenbar wollte sich M. in seiner
damaligen Nothlage dessen versichern, dass von jener Seite
keine Ansprüche mehr an ihn erhoben werden könnten. (Gotti I,
143; am 2. August giebt dann Varj auf M.s Wunsch Diesem
die Summe an, die er als Bezahlung für die Statue erhalten
hat. Ebend.)

1532. 5. Juni sendet der Herzog von Urbino an della Porta die
Ratifikation des Kontraktes, um welche um eben jene Zeit
der Gesandte von Neuem bittet. Am 19. dankt Porta dafür,
theilt dem Herzog mit, dass M. den Papst gebeten habe, die
„maestranza" der Werke in Florenz zu verdoppeln, damit er
mehr Zeit für Rom gewinnen könne, und dass er den ganzen
Winter in Rom zuzubringen gedenke. Nach neuen Berathungen
habe der Papst zugegeben, dass das Juliusdenkmal in S. Pietro
in vincoli aufgestellt werde und zu diesem Zweck der Altar mit den
Ketten Petri an die Stelle des Hochaltars gebracht werde.
(Gotti II, 79ff. Milanesi Prosp. cron. 380.) Aber am 8. Juni
war die Ratifikation noch nicht in Rom eingetroffen, und
Sebastiano, der am 9. Juni für einige Wochen nach Fondi geht,
um dort Giulia Gonzaga zu porträtiren, hatte Porta gedrängt
desswegen. (Milanesi: Les corresp. 96.)

1532. 14. Juni sendet Giovanni Maria della Porta die Ratifikation an
M. (Frey: Dichtungen 510.)

1532. 15. Juni bittet M. Sebastiano, ihm vom Papst ein Breve zu erwirken, welches dem Servitenmönche, Bildhauer Fra Giovanni Angiolo Montorsoli, die Erlaubniss ertheile, als M.s Mitarbeiter nach Rom zu gehen. (Milanesi: Les corresp. 98.)

1532. 15. Juni und 22. Juni macht Volpaja M. Mittheilung von Sebastianos Abwesenheit. (Frey: Briefe 326.) Gleich darauf ist er gestorben, denn hiervon benachrichtigt

1532. 2. Juli ein Bildhauer Pierantonio, der Hausgenosse des Kardinals Ridolfi ist, Michelangelo.

1532. 7. Juli lässt M. durch Sebastiano den Papst um Erlaubniss bitten, schon Anfang August nach Rom kommen zu dürfen, nachdem er zuvor direkt bei Clemens darum eingekommen war, es Mitte September zu thun. Es arbeite sich besser in der warmen Jahreszeit in Thon und Werg (terra di cimatura). (Milanesi: Les corresp. 98. 100.)

1532. 15. Juli dankt Sebastiano für drei erhaltene Briefe und die Zeichnung eines Christus (im Limbus?), welche Christus in ganz ähnlicher Haltung zeigte, wie das Bild in S. Pietro in montorio. Seb. übersendet mit der Ratifikation und zwei Briefen des Herzogs von Urbino das Breve des Papstes, welches Montorsoli die Erlaubniss giebt, M. nach Rom zu begleiten. Was die Übersiedelung nach Rom betreffe, so warnen der Papst und Sebastiano M., dieselbe zur Zeit der grossen Wärme vorzunehmen. — Seb. hat dem Bildhauer Pierantonio die Fürsorge über M.s Haus übergeben. (Milanesi: Les correspond. 98 ff.) — Am 14. Juli bittet auch della Porta M., erst Anfang September, der Hitze wegen, nach Rom zu kommen. (Frey: Dichtungen 510.)

1532. 17. Juli berichtet Pierantonio an M., der ihm Aufträge wegen des Hauses gegeben hatte, dass er della Porta veranlasst habe, Leute, die in jenem Hause wohnen, auszuweisen. Dies werde geschehen. (Frey: Briefe 328.)

1532. 13. August. Sebastiano hat dafür gesorgt, dass M.s Haus frei von den Bewohnern geworden ist für des Meisters Ankunft. Doch fehlt es noch an Ausstattung der Wohnräume, die aber schnell hergerichtet werden könne. Eine Nachbarin, Frau des sbiro, die ganz verliebt in M. sei, habe sich zu Allem angeboten. (Milanesi: Les corresp. 102.)

1532. Mitte August scheint nach einem Briefe von Figiovanni vom 15. August M. schon abwesend von Florenz gewesen zu sein. Der Vicerè von Neapel, Don Pietro di Toledo, hat gewünscht, die Statuen in S. Lorenzo zu sehen: man musste durch die Fenster in die Werkstatt einsteigen. (Frey: Briefe 330.)

1532. 21. August wird M. von Tag zu Tag in Rom erwartet. Bartolommeo Angiolini schreibt, dass er das Haus für ihn nothdürftig hergerichtet habe (Symonds II, 390). Ein Brief Giuliano

Bugiardinis vom 5. August muss wohl falsch datirt sein — derselbe ist nach Rom adressirt. Bugiardini schildert in dem Briefe einen Kometen, von dem Varchi Ende Sept. 1532 spricht, daher Frey annimmt, dass das Datum irrig sei und 5. Okt. lauten müsse. (Frey: Dichtungen 510.)

1532. Ende August dürfte M. wohl in Rom eingetroffen sein, wo er sich nun der Aufgabe des Juliusdenkmales widmet. Der Bildhauer Montorsoli ist mit ihm dort. (Frey: Briefe 335.)

1532. 19. September schickt Angiolini einen Zettel an M., betreffend 200 Dukaten, die er von Einem für M. erhalten soll. (Symonds II, 390.)

1532. 7. Oktober. Figiovanni schickt M. die Maasse des „pergamo" für die Reliquien in S. Lorenzo, die Meister Bernardo genommen hat. Dasselbe wird ausgeführt, in den nächsten Tagen wird das fertige Wappen des Papstes angebracht werden. Giovanni da Udine, der damals also in Florenz in S. Lorenzo arbeitet, lässt grüssen. (Frey: Briefe 331.)

1532. 19. Okt. M. hat eine zweite Zeichnung für den pergamo gesandt. Figiovanni macht nähere Angaben über die Arbeit an dem pergamo. (Ebend. 332.)

1532. 16. November. Stefano di Tommaso schreibt an M. Es wird nach Wunsch M.s und des Papstes an der Laterne der Kuppel der Sakristei von S. Lorenzo reparirt wegen des eindringenden Wassers. — Auch giebt er Nachricht bezüglich eines Wäldchens in Pozzolatico, das vielleicht ausgeholzt und zu Geld für M. gemacht werden soll. (Frey: Briefe 333.)

1532. 23. Nov. Giovanni da Udine arbeitet in der Sakristei. Am pergamo wird gearbeitet. (Frey: Dichtungen 511.)

1532. Am 4. Dezember treffen die von Rom gesandten Reliquien für S. Lorenzo ein. Dies berichtet der Kanonikus Giovanni Norchiati an M. am 7. Dez., der für die Montorsoli, seinem Neffen, erwiesene Gunst dankt und erzählt, dass er mit der Übersetzung Vitruvs beschäftigt sei und im Frühjahr nach Rom kommen wolle, um die antiken Bauten für seinen Kommentar zu studiren. Bei letzterem ist ihm M. mit seinem Rath beigestanden. (Frey: Briefe 334.)

1532—33 ist vielleicht die Zeichnung M.s entstanden, nach welcher die für die Statuen des Niles und des Tibers bestimmte Nische im Garten des Belvedere ausgeführt wurde. (Vasari I, 114.)

1533. Den Winter bis zum Frühjahr bringt M. in Rom zu. Er tritt in freundschaftliche Beziehungen zu Tommaso Cavalieri, in Verkehr mit den Kardinälen Ridolfi, Salviati und Gaddi, mit Sebastiano del Piombo, Bartolommeo Angiolini etc.

1533. 1. Januar. Cavalieri dankt beschämt für einen (nicht erhaltenen) Brief M.s, in welchem Dieser seine Bewunderung für ihn in einer,

wie es scheint, überschwänglichen Weise Ausdruck gegeben,
und für zwei Zeichnungen, offenbar den Ganymed und
Tityos. (Symonds II, 400. Frey: Dichtungen 512.) — An
demselben Abend noch sendet M. seine Erwiderung, die uns
in drei Entwürfen vorliegt und dem jungen Freunde schwärmerische Huldigung entgegenbringt. (Lett. 462, 463, 464, denn
trotz Freys Einwänden halte ich auch Lett. 462 für einen
Entwurf desselben Schreibens.)

1533. 4. und 7. Januar. Stefano di Tommaso dankt M. für die
Theilnahme an seiner Krankheit. M. hat die Absicht geäussert,
sein Haus Via Mozza und den dort befindlichen Marmor zu
verkaufen (um die 2000 Dukaten aufzubringen). Stefano meint,
M.s Anwesenheit sei nöthig, was M. dann auch für richtig hält.
(Frey: Briefe 337. Dichtungen 514. Reg. 47. 48. 49.)

1533. 19. März. Nach der Datirung eines kurzen Briefes an Francesco
Galluzzi (den Miether eines Hauses von M.), in welchem M.
Jenen bittet, da er Geld nöthig habe, die Miethe an den Capo-
maestro auszuzahlen, wäre M. damals in Florenz gewesen.
Frey hält dies für unwahrscheinlich und glaubt, die Jahres-
zahl 1532 sei hier von M. nach dem stile commune, nicht der
florentinischen Rechnung gegeben. Das wäre möglich. (Lett. 465.)

1533. 23., 27. Mai. 14. Juli. Es wird für die Ausstattung der
Kapelle in S. Pietro in Vincoli gearbeitet.

1533. Ende Juni kehrt M. für vier Monate (auf Wunsch des Papstes)
nach Florenz zurück mit seinen Genossen und einem Maulthier,
das ihm Sebastiano lieh. (Lett. 470. Mil.: Les corresp. 104.
106.) Damals ist Urbino schon in seinen Diensten. (Ebd. 108.)

1533. Etwa 9. Juli hat M. an Angiolini geschrieben, sein Verlangen
nach Rom kundgethan und für den Papst bestimmte Nachrichten
über die Arbeiten in Florenz und seine Pläne an Sebastiano
beigegeben. Auch an Letzteren hat er geschrieben. (Nicht erhalten, aus den folgenden Briefen zu schliessen.) — Sein Brief
hat sich mit einem von Angiolini gekreuzt, der von der Sehnsucht der Freunde spricht, Cavalieris Empfehlungen vermittelt,
dem M. die „anima", offenbar seine Seele, übersendet hat, und
von der Fürsorge für M.s Haus berichtet. (Frey: Dichtungen 515.)

1533. 17. Juli beantwortet Sebastiano M.s Brief. Aus seinem Schreiben
geht hervor, dass M. Montorsoli bei der Mediceergräber-
arbeit angestellt hat, dass ihm Giovanni da Udines Arbeit
an der Kuppel gefällt, dass er junge Bildhauer aus Loreto
berufen will, und dass die Bänke der Libreria gemacht werden
sollen. Der Papst äussert daraufhin folgende Wünsche: die
Bänke sollen aus Nussholz sein, Giovanni da Udine solle die
Wölbung der Sakristei farbiger verzieren (in der Art wie in der
Vigna di Giulio) und dauerhafte Farben nehmen, M. solle der

wasserdichte Abschluss der Kuppel überlassen bleiben, ebenso
solle M. die Verzierung der Wölbung der Laterne selbständig
bestimmen. Clemens hat neue Versprechungen gegeben, die
Seb. mit schönsten Hoffnungen für M. erfüllen. (Milanesi: Les
corresp. 104.) Diesen Brief sendet nun Angiolini zugleich
mit einem Schreiben Cavalieris (nicht erhalten), welcher an-
frägt, ob M. ihn vergessen habe, und mit eigenen Zeilen ab.
(Frey: Dichtungen 516. Reg. 55. 58.)

1533.   19. Juli schreibt M., ehe er diese Nachrichten erhält, Briefe
an Angiolini und Sebastiano (verloren), deren Inhalt wir aus
der Antwort Sebastianos ersehen. M. hat Montorsoli die
Statue des Herzogs Giuliano auszuführen übertragen,
beabsichtigt die Bildhauer Niccolò Tribolo und Solismeo
aus Loreto zu rufen und meldet, dass der pergamo für die
Reliquien sehr schön ausgefallen sei. (Milanesi: Les corresp. 108.)

1533.   21. Juli bittet die Äbtissin des Klosters S. Francesco di Vol-
drone, wo M.s Nichte Francesca erzogen wird, um sechs Dukaten. (Frey: Briefe 338.)

1533.   25. Juli antwortet Sebastiano. Der Papst, der an der Gicht
leidet und seine Abreise nach Nizza aufschiebt, lasse M. bitten,
sich um das Gerede bezüglich Montorsolis nicht zu kümmern. Zwei
Madrigale M.s sind von Constanzo Festa und Concilion
in Musik gesetzt worden. Seb. hat Kopieen davon an Cavalieri
gegeben. Seb. übersendet die Originale an M. — In S. Pietro
in vincoli wird die Mauer und das Gewölbe für das Juliusdenkmal im Auftrage della Portas hergerichtet. (Ebend.)

1533.   26. Juli erklärt sich Tribolo in Loreto bereit, zu M. zu kommen,
sobald er wieder gesund sei. (Frey: Dichtungen 516.) Er
kommt dann, und M. giebt ihm die beiden Figuren der Erde
und des Himmels auszuführen. Tribolo erkrankt dann wieder,
rafft sich aber auf, macht das Modell der „Erde" und beginnt die
Statuen zu bearbeiten, als der Tod des Papstes Clemens VII.
ihn in der Arbeit unterbricht. (Vasari: Vita di Tribolo, VI, 63f.)

1533.   26. Juli. Angiolini schreibt, den Brief Sebastianos und die
Madrigale einsendend, vornehmlich von Cavalieri, dessen Sehnsucht nach M. ebensogross wie die M.s sei.

1533.   28. Juli schreibt M. an Sebastiano mit einem Bericht für den
Papst (nicht erhalten. Inhalt ergiebt sich aus Sebastianos Briefen
vom 2. und 16. August und Binis Brief vom 3. August). Er
macht Vorschläge über die Gestaltung der Bänke und der
Decke in der Libreria, über die Anbringung von „doccie" an
der Laterne der Sakristei, über die Anstellung Montorsolis als Leiter der zwei Grabdenkmäler und die Verdingung der Steinmetzarbeit in Akkord, und bittet den Papst, die
Auszahlung von 400 Dukaten „del pupillo" und von 1100 Dukaten

des Imprestido del stato vecchio in Florenz an ihn (M.) bewirken zu wollen. — M. sucht also offenbar neue Wege, das Geld für die Erben Julius' sich zu beschaffen. Er erhebt Anspruch auf Mündelgelder und, wie es scheint, auf Zurückzahlung der Summe von 1000 Dukaten, die er 1529 der Kommune gemacht hat (wohl mit Zinsenberechnung). (Milanesi: Les corresp. 110. 112. 114. Frey: Dichtungen 519. Reg. 62.)

1533. 28. Juli. M. schreibt an Cavalieri, in überschwänglicher und gewollt geistreicher Weise ihm versichernd, dass er ihn nie vergessen könne. (Lett. 467, 468, mehrere Entwürfe.)

1533. Etwa 30. Juli. Inzwischen ist Sebastianos Brief mit den Madrigalen eingetroffen. M. hat sie singen lassen, und sie werden für sehr schön gehalten. Er dankt S., dass er Kopien an Cavalieri gegeben und Diesen dadurch an ihn erinnert habe. (Lett. 466.)

1533. 2. August dankt Angiolini für M.s Brief vom 28. Juli, meldet die Sehnsucht Cavalieris. Der „anima" gehe es gut. (Frey: Dichtungen 518.) An demselben Tage schreibt auch Cavalieri: er habe nur gescherzt, als er davon gesprochen, dass M. ihn vergesse, und empfiehlt einen jungen Mann. (Ebend.)

1533. 2. August. Sebastiano theilt M. mit, der Papst werde für die Auszahlung jenes Mündelgeldes und der geliehenen Summe sorgen. Clemens wolle in der II. Hälfte des August nach Spezia gehen und auf der Reise M. zwei oder drei Tage in Florenz besuchen. Seb. bittet, ihm das Maulthier für die Reise zurückzusenden. (Milanesi: Les corresp. 160.)

1533. 3. August schreibt Giovan Francesco Bini aus Rom, giebt des Papstes Wünsche betreffend die Bänke und die Decke der Libreria an; Derselbe sei einverstanden mit den „doccie" der Laterne, auch mit dem Urlaube Giovannis da Udine, nur dass er zur Zeit zurückkehre, seine Arbeit zu vollenden. (Frey: Dichtungen 519.)

1533. 6. August und in den Tagen darauf schreibt M. an Angiolini und sendet das Maulthier an Sebastiano (Briefe nicht erhalten).

1533. 12. August macht M. seiner Nichte Francesca im Kloster einen Besuch. (Ricordi 603.) Wie es scheint, denkt er in jener Zeit daran, sie an einen Benedetto Sachetti zu verheirathen. (Lett. 154. Undatirter Brief.)

1533. 16. August. Sebastiano dankt M. und theilt Diesem mit, der Papst habe sehr erregt dem florentinischen Gesandten Auftrag gegeben, für die Auszahlung der Gelder (400 Dukaten und 500 (!) Dukaten der Anleihe) zu sorgen, er wünsche, dass M. einen Oberaufseher auch für die Akkordarbeit der Steinmetzen bestelle. M. selbst solle ganz frei sein, zu thun und lassen, was er wolle. In S. Pietro in vincoli wird an der Mauer für das Grabmal scharf gearbeitet. Seb. hat sich auch die Pension

Fattuccis angelegen sein lassen. Cavalieri und Angiolini haben
grosse Sehnsucht nach M. (Milanesi: Les corresp. 112.)
An demselben Tage schreibt auch Angiolini, der M. ein
Sonett geschickt hatte, hocherfreut über M.s freundliche Beurtheilung desselben. (Frey: Dichtungen 520.)

1533. 18. August antwortet M. Sebastiano und schreibt auch an
Cavalieri (nicht erhalten). In dem ersteren Briefe bittet er den
Papst um die Erlaubniss, die Arbeiten in der Libreria: die
Bänke, die Decke, die Figuren und Treppen verdingen zu dürfen
für den Winter, damit er frei sei, nach Rom zu kommen. Die
Zahlungen seien noch nicht geschehen. So entnimmt man dem
Briefe, den Sebastiano am 23. Aug. an M. schreibt.

1533. 20. August wird in einem Vertrage die Ausführung von zwei
Thüren und der Treppe der Libreria nach einem Modell M.s von Diesem an fünf Steinmetzen verdingt. (Contratti
707.)

1533. 23. August. Der Papst giebt seine Einwilligung zur Verdingung
der Arbeiten und bittet M., wegen der Geldangelegenheiten sich
unmittelbar an den Herzog Alessandro zu wenden, der wie der
Papst selbst für ihn handeln werde. (Milanesi: Les correspondants 116.) — Zugleich schreibt auch Angiolini, giebt gute
Nachrichten von Cavalieri, von M.s Haus, dessen Feigenbäumen
und Muskateller. Das Ziel der Reise des Papstes sei noch
ungewiss. (Frey: Dichtungen 520.)

1533. 24. August. Frate Agostino, Prokurator in S. Pietro in vincoli,
giebt M. Bericht, dass die Mauer für das Grabmal fertig ist
und die Wölbung in der nächsten Woche vollendet wird. (Frey:
Dichtungen 521.)

1533. Ende August meldet, wie es scheint, M. Angiolini seine Absicht, bald nach Rom zu kommen, bittet um Empfehlung
eines Vetturin, um Sachen zu senden, und schickt ihm ein
Sonett. — Auch schreibt M. an Cavalieri und sendet ihm die
Zeichnung des Phaeton. (Frey: Dichtungen 521.) Dieselbe
ist, wie der Tityos (s. 1533. 5. Sept.), von Giovanni Bernardi
in Krystall geschnitten worden. (Vasari: Vita di Valerio Vicentino V, 374.) Francesco Salviati hat sie gemalt. (Vasari:
Vita di S. VII, 17.)

1533. 27. August. Der Bischof von Pistoja, der Kardinal Lorenzo
Pucci, bittet M., auf seine Villa Igno zu kommen, um Zeichnungen für eine Brücke und eine Kirche daselbst zu
machen. (Mil. Prosp. cron. 381.)

1533. 30. August. Angiolini theilt die bevorstehende Abreise des
Papstes nach Viterbo und Sebastianos nach Florenz mit. (Frey:
Dichtungen 522.)

1533. 5. September. Cavalieri dankt für die Zeichnung des Phaeton, die er dem Papste und Kardinal Medici gezeigt habe. Letzterer will die Zeichnungen des Tityos und des Ganymed in Krystall schneiden lassen. Ein maestro Giovanni Bernardi führt den Tityos bereits aus, worüber sich Cav. nicht freut. Den Ganymed habe er gerettet. (Frey: Dicht. 522. Auch Vasari: Vita di Valerio Vicentino V, 374.) Der Ganymed ist von Giulio Clovio gemalt worden; das Bild war bei Herzog Cosimo. (Vasari: Vita di G. C. VII, 567.) — Am 6. schreibt Angiolini, erfreut über das Sonett, von dem er Cavalieri eine Kopie gegeben. Er habe an den Vetturin Lorenzo del Cone geschrieben, der M.s Sachen nach Rom bringen soll. Auch meldet er das Begräbniss des Kardinals Jacopo Salviati. (Frey: Dicht. 522.)

1533. 5. September. M. macht eine Zahlung an Raffaello da Ripa für ein Grundstück, das er von Piero Tedaldi erworben. (Ricordi 604.)

1533. Vor 9. September. M. schreibt einen (verstümmelt auf uns gekommenen) Brief an Angiolini, in welchem er in poetischen, gesuchten Wendungen seiner Freundschaft für Cavalieri Ausdruck giebt, der seine „Seele" besitze. (Lett. 469.) — Wohl darauf hat Angiolini etwa Mitte Sept. geantwortet in einem (von Frey publizirten) Briefe, welcher den Aufschub von M.s Reise bedauert, beruhigende Nachrichten über die Verhältnisse in Rom giebt und ein Sonett M.s mit einem Sonettaccio beantwortet. (Frey: Dichtungen 524.) Damals ist Sebastiano in Florenz.

1533. 9. September verlässt Clemens VII. Rom, um nach Nizza zu gehen.

1533. 12. September verzeichnet M. die Auszahlung des Salairs an seinen Diener Urbino. (Ricordi 604.)

1533. 22. September geht M. zum Papste nach S. Miniato al Tedesco. Sebastiano leiht ihm für die Reise ein Pferd. (Ricordi 604.)

1533. 11. Oktober hat M. an Angiolini und Cavalieri geschrieben und Sonette geschickt, für welche Ersterer am 18. Okt. dankt, mit der Bitte, M. möge seine Abreise beschleunigen. (Frey: Dichtungen 524. 525.)

1533. 15. Oktober. M. gedenkt in den nächsten Tagen nach Rom abzureisen. Er entschliesst sich, von Figiovanni die Provision (des Papstes) für zwei Monate zu erbitten, der seine Angelegenheit in Rom (offenbar die Zahlung für das Juliusgrabmal) möglichst bald erledigen wolle — die zwei anderen Monate schenke er dem Papste. Offenbar widerstrebt es seinem Ehrgefühl, die ganze Provision zu nehmen, da er ja mehr Zeit, als im Kontrakte ausgemacht war (2 Monate), nämlich über die Hälfte des Jahres dem Juliusdenkmal widmet. — Er hat zwei kleine Modelle für Tribolo gemacht. (Lett. 470.)

1533. 29. Oktober ist er noch in Florenz und erstattet Giovan
Simone 21 Lire für Auslagen. (Ricordi 604.)

1533. Etwa am 30. Oktober (damals sind die vier Monate in Florenz
abgelaufen, Lett. 470) geht M. nach Rom, wo er bis Mai
1534 geblieben ist. Aus dieser Zeit sind uns gar keine
Nachrichten erhalten, ausser Vasaris (I. Auflage) und Condivis
Mittheilung, dass Clemens VII. ihm damals den Auftrag gab,
das Jüngste Gericht an der Altarwand der Sixtinischen
Kapelle zu malen. Dies geschah am 2. März 1534. (Pastor
IV, 2, S. 567.) Nach Vasaris II. Auflage hätte auch der
Plan bestanden, an der Eingangswand den Sturz Lucifers
ausführen zu lassen. Nach Zeichnungen, die M. hierfür entworfen, sei später diese Darstellung in der Capella di S. Gre-
gorio in S. Trinità gemalt worden. (Vasari VII, 204.) M. gab
vor, an den Karton hierfür zu arbeiten, beschäftigte sich aber
mit dem Juliusgrabmal.

1534. 10. März ruft Herzog Alessandro Medici Antonio da San
Gallo der von ihm geplanten Befestigungen wegen nach Florenz.
(Gaye II, 252.)

1534. 26. März. Francesco Maria von Urbino schreibt an Porta
des Papstes Wunsch, M. für sich zu beschäftigen, sei ihm Befehl. (Gronau.)

1534. 1. Mai wird Bandinellis Herkulesgruppe aufgestellt.

1534. Juni? geht M. nach Florenz. Hier (in Settignano) stirbt im
Sommer sein Vater Lodovico im 91. Jahre, dem er in der
Todesstunde nahe ist (Condivi. Lett. 253) und Dessen Andenken er in einem Gedichte liebevoll gefeiert hat. Er sorgt
für die ehrenvolle Bestattung in S. Croce (Gotti II, 81) und
nimmt sich der Magd des Vaters, Mona Margherita, wie er
es Jenem versprochen, an (ebend. Lett. 153).

1534 bis etwa Mitte September in Florenz. Nach Frey (Dichtungen
525f.) damals die Freundschaft mit Febo di Poggio, die
vielleicht aber schon in den Herbst 1533 zu verlegen wäre
(so Milanesi und Symonds). Am Abend vor seiner Abreise
nach Rom, die etwa am 19. September stattgefunden haben
muss, schreibt M. einige Zeilen an Febo, über Dessen Hass
er sich beklagt und den er seiner Liebe versichert. (Lett. 471.)

1534. Um 20. September hat M. Florenz für immer verlassen
und ist (falls jener Brief an Febo 1534 zu datiren ist) über
Pescia, wo er den Kardinal di Cesis und Baldassare Turini
besuchte, und Pisa nach Rom gegangen. (Lett. 471.)

1534. 23. September ist M. in Rom eingetroffen („zwei Tage vor
dem Tode Clemens' VII.", wie es in einem Briefe an Vasari
aus dem Jahre 1557 heisst, Lett. 545).

1534. 25. September stirbt Clemens VII.

1534. 13. Okt. wird Paul III. Papst, welcher M.s Dienste sogleich
für sich in Anspruch nimmt und die Ausführung des Jüngsten
Gerichtes ihm in Auftrag giebt. M. hat den Gedanken, um das
Juliusdenkmal auszuführen, sich in eine Abtei des Bischofs
von Aleria im Genuesischen oder nach Urbino zurückzuziehen,
aber er muss sich dem Willen des Papstes fügen. (Cond. Vasari.)
Der Gesandte des Herzogs von Urbino giebt ihm zu verstehen,
dass Dieser sich nicht für das Grabmal interessire, wohl aber
es übelnähme, dass M. für Paul III. arbeite. Das fasst M. so
auf, als habe es der Gesandte bloss auf jenes Haus abgesehen,
das im Kontrakt 1532 M. angerechnet wurde. (Lett. 490.)

1534 bis 1541. Thätigkeit am Jüngsten Gericht in der Capella
Sistina. Bei Beginn der Arbeit findet die Entzweiung mit
Sebastiano del Piombo statt, welcher den Papst bestimmen
wollte, das Gemälde in Öl auszuführen. (Vasari VII, 584.)

1534. In der „Denunzia de' beni“ Michelangelos wird Folgendes
als sein Besitz verzeichnet:
ein Grundstück mit Herrenhaus im Popolo di S. Maria nuova
zu Settignano — ein Grundstück in S. Stefano zu Pozzolatico
(gekauft am 27. Januar 1505) — ein Wohnhaus in der Via
Ghibellina der Pfarrei S. Pier Maggiore — ein anderes kleines
Haus daneben — zwei Grundstücke, eines mit Herrenhaus, in
Stradello, S. Stefano in Pane (28. Mai und 20. Juni 1512 gekauft) — ein Grundstück in S. Maria zu Settignano (1515
gekauft) — ein anderes ebendaselbst (1520 gekauft) — ein
Grundstück in Rovezzano, S. Michelagnolo (27. Okt. 1519 gekauft) — ein Haus in der Via Ghibellina — ein Terrain in
der Via Mozza, Parrocchia S. Lorenzo (14. Juli 1518 gekauft).

1534. Ende vermuthlich oder 1535 hat M. Skizzen für das Grabmal Leos X. und Clemens' VII. gemacht, nach denen Alfonso Lombardi ein Modell mit Figuren aus Wachs anfertigte.
(Vasari: Vita di Alfonso V, 90.)

1535. 14. Januar. Brief des Febo di Poggio, der eine Antwort
auf den Brief M.s ist. (Symonds II, 403. Frey: Dichtungen 526.) — Frey versetzt in das Frühjahr 1535 auch einen
Brief des Pier Antonio, Vertrauten des Kardinals Ridolfi, der
M. zur Besichtigung von Gemälden Baldassare Peruzzis auffordert. (Frey: Dichtungen 527.)

1535. 16. April. Perino del Capitano erhält 25 Goldgulden für
das Gerüst in der Sixtina. (St. S. 766, 1.)

1535. 5. Juli. Francesco Baldassare Cagione von Carrara wird von
M. gerichtlich belangt, weil er 1533 einen M. gehörigen
Marmorblock im Werthe von 100 Goldskudi wider den
Willen des Meisters „diabolico spiritu instigatus“ vom Tiber-
ufer gestohlen und fortgebracht habe. (Gotti II, 156.)

1535.   1. September.   Breve Pauls III., durch welches M. zum
obersten Architekten, Bildhauer und Maler des Apostolischen Palastes ernannt wird, mit einem jährlichen
Gehalt auf Lebenszeit von 1200 Goldskudi, davon 600 in den
zugesicherten Einnahmen einer Fähre über den Po bei
Piacenza, die zuvor Giovanni Francesco Burla innegehabt,
bestehen sollen. (Geldanweisungen hierauf am 7. Sept. 1536
und 26. April 1537 machte St. bekannt, S. 767f.) Das Jüngste
Gericht ist nach diesem Breve damals schon (im Karton)
begonnen. (Contr. 708. Gotti II, 123.) Den formalen Besitz
jener Fähre erlangte M. aber (am 2. Jan. 1537 verzeichnet
er einmal in den Ricordi 604 eine Einnahme von seinem
Pächter Francesco Durante in Piacenza) erst 1538 im Mai, und
in der folgenden Zeit hatte er beständige Bestreitung seiner
Ansprüche zu erleiden, zuerst durch Beatrice Trivulzio, dann
durch die Stadt Piacenza, endlich durch Baldassare und Niccolò
della Pusterla, die ihre Rechte auf ein kaiserliches Privileg
begründen, bis schliesslich nach der Ermordung Pierluigis Farnese am 10. Sept. 1547 ihm der Niessnutz ganz entzogen wurde,
der von Karl V. am 25. Mai 1551 wieder den Pusterlas übertragen ward. (Vasari. Milan. 383 nach Ronchini in den Atti
e Memorie della Deputazione di Storia patria per le provincie
Modenesi e Parmesi. Auch Frey: Briefe S. 341 ff. Steinmann
S. 771 ff.)

1535.   7. September. Vasari schickt an Pietro Aretino einen Wachs-
kopf und eine Zeichnung, Skizze, der h. Katharina von
M.s Hand. (Bottari III, 190.)

1535.   Niccolò Tribolo macht die Kopieen des Tages, der Nacht, des
Morgens und des Abends. (Vasari: Vita di Tribolo VI, 65.)

1536.   Aus diesem Jahre haben wir fast gar keine Nachrichten.
Am 1. Juli theilt Ruberto Nasi M. aus Florenz die Bitte Giovan-
battista Minis mit, der als Erbe Antonios Dessen Antheil an
M.s Leda (die Hälfte) wünschte. (Frey: Briefe 340.) — Am
30. September macht ihm sein Prokurator Agostino da Lodi
in Piacenza Mittheilung, dass er die Fähre des Po für M. in
Besitz genommen und den Schiffspatron verpflichtet habe.
(Frey: Briefe 341.)

1536.   Zwischen 10. April und 15. Mai ist M. an die Ausführung
des Jüngsten Gerichtes gegangen. (Léon Dorez: Comptes
rendus de l'Acad. des inscr. et b. lettres 1908. S. 234.)

1536.   4. Mai. Karl V. besucht die Mediceerkapelle in Florenz.
(Varchi: Storia Fior. lib. XIV.)

1536.   17. November. Motuproprio Pauls III., in dem M. von aller
Verschuldung gegenüber den Erben Julius freigesprochen wird.
(Pogatscher in St. Sixt. Kap. S. 748f.)

1536. Wohl die erste Beziehung zu Vittoria Colonna, die sich in diesem Jahre in Rom aufhielt. (S. die Zusammenstellung des Itinerars der Vittoria bei Frey: Dichtungen 529.) — Auch wohl schon Verkehr mit Luigi del Riccio, Banquier in dem Hause der Strozzi.

1536. Vasari beredet Alessandro Medici, M. wieder nach Florenz zur Beendigung der Mediceerkapelle berufen zu wollen. (Vasari: Vita di Tribolo VI, 70.)

1537. 2. Januar verzeichnet M. den Empfang einer ersten Zahlung von 91²⁄₃ Skudi für die Fähre über den Po. (Monate Oktober und November. Ricordi 604.)

1537. 6. Januar. Ermordung Alessandro Medicis in Florenz.

1537. 21. Jan. Porta schreibt an Herzog von Urbino, M. habe versprochen, binnen 15 Tagen ein Bronzepferd zu machen, obgleich der Papst ihn beständig wegen der Gemälde in der Kapelle dränge. Am 2. Febr. hat er es begonnen. (Gronau.)

1537. 4. Febr. Der Papst besichtigt das Jüngste Gericht. (Dorez.)

1537. 26. Mai. Fattucci schreibt an M. über häusliche Angelegenheiten und bittet ihn, nicht zu vergessen, Sonette zu machen. (Frey: Dichtungen 528.)

1537. 4. Juli. Der Agent des Herzogs von Urbino, Girolamo Staccoli, berichtet Diesem in einem Briefe von der in Arbeit befindlichen Ausführung eines Salzfasses in Silber, dessen Modell mit Thierfüssen, Festons und Masken und einer Figur in Relief am Deckel M. gemacht hat. (Milanesi: Prosp. cron. 383. Gotti II, 125.)

1537. 15. September. Pietro Aretino schreibt an M. und entwirft ihm seinen Gedanken vom Jüngsten Gericht. (Bottari III, 86. St. und Pog. S. 424.)

1537. 18. September. Nach Gotti (I, 263) datirt von diesem Tage ein auch von Gaye (II, 307) erwähntes Breve Pauls III., in welchem M. freigesprochen wird von irgend welchem Versäumniss, dessen der Künstler den Erben Julius' gegenüber sich schuldig gemacht haben könnte, da Derselbe seinem Befehle zufolge das Jüngste Gericht ausführe. Milanesi: Prosp. cronol. verzeichnet wohl dasselbe Breve unter dem 18. Dezember 1537. Steinmann datirt es 17. Nov. 1536 (S. 748.)

1537. 12. Oktober schreibt der Herzog von Urbino an Giovanni Maria della Porta, seinen Gesandten in Rom. Er habe das Pferd aus Bronze erhalten, aber es sei nicht gut gelungen, und so wünsche er, wenn möglich, das Wachsmodell von M.s Hand gefertigt zu erhalten. (Milanesi: Prosp. cron. 385.) Der Herzog will dann, weil der Guss misslungen, das Wachsmodell haben, aber M. entschuldigt sich: er habe es wegen der für die Augen peinlichen Arbeit nicht vollendet. (Gronau.)

Thode, Michelangelo I. 28

1537. 20. November. M. dankt Aretino für den Brief und bedauert, Aretinos Konzeption nicht mehr für sein Gemälde verwerthen zu können. (Lett. 472. St. und Pog. S. 487.)

1537. 5. Dezember. Antonio Maria Piccolomini, als Erbe Pius' III., überträgt dem Paolo di Oliviero de' Panciatichi von Pistoja seine Rechte auf 100 Dukaten, die M. noch für unausgeführte Arbeit am Piccolominialtar schuldete. (Prosp. cron. 385.) — Er theilt dies M. am 10. Dezember in einem Briefe mit und bittet um die Zeichnungen für den Altar. (Frey: Briefe 344.)

1537. 10. Dez. erhält M. das römische Bürgerrecht. (Gregorovius: Atti dell' Acad. de' Lincei III ser. I, 333.)

1537. Dezember. Sandro Fancelli, gen. Scherano, bekennt sich zum Empfang von 4 Skudi für die Arbeit an der Madonna (für das Juliusdenkmal), die er im Auftrage M.s ausführt. Es wird also damals am Denkmal gearbeitet. (Ricordi 604.)

1538. Jan. Die Statue des Marc Aurel wird auf Kapitol aufgestellt. (Rodoconachi: le Capitole Paris 1904, 76.) M. ist gegen die Aufstellung; sie sei besser da, wo sie wäre. (Gronau.) Hat M. schon damals Pläne für das Kapitol gemacht?

1538. 20. Januar. Pietro Aretinos zweiter Brief an M. (St. u. Pog. S. 488.)

1538. 9. Mai. Kardinal Guido Ascanio Storza hat angeordnet, dass M. in den Besitz der Fähre über den Po gelange. (Milanesi: Prosp. cron. 386.)

1538. 16. Mai schreibt Fattucci aus Florenz an M. über Giovan Simone und bittet um Madrigale. (Frey: Dichtungen 528.)

1538. Federigo Gonzaga bemüht sich durch Anton Maria Folengo und Meleghino 3 oder 4 Kartons von M. zu erhalten. (Arch. stor. d. A. I, 6.)

1538. In diesem Jahre verheirathet sich M.s Nichte Francesca mit Michele di Niccolò Guicciardini. Als Mitgift giebt M. ihr das Grundstück von Pozzolatico. (Lett. 163.)

1538. Seit dem November ist Vittoria Colonna wieder in Rom. (Frey: Dichtungen 530.)

1538—1541. Verkehr M.s mit Vittoria Colonna, welche in jenen Jahren in Rom lebt. In diese Zeit fallen die nicht datirten Briefe: zwei von M. und drei von Vittoria, in denen von der Zeichnung eines Crucifixus und einer Beweinung Christi, die auch Condivi erwähnt, die Rede ist. (Ferrero und Müller: Carteggio di Vitt. Col. S. 206—211. Lett. 514. 515. Frey: Dichtungen 534f.) Auch einen „Christus und die Samariterin" machte er nach Vasari für sie.

1539. 7. September. Der Herzog von Urbino schreibt an M. und

befreit ihn von der Verpflichtung, an dem Grabmal Julius' II.
zu arbeiten, solange M. nicht für Paul III. das Jüngste Gericht
vollendet habe. Doch erwartet er, dass, sobald dies geschehen,
der Meister wieder mit dem Denkmal sich beschäftigte. (Gotti
I, 264.)

1539. Seit Ende dieses Jahres ist Donato Giannotti, mit dem M.
in nahem Verkehr steht, in Rom in Diensten des Kardinals
Ridolfi. Für Letzteren hat M. auf Bitten Giannottis — wann?
— die Brutusbüste gemacht, die er von Tiberio Calcagni
vollenden liess. (Vasari. S. das Itinerar Giannottis bei Frey:
Dichtungen 529.)

1539. In diesem Jahre oder 1540 der Besuch Pauls III. in der Sixtinischen Kapelle, gelegentlich dessen der Ceremonienmeister
Biagio da Cesena die Nacktheit der Gestalten kritisirt. — Vielleicht auch der Sturz vom Gerüst und die Pflege, die trotz
M.s Sträuben der Arzt Baccio Rontini ihm treulich zu Theil
werden lässt. (Vasari VII, 211.)

1540. Januar, vor. Motuproprio Pauls III. Eximirung der päpstlichen Bildhauer, darunter M., von der Innung der Scarpellini.
(Guasti: Arch. stor. ital. Ser. IV. XVIII, 158. Steinmann S. 753.)

1540. 15. Dezember. Zahlung an Zimmermann Ludovico für Niedrig-
machen des Gerüstes am Jüngsten Gericht, wo M. arbeitet.
(Podestà. St. S. 769. 8.)

1540. In diesem Jahre beginnt M.s Korrespondenz mit seinem
Neffen Lionardo. Sie bezieht sich zunächst auf den Rück-
kauf von Pozzolatico, wobei er auch der Mona Margherita
gedenkt. Am 7. August sendet er 950 Goldskudi durch Bartolommeo Angiolini — die restirenden 50 Dukaten sendet er
am 18. Dezember. Im Herbst stirbt Mona Margherita. (Lett.
155 an Giovan Simone. 159 an Gismondo. 161. 162. 163.
164 an Lionardo. Vergl. für Datirung von 164 Frey: Dichtungen 528.)

1540, 1541 schreibt der Anonymus Magliabecchianus seine Notizen
über M. (Vergl. Frey: Le vite di M. XXXIV. 289. 429.)

1541. Frühjahr verlässt Vittoria Colonna Rom und begiebt sich zuerst nach Orvieto, dann ins Kloster S. Caterina zu Viterbo,
wo sie bis Frühjahr 1544 bleibt.

1541. 20. Juli. In dieses Jahr ist mit Frey der Brief anzusetzen, den
Vittoria Colonna aus S. Caterina in Viterbo an M. schreibt und
in dem sie um Einschränkung der Korrespondenz bittet. (Ferrero
und Müller: Carteggio S. 268. Frey: Dichtungen 534.) Ein
anderer erhaltener kurzer Brief (Carteggio 269. Frey 535), der
M. erwähnt, ist an Gualteruzzi gerichtet und gehört auch in die
Zeit 1541—43. — Im Brief vom 20. Juli wird eine Zeichnung
M.s in Vittorias Besitz: die Samariterin erwähnt.

28*

1541. Lionardo und Michele Guicciardini, über Dessen drei Kinder
M. sich freut, wollen den Meister im September in Rom besuchen. Dieser theilt Lionardo in zwei Briefen (August) mit,
dass der Besuch ihm jetzt nicht passe, und bittet, denselben auf
Fasten des nächsten Jahres zu verschieben. (Lett. 166. 167.)

1541. 31. Oktober wird das vollendete Jüngste Gericht
enthüllt. (St. S. 776. Diarium des Petrus Paulus Gualterius.
St. u. Pog. S. 398.)

1541. 18. Nov. Urbino erhält 60 Skudi als Geschenk für die Beendigung des Jüngsten Gerichtes. Am 19. Nov. An
Jacomo da Bressa Zahlung für das Abnehmen des Gerüstes.
(Bertolotti. Kallab: Kunstgesch. Anzeigen I, S. 11. St. S. 770,
11 und 12. Frey: J. d. k. p. K. XXX, S. 148.)

1541. 23. November. Der Kardinal Ascanio Parisani schreibt an
den Herzog von Urbino und bittet Diesen, er wolle sich daran
genügen lassen, dass andere Künstler unter Aufsicht und nach
Zeichnungen Michelangelos das Juliusdenkmal ausführten. Der
Papst wolle von Demselben die neue Capella Paolina ausmalen lassen, und diese Arbeit werde 3 bis 4 Jahre in Anspruch nehmen. Paul III. scheint daran zu denken, einige der
für das Grabmal begonnenen Figuren für die Kapelle als
Schmuck zu verwerthen. (Gaye II, 290.)

1542 bis 1550 (?) Die Gemälde in der Capella Paolina: die Bekehrung Sauls und das Martyrium Petri.

1542. 19. Januar schickt M. seinem Neffen Lionardo 50 Goldskudi; falls Dieser nicht nach Rom komme, werde er noch
weitere 50 senden. Michele Guicciardini solle auf keinen Fall
kommen. Er wünscht von Fattucci zu erfahren, ob er Michele
wirklich noch für Pozzolatico 9²/₃ Dukaten schuldig sei.
(Lett. 168. Ricordi 605.)

1542. 20. Januar dankt M. Niccolò Martelli in Florenz, welcher ihm
einen Brief, zwei Sonette und ein Madrigal durch Vincenzo
Perini gesandt hatte. (Bottari VI, 97. Lett. 473.) Das eine
Sonett verherrlichte das Jüngste Gericht. Der Brief Martellis
(Lettere di Niccolò Martelli 1546) trägt, wohl ein Irrthum des
Druckers, das Datum 4. Dezember 1540. Es muss heissen 1541.
(So St. S. 777. 1.)

1542. 4. Februar. Lionardo giebt die Reise nach Rom auf. M. verspricht ihm weitere 50 Skudi für die „Bottega“, wünscht aber,
dass Gismondo und Giovan Simone ihre Ansicht äussern.
(Lett. 169.)

1542. 27. Februar. M. schliesst Vertrag mit Raffaello da
Montelupo, welcher drei überlebensgrosse, von M. begonnene Figuren innerhalb 18 Monaten für 400 Skudi zu vollenden
verspricht. Es sind die Madonna, der Prophet und die

Sibylle. (Lett. 485.) Raffaello arbeitet daran bis zum August 1542. (Contratti 709.)

1542. 6. März schreibt der Herzog von Urbino an M. Da der Papst den Meister für die Ausschmückung der Capella Paolina gebrauche, ist der Herzog einverstanden, dass M. drei Statuen (eine Madonna, einen Propheten und eine Sibylle) nach seiner Zeichnung und unter seiner Aufsicht von einem guten Künstler ausführen lasse. Die fertigen drei Statuen, der Moses und die zwei Sklaven (Lett. 485), sollen für das Juliusdenkmal verwerthet werden. (Gaye II, 289. Gotti I, 273.)

1542. 16. Mai. M. schliesst einen Vertrag mit dem Steinmetz Giovanni di Marchesi und Francesco di Bernardino d'Amadore da Urbino für die Ausführung des „Restes der Arbeit" an der Architektur des Juliusdenkmales für 700 Skudi, und zwar handelt es sich um das obere Stockwerk des Wandbaues in S. Pietro in vincoli — ausgenommen das oberste Gesims, das M. auf seine Kosten ausführen lassen will — in derselben Ausführung wie das untere Geschoss. Im Falle von Streitigkeiten zwischen beiden Künstlern soll Donato Giannotti Schiedsrichter sein. Der Vertrag wird im Beisein Desselben und Cechino Braccis von Luigi del Riccio ausgestellt. (Contratti 710.)

1542. 1. Juni. Da Zwistigkeiten zwischen Marchesi und Urbino ausgebrochen sind, wird ein neuer Vertrag abgeschlossen, in dem es bei der Summe bleibt, die Vollendung der Arbeit bis auf Weihnachten bestimmt wird, Marchesi von ihr die nun im Wesentlichen Urbino übertragen wird, entlastet wird und nur das Recht der Überwachung behält. Die Arbeit soll nach der von M. gegebenen Zeichnung ausgeführt werden. (Gaye II, 293. Contratti 712.)

1542. II. Hälfte Juni oder Anfang Juli ist wohl das Schreiben M.s an Riccio anzusetzen (Lett. 484, von Milanesi in den Juli verlegt), in welchem M. klagt, dass über den Zwistigkeiten ein Monat und 100 Skudi verloren gegangen seien. Er möchte am liebsten die Arbeit wieder selbst übernehmen, bittet Ricci aber, die Eintracht herzustellen.

1542. 8. Juli wird von drei Sachverständigen Giuliano, Bernardino da Marcho und Andrea Bevilacqua die Arbeit Marchesis und Urbinos begutachtet: ein Siebentel der Arbeit sei fertig. (Gaye, II, 295. Contratti 714.)

1542. 11. Juli macht Riccio die Abrechnung über die bisherigen Ausgaben Marchesis und Urbinos, wonach sie zusammen noch 12 Skudi erhalten sollen. Doch erheben sie Anspruch auf mehr; was M.s Urtheil überlassen bleibt. (Gaye II, 291.)

1542. Gleich darauf schreibt M. offenbar den Brief an Riccio (Lett.

482), in welchem er für Jeden der Beiden noch 20 Skudi sendet, (so dass er im Ganzen jetzt 140 Skudi ihnen gezahlt hat), obgleich nicht der 7., wie die Sachverständigen gemeint, sondern nur der 10. Theil der Arbeit geleistet sei.

1542. 20. Juli richtet M. ein Bittschreiben an Paul III. Er bezieht sich auf den Brief des Herzogs von Urbino vom 6. März und die darin gestellten Bedingungen. Er hat Raphael da Montelupo die Ausführung der Madonna, des Propheten und der Sibylle übertragen für 400 Skudi (vergl. oben Kontrakt vom 27. Februar) und die Vollendung der Wandarchitektur (abgesehen vom Giebel) an Marchesi und Urbino. Er habe gefunden, dass die beiden Sklaven sich nicht mehr für das Grabmal eigneten, und dafür zwei Figuren: das aktive und das kontemplative Leben begonnen und so weit gefördert, dass sie leicht von anderen Künstlern vollendet werden könnten. Da Paul III. nun aber auf seine Thätigkeit in der Paolina dringe, bitte er den Papst, beim Herzog von Urbino folgenden Vorschlag zu befürworten. Raphael da Montelupo solle auch jene beiden Statuen vollenden, was circa 200 Skudi kosten werde. Er selbst, M., wolle für alle anderen Kosten zur Vollendung des Denkmales aufkommen und eine hierfür berechnete Summe von 1000 oder 1200 Skudi im Namen des Herzogs auf einer Bank deponiren, auch die Arbeit überwachen. Der Herzog möge eine Prokura senden. (Gaye II, 297. Lett. 485.)

1542. 3. August. Der Herzog von Urbino schreibt an seinen Gesandten, Girolamo Tiranno. Er ist einverstanden mit M.s Vorschlag. Dieser soll eine Summe hinterlegen — zur Bestimmung der Höhe derselben möge Tiranno durch Sachverständige die bisher geleistete Arbeit taxiren lassen. (Frey: Briefe 345.)

1542. 20. August. Letzter Vertrag mit dem Herzog von Urbino über das Juliusdenkmal. Der Kontrakt von 1532 wird annullirt. M. hat auf der Bank des Silvestro da Montauto und Compagni 1400 Skudi für die Vollendung des Denkmales deponirt: 800 für die Arbeit Urbinos, 550 für die fünf Statuen Raffaello da Montelupos, von denen die Madonna schon fertig ist, und 50 für Überführung und Aufstellung der Statuen durch Urbino. M. liefert den Moses für das Denkmal. Von allen anderen Verpflichtungen wird er für alle Zeiten freigesprochen. Der Gesandte, Hieronimo Tiranno, verspricht die Ratifikation des Kontraktes durch den Herzog in 15 Tagen. (Gaye II, 301. Contratti 715.)

1542. 21. August. Vertrag des Gesandten mit Raphael da Montelupo und Urbino. Ersterer verpflichtet sich, die fünf Statuen, die von M. „selbst abbozzirt und fast vollendet sind", im Verlauf von 20 Monaten für 500 Skudi zu vollenden. Urbino wird die Architektur des Monumentes „mit dem Giebel und

Kandelabern" nach der Zeichnung, die M. an den Herzog mit Maassangaben geschickt hat, für 800 Skudi im Ganzen im Laufe von 10 Monaten vollenden. Urbino verspricht, dass M. die Statue des Papstes Julius, die sonst nicht erwähnt wird und die nach Vasari von Tommaso di Pietro Boscoli ausgeführt wird, und auch die Hermen (Termini) nach seinem Gutdünken retouchiren wird. Auch verpflichtet sich Urbino zur Aufstellung der Statuen für 50 Skudi. (Contratti 717.)

1542. 23. August. Michelangelo schliesst eine Konvention mit Montelupo, dass ihm, M., freistehe, die Vita contemplativa und die Vita activa selbst auszuführen, und dann die Montelupo zugesicherten 150 Skudi erhalte. (Contratti 709 unten.)

1542. 29. August. Riccio schreibt an M., dass er bei Jacopo Cortesi die Angelegenheit des Kontraktes betreibe. (Frey: Dichtungen 530.) M. hatte ihn in einem Briefe (Lett. 475) darum gebeten. Daraufhin hat Cortesi M. eine Schrift gesandt, die Dieser nicht recht versteht. (Lett. 476.)

Am 5. September ist die Ratifikation, wie dort versprochen worden war, noch nicht vom Herzog von Urbino eingetroffen. M. beklagt sich darüber in einem Briefe an Riccio. (Lett. 477.)

1542. 5. Oktober. Raffaello hat die 4 Köpfe der Hermen von seinem Garzone Jacopo machen lassen. (Contratti 709 unten.)

1542. Anfang Oktober. M. schreibt in Verzweiflung an Riccio. Schon ein Monat ist verflossen, seit die Ratifikation des Vertrages da sein sollte (hieraus ergiebt sich die ungefähre Datirung dieses Briefes), und noch hat der Herzog sie nicht gesandt. Der Papst drängt zur Arbeit in der Kapelle. M. bedauert, die Garantiesumme hinterlegt zu haben. Die Kunst habe ihn ruinirt. Nur der Tod oder der Papst könne ihn retten. (Lett. 488.) — Auch an einen Monsignore schreibt er in derselben Stimmung, erzählt die ganze Geschichte des Juliusdenkmales: dass er im Kontrakte von 1532 (durch eine Unehrlichkeit des Gesandten) um 1000 Dukaten zu viel belastet worden sei, dass er, wenn er Alles berechne, noch 5000 Skudi zu erhalten hätte von den Erben Julius' II., und er weist mit Empörung die Behauptung des Gesandten von Urbino, er habe die von Julius II. erhaltenen Gelder mit Wucher verliehen und sei dadurch reich geworden, zurück. Doch wenn der Papst es befehle, so werde er malen. (Ciampi, Seb.: Lettera di M. Florenz 1834. Lett. 489.)

1542. 17. Oktober bittet M. den Datario des Papstes um Auszahlung seiner Provision für acht Monate, d. h. 400 Skudi, die bei Salvestro Montauto eingezahlt werden sollen. (Lett. 497.) Er erhält sie. (Frey: J. d. k. p. K. XXX, 150.)

1542. 24. Oktober. Der Herzog von Urbino schreibt an den Bischof von Sinigaglia und schickt Dessen Sekretär zurück. Der Kon-

trakt, den der Bischof mit einem Empfehlungsschreiben vom
Kardinal Farnese gesandt, sei ihm nicht genehm, er könne
so weit nicht gehen und daher die Ratifikation nicht geben.
Offenbar hält er daran fest, dass M. drei Figuren ganz selbst
ausführe. (Milanesi: Prosp. cron. 387.) — Daraufhin bittet
M. Riccio, Erkundigungen im Vatikan einzuziehen, wie die Sache
stehe. (Lett. 495.)

1542.　11. November. Der Herzog schreibt an den Gesandten, Girolamo
Tiranno, er beabsichtige Girolamo Genga nach Rom zu senden,
warte aber noch Nachrichten ab. Dies theilt der Bischof von
Sinigaglia am 18. Nov. dem Kardinal Farnese mit. (Prosp.
cron. 388.) — M. entschliesst sich, drei Figuren — wie der
Herzog es gewünscht — also den Moses, die Vita activa
und die Vita contemplativa selbst auszuführen und bittet
Riccio, den Gesandten Tiranno davon zu benachrichtigen.
(Lett. 496.) Daraufhin, so darf man annehmen, ist

1542.　Ende des Jahres die Ratifikation des Vertrages vom
Herzog vollzogen worden.

1542.　16. Nov. Urbino erhält Provision für Farbenreiben in der
Capella Paolina. (Kallab. Kunstgesch. Anzeigen I. St. S. 770,
14. Frey a. a. O. 150.)

1542.　16. Dezember schickt M. seinem Bruder Gismondo 50 Goldskudi. (Lett. 160.) Vergl. Gronau, 19. Jan. 1543.

1542.　In diesem Jahre steht M. in dichterischem Verkehre mit
Luigi del Riccio, wie aus verschiedenen Briefen hervorgeht.
(Lett. 474. 475. 477. 478.) Damals auch setzt Arcadente
Michelangelo'sche Gedichte in Musik. (Lett. 479. 480.) Fran-
cesco Bracci, Riccios Neffe, erweckt M.s Interesse.

1542.　Aristotele da San Gallo fertigt (nach der Zeichnung, die er
einst gemacht) das grau in grau gemalte Bild der Schlacht
bei Cascina nach M.s Karton an und sendet es durch Paolo
Giovio an Franz I. (Vasari: Vita di A. d. S. G. VI, 433.)

1542.　Vasari verkauft in Venedig an Don Diego di Mendoza zwei
Gemälde, die er nach Kartons M.s verfertigt hat. (Vita
di Vas. VII, 670.)

1542/43. Winter. M. interessirt sich für Giorgio Vasari, der damals in Rom ist. (Vasari VII, 672.)

1543.　Aus diesem Jahre haben wir so gut wie keine Nachrichten.
Drei im Frühjahr an Lionardo gerichtete Briefe (der eine vom
14. April) behandeln Kontrakt und Ratifikation einer in Florenz für die Familie betriebenen Angelegenheit — vermuthlich eine Geldanlage für das Geschäft der Brüder und des
Neffen, denen er je 100 Skudi gesandt. Fattucci ist dabei
mit thätig. (Lett. 170. 171. 172.)

1543.　6. Februar übernimmt Battista di Donati Benti von Urbino

den Auftrag, nach dem Modell Michelangelos ein Wappen
Julius' II. bis Ende März anzufertigen. (Contratti 719.)

1543.   22. Februar wird erwähnt, dass M. in der Capella Paolina
malt. (St. S. 771. 15.)

1543.   26. Oktober. Errichtung des Amtes eines mundator pictu-
rarum Capellarum palatii apostolici, das Urbino erhält. (St.)

1543.   November. Der gelegentlich des Tumultes 1527 in drei
Stücke zerbrochene linke Arm der Statue des David wird
auf Betreiben Cosimos I. der Statue wieder angefügt. Cecchin
Salviati und Vasari hatten die Stücke aufgehoben. (Vasari
Sans. VII, 156.)

1543.   19. Dez. wird Urbino bezahlt. (St. S. 771. 16.)

1543.   Ein Brief Riccios vom 16. Dez. zeigt die Andauer des dichterischen Verkehres, den M. mit ihm hat. Riccio versucht
sich auch, auf jenes Wunsch, im Dichten. (Frey: Dichtungen
531.)

1544.   8. Januar stirbt Francesco (Cecchino) Bracci, Sohn des
Zanobi di Giovanbatista, der Neffe Riccis, fünfzehnjährig. Am
12. Januar theilt Riccio dies Donato Giannotti mit. (Giannotti:
opere, ed. Vannucci II, 382. Frey: Dichtungen 532.) Er schreibt,
dass M. ihm die Zeichnung für ein schickliches (onesto)
Grabmal mache. Zunächst aber hat M. nur jene poetischen
Grabinschriften verfasst, die uns erhalten sind und mit denen
er sich während des Jahres 1544 immer wieder beschäftigt hat.
(Frey: Dichtungen 360 über die Datirung.) Das Grabmal
wird von Urbino erst 1545 ausgeführt. (Lett. 517.)

1544.   29. März. Cosimo Medici will für Bandinelli die von M. in
Florenz zurückgelassenen Marmorblöcke kaufen. Sie sind, wie
Lionardo schreibt, auf 170 Skudi geschätzt worden. M. schreibt,
dass das Geld für Lionardo angelegt werden soll. Auch solle
das Haus, wo die Blöcke sind, (in Via Mozza) verkauft werden,
mit der gleichen Bestimmung. — Den Auftrag Cosimos,
Dessen Büste zu machen, kann M. nicht übernehmen.
(Lett. 173 vgl. Vasari VI, 168: vita di Bandinelli, wo erzählt
wird, dass unter den Marmorblöcken einige von M. angefangene
Figuren waren, die Bandinelli zerstörte.)

1544.   April. Pietro Aretino schreibt an M. seine Bewunderung
über das Jüngste Gericht, das er in einer Reproduktion kennen
gelernt, und ersucht ihn um Überlassung einer Zeichnung.
(Bottari III, 113. St. und Pog. S. 428.)

1544.   Ende Juni, Anfang Juli ist M. erkrankt und wird im Hause
der Strozzi von Riccio gepflegt. Auf die Nachricht davon
kommt Lionardo nach Rom. M. schreibt ihm höchst ärgerlich
am 11. Juli und behandelt ihn als Erbschleicher. Er solle wieder
abreisen. (Lett. 174.) Am 21. Juli schreibt Riccio an Ruberto

di Filippo Strozzi nach Lyon: das Fieber habe nachgelassen,
M. gehe im Hause herum, sei aber noch schwach. Er bringe
dem Könige von Frankreich in Erinnerung, was er ihm schon
habe sagen lassen: wenn der König Florenz die Freiheit wieder-
herstelle, wolle er, M., ein Reiterstandbild des Königs
in Bronze auf seine Kosten herstellen und auf der Piazza
della Signoria aufstellen. (Gaye II, 296.) In seine Wohnung
zurückgekehrt, sagt er in einem Briefchen an Riccio, der Arzt
Baccio Rontini und der Trebbianowein, den er von den Ulivieri
empfangen, hätten ihn gerettet. (Lett. 502. Dank an Baccio:
Lett. 508. Empfehlungen an Ruberto Strozzi und Giuliano
Medici: Lett. 510.)

1544. 31. August schreibt Giovanfrancesco Rustici aus Paris an M.,
von Dessen Krankheit er gehört hat. M. hat sich freundlich
für ihn in der Angelegenheit der von Antonio Mini hinterlassenen Zeichnungen M.s gezeigt. (Frey: Briefe 346.)

1544. Im Sommer ist Vittoria Colonna wieder in Rom, im Kloster
von S. Anna, wo sie bis zu ihrem Tode bleibt.

1544. 15. Nov. M. malt in der Capella Paolina.

1544. Vasari, wieder in Rom, malt nach einer Zeichnung Michelangelos eine Venus für Bindo Altoviti. (Vasari: vita di Vasari
VII, 673.) Er geht in demselben Jahre nach Neapel.

1544. 6. Dezember und 27. Dez. M. hat, wie er an Lionardo schreibt,
einen neuen Gedanken, wie er für Denselben sorgen will. Er
schickt 200 Dukaten, die bei der Arte della Lana angelegt
werden sollen, und deren Zinsen Lionardo erhalten soll. (Lett.
175. 176.)

1544. Ende, ist die Architektur des Juliusgrabmales vollendet, denn am 25. Jan. 1545 sind die Statuen Raffaellos
schon aufgestellt.

1545. Etwa 12. Jan. und 15. Febr. Briefe an Lionardo. Das Geld
ist noch nicht angelegt. M. theilt mit, dass er nach und nach
noch Geld schicken werde, bis die Summe von 1000 Skudi
voll sei. Dann wolle er an sich selbst denken. Die Fähre
über den Po will er aufgeben und sich eine andere Einnahme-
quelle suchen. (Lett. 177. 178.)

1545. Januar hat Raffaello da Montelupo die Statuen der Madonna, die nach Vasari von Scherano da Settignano ausgeführt
wurden, der Sibylle und des Propheten am Juliusdenkmal aufgestellt. M. beauftragt am 25. Januar, mit Einwilligung des Gesandten Tiranno, die Firma Salvestro da Montauto, Raffaello 50 Skudi auszuzahlen. Eigentlich hätte er
170 Skudi erhalten sollen, doch sei er krank gewesen und habe
die Statuen von Anderen fertig machen lassen. (Lett. 503.)
Es tritt dann aber eine andere Bestimmung ein, denn

1545. 3. Februar bittet M. die Bank, Raffaello die 170 Skudi auszuzahlen. (So auch eine undatirte Anweisung Gaye II, 305.
Lett. 512.) Offenbar will Dieser seine Mitarbeiter selbst bezahlen.
M. theilt zugleich mit, dass er die Statuen der Vita activa
und Vita contemplativa, da der Papst ihm Zeit hierfür
gewährt, selbst ausgeführt habe und den ausgemachten Preis
(150 Skudi) für sich in Anspruch nehme. (Gaye II, 300.
Lett. 505.)

1545. Wohl Februar lässt M. seine 3 Statuen am Juliusdenkmal
aufstellen. Um Geld für den Transport zu haben, bittet er
Riccio ein Mandat auf die ihm für diese Figuren geschuldete
Summe für die Bank aufzusetzen und es vom Gesandten unter-
zeichnen zu lassen. (Lett. 511. Undatirt, aber die ungefähre
Datirung ergibt sich aus den vorhergehenden Bestimmungen.)
Damit hat das Juliusdenkmal seine Vollendung ge-
funden.

1545. 26. Februar. M. schreibt an den Kastellan von S. Angelo.
Paul III. hat die Befestigung von Rom von Anfang seiner
Regierung an ins Auge gefasst. Schon 1534 war Antonio da
San Gallo d. J. mit dieser Aufgabe beschäftigt. Nach einer
Unterbrechung nahm er dieselbe 1542 wieder auf. Nun handelte
es sich Anfang 1545 um die Befestigung des Borgo, über
welche sehr verschiedene Ansichten sich geltend gemacht hatten
und bei deren Berathungen Pier Luigi Farnese präsidirte, und
zu einer Sitzung am 25. Februar war neben Giovanni Francesco Montemellino, einem im Kriegswesen erfahrenen Manne,
und Anderen M. zugezogen worden. Er formulirt seine
Ansicht, im Gegensatz zu dem von ihm hochgeschätzten
Montemellino, dahin, dass die begonnenen Bastionen fortgeführt
werden sollen. Er bietet zugleich seine Dienste an. — Montemellino war in der folgenden Zeit, wie auch Pier Luigi, für
eine Einengung der Befestigung am Borgo. (Gotti I, 295 ff., un-
genau in den Zeitangaben; II, 126 ff. Prosp. cronol. 289. A. Ronchini: Il Montemelino da Perugia in Giornale d'erudizione artistica 1872. I, 168. A. Guglielmotti: Storia delle Fortificazioni
della Spiaggia Romana p. 319—368. Ms. Schreiben an Castellan,
Lett. 499, mit falschem Datum 1544.)

1545. April. Pietro Aretino hat von M. das Geschenk von Zeichnungen erhalten. Dieselben befriedigen aber seinen Wunsch
nicht, und er bittet mit schlecht verkappter Unverschämtheit
um etwas Bedeutenderes. (Bottari III, 132. St. u. Pog. S. 490.)

1545. 5. April. 9. Mai. 23. Mai. Juli. Briefe an Lionardo. In der
Geldangelegenheit. Am 23. Mai schickt er 200 Dukaten. Verspricht dann noch Weiteres. Lionardo schickt ihm acht Hemden.
und ferner 44 Fiaschi Trebbianowein. (Lett. 179—183.)

444 1545—1546.

1545. 12. Juli. Paul III. besichtigt das eine Fresko der Capella Paolina. (St. u. Pog. S. 399.)

1545. 10. August. Urbino erhält Zahlung für Zurichtung der anderen Wand in der Capella. (Fanfani. Podestà: Doc. inediti. Kallab.)

1545. November. Pietro Aretino, ohne Antwort gelassen auf sein letztes unverschämtes Schreiben, rächt sich in einem Briefe, in welchem er dem Schöpfer des Jüngsten Gerichtes wegen der Nacktheit der Figuren Gottlosigkeit vorwirft, ihn der Habgier beschuldigt und sonst noch gemeine Insinuationen macht. (Gaye II, 332. St. u. Pog. S. 491.)

1545. Dezember schreibt M. an Riccio, der in Lyon ist, beklagt Dessen Unwohlsein, sagt, dass er Rom verlassen möchte, weil er die Fähre von Piacenza verloren habe und ohne Einnahmen nicht in Rom bleiben könne, spricht von seiner Absicht nach S. Jago di Compostella zu gehen und berichtet, dass das Grabmal für Cecchino Bracci der Vollendung nahe sei und der gewünschte Ort (in S. Maria Araceli) zu haben sei. (Lett. 517.)

1545. Für den dichterischen und häufigen persönlichen Verkehr M.s mit Riccio in diesem Jahre sind mehrere Briefe als Zeugnisse erhalten. (Lett. 504. 507. 508. 509. 516.)

1545. In diesem Jahre ist in der Capella Paolina Brand entstanden, der einen Theil der Decke zerstört hat. (Lett. 513.)

1545. Der König von Portugal wünscht eine Pietà. (Fr. de Hollanda. Ed. Vasc. S. 193.

1545. 1546. Tizian weilt in Rom. M. ist mit ihm in Verkehr und lobt seine Danae. (Vasari: vita di Tiz. VII, 446.)

1546. Anfang Januar ist M., erkrankt (wohl schon im Dezember 1545) an Fieber, wieder im Hause und in der Pflege Riccios. Doch fühlt er sich, wie er am 9. Januar an Lionardo schreibt (theilweise durch Riccio schreiben lässt), wieder geheilt, wenn auch noch schwach, schickt damals 600 Goldskudi, um die versprochene Summe von 1000 Skudi voll zu machen, und theilt seine Absicht mit, noch 3000 Skudi den Brüdern und Lionardo zu senden, die womöglich in Grundstücken angelegt werden sollen. Am 16. Januar kommt er in einem Briefe hierauf zurück und bittet, sich wegen eines Hauses (Quartier S. Spirito) und Ländereien eines Francesco Corboli zu erkundigen. (Lett. 185. 186.) — Inzwischen aber war die Kunde von seiner Erkrankung nach Florenz gedrungen, und Lionardo macht sich (etwa am 12. oder 13.) nach Rom auf. Cosimo Medici giebt ihm einen Empfehlungsbrief an Lorenzo Ridolfi (geschrieben am 12. Jan.) mit, in welchem Dieser gebeten wird, im Interesse Lionardos dafür zu sorgen, dass M.s Erbhinterlassenschaft festgestellt werde.

(Daelli N. 22.) Man sieht, dass M. allen Grund hatte, schon gelegentlich der Reise Lionardos 1544 anzunehmen, dass für dieselbe die Erbschaftsfrage bestimmend war. Lionardo traf am 14. in Rom ein und hört auf seine Erkundigung, dass M. fieberfrei sei. (Noch damals kursirte das Gerücht von M.s Tode in Florenz. Guasti I, 299.) Offenbar hat er, in Erinnerung an die Vorfälle, 1544, M. nichts von seiner Ankunft wissen lassen. So erklärt es sich, dass Dieser, am 16. Januar in sein eigenes Haus zurückgekehrt, an diesem Tage noch an Lionardo nach Florenz schreibt. Letzterer beschliesst auch, bald nach Florenz zurückzukehren, was aber erst am 26. Januar geschehen ist. (Brief Lionardos an Giovan Simone, Frey: Dichtungen 532. Ricordi 605.) Am 6. Februar sagt M. dem Neffen in einem Briefe seine Meinung: nicht aus Liebe sei Dieser nach Rom gekommen, sondern aus der Gier nach der Erbschaft. (Lett. 187.) — In einem wohl bald darauf anzusetzenden Briefe, in welchem M. höchst erregt dem Freunde Riccio eine ungerechte Handlung vorwirft, nennt er Diesen doch seinen Erretter vom Tode. (Lett. 520, ich datire mit Frey 1546, nicht 1544.) Während dieser oder der früheren Krankheit (1544) sind M. viele Sachen aus seinem Hause gestohlen worden. (Lett. 270.)

1546. Januar. Pietro Aretino schreibt über das Jüngste Gericht an Enea Vico. (St. u. Pog. S. 493.)

1546. M. schenkt die beiden Statuen der Gefangenen an Ruberto Strozzi, als Zeichen der Dankbarkeit für die in Dessen Hause genossene Gastfreundschaft. Strozzi schenkt sie dann dem Könige Franz I. von Frankreich. (Condivi. Vasari VII, 165.)

1546. 5. Januar. Der Papst schreibt an Pier Luigi Farnese, dafür zu sorgen, dass M. die Einnahmen des Passo del Pò erhalten blieben. (Ronchini: Atti e Memorie della R. R. Deputazione di Storia patria per le Provincie Modenesi e Parmesi II, 25 ff. Gotti I, 302.) Bald darauf aber beanspruchen Baldassare und Niccolò Pusterla jene Einnahmen. Der Herzog Farnese begünstigt gelegentlich der rechtlichen Untersuchung (18. Mai 1546) die Pusterlas; die Sache bleibt unentschieden, bis bei der Einnahme Piacenzas durch Karl V. im September 1547 M. des Privilegs verlustig geht.

1546. 8. Februar. Franz I. sendet den Primaticcio nach Italien und giebt Demselben einen Brief an M. mit, in welchem er um die Erlaubniss bittet, Abgüsse von der Pietà und dem Christus in der Minerva nehmen lassen zu dürfen, zugleich aber ein Werk von des Meisters Hand erbittet. (Öfters publizirt s. Prosp. cronol. 390. Fanfani 119.)

1546. 6. März. M. giebt den Gedanken an den Ankauf der Län-

dereien Corbolis auf. (So an Lionardo und Riccio. Lett. 190.
518.)

1546.   28. März. Zahlung an Jacomo Meleghino für Ultramarin für
die Malerei in der Capella Paolina. 29. März Zahlung an
Urbino für Gerüstkosten. Damals also wird das zweite Gemälde in Angriff genommen. (Fanfani. Podestà: Doc. inediti.
Kallab.)

1546.   26. April. M. dankt in einem Schreiben Franz I. für Dessen
Wunsch. Augenblicklich sei er von Papst Paul III. in Anspruch
genommen, doch wolle er, falls ihm später Zeit bleibe, ein
Werk für den König ausführen. (Lett. 519.) Condivi erzählt,
der König habe M., wenn immer Dieser nach Frankreich kommen
wolle, 3000 Dukaten für die Reise zur Verfügung gestellt.

1546.   29. und 30. April. M. erklärt sich bereit, Geld zu einem
Hausankauf seinen Brüdern und Lionardo zu senden. (Lett.
191. 192.) — Auch Briefe vom 26. Mai und 5. Juni behandeln
florentiner Geschäftsangelegenheiten. Ein Kontrakt ist gemacht
und Lionardo von M. zum Prokurator gemacht worden. (Lett.
193. 194.) Offenbar hat M. wieder Geld gesandt. (Brief
4. Sept. Lett. 195.)

1546.   1. Mai. Zahlung an Meleghino für Azurfarbe für Capella
Paolina. (Fanfani. Podestà, Kallab.)

1546.   Erste Hälfte. M. bekümmert sich weiter um die Befestigungen
des Borgo. Am 4. Januar wird an Pier Luigi Farnese gemeldet, die Arbeiten seien überall eingestellt, abgesehen von
dem Portone bei S. Spirito, der in grossartiger Form errichtet
werde. Vermuthlich bald darauf muss M., wie Vasari (VII,
217) erzählt, dem Papste seinen neuen Plan für jene Befestigungen vorgelegt haben, was zur Folge hatte, dass jener Portone, „der fast vollendet war, unvollendet blieb".

1546.   Erste Hälfte. In dieser Zeit, wenn nicht schon in die zweite
Hälfte 1545, muss auch die von Paul III. ausgeschriebene Konkurrenz betreffend das Kranzgesims des Pallastes
Farnese verlegt werden, an welcher Perino del Vaga, Sebastiano del Piombo, Vasari und Michelangelo theilnahmen.
(Vasari: vita di Antonio da San Gallo. V, 470.) Die Datirung
ergiebt sich aus Vasaris Bemerkung, er selbst sei damals in
Diensten des Kardinals Farnese gestanden. Nun ist Vasari
nach einjährigem Aufenthalt in Neapel noch 1545 nach Rom
zurückgekehrt und bis zum Oktober 1546 dort geblieben
(Vita di Vasari VII, 677 ff. bis 683), wo er für die Farnese
thätig war. Also in diesen Zeitraum und nicht, wie gemeinhin angenommen wird 1544, hat die Konkurrenz stattgefunden,
welche von Paul III. zu Gunsten des Michelangelo'schen Modelles
entschieden wurde.

1546.   2. Oktober. Der Bischof Tornabuoni schreibt an Giov. Francesco Lottini: Cosimo Medici wünscht M. nach Florenz zu ziehen.
Tornabuoni soll Diesem grosse Versprechungen machen, er
solle einer der 48 Senatoren werden und erhalten, welches
Amt er wünsche. (Gotti II, 128.) Nach Vasari hat Cosimo
auch den Bildhauer Tribolo — noch zu Lebzeiten Pauls III.
— an M. gesandt, Diesen zur Rückkehr nach Florenz und zur
Vollendung der Medicikapelle zu bewegen. (Vasari VII, 236.)
S. weiter unten 1549.

1546.   3. Oktober. Antonio da San Gallo d. J. stirbt. M. erhält den
Auftrag, den Palazzo Farnese zu vollenden. (Vasari VII,
223.) Auch wird er mit Jacopo Meleghino Leiter der Befestigungsbauten des Borgo. (Schreiben des Mocchi an
Pier Luigi Farnese vom 2. März 1547, Gotti I, 298.)

1546.   Kurz vor 13. November starb Luigi del Riccio, worüber M.
tief betrübt war. (Ronchini: il porto del Pò p. 13. Frey:
Dichtungen 529.)

1546.   4. Dezember. M. wünscht zu Ehren der Familie den Ankauf eines Hauses durch Lionardo, „etwas Ehrenvolles", im
Preise von 1500 oder 2000 Skudi. Sobald es gefunden, werde
er das Geld schicken. (Lett. 197.) Mit dem Stammbaum
der Familie beschäftigt in jener Zeit zeigt ihn ein anderer
Brief an Lionardo. (Lett. 198.)

1546.   November. Dezember. M. beschäftigt sich mit einem neuen
Entwurf für den Bau von S. Peter. Dies geht aus dem Breve
vom 11. Okt. 1549 hervor.

1546.   In diesem Jahre (oder 1545) machte Giulio Bonasone das
Porträt Michelangelos.

1546   ward die Gruppe des Farnesischen Stieres gefunden
und von M. in dem zweiten Hof des Palazzo Farnese aufgestellt, auf seinen Wunsch von Guglielmo della Porta restaurirt.
(Vasari IV, 224 f.)

1546?   Vermuthlich entstanden in diesem Jahre Michelangelos Entwürfe für das Kapitol, und wurde schon in den folgenden
Jahren an den Treppen des Senatorenpalastes gebaut? 1568
giebt Prospero Boccapaduli die Bauzeit des Kapitols auf
22 Jahre an. (Ub. Bicci: Not. d. famiglia di Boccapaduli. Rom
1762. S. 131.)

1547.   Anfang. M. beginnt seine Thätigkeit an S. Peter, widerwillig, nur auf Drängen des Papstes. (Lett. 537. 544.)

1547.   25. Februar stirbt Vittoria Colonna, deren Tod M. tief
erschüttert.

1547.   2. März, in einem Schreiben Mocchis an Pier Luigi Farnese
heisst es, dass M. anderer Ansicht über den Befestigungsbau
des Borgo ist, als bisher beschlossen war, und dass die Ent-

scheidung auf die Ankunft Alessandro Vitellis aufgeschoben werde. (Ronchini: Giornale d'erudizione artistica 1872. I. Gotti I, 298.)

1547. 22. Jan. 11. Febr. 5. März. Briefe an Lionardo, betreffend den Hauskauf, welchen M. wünscht, weil er an die Verheirathung Lionardos denkt. Verschiedene Häuser werden in Vorschlag gebracht. Am 11. Febr. schickt M. 500 Skudi. (Lett. 199. 200. 201. 202.)

1547. Im Februar nimmt M. als Haushälterin eine Mona Caterina di Giuliano Fiorentino zu sich ins Haus. (Ricordi 605.)

1547. 6. März hält Benedetto Varchi in der Akademie zu Florenz eine Vorlesung über Michelangelos Sonett: non ha l'ottimo artista alcun concetto. Am 13. März eine zweite über das Thema: „della maggioranza dell' arti et qual fia la più nobile, la Scultura o la Pittura", auf Grund von Ansichten, die er sich von Pontormo, Tasso, Tribolo, Cellini, Bronzino, Francesco da San Gallo erbeten. (Due Lezzioni di Benedetto Varchi, Florenz 1549.) Luca Martini, Mitglied der Akademie, bittet Varchi um die Erlaubniss, diese Vorlesungen an M. senden zu dürfen und erhält sie von Varchi am 14. März. (Varchi: due lezioni S. 55. Frey: Dichtungen 532.) Bartolommeo Bettini, dem später der Verleger die Schriften dedizirte, vermittelte das Manuskript (libretto) an M. Dieser dankt Luca Martini, erzählt, dass Donato Giannotti nicht müde wird, den Kommentar auf das Sonett zu lesen, und empfiehlt sich Varchi. (Lett. 524, von Milanesi 1549, von Frey richtig 1547 datiert.) Auch schreibt er an Fattucci (Lett. 525. 526: derselbe Brief in zwei Fassungen) und legt ein Schreiben an Varchi bei, in dem er den Disput über den Vorrang der Künste für nutzlos erklärt. (Lett. 523. Vergl. für dies Alles Frey: Jahrb. d. k. pr. K. 1883. S. 45. Frey: Dichtungen 371 ff.)

1547. M.s Berufung zum Architekten von S. Peter entfesselt die Bosheit seiner Neider, namentlich der Anhänger von Antonio da San Gallo. Am 14. Mai schreibt Giovan Francesco Ughi aus Florenz an M. und macht ihm, anknüpfend an die von einem Maler Jacopo del Conte und der Frau Nannis in Florenz ausgestreuten Verleumdungen, Mittheilung von den Intriguen Nannis di Baccio Bigio, welcher M.s Plan für S. Pietro und das Kranzgesimsmodell des Palazzo Farnese schlecht macht und behauptet, er, Nanni, werde ein Modell für S. Pietro verfertigen. M. sendet diesen Brief mit Randglossen an einen der Deputati alla Fabbrica, Bartolommeo Ferratino. (Gotti I, 309 f.)

1547. Juni stirbt Sebastiano del Piombo. M. verschafft dem Bildhauer Guglielmo della Porta, welcher die farnesischen Antiken, unter anderem auch den Herkules restaurirt, das Amt des Piombatore. (Vasari VII, 225.)

1547. Juli bittet sich M. von Fattucci die Maasse der Kuppel von S. Maria del Fiore aus. Lett. 211.)

1547? (1546?) Juli schreibt P. Aretino an Alessandro Corvino über das Jüngste Gericht. (St. u. Pog. S. 494.)

1547. 10. Sept. Durch Pier Luigis Tod verliert M. definitiv die Einnahmen der Fähre über den Po, die am 27. Okt. an die kaiserliche Kammer übergeht. (Ronchini l. c. Gotti I, 303.) M. spricht in einem Brief an Lionardo, in welchem von dem Ankauf eines Hauses der Corsi die Rede ist, davon. (Lett. 205.) Als Ersatz für jene Fähre werden M. vom Papst die Einkünfte eines Notariates del civile in Rimini zugewiesen. Aber, wie Condivi und Vasari erzählen, wollte M. die Auszahlung dieser Provision nicht annehmen, offenbar weil er freiwillig versprochen hatte, für seine Thätigkeit an S. Pietro kein Honorar anzunehmen. So verhielt sich M. aber nur anfangs, denn später (19. April 1549) trifft er eine andere Bestimmung hierüber. (Lett. 521.)

1547. Nach dem Tode Pier Luigis bestellt Paul III. zum Leiter der Befestigungen des Borgo den Jacopo Fusto Castriotto von Urbino. (Ronchini l. c. Gotti I, 297.)

1547. Zweite Hälfte. M. verhandelt in zahlreichen Briefen mit Lionardo über den Ankauf eines Hauses in Florenz. Im Juli taucht der Gedanke auf, das Haus des Giovanni Corsi zu kaufen. (Lett. 211.) Am 6. August schickt er 550 Skudi, 500 zur Verwendung beim Hausankauf, 50 für Almosen an verschämte Bedürftige. Bezüglich der Heirath weiss er Lionardo keinen Rath zu geben. (Lett. 212. 213.) Dann giebt er Rathschläge bezüglich jenes Hauses des Corsi, auch in Bezug auf das Grundstück Fraschetta. (Lett. 203. 204. 205), und sagt, er wolle die Vorschläge eines Freundes über Lionardos Heirath hören. (Lett. 206.) Diese beziehen sich auf drei Frauen: eine Medici, eine Gugni und eine Fortini. Guicciardini solle sich über Dieselben erkundigen. (Lett. 208.) Ein neuer Hauskauf: Haus am Canto agli Alberti taucht auf. (Lett. 209.) Lionardo macht Kompagnie mit Guicciardini im Geschäft, für die Firma wünscht er die Anwendung des Namens Simoni. Ein Prozess entsteht wegen Besitzungen in Settignano, und M. bittet, einen Vetturale zu senden, der seine betreffenden Akten nach Florenz bringe. (Lett. 214. 215.)

1547. Ende. Beginn des Baues des Bollwerkes von Belvedere. (Prosp. cronol. 392.)

1547. In diesem Jahre beschäftigt sich M. wohl mit den Plänen für das Kapitol, das neu zu gestalten ihm von den Römern in Auftrag gegeben wurde. Er wollte Aristotele da San Gallo dabei anstellen, doch kehrte Dieser damals, 1547, nach Florenz zurück. (Vasari: vita di A. d. S. G. VI, 449.)

1547. Nach dem Tode Perino del Vagas verschafft M. bei Paul III.

Thode Michelangelo I. 29

Daniele da Volterra den Auftrag, die Malereien in der Sala
dei Re im Vatikan auszuführen. (Vasari: vita di Daniello VII, 57.)

1548. 6. Januar sendet M. die Akten, unter denen sich auch der
Brief des Grafen Alessandro von Canossa befindet. (Lett. 216.)

1548. 9. Januar stirbt M.s Bruder Giovan Simone. Derselbe war,
krank, schon 1547 durch einen Brief des Meisters getröstet
worden. (Lett. 157.) M. äussert seinen Schmerz, seine Sorge
um die Hinterlassenschaft in mehreren Briefen an Lionardo,
in denen auch von dem noch nicht entschiedenen Ankauf
des Corsi'schen Hauses die Rede ist. (Lett. im Januar und
Februar, 217. 218. 219. 220.)

1548. 11. März erlässt Cosimo Medici ein tyrannisches Gesetz gegen
die Fuorusciti: die „Polverina", welches das Eigenthum der
Erben der Feinde der Medici bedrohte. Lionardo macht M.
hiervon Mittheilung, und Dieser erwidert, dass er sich in Acht
nehmen werde, um jedem Argwohn vorzubeugen, dass er zu
jener den Medici feindlichen Parthei halte. Diese Annahme
hatte eine Stütze darin gefunden, dass M. während seiner zwei
Krankheiten im Hause der Strozzi gelebt. (Lett. 221.)

1548. 14. Mai lässt M. durch einen notariellen Akt des Bernardo
Bini in Florenz beglaubigen, dass er, M., im Anfang der Re-
gierung Leos X. vom Kardinal Aginensis 3000 Dukaten für
Conto des Juliusdenkmales erhalten habe. (Contratti 720.)

1548. Alle weiteren Nachrichten aus diesem Jahre, in welchem M.,
ausser mit den Fresken in der Paolina, mit S. Pietro und dem
Palazzo Farnese beschäftigt war, beschränken sich auf die
in den Briefen an Lionardo besprochenen Angelegenheiten.
Es handelt sich noch immer um den Hauskauf: an Stelle des
Hauses Corsi taucht ein Haus der Tornabuoni, dann eines bei
S. Catharina, weiter eines der Buondelmonti auf. Lionardo
hat eine Compagnia dell' arte della lana begründet. (Lett.
März, April, Mai, Juni, Juli, 221—228.) Er möchte gern Geld
anlegen in einem Grundstück bei Florenz. Verschiedene kommen in Vorschlag. Auch von der Heirath des Neffen ist
wiederholt die Rede. (Lett. August, Sept., Okt., 229 bis 233.)

1548. Okt., Nov., Dez. und folg. Januar. M. fundirt die Brücke
S. Maria in Rom. (Vasari VII, 234 u. Anm.) (Die Anordnungen bei Fanfani 217 ff. Podesta: Doc. ined.)

1549. Wieder sind wir für Nachrichten aus diesem Jahre fast ganz
auf die Briefe an Lionardo angewiesen. Neue Verhandlungen
über ein anderes Haus (der Gagliano), Rathschläge, bei der
Wahl der Frau nicht auf Vermögen, sondern auf gute Abstammung zu sehen. Für Bartolommeo Bettinis Nichte ist er
nicht. (Lett. Jan. Febr. 234 bis 241.) Im März macht ihm ein
Steinleiden zu schaffen, die Ärzte haben die Bäder von Viterbo

angerathen. Er denkt viel an die Ordnung seiner äusseren und inneren Angelegenheiten, sendet Almosen, entwirft ein Testament, aber allmählich fühlt er sich von seinem Leiden erleichtert. (Lett. März, April. 242 bis 248.)

1549. 13. Februar lässt er sich die Einnahme des Notariates in Rimini nun doch für den Januar zahlen: 22 Skudi (Ricordi 605), und bestimmt am 19. April, dass fortan monatlich die Provision von der Firma Benvenuto Ulivieri an Bartolommeo Bettini und Compagni ausgezahlt werden soll. (Lett. 521, wo auch weitere Auszahlungen im Jahre 1549 verzeichnet sind; eine solche am 5. Dez. Ricordi 606.)

1549. Mai bis August. Korrespondenz mit Lionardo. Er hat Lust, ein Grundstück in Chianti zu kaufen; dies geschieht im Mai für 2300 Gulden, und er sendet sogleich in zwei Raten 1500 Skudi. (Lett. 248 bis 252.) Ein anderes Grundstück zu Monte Speroli räth er nicht zu kaufen, dagegen werden Verhandlungen über ein weiteres Terrain in Chianti geführt. Da sich in Florenz kein Haus gefunden hat, schlägt er vor, das alte in der Via Ghibellina wieder in besseren Stand zu setzen. Verschiedene Heirathsvorschläge für Lionardo werden kurz besprochen. (Lett. 253 bis 259.)

1549. 11. Okt. (früher irrig auf den 1. Januar 1547 datirt). Ein Breve Pauls III. ernennt M. auf Lebenszeit zum Commissarius, prefectus, operarius und architector von S. Peter, heisst Alles gut, was er am Bau gethan, und befiehlt strenges Festhalten am Modell für alle Zeiten. (Zuerst bei Bonnani: Numismata; Gotti II, 133. St. und Pog. S. 400, die das Datum richtig bestimmen.)

1549. 13. Okt. Paul III. besichtigt auf Leiter die Malerei in der Paolina. (Gronau, Rep. XXX, 194.)

1549. 10. November stirbt Paul III. In einem Briefe vom 21. Dezember beklagt M. den grossen Verlust. (Lett. 260.)

1549. Ende scheint Cosimo, wie Vasari erzählt, Tribolo an M. gesandt zu haben, mit der Bitte, von Diesem Angaben über den Bau der Treppe der Laurenziana zu erhalten. (Vasari VII, 236.) Dass dies damals geschah, schliesse ich aus dem Briefe Lelio Torellis an Pier Francesco Riccio, Maggiordomo Cosimos. Lelio sendet am 29. Jan. 1550 einen Brief, den M. über die Treppe an Fattucci geschrieben hat. Damals also ist die Angelegenheit in Angriff genommen worden. (Lett. 550. Anm. 2.)

1550. 12. Januar wird Benedetto Varchis Buch: Due lezioni im Druck beendet. (Widmung des Verlegers Lorenzo Torrentino von diesem Tage.) Ein Exemplar wird von Bettini M. übergeben.

1550. 8. Februar wird Julius III. Papst.

29*

1550.   Februar theilt M. dies Fattucci mit: man erwarte in Rom
viel Gutes vom neuen Papst; zugleich richtet er Cavalieris
Dank an Varchi aus für die ehrenvolle Erwähnung Seiner in
den „Due lezioni" und schickt in Dessen Auftrag ein älteres
Sonett, das Cavalieri von M. besass. (Lett. 527. Von Milanesi
falsch, von Frey richtig datirt.)

1550.   16. Febr. u. 1. März. M. kommt in zwei Briefen an Lionardo auf den Ankauf der Ländereien in Chianti zurück, da
er sich eine Rente machen möchte. (Lett. 261. 262.)

1550.   Frühjahr. Der Kardinal Farnese beauftragt Fra Guglielmo
della Porta, das Grabmal Pauls III. zu machen. M. ist gegen
den hierfür in Aussicht genommenen Ort am ersten Bogen
der Tribuna von S. Pietro und macht sich hierdurch Guglielmo
zum Feinde. (Vasari VII, 226.)

1550.   Frühjahr und Sommer. Vasari wird von Julius III. nach Rom
berufen und macht für Diesen die Entwürfe zu den Grabmälern
der Verwandten des Papstes: Antonio Cardinal de' Monti
und Fabiano, in S. Pietro a Montorio. Vasari bittet, dass M.
die Oberleitung übernehme, und schlägt als seine Mitarbeiter
für die Ornamente Simone Mosca und für die Statuen Raffaello
da Montelupo vor. M. ist gegen Ornamentik an dem Denkmal, daher Mosca nicht herangezogen wird, und auch gegen
Montelupo, mit Dessen Arbeit am Juliusdenkmal er unzufrieden
gewesen war. Da bringt Vasari Bartolommeo Ammanati in
Vorschlag, womit M. einverstanden ist. (Vasari VII, 226.)

1550.   29. April. Die beiden Statuen der Sklaven sind von
Ruberto Strozzi nach Frankreich geschickt worden. Die Spesen
für die Verladung derselben werden verzeichnet. (Vasari VII,
165 Anm.)

1550.   1. August sendet M. einen Brief an den nach Florenz zurückgekehrten Vasari durch Fattucci, und theilt ihm mit, dass
der Papst nichts von der neuen Fundirung von S. Pietro a
Montorio wissen will, vielmehr daran denkt, die Grabmäler in
S. Giovanni dei Fiorentini zu errichten. M. bestärkte den Papst
in diesem Gedanken im Hinblick auf einen Neubau von S. Giovanni. In dem Briefe ist eine Anspielung auf Vasaris Vite,
die damals gedruckt werden. (Lett. 528. 529.. Vasari VII, 230.)
Der Gedanke von S. Giovanni dei Fiorentini war von
Bindo Altoviti ausgegangen, mit M. beredet und dann Julius III.
vorgetragen worden. Letzterer sollte den Chor, die Florentiner Kaufleute sollten sechs Kapellen und nach und nach
das Übrige bauen. (Vasari VII, 229.)

1550.   7. August. M. bittet Lionardo, ihm die zwei Breves Pauls III.
zu senden. Er möchte sie Julius III. zeigen, damit Dieser
sehe, dass ihm, M., noch 2000 Skudi geschuldet wären. Nicht

als ob das etwas helfen würde, sondern nur zu M.s Genugthuung. (Lett. 263.) — Am 16. August. Mit dem Ankauf eines Grundstückes in Settignano solle gewartet werden. Lionardo, der wegen seiner Heirath M. persönlich sprechen will, solle nicht vor zweiter Hälfte September nach Rom kommen. (Lett. 264.) Es folgen andere Briefe (22. 31. Aug. 6. Sept. 4. Okt.). Für das Grundstück in Settignano will M. kein Geld senden. Er habe das Breve erhalten, wisse aber nicht, wie es mit den 2000 Skudi werde. (Lett. 265 bis 268.)

1550. 13. Oktober schreibt M. an Vasari. Das Interesse für den Neubau von S. Giovanni dei Fiorentini ist erkaltet, das Geld ist nicht aufzubringen. Bartolommeo Ammanati ist mit dem in Carrara gebrochenen Marmor nach Rom gekommen. — Nun hat der Papst beschlossen, doch in S. Pietro a Montorio neu fundiren zu lassen, und M. hat für einen Maurer gesorgt. Der Bischof Aliotti, von M. „Tantecose" genannt, der maestro di camera beim Papste war und Alles selber machen wollte, bestellte seinerseits einen Maurer, woraufhin sich M. zurückzog. (Lett. 531. Vasari VII, 231.)

1550. Oktober, Anfang November ist Lionardo in Rom. Etwa am 10. Nov. wieder in Florenz. (Lett. 268. 269.)

1550. 20. Dezember. Brief an Lionardo. M. verbittet sich fortan Geschenke, will suchen, ob er Fattucci etwas von Vittoria Colonna senden könne, und will verschämten Armen ein Almosen senden. (Lett. 270.)

1550. In diesem Jahre werden die Gemälde in der Capella Paolina vollendet. Condivi sagt: M. habe sie im Alter von 75 Jahren beendigt. (Condivi. Vasari VII, 216.)

1550. M. arbeitet an der Pietà (jetzt im Dom zu Florenz), die er für sein eigenes Grabmal bestimmte. (Blais de Vigenère in Anm. zu Philostrat: „les images", Paris 1594. Vasari VII, 217. Prosp. cronologico 393.)

1550. Beginn des Baues der Vigna Papa Giulio, über welchen sich Julius III. mit M. beräth. (Vasari VII, 228. 233.) Vasari setzte die Gedanken des Papstes in Zeichnungen um, die dann von M. korrigirt wurden. (Vita di Vasari VII, 694.)

1550. Julius III. zieht M. zu Rathe beim Neubau der Bramante-schen Treppe im Belvedere. M. macht eine Zeichnung für dieselbe mit den Balustraden, nach welcher sie ausgeführt wird. (Vasari VII, 228.)

1550. M. hat für einen Brunnen am Ende des Korridors des Belvedere einen Entwurf mit einem Moses gemacht, der Julius III. aber nicht gefällt. Vasari macht den Vorschlag einer Grotte, in welche die Statue der Cleopatra-Ariadne gesetzt werden sollte. M. beauftragt Daniele da Volterra mit der Ausführung. (Vasari: Vita di Dan. VII, 58.)

1551. Januar. (April?). Auf Betreiben der Partei San Gallos berief Julius III. eine Versammlung der am Bau von S. Peter Betheiligten, bei welcher M. der Vorwurf gemacht wurde, er sorge nicht für richtige Beleuchtung im Chor. M. weist die vom Kardinal Marcello vorgebrachten Verleumdungen zurück. (Vasari VII, 232.)

1551. 28. Februar. In einem Briefe empfiehlt M. wieder Lionardo, bei der Wahl seiner Frau nicht auf Geld, sondern auf gute Abstammung, Gesundheit und Güte zu sehen. — Am 7. März lässt er Fattucci sagen, dass er von Vittoria Colonna ein Büchlein mit 103 Sonetten habe, in das er auch vierzig ihm später gesandte Sonette hätte binden lassen; ausserdem viele Briefe, die sie ihm aus Orvieto und Viterbo geschrieben. (Lett. 271. 272.) Am 8. Mai schreibt er, er wolle das Sonettenbuch kopiren lassen und es dann an Fattucci senden. Dieser wollte es offenbar für die in diesem Jahre in Florenz veranstaltete Ausgabe der Rime Vittorias haben. (Lett. 273.)

1551. März wird der Druck der I. Ausgabe von Vasaris Vite beendigt. Vasari schickt das Buch M., der mit dem Sonette: „Se con lo stile o coi colori avete" dafür dankt. (Vasari VII, 288. Frey: Dichtungen 479.)

1551. 22. Mai. 28. Juni. M. schreibt wieder in der Heirathsangelegenheit des Neffen. Diesmal handelt es sich um eine Nasi. (Lett. 274. 275.)

1551. 3. Juli. Die Beendigung des Brückenbaues von S. Maria wird, auf die Intriguen des Nanni di Baccio Bigio hin, Diesem von den Klerikern der päpstlichen Kammer übertragen. (B. Podestà: Documenti inediti relativi a Michelangelo im Buonarroti 1875.) M. sah, mit welch' schlechtem Material Nanni baute und sagte Vasari den Zusammenbruch der Brücke, der auch wirklich 1557 stattfand, voraus. (Vasari VII, 234f.)

1551. 30. August geht Urbino nach Casteldurante und bringt am 25. Dez. seine Frau und eine Magd nach Rom. (Ricordi 606.)

1551. Oktober. Nach M.s Entwurf wird von einem maestro Bastiano Malenotti das Modell der Fassade eines Pallastes ausgeführt, den Julius III. neben S. Rocco errichten wollte. Pius IV. schenkte später (1560) dieses Modell Cosimo Medici, der es zu seinen werthvollsten Schätzen rechnete. (Podestà im Buonarroti 1875. Fanfani S. 142. Vasari VII, 233. Frey: J. d. k. p. K. XXX, 161.)

1551. Dezember stirbt Bartolommeo Bettini.

1551. 19. Dezember. M. räth Lionardo ab von der Verbindung mit einer Girolami, weil sie kurzsichtig sei. Er möchte 1500

Skudi in einem Hause oder Besitz anlegen. (Lett. 277.
278.)

1552. 2. Januar. Ein Sebastian Uberto in Ravenna erfährt über
Rimini, wo Nicolo Rutilone Kommissär des M.schen Notariates
ist, vom Tod Bartolommeo Bettinis. M. lässt nun durch die
Bank der Montaguti jene Einkünfte einziehen, welche Uberto
an Rutilone auszahlt. (Frey: Briefe 348.)

1552. 23. Januar. Julius III. erlässt ein Breve, welches das Breve
Pauls III. wiederholt und M. als Leiter des Baues von
S. Peter bestätigt. (Bonanni: Historia Templ Vaticani. 1696.
S. 80. Prosp. cronol. 393. Korrekt: St. u. Pog. S. 403.)

1552. 20. Februar. M. schreibt an Lionardo; die Verbindung mit
der Tochter des Carlo di Giovanni Strozzi ist ihm genehm.
Das Grundstück möchte er lieber in Chianti, als bei Florenz
kaufen. Er beabsichtigt, sein Testament zu machen und seinen
Bruder und Lionardo zu gemeinsamen Erben einzusetzen.
Falls sie keine Erben hätten, sollte all sein Besitz an S. Martino zu Gunsten armer Bürger kommen. (Lett. 279.)

1552. In einer Anzahl von Briefen (April. Juni. Okt. Nov. Dez.)
kommt M. immer erneut auf die Verheirathung seines Neffen
zu sprechen. Im Nov. mahnt er wieder an den Ankauf eines
Hauses im Werthe von 1000 bis 2000 Dukaten; er denkt an
die Möglichkeit, dass er nach Florenz zurückkehre, offenbar
unter dem Eindruck der gleich zu erwähnenden Einladung
Cosimo Medicis. (21. Nov. Lett. 287. — Lett. 280 bis 288.)

1552. 1. April nimmt M. als Diener Antonio del Franzese von Casteldurante, am 18. Juni einen Franzosen Riccardo. (Ricordi 606.)

1552. In einem Briefe drückt M. Benvenuto Cellini seine Bewunderung
aus über Dessen Porträtbüste des Bindo Altoviti. (Lett. 532.)
Diese Zeilen zeigt Cellini dem Herzog Cosimo, welcher ihn
daraufhin auffordert, M. zur Rückkehr nach Florenz zu
bewegen. M. solle Senator werden. Cellini schreibt an M.
und macht die grössten Versprechungen, die Cosimo nach-
träglich billigt. M. antwortet nicht, was Cosimo verletzt.
Dann nach Rom gekommen, besucht Cellini M. und wiederholt die Einladung, aber M. nimmt dieselbe sarkastisch auf
und entschuldigt sich mit seiner Arbeit an S. Pietro. (Cellini:
Vita l. II, cap. 81.)

1552. 4. Oktober. Ein Bartolommeo Stella schreibt aus Brescia
betreffend ein „Instrument", dessen Modell M. gesehen hat,
das von grosser Nützlichkeit besonders für die Stadt Venedig
sein soll, wohin es geschickt wird. Eine Probe, die wohl gelang, ist mit einem grossen Instrument gemacht worden. (Frey:
Dichtungen 535.)

1552. 1553. Santi Buglioni führt nach Zeichnung Tribolos das Paviment der Libreria aus.

1553. März. Die beständige Verschleppung der Verheirathung
Lionardos — jetzt handelt es sich um die Tochter des Donato
Ridolfi — macht M. endlich ungeduldig. (Lett. 289. 290.) Da
erhält er die Nachricht von der Verlobung des Neffen mit
Cassandra Ridolfi und schreibt erfreut, eine Mitgift von 1500
Dukaten zusichernd. (Lett. 22. 30. April. 291. 292.) Am
16. Mai heirathet Lionardo, und am 20. Mai grüsst M. die junge
Frau, der er ein Geschenk verspricht. (Lett. 293.) Dieses,
bestehend aus zwei Ringen, einem Diamant und einem Rubin,
kauft er (21. Juni, Lett. 294) und schickt es am 22. Juli. (Lett.
295.) Am 5. August dankt er Cassandra für ein Geschenk von
8 Hemden und am 24. Okt. schreibt er hocherfreut, dass
Cassandra schwanger sei. (Lett. 296. 297.)

1553. 4. April nimmt er als Magd eine Vincenzia de Tigoli, die
nur bis zum 16. Dez. bleibt. (Ricordi 606.)

1553. 16. Juli erscheint bei Antonio Blado Ascanio Condivis:
Vita di Michelangelo, die Julius III. gewidmet ist.

1553. 17. November giebt Annibale Caro in einem Briefe an Antonio
Gallo im Auftrage des Meisters eine Rechtfertigung M.s in
der Angelegenheit des Juliusdenkmales dem Herzog von
Urbino gegenüber. Die Schuld an dem Nichtvorwärtskommen
des Werkes hätten die zwei Testamentsexekutoren, die Kardinäle
und die herzoglichen Agenten getragen, welche beflissen gewesen wären, den Päpsten Clemens VII. und Paul III. sich will-
fährig zu erweisen. Der Herzog wünscht ein Werk von M., Caro
entschuldigt den Meister, den die Erfahrungen schüchtern gemacht, irgend etwas zu versprechen, und der schwach von Kräften
sei. (Annibale Caro, lettere familiari. Padua 1763 I, S. 54.)

1553. M. arbeitet an der Pietà. Condivi: hora ha per le mani.

1553. Ascanio Colonna schenkt Julius III. eine antike Porphyr-
schale. M. und Andere bemühen sich vergeblich um die
Restauration derselben, da die Bearbeitung des Porphyrs noch
nicht wiederentdeckt ist. (Vasari I, 111.)

1554. 1. Januar nimmt M. Vincenzia, die Tochter eines Spezerei-
händlers Michele vom Macello de' Corvi zu sich ins Haus, mit
dem Versprechen, ihr nach vier Jahren, wenn sie sich gut halte,
50 Goldskudi zu geben. — An demselben Tage engagiert er
als Magd Lisabetta von Casteldurante. (Ricordi 606. 607.)

1554. Mitte April wird Lionardo ein Sohn geboren, dem er auf
Wunsch M.s den Namen Buonarroto giebt. (Lett. 299. 300.)
Auch Vasari, der wieder in Florenz ist, benachrichtigt ihn hier-
von und M. dankt ihm, aber in schwermüthiger Stimmung.
(Lett. 533.)

1554. Juli. M. bittet, ohne Entgelt die Kirche del Gesù bauen
zu dürfen. Loyolas Brief an den Conte de Melito vom 21. Juli
1554. (Cartas de S. Ignacio de Loyola. Madrid 1874. t. IV,
p. 228 f. Vergl. Klaszko: Julius II, 437.)

1554. 20. August. Vasari fordert in einem Briefe M. auf, nach
Florenz überzusiedeln, indem er auf des Meisters Mühen
in Rom und den Mangel an Verständniss für ihn dort hinweist. (Vasari VIII, 318.)

1554. 19. September. M. dankt Vasari, aber er könne seine Aufgabe: den Bau von S. Peter nicht verlassen. Wäre derselbe
sicher gestellt, dann werde er vielleicht nach Florenz zurückkehren. Zugleich schickt er das Sonett: Giunto è già il corso
della vita mia. (Lett. 534. Guasti: Rime 230.)

1554. 8. Dezember dankt M. Lionardo für eine Sendung Käse.
(Lett. 301.)

1555. 26. Januar. 9. Februar. M. sendet Lionardo 100 Skudi, bittet
ihn, davon für ein der Frau Urbinos bestimmtes Kleid dunkel-
blauen Stoff zu kaufen und den Rest als Almosen zu geben.
(Lett. 302. 303.)

1555. März. Lionardos zweiter Sohn, Michelagnolo, ist nach der
Geburt gestorben. M. tröstet den Neffen. (Lett. 305.) Den
Verkauf eines Grundstückes in S. Caterina überlässt er Gis-
mondo und Lionardo. (Lett. 306.)

1555. 23. März stirbt Julius III.

1555. 9. April wird Marcello Cervini von Montepulciano als Marcellus II. Papst. Neue Angriffe der Feinde M.s. (Vasari VII. 238.)

1555. Ende April oder Anfang Mai hat Vasari M. wieder im Auftrag Cosimos gebeten, nach Florenz zu kommen. Brief nicht
erhalten. Beigelegt war Vasaris Sonett: Gl' anni che visse
quel' che fece l'Arca. (Vasari VII, 238. 246. Frey: Dicht.
488. 535.)

1555. 11. Mai sendet M. eine Antwort an Vasari dem Lionardo.
In ihr sagt er wiederum, er könne S. Peter nicht verlassen,
jetzt, da er bald an die Kuppelwölbung komme, und bittet,
Cosimo zu danken. — Beigelegt waren zwei Sonette für Fattucci:
Le favole del mondo m' hanno tolto und Non è più bassa o vil
cosa terrena. (Lett. 307. 537. Guasti: Rime 232 f. Frey: Dicht. 535.)

1555. 23. Mai wird der Caraffa Paul IV. Papst. Er kommt M. mit
Anerbietungen entgegen (Vasari VII, 238), aber nimmt ihm,
wie es scheint, das Notariat von Rimini. (Ricordi 609.)

1555. Etwa 20. Juni kommt als Abgesandter Cosimos Lionardo
Marinozzi mit Briefen des Herzogs und Vasaris. Am 22. M.
schreibt M. die Diesem gegebene Antwort in einem Briefe an
Vasari: er könne nicht kommen. (Lett. 538. Vasari VII, 238.)
Auch diesen Brief sendet M. an Lionardo. (Lett. 309.)

1555. Im Anfang Juli leidet M. an Gicht in einem Fusse. (Lett.
310.) Im Juni und Juli verhandelt er mit Lionardo über den
Verkauf seines Grundstückes in Via Sangallo bei S.
Caterina, für das ihm 320 Skudi geboten werden. (Lett. 309. 310. 311.)
Am 19. Juli wird es verkauft. (Gori: Annotazioni zu Condivi
1746. S. 91. Prosp. cronol. 395.)

1555. 26. September wird Vincenzia, die M. zu sich genommen,
von ihrem Bruder Jacopo weggeholt. (Ricordi 667.)

1555. September. Cosimo Medici, enttäuscht in seinen Bemühungen,
M. zu gewinnen, beschliesst, wenigstens aus der Ferne Dessen
Rath in Anspruch zu nehmen. Er beauftragt Vasari, bei M.
anzufragen, wie er sich die Treppe der Laurenziana ge-
dacht. (Vasari VII, 236.) Auch besucht Cosimo das Haus
Buonarrotis in Florenz, betrachtet die beiden Modelle der
Fassade von S. Lorenzo und möchte sie gerne haben.
(Lett. 312.)

1555. 28. September schreibt M. seinem Neffen, befiehlt ihm,
sogleich die Modelle Cosimo zu schenken (Lett. 312) und legt
einen Brief an Vasari bei, in dem er sagt, er erinnere sich nur
noch wie im Traume der Treppe; doch giebt er seine ungefähre Idee an, indem er sie anschaulich macht durch den Aufbau ovaler Schachteln. (Vasari VII, 237. Lett. 548. Milanesi
datirt den Brief 1558, so sei es zu lesen. Das ist aber unmöglich, vielmehr muss es, wie bei Vasari, 1555 heissen, da
in dem bestimmt datirbaren Briefe an Lionardo vom 28. September 1555 von ganz genau denselben Dingen zum Theil
mit denselben Worten: „der Traum", die Rede ist. Vgl. auch
Frey im Jahrb. d. k. pr. K. 1883, S. 41 f., wo auch der Entwurf zu diesem Briefe mitgetheilt wird.)

1555. 1. Oktober nimmt er eine Lucia aus Casteldurante als Magd
und einen zweiten Antonio als Diener. (Ricordi 607.)

1555. 13. November stirbt M.s Bruder Gismondo, der schon einige
Zeit krank war. In einem Briefe vom 30. Nov. an L. drückt
M. seinen Schmerz aus. (Lett. 311.)

1555. 24. November macht Francesco degli Amatori, gen. Urbino,
der von Anfang Juli an krank zu Bette liegt, sein Testament.
(Lett. 314. Anm. Publ. von Gotti II, 137.)

1555. 3. Dezember stirbt Urbino, nachdem er 25 Jahre lang M.
ein treuer Diener, Gehülfe und Freund gewesen war. Ganz
von Schmerz niedergebeugt, giebt M. am 4. Dez. Lionardo
Nachricht hiervon und bittet Diesen, etwa in einem oder anderthalb Monaten nach Rom zu kommen. (Lett. 314.)

1555 hat M. ein Schreiben an Bartolommeo Ammanati gerichtet, in
dem er seine bewundernde Ansicht von Bramantes Plan
für S. Peter darlegt und sie dem Papst (welchem?) mitzu-

theilen bittet. (Lett. 535.) In jener Zeit wohl hat M. unter
den Intriguen des Pirro Ligorio gelitten, der von Paul IV.
an S. Pietro angestellt wurde. (Vasari VII, 245.)

1555. In diesem Jahre noch arbeitet, wie es scheint, M. an der
Pietà. In einem Anfalle von Unmuth aber, da er Fehler
im Marmor fand und sich einmal verhaute, zerbrach er die
Gruppe und wollte sie ganz zerstören, aber sein Diener Antonio hielt ihn davon ab und bat, ihm die Gruppe zu schenken.
Der Bildhauer Tiberio Calcagni, ein Freund M.s, hörte hiervon,
veranlasste Francesco Bandini, Antonio 200 Goldskudi zu geben,
und von M. die Erlaubniss sich zu erwirken, dass Calcagni
die Gruppe für ihn vollende. M. ist es einverstanden und
schenkte ihnen die Gruppe. Calcagni setzte sie wieder zusammen, aber der Tod hinderte ihn daran, sie zu vollenden.
1568 war sie im Besitze des Pier Antonio Bandini. (Vasari VII,
244.)

1555. In diesem Jahre tritt M. in freundschaftlichen und dichterischen Verkehr mit Monsignor Lodovico Beccadelli,
der damals einer der vier Präfekten des Baues von S. Pietro
war. Vgl. Dessen vier Gedichte an M. von Nov. 1554, März
und Juli 1555 bei Frey, Dicht. S. 275—277. (Vgl. ebend.
über Beccadelli S. 500f.)

1556. 11. Januar. M. lädt Lionardo auf einen Monat nach Rom
ein, da er vor seinem Tode mit ihm sprechen wolle. (Lett.
316.) Diesem Wunsche hat Lionardo, den Cassandra, wie es
scheint, begleitet hat, Folge gegeben. Anfang März sind sie
wieder nach Florenz zurückgekehrt. M. schreibt am 7. März
und erinnert Lionardo an den Plan, 2000 Skudi in einem Besitz anzulegen. (Lett. 317.)

1556. 23. Februar giebt M. in einem Briefe auch an Vasari seinem
Schmerze über den Tod Urbinos Ausdruck. (Lett. 539.)

1556. Kardinal Beccadelli, der im Nov. 1555 als Erzbischof nach
Ragusa gegangen war, sendet M. ein Sonett. (Guasti 236.
Frey: Dicht. 277.) M. hat darauf mit dem Sonett: „Per croce
e grazia e per diverse pene" geantwortet (Guasti 235. Frey:
Dicht. CLXII), das er etwa im September an Jenen geschickt
haben muss.

1556. April. Mai. Mehrere Briefe an Lionardo. Er lässt sich
schwarzes Tuch für die Witwe Urbinos senden, verhandelt
mit Lionardo über den Ankauf eines Hauses, dessen Lage ihm
jedoch nicht gefällt, ist aber für den Erwerb eines Grundstückes in Cepperello. Zugleich ordnet er wieder Almosen-
vertheilung an. (Lett. 318—321.)

1556. 4. Mai verzeichnet M. die erste Zahlung des Monte della
Fede, die er für Urbinos Frau Cornelia erhebt. (Ricordi 607.)

1556(?) 24. Mai. Ascanio Condivi, der in diesem Jahre die Nichte
Annibale Caros, Porzia, geheirathet hatte und in seine Heimath
zurückgekehrt war, schreibt einen Brief an M., in dem er Demselben sich ganz zur Verfügung stellt. (So datirt von Frey:
Briefe 350.)

1556. 28. Mai. M. theilt Vasari mit, dass er bezüglich eines von
Vasari für Julius III. gemalten und noch nicht bezahlten Bildes
bei dem Architekten des Papstes, Salustio Peruzzi, Schritte
gethan habe. (Lett. 540, auch Lett. 322.)

1556. Juni. Juli. August. Verhandlungen mit Lionardo über den
Ankauf des Grundstückes von Cepperello. M. tadelt Lionardo,
dass er sich nicht geschickt dabei benommen, schickt aber am
15. August 650 Goldskudi. (Lett. 322—328.)

1556. Um 20. September, da die Kriegsunruhen durch die spanischen
Truppen unter Herzog Alba in den Kirchenstaat gebracht werden,
und weil ein Stillstand in der Arbeit an S. Pietro eintritt, verlässt
M., dessen einer Diener Antonio aus Rom floh (Vasari VII,
242), Rom, mit der Absicht, nach Loreto zu gehen, bleibt aber
fünf Wochen (Ricordi 608) mit Bastiano Malenotti, soprastante
des Baues von S. Pietro (Ricordi 608), in Spoleto, wo seine
Seele in der Natur und bei den Eremiten Beschwichtigung
findet. Ende Oktober kehrt er, durch einen Boten geholt,
nach Rom zurück, wo ihm ein Pietro Antonio Lombardo das Haus
gehütet hat. (Vasari VII, 242. Brief an Lionardo vom 31. Oktober Lett. 330 und an Vasari vom 18. Dezember Lett. 541.)

1556. 19. Dezember schreibt M. deprimirt über den schnellen Tod
eines Kindes, das Lionardo gehabt hat. (Lett. 331.) Zugleich
dankt er durch Vasari dem Cosimo Bartoli, der ihm Carlo
Lenzonis Buch: Difesa della lingua fiorentina e di Dante gesandt hatte. (Lett. 541. Vasari VII, 242.)

1557. 4. Januar. Pier Vettori schreibt an Borghini, wie einige
deutsche Edelleute ihm den Wunsch geäussert, M. nur
sehen zu dürfen. M. habe sie liebenswürdig aufgenommen.
(Gaye II, 419.)

1557. 30. Januar schreibt Lionardo Marinozzi, im Auftrage Cosimo
Medicis von neuem, M. nach Florenz einzuladen; er hält den
Augenblick für gegeben, da die Arbeiten an S. Peter eingestellt
seien. (Gotti I, 314.) M. schickt seine entschuldigende Antwort durch den Neffen Lionardo an Marinozzi am 6. Februar
(Lett. 332) und äussert sich dann am 13. Februar ausführlicher
an den Neffen in einem Briefe, welcher bestimmt war, dem
Herzog vorgelesen zu werden. Die Arbeit an S. Peter sei
nicht unterbrochen. Ganz Rom, besonders aber der Kardinal
von Carpi (und wie Vasari VII, 248 sagt: auch Donato Giannotti,
Francesco Bandini, Tommaso Cavalieri und Gio. Francesco Lot-

tini) dränge in ihn, ein Holzmodell der Kuppel von S. Peter
zu machen. Um diese auszuführen und damit den künftigen
Bau sicherzustellen, werde er noch ein Jahr gebrauchen.
Dieses erbitte er sich vom Herzog. (Lett. 333. Gotti II, 135.)

1557. 1. Februar schreibt Urbinos Witwe, Cornelia Colonelli, die sich
mit ihren Kindern, Michelagnolo und Giovansimone, nach Casteldurante zurückgezogen hat, an M., schickt ihm Käse und ladet
ihn nach dort ein. (Frey: Briefe 351.) Im Ganzen sind nach
Frey 29 Briefe von ihr an M. im Archivio Buonarrotti erhalten.)
Auf drei Briefe M.s erwidert Cornelia dann am 27. Februar,
bedauernd, dass M. keine Geschenke von ihr wolle, und ihn
wieder einladend. (Ebend. 352.) M. antwortet am 28. März
in liebevollster Weise, erklärt, warum er die Geschenke abgelehnt, meint, sie solle ihren kleinen Michelagnolo nicht jetzt
zu ihm nach Rom schicken. Er wolle im Winter nach Florenz
übersiedeln, dann solle sie ihm den Knaben schicken. (Lett.
542.) Der Brief kommt lange nicht in Cornelias Hände, und
sie schreibt sehnsüchtig am 25. April und dann beglückt am
10. Mai; sie freut sich, der Ruhe für ihn wegen, dass er nach
Florenz ziehen wolle, und ladet ihn zu einem Besuche auf der
Reise ein. (Ebend. 353.)

1557. 28. März. Beccadelli schreibt an M. in treuer Ergebenheit und
erwähnt das Sonett, das M. ihm kurz vor dem Aufenthalt in
Spoleto gesandt. (Frey: Dicht. 536.)

1557. 4. Mai. M. schreibt an Lionardo, bittet ihn, Tuch für Cornelia
einzukaufen und den Rest der gesandten 50 Skudi als Almosen
zu geben; spricht von seiner grossen Lebensmüdigkeit, bittet
Lionardo, im September zu ihm zu kommen und bemerkt,
dass Bastiano Malenotti di San Gimignano viele Lügen in
Florenz über ihn verbreitet habe (offenbar die Angaben über die
Fehler am Bau der Kapelle des Königs von Frankreich),
um ihn zur Rückkehr nach Florenz zu bewegen. (Lett. 334.)

1557. 8. Mai. Brief Danieles da Volterra, welcher M., der ihn an
Vasari empfohlen hatte, mittheilt, dass er den Sommer in Florenz
zu bleiben gedenke. Er hat M.s Haus in Via Mozza besucht,
wo es ebensoviel zum Zeichnen (und Lernen) gebe, als in Rom.
(Frey: Briefe 354.) Er giesst damals die Statuen der Mediceerkapelle in Gips ab. (Vasari: Vita di Dan. VII, 63.)

1557. 8. Mai. Cosimo Medici schreibt, vermuthlich auf jene von
Bastiano di S. Gimignano verbreiteten Gerüchte hin, selbst an
M. und bittet ihn, nach Florenz zu kommen, wo ihm
keinerlei Mühe, sondern nur Ehre und Ruhe bereitet werden
solle. (Gaye II, 418.) — Zugleich schreibt auch Vasari, der gehört hat, dass die Arbeit an S. Pietro stockt, und bietet sich
an, selbst M. abzuholen und zu geleiten. (Vasari VIII, 323.)

1557 etwa am 25. Mai (Vasari VIII, 325) antwortet M. Beiden. Er
ist in Erregung, weil sich die Fehler an der Kapelle in
S. Pietro herausgestellt haben und er sie neu errichten muss,
wofür der Sommer nicht ausreichen wird, und dann hat er
das Modell zu fertigen. Jetzt fortzugehen, werde ihm zur grössten
Schmach gereichen, auch könne er nicht so ohne weiteres
sein Haus und seine Verpflichtungen im Stich lassen, und sei
zudem leidend, was der Arzt Realdo Colombo, dem er sein
Leben verdanke, bezeugen könne. So bittet er noch um ein
Jahr. (Lett. 543. 544.)

1557. 16. Juni theilt Lionardo mit, mit wie vielen Leiden er behaftet sei und in wie schwerem Konflikte er stehe: denn er
wolle nicht die Huld des Herzogs verlieren, aber auch nicht
sich selbst untreu werden und S. Peter im Stiche lassen. —
Ähnlich am 1. Juli. Offenbar dringt auch Lionardo in ihn.
(Lett. 335. 336.) Er legt eine Zeichnung (mit Randglosse) des
„Fehlers" für Vasari bei, d. h. des an der Kapelle des Königs
von Frankreich begangenen Fehlers. Die neu vorzunehmende
Wölbung wird selbst im Winter noch nicht fertig sein. Schuld
sei, dass er seines Alters wegen nicht oft genug nach S. Pietro
habe gehen können. (Lett. 546.)

1557. August hat er Nachricht erhalten, dass der Herzog ihm nicht
zürnt, denn

1557. 17. August bittet er Lionardo, ihn nicht mehr damit zu plagen,
dass er nach Florenz komme, und bezeugt seine Rührung über
des Herzogs Güte. (Lett. 337.) Zugleich schreibt er an Vasari
und sendet, offenbar um sich zu rechtfertigen, nun auch eine
Zeichnung des Grundrisses der Kapelle mit Erläuterungen.
Er habe, wie für Alles, auch für diese ein Modell gemacht.
(Lett. 547.)

1557. Mitte September hört er von der grossen Verwüstung, welche
die Überschwemmung des Arno in Florenz verursacht (13. September) und berichtet von den durch den Tiber angerichteten
Schäden. Er hat viel Noth mit den Werkführern von S. Peter.
(Lett. 338.)

1557. 16. Dezember schreibt er, er brauche keine Dienstleute, da
er zwei tüchtige Gesellen habe. Es gehe ihm verhältnissmässig gut. (Lett. 339.)

1558. 1. Januar wird Antonio von Casteldurante als Diener erwähnt. Es ist jener del Franzese, der 1552 zu ihm kam. Am
28. April nimmt er eine Schwester Desselben, Benedetta, und
eine Lucia ins Haus. (Ricordi 608.)

1558. 28. März. Brief eines Arbeiters am Bau von S. Pietro:
Cristoforo Marsili über eine der vielen kleinen Querelen, unter
denen M. zu leiden hatte. (Frey: Briefe 355.)

1558. 6. April zeigt Beccadelli durch einige Zeichen M. sein Gedenken. (Symonds. Frey: Dicht. 536.)

1558. 24. Mai schreibt auf Wunsch M.s der Kardinal von Carpi an Herzog Cosimo, mit der Bitte, den greisen Meister in Ruhe bei seiner ferneren Arbeit für S. Peter zu lassen. (Gotti I, 316.) Am 6. Juni antwortet Cosimo aus Pisa etwas ausweichend: er habe niemals gesucht, M. aus Rom zu entführen, aber er werde von Allen gebeten, den Künstler zu empfangen und zu ehren. Er entzöge M. nicht seine Huld, käme Dieser aber nach Florenz, so wäre er doch jedes Geistes baar, wenn er ihm nicht alle Ehren und Wohlthaten angedeihen liesse. (Gaye III, 5.)

1558. 25. Juni. 2. Juli. 16. Juli. Ganz kurze Briefe an Lionardo. Er will keine Geschenke, das Geld soll lieber an die Armen gegeben werden. Die Geburt eines Töchterchens des Neffen erfreut ihn. (Lett. 340. 341. 342.)

1558. 10. Oktober. Bartolommeo Ammanati ersucht mit Ausdrücken grosser Anhänglichkeit und vollen Vertrauens M.s Schiedsrichterspruch bezüglich eines für Francesco del Nero von Ammanati gearbeiteten Grabmales, das nach S. Maria sopra Minerva kommen soll. (Frey: Briefe 357.)

1558. 2. Dezember schreibt er an Lionardo, dessen Töchterchen gestorben ist. Dieser Tod wundere ihn nicht, da in der Familie der Simoni immer nur Einer zur Zeit gelebt habe. Er möchte ein Haus in Florenz kaufen für etwa 2000 Skudi. Er denkt daran, sein Haus in Rom zu verkaufen, hat also den Gedanken, nach Florenz zurückzukehren. (Lett. 343.)

1558. Dezember. Im Auftrag Cosimos hat Bartolommeo Ammanati bei M. erneut wegen der Treppe der Laurenziana angefragt. M. schreibt am 16. Dez. an Lionardo, er habe ein kleines Modell gefertigt und wolle es schicken. Zugleich erkundigt er sich wieder wegen des Hauses in Florenz. (Lett. 344.) Ammanati schreibt am 23. Dez. hocherfreut und dankbar, er werde seinen Schwiegervater Giovan Antonio Battiferro senden, um das Modell zu holen. (Frey: Briefe 358.)

1558 arbeitet M. an dem Modell der Kuppel, wie aus den mit Herzog Cosimo gepflogenen Verhandlungen hervorgeht. Dessen Ausführung dauert von Nov. 1558 bis 1561. (Frey: J. d. k. p. K. XXX, 171 ff.)

1559. 7. Januar. Brief an Lionardo, er wolle das Modell der Treppe durch Battiferro senden: Der ist aber nicht zu finden in Rom. So sendet er es am 13. Januar durch einen Maulthiertreiber an Ammanati, dem er zugleich schreibt. (Lett. 348. 349. Richtig von Frey datirt. Mil. fälschlich 1560. Lett. 550.) Am 29. Januar dankt Ammanati beglückt. Er wird das Modell dem Herzog nach Pisa bringen. (Frey: Briefe 359.) Obgleich M. gerathen hatte, die Treppe in Holz auszuführen, ordnete Cosimo am 22. Februar an, dass sie aus Stein gemacht werden solle.

1559. 12. Februar. Vasari bittet M. um sein Schiedsurtheil bezüglich des ihm zu zahlenden Preises der für Julius III. gemalten Altartafel. (Vasari VII, 327.)

1559. In diesem Jahre macht M. die Ordnung der Angelegenheiten Cornelias Colonelli viel zu thun. Bereits am 4. Oktober 1558 hatte sie Mittheilung davon gegeben, dass ihre Eltern sie durchaus wieder zu heirathen zwingen wollten. Sie sträubt sich heftig dagegen und bittet M., ihr zu helfen. (Gotti I, 336.) Aber die Eltern lassen nicht nach, und ein neuer, annehmbarer Freier, dem sie selbst nicht abgeneigt ist, der Podestà von Casteldurante, Giulio Brunelli, tritt auf. (Frey: Briefe, 10. Jan. 360.) M., offenbar für seine Mündel, die Kinder, besorgt, ist gegen die Ehe und schweigt. Da wenden sich am 22. April die Eltern Cornelias an ihn. (Frey: Briefe 362.) Noch vor dem 30. April wird die Ehe schon vollzogen. Nun entstehen Verhandlungen zwischen dem Vollstrecker des Testamentes des Urbino, Pier Filippo Vandini in Casteldurante, und M. Vandini und Urbinos Bruder Giovanfrancesco gen. Fattorino wünschen, die Verwaltung des Vermögens für die Kinder zu übernehmen. Hiergegen wehrt sich Cornelia. M. aber, ungerührt von ihren Briefen, macht in seiner Sorge für die Kinder jene Zwei zu Testoren. Cornelia wird vor Erregung, und weil sie Vandini und Fattorino nicht traut, krank. Schliesslich erreicht sie es, dass ihr die Kinder gelassen werden. Nach einer Durchsicht der Rechnungen und Testamentsangelegenheiten möchte Vandini das Kapital in Rom, das von M. verwaltet wird, erheben. Dies giebt M. aber nicht zu, auch nicht, dass ein Haus in Casteldurante Cornelia als Mitgift angerechnet werde, vielmehr setzt er es durch, dass diese in Geld ausgezahlt wird. (Lett. 556.) Mehrere Briefe Cornelias (noch 1561) zeigen, dass das liebevolle Verhältniss zwischen M. und ihr schliesslich wieder hergestellt war. (Frey: Briefe 363. 364. 366. 367. 372. 374. 375.)

1559. 18. 19. Februar. Ammanati schickt das Modell der Treppe an Herzog Cosimo nach Pisa. (Gaye III, 11. 12.) Dieser antwortet am 22. Februar und ordnet die Ausführung in Stein — nicht in Holz, wie M. vorgeschlagen hatte — an. Zugleich deutet er an, ob man nicht von M. auch die Zeichnung der Decke des Ricetto der Libreria und das Modell der Fassade erhalten könne. (Gaye III, 13.)

1559. März hat M. durch Vermittlung des Kardinales von Carpi die Erlaubniss vom Herzog Cosimo erhalten, in Rom weiter am Bau von S. Peter arbeiten zu dürfen, worüber er grosse Freude hat. (Lett. 345.)

1559. 3. Juni werden die Leichen der Magnifici Lorenzo und Giuliano
Medici aus der alten Sakristei in die neue überführt, wo sie an
der Eingangsseite beigesetzt werden. (Lapini: Diario bei Moreni:
Descrizione d. sagr. di S. Lorenzo.) Schon früher (vor 1548)
waren die Leichen Lorenzos des J. und Alessandros in den
einen, Herzog Giulianos in den anderen der Sarkophage gebracht
worden. (Vgl. Frey: Jahrb. d. k. pr. K. 1896, 117 ff.)

1559. Anfang Juli unternimmt Cosimo erneute Versuche. Giovan
Francesco Lottini berichtet Demselben am 7. Juli: M. sei sehr
gerührt gewesen durch das Anerbieten des Herzogs, aber er
sei von vielen Leiden (ausser dem Stein) geplagt und gebrauche noch viele Monate zur Vollendung des Kuppelmodells.
Lottini fügt hinzu, der Meister sei in der Bewegung durch
das Alter gehemmt und könne nur noch sehr selten nach
S. Peter gehen. (Gaye III, 14.) Am 15. Juli schreibt M. an
Lionardo: er habe zwei Briefe (einen auch vom Neffen) erhalten, die ihn drängten, nach Florenz zu kommen. Aber er
habe ja die Erlaubniss von Cosimo, an S. Peter weiter zu
arbeiten. Zugleich berichtet er von dem Plan der Florentiner,
in Rom S. Giovanni zu bauen. (Lett. 345.)

1559. Juli. Der Plan eines Baues von S. Giovanni dei Fiorentini war von den Florentinern, die Geld hierfür gesammelt hatten,
wiederum aufgenommen worden. Dieser Bau war unter Pro-
tektion Leos X. von Jacopo Sansovino in der Strada Giulia
allzu nahe am Tiber begonnen, von Antonio da San Gallo,
der ein Modell der Kirche gemacht hatte, fortgeführt worden.
Dann hatte man ihn aufgegeben. 1550 wurde von Bindo Altoviti der Gedanke gefasst, ihn wieder aufzunehmen, doch war
das Geld nicht aufzubringen. — Jetzt nun wenden sich die
Konsuln und Räthe der Nazione Fiorentina, welche beschliessen,
dass auf den alten Fundamenten ein Bau nach neuem Plane
errichtet werden solle und als Prokuratoren Francesco Bandini,
Uberto Ubaldini und Tommaso de' Bardi wählen, an M. Er
antwortet, dass er ohne Einwilligung des Herzogs Cosimo nicht
eine andere Arbeit, als die an S. Peter, übernehmen könne.
(Lett. 345. Vasari VII, 261.)

1559. 10. August übernimmt auf Bitten der Florentiner Herzog
Cosimo das Protektorat über die Unternehmung. (Gaye III, 16.)

1559. 18. August stirbt Paul IV.

1559. 8. Oktober. Auf Wunsch der Stadt Terni giebt Philipp IV.
seinem Gesandten in Rom den Auftrag, beim zu wählenden
Papste für die Gerechtsame, welche M. auf das Schloss
Collescipoli bei Terni hat, zu begünstigen. Wir sind sonst
nicht über diese Gerechtsame unterrichtet. Sollte sie M.
während seines Aufenthaltes in Spoleto erworben haben, oder

Thode, Michelangelo I.   30

handelt es sich um einen Ersatz für die Einkünfte des Notariates in Rimini? (Briefe Philipps an Francisco de Vargas und
an die Stadt Terni. Friedmann u. Thode: Repert. für Kunstw.
XXIII, 87.)

1559. 19. Oktober richten die Konsuln der Nazione Fiorentina ein
Schreiben an Herzog Cosimo, worin sie für sein Interesse
dankend, mittheilen, dass sie sich wegen des Modelles der
Kirche, damit dieselbe würdig werde, an M. gewandt hätten.
Dieser habe auch eine Zeichnung begonnen. Sie bitten nun
den Herzog, selbst an M. schreiben und ihm den Bau empfehlen
zu wollen.

1559. 26. Oktober. Der Herzog schreibt zustimmend an die Konsuln
und legt einen Brief an M. bei, in welchem er, Leos X. gedenkend, seinen Wunsch der Ausführung des Kirchenmodelles
durch den Meister ausdrückt. (Gaye III, 17. Brief an M.:
Frey, Briefe 370.)

1559. 1. November erklärt sich M. in einem Briefe an den Herzog
bereit, der Kirche sich anzunehmen, obgleich er bei seinem
Alter ja wenig mehr versprechen könne. Er habe mehrere
Zeichnungen (nach Vasari fünf) gemacht und den Deputirten
vorgelegt, welche die auch nach seiner Meinung würdigste
(Vasari: „reichste") ausgewählt hätten. Diese Zeichnung, (von
Tiberio Calcagni) sorgsam ausgeführt, wird dem Herzog vor-
gelegt werden. (Lett. 551. Gaye III, 18. Vasari VII, 263.)

1559. 10. November sprechen die Florentiner dem Herzog ihren
Dank aus und stellen die Zusendung der Zeichnung M.s
in Aussicht. (Gaye III, 19.) Am 2. Dezember schicken sie die
trotz seines Alters von M. mit grosser Sorgfalt und Liebe ausgeführte Zeichnung (ebend. 21).

1559. 22. Dezember. Cosimo drückt bewundernd M. seinen Dank
für die Zeichnung aus und bittet ihn, dem Bau alle Unterstützung angedeihen zu lassen. (Gaye III, 23.)

1559. 25. Dezember wird Gian Angelo de' Medici von Mailand Papst
als Pius IV. Er bestätigt M. als Architekten von S. Peter.
(Vasari VII, 257.)

1559. Dezember. Zwei kurze Briefe an Lionardo, in denen M.
für ein Geschenk dankt. Er wünscht, dass Lionardo im Frühjahr nach Rom komme. (Lett. 346. 347.)

1559. Nach dem Tode Henris II. (Juli 1559) trägt Katharina
Medici dem Ruberto Strozzi auf, von M. ein Bronzereiter-
standbild ihres Gemahles machen zu lassen. Sie selbst
schreibt am 14. Nov. M. lehnt den Auftrag ab und bittet,
ihn Daniele da Volterra zu übertragen, dem er beim Modell
mit Rath beisteht. (Vasari: Vita di Daniello. VII, 66. Gotti I,
349.)

1560. Arbeit am Modell der Petruskuppel.
1560. Anfang. Tiberio Calcagni führt M.s Zeichnungen für die
Kirche S. Giovanni und ein Modell nach ihnen unter des
Meisters Anweisung aus. (Vasari VII, 263.)
1560. 12. Februar bringt sich Benedetto Varchi durch ein ergebungs-
volles Schreiben M. in Erinnerung, dankt ihm für die Alessandro Allori erwiesene Güte und spricht die Hoffnung auf
M.s Heimkehr nach Florenz aus. (Frey: Dicht. 536.)
1559. 1560 führt Daniele da Volterra auf Befehl Pauls IV., der das
ganze Jüngste Gericht hatte herunterschlagen lassen wollen,
die Bekleidungsstücke an den Figuren aus. (Vasari: Vita
di Dan. VII, 65.)
1560. 5. März schreibt M. an den Herzog, die Florentiner sendeten
Diesem Calcagni mit den ausgeführten Zeichnungen zur Begutachtung. Er sei bereit, Alles zu thun, was in seinen
schwachen Kräften stehe. (Gaye III, 25. Lett. 552.)
1560. 5. und 10. März. Vasari, im Geleite des Kardinals Giovanni
Medici auf dem Wege nach Rom, wo er ein Gutachten M.s
über die von Cosimo in Florenz angeordneten Arbeiten haben
will, erbittet sich von Siena aus vom Herzog einen Brief an
M. (Gaye III, 26. Vasari VIII, 349.)
1560. 10. März. Brief an Lionardo, dessen Besuch M. sich in der
zweiten Hälfte Mai ausbittet. (Lett. 350.)
1560. 15. März. Ein einstiger Diener (?) der Vittoria Colonna („mia
signora") Bartolommeo Spatafora erbittet sich, unter Ausdrücken höchster Verehrung und Entschuldigung, die Angabe
des Mittels gegen das Steinleiden, das M. genützt, für einen
Verwandten. (Gotti II, 140. Frey: Dicht. 537.)
1560. 15. März. M. schreibt Lionardo, ihm zu der Geburt einer
Tochter zu gratuliren; er werde mittheilen, wenn ihm Lionardos Besuch erwünscht sei. (Lett. 351.)
1560. 27. März hält der Kardinal Giovanni Medici, in Dessen Be-
gleitung Vasari sich befindet, seinen Einzug in Rom. Vasari
findet M. so gealtert, dass er wenig von ihm für seine Zwecke
zu erfahren hoffen kann. (Gaye III, 28f. Vasari VIII, 329.)
Vasari bringt ein Modell Ammanatis für Dessen Statue des
Giganten mit, um M.s Urtheil über dasselbe zu erbitten.
(Vasari: Vita di Bandinelli VI, 191.)
1560. 29. März bittet Herzog Cosimo, dass M. Vasari seine Ansicht und Rath bezüglich einiger Angelegenheiten ertheile, und
freut sich über des Meisters Eifer für die Kirche S. Giovanni. (Gaye III, 29.)
1560. 8. April. Vasari berichtet von dem zärtlichen Empfang, den
M. ihm bereitet. Der Meister könne nicht viel mehr ausgehen, sei so alt, dass er nur wenig noch schlafe, und sein

30*

Aussehen lasse befürchten, dass er nicht lange mehr lebe.
Vasari besucht ihn täglich und ist einmal mit ihm nach S. Peter
geritten, wo M. die Schwierigkeiten dargelegt und das in
Arbeit befindliche Kuppelmodell gezeigt. — Vasari zeigt
ihm die Entwürfe zur Brücke von S. Trinità in Florenz und
lässt sich Rath von ihm ertheilen. M. äussert sich über viele
künstlerische Fragen, und Vasari will damit einen begonnenen
Dialog (die ragionamenti sopra le invenzioni nel palazzo di
Firenze, publ. 1588), den er Cosimo schon vorgelesen hat,
vollenden.   Annibale Caro las den Dialog M. vor.   Auch das
Modell des grossen Saales und die Sujets der für denselben
bestimmten Bilder bespricht Vasari mit dem Meister, welcher
dem Herzog Dank für Dessen Schreiben entsendet. (Gaye III,
29. Vasari VIII, 330. VII, 258.) An Vincenzo Borghini schreibt
Vasari, ganz gehoben durch die Anregungen, die er von M.
erhält. (Gaye III, 33. Vasari VIII, 332.) Am 18. April hat
er die mit M. zu besprechenden Angelegenheiten erledigt.
Vasari VIII, 334.)

1560.   8. April theilt Tiberio Calcagni aus Pisa alles das Schmeichel-
hafte mit, was ihm Cosimo M. zu sagen aufgetragen hat. (Frey:
Briefe 377.)

1560.   10. April. Bart. Ammanati bittet M., sein Urtheil über die
ihm durch Vasari überbrachte Skizze des Neptun zu sagen,
den er im Auftrage Cosimos als grosse Marmorstatue entwirft.
(Frey: Briefe 378.)

1560.   11. April. M. bittet Lionardo, der nach Loreto geht, auf
dem Rückwege nach Rom zu kommen. (Lett. 352.)

1560.   19. April. Cosimo dankt Vasari für seine Mittheilungen über
M. (Gaye III,, 31.)

1560.   25. April. M. theilt dem Herzog mit, dass die Entwürfe
Vasaris für die Stanze nuove des Palazzo vecchio bewundernswerth seien. Das Modell für den grossen Saal scheine ihm
zu niedrig, es müsse etwa 12 Ellen erhöht werden. Die Zeichnungen für die Umbauten liessen nichts zu wünschen übrig,
und der Brunnen Bartolommeos für jenen Saal sei eine schöne
Erfindung, die wunderbar wirken werde. Er bedauert, im
Hinblick auf die Kirche S. Giovanni, so alt und dem Tode
nahe zu sein. (Gaye III, 35. Lett. 553.)

1560.   30. April schreibt Herzog Cosimo an die Deputati des Baues
von S. Giovanni: der Plan M.s sei ganz Dessen würdig
und daher nichts daran zu verändern. Er überlegt die zur
Aufbringung der Kosten gemachten Vorschläge. Zugleich
drückt Cosimo in einem Briefe M. seine Bewunderung aus,
er bedaure nur, das Werk nicht vollendet und nicht in Florenz
sehen zu können. (Gaye III, 36.)

1560. 2. Mai. Luca Martini theilt M. mit, dass Calcagni von Pisa nach Rom zurückkehre und die Aufträge des Herzogs ausrichten werde. (Frey: Briefe 378.) Dies ist die letzte Nachricht über die Angelegenheit des Baues von S. Giovanni, dessen Ausführung nach M.s Zeichnung und Calcagnis Holzmodell, nachdem man 5000 Skudi ausgegeben, aus Mangel an Mitteln scheiterte. (Vasari VII, 263.)

1560. 18. Mai. Lionardo hat M.s Brief vom 11. April nicht mehr vor seiner Abreise nach Loreto erhalten und ist in Folge dessen nicht auf dem Heimwege nach Rom gekommen. M. bittet ihn nun, seinen Besuch bis zum Sept. aufzuschieben. (Lett. 353 und 354 vom 1. Juni.)

1560. 27. Juli. M. giebt seinem Kummer über den Tod von Lionardos Töchterchen Cassandra Ausdruck und wiederholt seine Betrachtung über das Schicksal der Simoni. (Lett. 355.)

1560. 13. September. M. hat durch Francesco Bandini vernommen, dass der Kardinal von Carpi sich geäussert, mit dem Bau von S. Peter könne es nicht schlimmer bestellt sein, als es der Fall sei. Obgleich er nun versichern zu können glaubt, dass es so gut stehe, wie nur denkbar, könne ihn doch sein eigenes Interesse und sein Alter täuschen, und so bittet er eindringlich, dass er des Amtes eines Architekten von S. Peter enthoben werde, das er unentgeltlich seit 17 Jahren verwaltet habe. (Lett. 558.) An denselben Kardinal vielleicht ist ein anderes, nicht datirtes Schreiben gerichtet, in welchem er sich offenbar gegen einen Vorwurf entschuldigt: bei einer Veränderung eines Grundrisses sei auch eine Veränderung der Baudetails nöthig. (Lett. 554.)

1560. Sommer war Leone Leoni in Rom. Pius IV. giebt ihm den Auftrag, das Grabmal seines Bruders, des Giov. Jacopo Medici, Marchese di Marignano, für den Mailänder Dom zu machen. M. macht den Entwurf für die Architektur. — Damals fertigt Leone die Medaille mit dem Porträt Michelangelos an, auf deren Rückseite auf Wunsch M.s ein Blinder, geführt von einem Hunde, zu sehen ist mit der Umschrift: Docebo iniquos vias tuas et impii ad te convertentur. (Vasari VII, 257. 539.) M. schenkt ihm ein Wachsmodell: Herkules mit Antäus und Zeichnungen. (Vasari VII, 258.)

1560. 14. Oktober. Leone Leoni ist mit einem Empfehlungsbrief M.s an Dessen Neffen nach Florenz gegangen und berichtet, dass er Lionardo nicht angetroffen. Er erbittet die Erlaubniss, in M.s Bottega einige Figuren (Statuen) abformen lassen zu dürfen. Zugleich erzählt er unterhaltend von der Konkurrenz (betreffend die Statue des Neptun) zwischen Cellini, Danti, Gianbologna und Ammanati, welch Letzterer den Sieg davon getragen hat. Er hält es unter diesen „Giganten" nicht aus und geht nach Mailand. (Frey: Briefe 379.)

1560. 24. Oktober schreibt Ruberto Strozzi aus Paris an M. Er sendet einen Simone Guiducci, welcher die für das Denkmal Henris II. bestimmten Gelder verwalten soll, nach dem mit Daniele da Volterra gemachten Kontrakte. In M.s Hände legt die Königin Katharina vertrauensvoll die Angelegenheit. (Gotti II, 144.)

1560. 27. Oktober. M. bittet Lionardo, nunmehr seinen Besuch bis auf das Frühjahr aufzuschieben. (Lett. 356.)

1560. 30. Oktober. Katharina Medici schreibt an Simone Guiducci. Sie bittet ihn, für die Vollendung der Statue Henris II. zu sorgen, deren Ausführung durch Daniele da Volterra M. überwacht. (Gaye III, 40.) An demselben Tage schreibt im Auftrage der Königin Bartolommeo del Bene an M. und bittet um möglichste Ähnlichkeit des Porträts. An M. selbst aber richtet sie die Bitte, alle Herrlichkeit seiner Kunst zu bewähren, und versichert ihn ihrer Dankbarkeit und Liebe. (Gotti I, 350f. II, 145f.)

1560. November kommt Cosimo Medici nach Rom. M. besucht ihn wiederholt und wird mit grösster Auszeichnung behandelt. Cosimo theilt ihm mit, dass die Technik, den Porphyr zu meisseln, erfunden sei. (Vasari I, 111. VII, 260.)

1560. Aus den häuslichen Verhältnissen M.s hören wir, dass er am 22. April eine Magd Laura und am 5. August eine Magd Girolama, die er am 1. Juni 1559 gemiethet hatte und mit der er schlechte Erfahrungen gemacht hat, weggeschickt: „o dass sie nie gekommen wäre." Antonio del Franzese ist noch bei ihm als Diener und Benedetta, Dessen Schwester. (Ricordi.)

1560. Gelegentlich des Planes der weiteren Ausmalung der Sala dei Re tritt M. für Daniele da Volterra gegen Francesco Salviati ein, für welch Letzteren Vasari gelegentlich seines Aufenthaltes in Rom wirkt. (Vasari: Vita di Salviati VII, 35f.)

1560? 1561? Entwurf für die Umwandlung der Diokletiansthermen in die Kirche S. Maria degli Angeli, nach welchem die Frati Certosini dann bauten (geweiht 5. Aug. 1561, 1568 fast fertig). Entwurf für ein Bronzeciborium in dieser Kirche, das von Jacopo del Duca Siciliano ausgeführt wurde. Dieser arbeitet 1565 daran (s. seinen Brief an Lionardo, Daelli N. 37).

1561. 12. Januar. M. dankt Lionardo für ein Geschenk, wünscht aber nicht, dass Dieser jetzt nach Rom komme. Am 18. Februar sagt er, er erwarte ihn zu Ostern. (Lett. 357. 358.) Dann am 22. März, er solle nach dem Fest für 2 oder 3 Tage kommen. (Lett. 359.)

1561. 15. Februar. Cosimo giebt Ammanati Befehl, die beiden Statuen, die der Kardinal Strozzi und Dessen Bruder ihm geschenkt, von Rom abzusenden. (Gaye III, 55.)

1561. 25. Februar. Ruberto Strozzi an M. Ein Signor Giuliano komme nach Rom, um sich von den Arbeiten am Reiterstandbild Henris II. zu überzeugen. (Gotti II, 147.)

1561. 14. März. Leone Leoni schickt M., der ihm im Laufe dreier Monate zwei Briefe (verloren) geschrieben hat, durch Carlo Visconti von Mailand vier Exemplare der Medaille, von der er andere auch nach Spanien und Flandern sandte. (Gotti I, 346.)

1561. 5. April. Bart. Ammanati, der mit dem Neptun beschäftigt ist, schickt die Gedichte seiner Frau, der ihrer Zeit gefeierten Laura Battiferri, (Rime, I. Buch erschienen 1560), und legt geistliche Lieder von ihr, weil dieselben M. mehr gefallen würden, bei. (Gualandi: Memorie rig. le belle arti. III. ser. 38. Frey: Briefe 381.)

1561. 12. April. Leone Leoni macht M. von Mantua aus eine kurze, aber amüsante Beschreibung von der von ihm geleiteten szenischen Herrichtung für die Aufführung des „monte di Feronia" zu Ehren des Luigi d'Este, der den Kardinalshut empfangen hatte. (Gotti I, 346.)

1561. 17. April erhält M. als Geschenk von Pius IV. 200 Goldskudi. . (Ricordi 609.)

1561. 1. Mai. M. hat den Plan gefasst, die immer noch nicht gelöste Angelegenheit des Piccolominialtares in Siena zu Ende zu bringen. Paolo Panciatichi in Pistoja, den M. zum Vermittler gemacht hat (s. 1537. 10. Dez.), theilt M. offenbar auf eine Anfrage Desselben mit, dass sich die Akten des einstigen Vertrages bei einem ser Ciaio notario del sale befinden. (Frey: Briefe 382.)

1561. 3. Mai. Lionardo, der in Rom gewesen war, hatte Grüsse M.s unter anderen an Agnolo Bronzino mitgebracht, und Dieser dankt M. in einem überschwänglich verehrungsvollen Briefe und mit einem Sonette. (Frey: Briefe 382.)

1561. 6. Juni schreibt der Fattorino aus Casteldurante wieder, überdrüssig der Sorge für die Erben. Cornelias Mann Brunelli wolle selbst nach Rom kommen, um mit M. die Sache zu regeln. Nun wurde Cornelia wieder ein grösserer Einfluss in der Vormundschaft eingeräumt. Sie schreibt am 26. Juli und 2. September wegen Flüssigmachung von Geld an M. und an Antonio del Franzese. Und dann am 10. November auch Brunelli, welcher die Vermittlung bei M. durch einen der Wortführer: Cesare von Casteldurante vorschlägt. (Frey: Briefe 384—388.)

1561. 24. Juni. Zahlung an Pier Luizi Gaeta für Arbeit an der Porta Pia (Fanfani S. 143.)

1561. 18. Juli bittet M. Lionardo, dem er am 22. Juni für eine Sendung Trebbiano zu danken gehabt hatte, um Vertheilung von 300 Skudi als Almosen. (Lett. 360. 362.)

1561. 21. August. Regelung der Rechnungen mit Antonio Franzese durch einen Akt, mittelst dessen M. für den Fall seines Todes Antonio, der ihm seit 8 Jahren treu gedient, sicher stellen wollte. Auch vermacht er ihm zwei abozzirte Marmorfiguren: einen Christus mit dem Kreuz und einen todten Christus. (Arch. stor. dell' Arte 1888. I, 78.)

1561. 29. August berichtet Calcagni Lionardo von einem Ohnmachtsanfall, den M. gehabt hat. Dieser hatte drei Stunden lang, barfüssig, gezeichnet, als er plötzlich Schmerzen empfand, und gleich darauf bewusstlos unter konvulsivischen Bewegungen niedersank und so von Antonio gefunden wurde. Cavalieri, Bandini und Calcagni eilten hin, fanden den Meister aber wieder bei Bewusstsein, nur der Ruhe bedürftig. Von Tag zu Tag geht es ihm jetzt besser, schon kann er wieder ausreiten und beschäftigt sich mit der Zeichnung der Aussenseite der Porta Pia. (Daelli N. 23.)

1561. 20. September. M. bittet Lionardo, unter den Schriftstücken des Vaters Lodovico nach der Kopie des Kontraktes zu suchen, den er bezüglich des Piccolominialtares mit den Erben Pius' II. 1504 abgeschlossen hatte. Er wolle die Sache vor seinem Tode in Ordnung bringen, damit seine Erben nicht Ungelegenheit davon haben. (Lett. 362.) — Am 30. November zeigt er den Empfang des Kontraktes an und meldet, dass der Erzbischof von Siena, Francesco Bandini Piccolomini, die Sache in die Hand nehme und regeln werde. (Lett. 363.)

1561. 28. Oktober meldet Vasari M., dass Herzog Cosimos Sohn, Don Francesco, nach Rom abgereist ist und dringlich M. zu sehen wünscht. (Vasari VIII, 351.) Francesco empfängt in Rom M. mit grosser Verehrung, immer das Barett in der Hand; der Meister bedauert es, zu alt zu sein, um ihm eine Arbeit zum Geschenk zu machen, und sucht nach Anticaglien für ihn in Rom. (Vasari VII, 260.)

1561. 4. November. Vasari empfiehlt M. einen hochbegabten jungen Theologen und Prediger, Don Gabriel Fiamma, der M. nur einmal gesehen haben möchte. (Vasari VIII, 351.)

1561. 15. November. Tommaso Cavalieri, gegen den M. sich verstimmt zeigt, versichert M. der Grundlosigkeit jedes Argwohnes, der nur durch irgend eine lügnerische Einflüsterung hervorgebracht sein könne, und betheuert ihm seine umwandelbare Freundschaft. Er hatte M. beruhigende Nachrichten vom

Herzog Cosimo bringen wollen, war aber nicht vorgelassen worden. (Symonds II, 149. Frey: Dicht. 538.)

1561. November (vermuthlich). M. giebt den in seinem Hause bei ihm lebenden jungen Pierluigi Gaeta als Werkführer (soprastante) an S. Pietro dem übermässig beschäftigten Cesare da Casteldurante bei und bittet die Deputati des Baues, Gaeta die entsprechende Provision auszuzahlen, andernfalls er sie aus seiner Tasche zahlen werde. (Lett. 559.)

1561. Beschäftigung mit den Zeichnungen für die Porta Pia, welche den Abschluss einer grossen, vom Monte Cavallo herführenden Strasse bilden sollte. M. fertigte drei herrliche Entwürfe an, von denen Pius IV. den billigsten wählte. Auch für die Wiederherstellung anderer Stadtthore von Rom machte M. dem Papste Zeichnungen. (Vasari VII, 260.) Vom 2. Juli 1561 ist uns ein Kontrakt der Apostolischen Kammer mit den Maurern, welche die Porta bauen, erhalten. Darin wird M. als Leiter des Baues genannt. Soprastante ist Pierluigi Gaeta. Jacomo del Duca und Luca führen 1562 die Skulpturen aus. (Gotti II, 160f.)

1562. 12. Januar. M. bittet sich von Lionardo die einst übersandte Schachtel mit Schriftstücken aus, da er dieselben dem Papste (des Nutzens und der Ehre wegen) zeigen wolle. Am 31. Jan. meldet er den Empfang; am 14. Febr. kann er sie noch nicht, wie er gewollt, zurücksenden, da er die Angelegenheit noch nicht habe ordnen können. Auch leide er an heftigen Kopfschmerzen, von denen er sich aber am 20. Febr. wieder erholt hat. (Lett. 364. 365. 366. 367.)

1562. Beginn des Jahres. Offenbar steht der Wunsch, seine Papiere zu haben, im Zusammenhang mit den Anfeindungen, die er damals besonders stark, und zwar von Seiten Nannis di Baccio Bigio, welcher alle Mittel in Bewegung setzt, an Stelle M.s Architekt von S. Peter zu werden, und von Dessen Partei erleidet. Nanni hat die Unverschämtheit, sich an Herzog Cosimo zu wenden und sein Interesse für sich zu erbitten. Am 19. April giebt Cosimo ihm die Antwort, er könne, so lange M. lebe, dem Wunsche Nannis nicht willfahren. (Gaye III, 66.)

1562. 20. Mai. M. übernimmt den Verkauf von Land, das den Kindern seines einstigen Dieners Urbino gehört, und lässt ihnen, liebreich sorgend auf Geheimhaltung des Vorganges bedacht, die erlöste Summe zugehen. (Arch. stor. d. a. 1888. I, 77.)

1562. 15. Mai erhalten Jacopo del Duca und Luca eine Zahlung für das Marmorwappen an der Porta Pia. Jacopo erhält am 15. Nov. weitere Zahlungen. (Gotti II, 162.)

1562. 27. Juni dankt M. Lionardo für eine Sendung Trebbiano und bittet, das von Cassandra erwartete Kind entweder Buonarroto oder Francesca zu nennen. (Lett. 368.)

1562. 26. August schreibt ihm Leone Leoni aus Mailand, um ihn seiner Anhänglichkeit zu versichern, und berichtet, dass das Grabmal des Marchese von Marignano schon zur Hälfte im Dom von Mailand aufgestellt sei. In diesen Jahren führt hauptsächlich Daniele da Volterra für M. die Korrespondenz. (Frey: Briefe 389.)

1563. 31. Januar. M. bittet Lionardo, nicht nach Rom zu kommen.

1563. 31. Januar wird M. zum Haupt der von Cosimo gegründeten florentinischen Akademie, neben Herzog Cosimo, mit allen Stimmen gewählt. (Brief Vasaris an Cosimo vom 1. Febr. Gaye III, 83.)

1563. 17. März. Vasari theilt in einem langen Schreiben M. diese Wahl mit, sowie dass Cosimo beschlossen habe, die Ausschmückung der Mediceischen Kapelle in S. Lorenzo zu vollenden, die vier fehlenden Statuen in den Tabernakeln der beiden Grabdenkmäler, die acht Statuen in den Tabernakeln über den Thüren und die Gemälde an den Bögen und Wänden der Kapelle ausführen zu lassen. M. wird nun gebeten, falls er noch Skizzen für diese Ausgestaltung des künstlerischen Schmuckes besitze, sie zu senden oder aber seine Ansichten und Pläne niederschreiben zu lassen. (Vasari III, 367.) Vasari hatte diesen Gedanken dem Herzog eingegeben (Brief vom 16. Febr. 1563. Vasari VIII, 361. Gaye III, 98), nachdem er die Inschriften für die Denkmäler angeordnet und bei Cosimo durchgesetzt hatte, dass ein Kamin in der Kapelle angebracht würde, da die Statuen durch den Rauch der Kohlenpfannen der Priester angeschwärzt waren. (Gaye III, 84. 85. 92.) Montorsoli, der als einstiger Mitarbeiter auch seine Dienste angeboten hat, stirbt ein halbes Jahr später am 1. Sept. (Vasari VIII, 370.)

1562. 14. April. Von neuem sorgt M. durch einen notariellen Akt dafür, dass sein Diener Antonio Franzese aus Casteldurante, den er wie einen Sohn geliebt und dem er seine Dankbarkeit für alle Dienste und treue Führung bezeugen möchte, nach seinem Tode nicht molestirt werden könne, auch nicht wegen der 2000 Skudi, die er ihm im Laufe der Jahre geschenkt. An M.s Geburts- und Todestage solle Antonio zu seinem Gedächtniss 13 Arme speisen. (Arch. stor. d. a. 1888. I, 78.) Ein ergreifendes Zeugniss dieses Dokument für M.s Verhältniss zu seinen Untergebenen und seine grossartige Liberalität!

1563. Juni. Auf Betrieb Vasaris hat der Herzog heimlich bei dem Papste durch seinen Gesandten Averardo Serristori dahin wirken lassen, dass man sorgfältig die Dienerschaft M.s und Alle, die in Dessen Hause verkehrten, beaufsichtige. Sollte dem Greise ein plötzliches Ende bereitet sein, so müsse sogleich ein In-

ventar seines ganzen Besitzes angefertigt und derselbe verwahrt werden, damit die auf den Bau von S. Peter und auf
die Sakristei und Bibliothek von S. Lorenzo bezüglichen Zeichnungen, Modelle etc. nicht abhanden kämen. (Vasari VII,
267.) Jenem Serristori, der wohl im Auftrage Cosimos zu
ihm kam, hat M. geantwortet, er könne nicht schreiben. Und
das Gleiche theilt er mit einigen Worten Lionardo und durch
ihn Vasari am 25. Juni mit. (Lett. 370.)

1563. Juli. Daniele da Volterra antwortet Lionardo auf Dessen
Anfrage, ob es M. recht sein werde, wenn er nach Rom käme.
Offenbar hat L. in Erinnerung an frühere Vorfälle Daniele ge-
beten, dem Greise jeden Verdacht wegen der Motive seines
Kommens zu nehmen, indem er bemerke, Lionardo gehe es
sehr gut in Florenz, er sei reich und bedürfe nichts mehr.
Daniele hat in diesem Sinne vorsichtig das Gespräch auf Lionardo
gebracht, und M. darauf erwidert: wenn dem so sei, so sei er
es sehr zufrieden, denn er sei entschlossen, das Wenige, was
er noch besitze, einem Armen um Gottes willen zu geben.
Daniele hatte den Eindruck, als hätte M. sagen wollen: da
Lionardo meiner nicht mehr bedarf, kümmert er sich auch nicht
mehr um mich. Daniele verspricht, am nächsten Sonntag wieder
auf die Sache zurückzukommen. Übrigens gehe es M. für
sein Alter verhältnissmässig gut, nur die Beine seien schwach.
(Daelli 36.)

1563. Inzwischen haben die Intriguen Nannis di Baccio Bigio
immer grösseren Umfang angenommen. Am 8. August erzählt
brieflich Calcagni dem Lionardo, Pierluigi Gaeta, der von M.
den Auftrag erhalten habe, sechs alte Dukaten zu wechseln,
sei ins Gefängniss gebracht worden, unter der Behauptung, er
habe diese Münzen einem angeblich in der Vigna des Oratio
Muti gefundenen Schatz entwendet. (Fanfani 172.) Daniele da
Volterra erregt sich wegen M. sehr darüber. Dann spricht
Calcagni (die Stelle des Briefes ist nicht ganz verständlich)
von dem Gerüchte, M. habe dem Antonio del Franzese eine
Schenkung von 2000 Dukaten gemacht. Endlich berichtet er,
dass M.s Werkführer Cesare da Casteldurante bei S. Pietro
erstochen worden sei. (Daelli 38.)

1563. August. M. ernennt an Stelle Cesares seinen Pierluigi Gaeta
zum Werkführer an S. Peter. Jetzt kommt es zum offenen
Konflikt: die Deputati, welche Nanni den von ihm ersehnten
Posten geben wollen, jagen Gaeta fort. M., empört, will nicht
mehr nach S. Peter kommen. Einer der Deputati, der Bischof
Ferratino, sagt dem Kardinal Carpi, M. habe gesagt, er wolle
sich nicht mehr um den Bau bekümmern. M. sendet Daniele
da Volterra zum Bischof mit der Botschaft, es sei nicht wahr.

Der Bischof beklagt sich, dass M. seinen Bauplan nicht mit-
theile und meint, es sei Zeit, dass M. einen Stellvertreter bestelle. Ferratino schlägt Daniele vor. Damit ist M. einverstanden. Ferratino beruft die Deputati und stellt ihnen als
Stellvertreter M.s nicht Daniele, sondern Nanni vor, der auch
sogleich Anordnungen für den Bau giebt. Daraufhin sucht
M. sofort den Papst auf, den er auf dem Kapitol findet, be-
schwert sich und sagt, er verlasse Rom und gehe nach Florenz.
Der Papst beruft eine Versammlung der Deputati, der M. bei-
wohnt. Diese erklären, der Bau sei in Gefahr und es würden
Fehler begangen. Pius, welcher diese Lüge durchschaut, sendet
als Bevollmächtigten Gabrio Scierbellone nach S. Peter, dem
Nanni die Fehler zeigen soll. Gabrio sieht, dass es Alles nur
Bosheit ist, und Nanni, dem der Papst seine Unfähigkeit vorwirft,
wird mit Schimpf und Schande fortgejagt. (Vasari VII, 266.
Brief Calcagnis an Lionardo vom 24. Sept. Daelli N. 26.)

1563. 20. August und später 27. Nov. und 24. Dez. Provisions-
       zahlungen an M. für Gaeta. (Fanfani 143.)

1563. 21. August. Lionardo hat besorgt geschrieben, bezüglich der
       häuslichen Angelegenheiten und der Pflege M.s, offenbar auf
       beunruhigende und Argwohn erregende Nachrichten aus Rom
       hin. M. erwidert ihm erregt darüber, dass er den Lügen seiner
       Neider Gehör schenke. Er sei kein Kind und seine Leute
       seien brav und verlässlich. (Lett. 371.)

1563. 4. Sept. M. hat dem Herzog von Urbino die Angelegen-
       heiten eines Raffaello Scaramuccia di Casteldurante empfohlen.
       (Gronau S. 10.

1563. 28. Dezember. Der letzte erhaltene Brief M.s an seinen Neffen,
       dem er für ein Geschenk von marzolini dankt. Er könne
       fortan nicht mehr selber schreiben, sondern werde diktiren
       und unterzeichnen. (Lett. 372.)

1564. 8. Jan. Zahlung von 100 Skudi an M. für S. Peter. (Fan-
       fani 144.)

1564. 12. Februar arbeitet M. noch den ganzen Tag stehend an
       der Pietà (Rondanini). (Daniele am 11. Juni 1564 an Lionardo.
       Daelli N. 34.)

1564. 14. Februar, Montag, fühlt sich M. unwohl. Calcagni schreibt
       an Lionardo. Er habe an diesem Tage gehört, es gehe M.
       nicht gut. Als er hineilt, findet er den Meister im Freien.
       Auf Calcagnis Rath, ins Haus zu gehen, antwortet M., er fühle
       sich schlecht und habe keine Ruhe. Sprache und Aussehen
       setzen Calcagni in Angst. Er geleitet ihn ins Haus. (Daelli
       N. 27.) M. schickt zu Daniele und bittet ihn, zu kommen.
       Dieser ruft den Arzt Federigo Donati. M. bittet Daniele, an

Lionardo zu schreiben und ihn nicht zu verlassen. (Brief Danieles an Vasari am 17. März. Gotti I, 357.)

1564.   15. Februar. Stärkeres Fieber tritt ein, aber M. bleibt
noch auf beim Kamin. Diomede Leoni aus Siena schreibt
an Lionardo. (Daelli N. 28.)

1564.   16. Februar muss sich M. ins Bett legen. (Gotti I, 357.) An
diesem Tage spricht er den Wunsch aus, dass seine Leiche
nach Florenz gebracht werde. (Eb. 358.)

1564.   18. Februar. Freitag. Nachmittags gegen 5 Uhr haucht
der Meister seine Seele aus. — Dem Ende wohnten mehrere
Ärzte bei, darunter Federigo Donati und Gherardo Fidelissimi, ferner Tommaso Cavalieri, Daniele da Volterra, Diomede
Leoni und der Diener Antonio del Franzese. (Gaye III, 126.)

1564.   18. Februar. Noch an demselben Abend schreibt der eine
Arzt, Gherardo Fidelissimi, an Herzog Cosimo. Er theilt Diesem den Tod und den Wunsch M.s mit, in Florenz bestattet zu werden. (Gaye III, 126.) An demselben Tage schreibt
Diomede Leoni an Lionardo und beruhigt ihn zugleich darüber, dass Alles wohlgeordnet sei.

1564.   19. Februar. Cosimos Gesandter, Averardo Serristorri, macht
seinerseits dem Herzog Mittheilung von dem Ende und berichtet,
dass der Governatore von Rom das Inventar des Besitzes
aufgenommen habe. Es fand sich wenig, auch wenige Zeichnungen. 7—8000 Skudi, die in einer Kiste enthalten waren,
wurden bei den Ubaldini deponirt. Es heisst, M. habe fast
alle seine Zeichnungen verbrannt. — Zugleich sendet er einen
Brief Nannis di Baccio Bigio, welcher den Herzog bittet, beim
Papste zu befürworten, dass er Nachfolger M.s am Bau von
S. Peter werde. — Endlich fügt er hinzu, dass er die zwei
Statuen, welche die Strozzi Cosimo geschenkt (vgl. 15. Febr.
1561), nach Livorno abschicken werde. — Was sind das für
zwei Statuen? Werke M.s? Den Strozzi hatte der Meister
1546 die zwei Sklaven geschenkt, die dann 1550 nach Frankreich gingen. Hat M. ihnen etwa noch auch zwei andere
Figuren gegeben? In der I. Auflage der Vite erwähnt Vasari,
dass M. vier Sklaven gefertigt habe. (Ausgabe Frey: Vite. S. 70.)
(Gaye III, 127. Brief Nannis III, 129.)

1564.   19. Februar wird das Inventar aufgesetzt. Ausser dem
Hausgeräth, der Kiste mit dem Gelde, einer verschlossenen und
versiegelten Truhe (mit Schriftstücken), finden sich zehn Kartons,
eine angefangene Statue des h. Petrus, eine angefangene
Christusstatue mit einer Figur darüber (Pietà), und eine unvollendete kleine Statue eines kreuztragenden Christus,
ähnlich wie jener in der Minerva, aber doch anders (Gotti

I, 358). — Aufgesetzt in Gegenwart von Tommaso Cavalieri und Pierluigi Gaeta. (Gotti II, 149 ff. Fanfani 174 ff.) Die Kartons enthalten 1. Grundriss von S. Peter. 2. Kleiner Karton: Fassade eines Pallastes. 3. Ein Fenster von S. Peter. 4. Der alte Grundriss von S. Peter nach San Gallos Entwurf. 5. Drei Skizzen von kleinen Figuren. 6. Fenster. 7. Eine unvollendete Pietà mit neun Figuren. 8. Skizzen: Drei grosse Figuren und zwei Putten. 9. Eine grosse Figur. 10. Christus und Maria.

Daniele erwähnt in seinem Briefe an Vasari vom 17. März von diesen Kartons vier: einen mit Christi Abschied von der Mutter (den M. für den Kardinal Morone entworfen), einen, den Condivi gemalt, eine Studie eines Apostels für eine Statue in S. Pietro und eine nur in Umrissen angedeutete Pietà. (Gotti I, 358.)

1564. 19. Februar. Die Leiche wird von den Confratelli von San Giovanni Decollato nach S. Apostoli gebracht, wo sie einige Tage bleibt. Der Papst hat die Absicht, sie später in S. Pietro beizusetzen. (Vasari VII, 286 u. Anm.)

1564. 21. Februar trifft Lionardo in Rom ein und ordnet sogleich an, dass die Leiche nach Florenz überführt werde. (Brief Danieles. Gotti I, 358.)

1564. 26. Februar erhebt Lionardo vor dem Gouverneur Anspruch auf die Erbschaft. Am 27. erhält er das Geld im Werth von etwa 10000 Dukaten und die Truhe mit den Schriftstücken. — Von den Kartons erhält einen: Christus und Maria am 7. April Tommaso Cavalieri, welchem M. denselben schon früher geschenkt hatte. Einen anderen behält auf Anordnung des Gouverneurs der Notar: jenen mit den drei Figuren und zwei Putten, genannt Epifania. — Die acht übrigen beansprucht und erhält, wie es scheint (Brief Danieles), nach einigen Schwierigkeiten am 21. April Lionardo. (Gotti II, 154 ff.) Es scheint, dass Lionardo auch einige kleine Zeichnungen: Darstellung der Verkündigung (die von M. Venusti gemalt wurde: Vasari, Vita di Clovio VII, 574) und ein Gebet in Gethsemane, die M. Jacopo, also jenem Jacopo del Duca, und seinem Genossen Michele (offenbar dem Michele Alberti, welcher am 18. April 1566 an Lionardo über Ducas Arbeit an den zwei Bronzebüsten schreibt, s. unten unter Gotti I, 372 f.) geschenkt hatte, von Diesem erworben hat, um sie, wie Daniele da Volterra Gotti I, 358) am 17. März Vasari schreibt, Herzog Cosimo zu schenken. Vasari sagt wenigstens (Vita di G. Clovio), dass Lionardo eine Zeichnung der Verkündigung an Cosimo geschenkt. Die Statuen: Pietà und Christus mit Kreuz waren dem Diener Antonio del Franzese vermacht (s. o. 1561, 21 Aug.)

1564. 29. Februar. Der Sarg wird durch Leinwandumhüllung für den Transport nach Florenz vorbereitet. (Spese bei Gotti II, 159.) Aber die Römer wollen die Überführung nicht zugeben. (Vasari VII, 287.)

1564. 1. März schreibt eine Catarina Mulattieri aus Florenz, in Rom wohnhaft, die lange in Diensten M.s stand, an Lionardo und bittet um eine Unterredung. Es ist offenbar die Catarina, die in den Ricordi 1528 und 1529 und später 1548, 1549 als Magd oder Haushälterin M.s, erwähnt wird. (Ricordi 601. 602. 605. 606.) Ihr Beiname Mulattieri lässt es als möglich erscheinen, dass sie den Mulattiere Simone del Bernia, den M. als seinen Botschafter und zu Sendungen nach Florenz benutzte, geheirathet hat.

1564. 2. März. Die Florentiner Akademie erbittet von Cosimo die Erlaubniss, feierliche Exequien für M. veranstalten zu dürfen, bei denen Varchi die Trauerrede halten soll. Bronzino, Vasari, Cellini und Ammanati erhalten die Leitung der künstlerischen Veranstaltung. (Vasaris Brief VIII, 374. Gotti I, 361. Prosp. cron. 401. Vasari VII, 287.)

1564. 4. März schreibt Vasari aus Florenz an Lionardo und drückt ihm seine Theilnahme aus. Er ist erfreut über den Plan der Übertragung der Leiche nach Florenz. Cosimo Medici habe geschrieben, er wolle M. eine Statue im Dome errichten. Vasari empfiehlt Lionardo, dem Herzog die in dem Hause der Via Mozza befindlichen hinterlassenen Kunstwerke anzubieten, berichtet von den beabsichtigten Trauerfeierlichkeiten, ersucht Lionardo um möglichst eingehende Mittheilungen über M.s Leben und Thätigkeit in Rom für die zweite Auflage der Vite, die er vorbereitet, und bittet sich endlich irgend ein Erinnerungszeichen an den Meister aus. (Vasari VIII, 374. Gotti I, 361. Daelli N. 30.)

1564. 4. März. Prete Giovanni di Simone in Florenz schreibt an Lionardo: Dessen Wunsch bezüglich einer vorläufigen Grabstätte in S. Croce sei von dem Guardian bewilligt. (Daelli N. 31.)

1564. 8. 9. März. Herzog Cosimo giebt der Akademie die Erlaubniss und beauftragt Varchi mit der Trauerrede. (Vasari VII, 290 ff. Esequie del divino Michelangelo, Florenz, Giunti, 1564. Neudruck 1875 in der Nuova Raccolta di operette piacevoli e istruttive. S. 19 ff. Gaye III, 131.)

1564. Inzwischen hat sich Lionardo entschlossen, den Sarg mit der Leiche heimlich in einem Waarenballen nach Florenz zu senden, da man sie in Rom nicht nach Florenz überführen lassen will. (Vasari VII, 293. Esequie S. 23.)

1564. 10. März trifft die Leiche in Florenz ein, begleitet von Briefen Lionardos und Danieles da Volterra. Beide machen den

Vorschlag eines in S. Croce zu errichtenden Denkmales, für welche „die Figur", (die Viktoria, s. später) aus dem Atelier der Via Mozza und die dort befindlichen Marmorblöcke benutzt werden sollten.. Daniele hat sich angeboten, die Zeichnung zu entwerfen. Vasari erwidert darauf am 10. März, er habe diese Vorschläge an den Herzog geschrieben und bittet Daniele, zwei Entwürfe, einen mit der Figur und einen ohne dieselbe zu machen. Zugleich theilt er mit, dass er den Sarg auf der Dogana habe versiegeln lassen. (Vasari VIII, 376.)

1564.   11. März wird die Leiche in die Compagnia dell' Assunta bei San Piero Maggiore überführt. (Vasari VII, 293. Esequie S. 24.)

1564. 12. März. Sonntag. Abends wird der Sarg, mit einer Sammetdecke verhüllt, auf welcher das Kruzifix lag, von allen Künstlern der Akademie, die früh eine Sitzung abgehalten hatten (Prosp. cron. 402), nach S. Croce gebracht. Das Gerücht hiervon hat sich verbreitet, die Menge des Volkes strömt herzu, so dass es Schwierigkeit hat, die Bahre aus der Kirche S. Croce in die Sakristei zu bringen. Dort lässt der Präsident den Sarg öffnen. Die Leiche, wie in sanftem Schlafe, zeigt fast keine Veränderung. Sie ist in schwarzen Damast gekleidet, die Stiefel mit Sporen an den Füssen und einen Seidenfilzhut all' antica auf dem Kopfe. (Gaye III, 133.) — Dann wird der Sarg vorläufig in der Kirche beim Altar der Cavalcanti beigesetzt und die Stätte am nächsten Tage durch zahlreiche Gedichte geehrt. (Vasari VII, 293 ff. Esequie S. 24 ff. hier die Gedichte.)

1564. 16. März. Sitzung der Akademiker, in welcher beschlossen wird, die Exequien feierlich in S. Lorenzo zu gestalten. Als Leiter der künstlerischen Veranstaltung werden mit Ausnahme Cellinis, jene schon früher genannten bestimmt. Zum Proveditore des Werkes wird Zanobi di Bernardo Lastricati ernannt. (Prosp. cron. 402.)

1564. 18. März schreibt Prete Giovanni di Simone über alle die Ereignisse an Lionardo und übersendet einen Brief Vasaris von demselben Tage. Vasari berichtet: Herzog Cosimo, obgleich er selbst Pläne mit den von M. hinterlassenen Statuen gehabt, sei einverstanden damit, dass die Statue der Viktoria für das Grabdenkmal in S. Croce verwerthet werde. Lionardo möge seinen Plan fassen und Daniele da Volterra, sowie vielleicht auch Einigen der florentiner Künstler zur Ausführung übertragen. Er schlägt ferner vor, dass Lionardo die Pietà, die M. einst selbst für sein Grabmal bestimmt hatte, von Pier Antonio Bandini zu erhalten suche. Dann wäre es möglich, die Viktoria und die anderen Marmorblöcke dem Herzog zu lassen. Auch passe ja eine Viktoria nicht für das Denkmal

Michelagnolos. – Man sieht, Vasari sorgt für das Interesse
des Herzogs, der offenbar nur widerwillig sich zu dem Zu-
geständnisse bequemt hat. (Daelli N. 32. 33. Vasari VIII, 377.)

1564. 22. März schreibt Lionardo direkt an Herzog Cosimo, theilt
ihm den Wunsch M.s mit, in S. Croce bestattet zu werden, „um
wenigstens todt nach Florenz zurückzukehren, da er lebend
durch S. Peter in Rom zurückgehalten worden sei“. In der
Hinterlassenschaft M.s in Rom habe sich nichts gefunden, was
Cosimo übersandt werden könne, doch stelle er, Lionardo, die
hinterlassenen Werke in Via Mozza dem Herzog zur Verfügung. (Gaye III, 131.)

1564. 26. März. Vasari schreibt an Lionardo. Er hat die für seine
Biographie erbetenen Notizen über M.s Güte und exemplarisches
Leben von Daniele und einem Antonio Amelini da Fano er-
halten, erbittet sich jetzt aber weitere Nachrichten über die
Intriguen zu Zeiten Pauls IV., über die Anfeindungen von
Nanni und Guglielmo della Porta, sowie über den Petersbau.
(Vasari VIII, 379.)

1564. 9. Mai wird von den Akademikern beschlossen, da der Herzog
noch kein Geld gesandt hat, dass Ammanati auf seine Kosten
vorläufig die Ausgaben für die Gemälde, welche die Leichenfeier verherrlichen sollen, übernehme. (Prosp. cron. 403.)

1564. 22. Mai. Lionardo ist nach Florenz zurückgekehrt (Anfang
Mai, Vasari VIII, 380) und lässt sich durch Vasari dem Herzog
empfehlen. Aus der Erbschaft habe er nur zwei kleine Kartons,
die er demselben zur Verfügung stelle. Er bittet nun doch
Cosimo, die Skulpturen der Via Mozza anzunehmen.
Der Gedanke, sie für das Grabmal zu verwenden, sei nicht seiner, sondern Danieles gewesen. (Gaye, III, 135. Vasari VIII, 380.)

1564. 11. Juni. Daniele da Volterra schreibt aus Rom an
Lionardo, giebt ihm einige Mittheilungen über M.s letzte Tage
für Vasari, findet es richtig, dass die Denkmalsfrage in Ruhe
überlegt werde und meldet, dass er von den geplanten Bronze-
porträts M.s eines in Wachs geformt habe. (Daelli N. 34.)

1564. 29. Juni wird der Tag für die Feier bestimmt. (Prosp. cron. 403.)

1564. 14. Juli finden die Exequien in S. Lorenzo statt, in Gegenwart von Lionardo, dem Präsidenten der Akademie: Borghini,
80 Künstlern, 25 Schülern und einer zahllosen Menge von
Florentinern und Freunden. Nur Benvenuto Cellini, welcher
seinerseits einen Plan gemacht, aber diesen nicht zum Vorschlag hatte bringen lassen (Gotti I, 364), und Francesco da
San Gallo, ebenso auch der Herzog (der nicht in Florenz ist)
haben sich nicht eingefunden. Der von einer Fama überschwebte
Katafalk, vor dem die Kolossalstatuen des Arno (von Battista
di Benedetto) und Tiber (von Giovanni Bandini) lagen, zeigte am

Thode, Michelangelo I.   31

Postament eine Inschrift (von Pier Vettori) und drei Gemälde: Lorenzo Medici empfängt M. als Knaben in den Gärten von S. Marco (von Mirabello und Girolamo Macchietti), Clemens VII. fordert nach der Eroberung von Florenz M. zur erneuten Arbeit in S. Lorenzo auf (von Federigo di Lambert Sustris) und M. macht die Befestigungen von S. Miniato (von Lorenzo Sciorini). Auf Piedestalen waren darüber vier allegorische Statuen aufgestellt: der Geist, der über die Unwissenheit siegt (von Vincenzo Danti), die Caritas als Siegerin über die Laster (von Valerio Cioli), die Kunst als Minerva mit dem Neid zu ihren Füssen (von Lazzaro Calamech), der Fleiss als Überwinder der Trägheit (von Andrea Calamech). Darüber ein Stockwerk mit Gemälden: M. mit dem Modell von S. Peter vor Pius IV. (von Pierfrancesco Toschi), M. das Jüngste Gericht malend (von den Schülern des Michele di Ridolfo), M. im Gespräch mit der Skulptur (von Andrea del Minga), M. dichtend vor Apollo und den neun Musen (von Giovan Maria Butteri). Darüber auf Sockeln die vier Statuen der Architektur (von Giovanni di Benedetto da Castello), der Malerei (von Battista del Cavaliere), der Skulptur (von Antonio di Gino Lorenzi) und der Poesie (von Domenico Poggini). Der Bau wurde gekrönt durch eine Pyramide, an welcher unten zwei Reliefbildnisse M.s (von Santi Buglioni) waren und über der auf einer Kugel die Fama (von Zanobi Lastricati) zu sehen war. — Ausserdem waren die Wände zwischen den Kapellen der Seitenschiffe mit Gemälden bedeckt. 1. M. wird in den Elyseischen Feldern von den grossen Künstlern der Antike und der christlichen Zeit begrüsst (von Alessandro Allori). 2. M. als Lehrer, umgeben von Kindern, Knaben und Jünglingen (von Battista Naldini). 3. Giulio III. berathet mit M., der neben ihm sitzt, während Kardinäle und Bischöfe stehen, in der Vigna über Baupläne (von Jacopo Zucchi). 4. Die Gesandten des Dogen Andrea Griti besuchen M. auf der Giudecca in Venedig (von Giovanni Strada). 5. Francesco Medicis Besuch bei M. Der Prinz steht stehend vor dem sitzenden Meister (von Santi Titi). 6. Der Nil, der Ganges und der Po, von der Fama geführt, beklagen mit dem Arno den Verlust, zur Seite Vulkan mit dem Hass zu Füssen und die Grazie Aglaja, welche die Allegorie der Missverhältnissmässigkeit zu Füssen hatte (von Bernardo Buontalenti). 7. Michelangelo, von Soderini abgesandt, vor Julius II. (von Maso di San Friano). 8. Michelangelo im Gespräch mit Cosimo Medici (von Stefano Pieri). — Über diesen Gemälden waren Todtenbilder und Sinnbilder — erstere alle mit M.s Sinnzeichen, den drei sich durchkreuzenden Ringen, welche den innigen Bund von Architektur, Plastik und Malerei bedeuten, versehen: doch waren die Ringe hier als Kronen gebildet mit dem Motto: tergeminis tollit honoribus. Endlich war an der einen noch nicht fertig aufgestellten Kanzel Donatellos ein Gemälde von Vincenzo Danti angebracht, welches einen Jüngling als Fama oder Onore darstellte, wie er über Zeit und Tod siegt. (Esequie. Vasari VII, 296ff. Brief Vasaris an Cosimo vom 14. Juli: bei Gaye III, 139; Vasari VIII, 381.)

1564. Benedetto Varchis Trauerrede erscheint im Druck: Orazione funerale di messer Benedetto Varchi. Florenz, Giunti. — Ebenso eine Orazione in morte von Lionardo Salviati und eine Orazione overo discorso di Giovan Maria Tarsia (alle in Florenz 1564). — Ferner erscheinen die anlässlich der Feier verfassten Gedichte und Epitaphien: Poesi di diversi autori latini e volgari, fatte nella morte di M. B., raccolte per Domenico Legati. — Endlich die bereits erwähnte Schrift: Esequie del divino M. B. (Giunti.)

1564—1572. Die Errichtung des Grabdenkmales für M. in S. Croce. Vasari hat sich für dasselbe, auf das sich auch Jacomo del Duca Hoffnung gemacht. (Daelli 37.) Lionardo und dem Herzog angeboten (also Daniele da Volterra ward bei Seite geschoben, siehe den Exkurs unter 1564: das angebliche Denkmal in Rom). Cosimo überträgt ihm die Leitung. Bei der Wahl der Mitarbeiter für die Ausführung des von Vasari bereits vorgelegten Entwurfes wird Borghini zu Rathe gezogen. (Brief Vasaris an Cosimo vom 5. Nov. Vasari VIII, 383.) Beigelegt war ein Brief Vincenzo Borghinis, welcher vorschlägt, eine der drei Figuren, die geplant sind, von Battista di Lorenzo di Cavaliere und Giovanni Bandini, die zweite von Battista di Benedetto, die dritte auch von jenem Battista del Cavaliere machen zu lassen. (Gaye III, 151.) Am 12. November erklärt sich Cosimo hiermit einverstanden (ebend. 152. 154). Am 23. November meldet Vasari, dass die Arbeit angefangen ist (ebend. 156. Vasari VIII, 386). Am 29. Dezember berichten Borghini und Vasari. Der Ort für das Denkmal in S. Croce ist bestimmt. Die Stelle des Battista del Benedetto, den Ammanato gebraucht, muss einem Anderen übertragen werden. Borghini schlägt Valerio Cioli oder Domenico Poggini vor. (Gaye III, 163.) Valerio Cioli wird gewählt. (Vasari VII, 317.) Battista Lorenzi soll auch die Architektur und Ornamentik, sowie die Büste M.s nach Vasaris Modell machen. Da im Atelier der Via Mozza, wenn die Statuen dort herausgenommen sind, wenig Marmor ist, muss solcher aus Carrara beschafft werden. Lionardo will die anderen Kosten tragen, falls ihm die Stücke gegeben werden. Vasari meint, der Herzog mache damit ein gutes Geschäft, 'da er ja so viele vollendete und unvollendete Statuen M.s aus der Via Mozza erhalte. (Gaye III, 164. Vasari VIII, 388.) Eine Zah-

31*

lung an Batt. Lorenzi wird am 23. März 1566 erwähnt (Vasari VIII, 399), eine andere am 21. Juni 1567 (ebend. 422), eine dritte am 2. April 1568 (ebend. 433). Hier heisst es, dass in der nächsten Zeit das Grabmal in S. Croce errichtet werden soll. Am 15. Oktober 1568 erhält Giovanni Bandini eine Zahlung (ebend. 436). Noch am 18. Januar 1572: Battista Lorenzi bittet um eine Abschätzung seiner Arbeit an der Architektur des Denkmales und Bezahlung, damit er das Ganze fertig machen könne (ebend. 463. 465). In der folgenden Zeit scheint das Werk fertig geworden zu sein. Vasari macht ein Gemälde der Pietà für Lionardo, das für das Denkmal bestimmt ist (ebend. 473. 478. 482 vom 5. Dezember 1572).

1564. Das angebliche Denkmal M.s in S. Apostoli zu Rom (im Korridor des Klosters), welches einen Mann liegend, den Kopf vom linken Arm gestützt, darstellt. 1564 im Oktober schreibt Fra Jacopo del Duca aus Rom an Lionardo: das Diesem bezüglich des Grabmals gegebene Versprechen solle gehalten werden. (Gotti I, 371.) Aus einem Briefe Diomede Leonis vom 9. Februar 1565 geht hervor, dass Lionardo einen Entschluss gefasst hat. Daniele da Volterra und Jacopo würden denselben als einen nothwendigen verstehen, gefasst in Rücksicht auf jene vortrefflichen Künstler, welche sich so liebevoll und beflissen gezeigt hätten, das Andenken M.s zu ehren. Was die Inschrift betreffe, so seien die römischen Gelehrten geübter darin, als die florentinischen. (Daelli N. 36.) Am 15. März schreibt Jacopo del Duca selbst an Lionardo. Er fügt sich darein, das Grabmal nicht ausführen zu dürfen und fertigt statt dessen, in treuestem Gedenken an M., dem er Alles verdankt, das Bronzetabernakel nach dem Modell M.s. (Daelli N. 37.) Am 21. April erinnert Leoni Lionardo an die Inschrift des Epitaphs. Es ist eine solche in Rom gemacht worden, doch bleibt es zweifelhaft, ob nicht eine in Florenz angefertigte bestimmt wird. (Daelli N. 38.) Auch am 8. September und 6. Oktober schreibt in der Angelegenheit der Inschrift Leoni an Lionardo. (Gotti I, 371.) Dann hört man lange nichts. Am 4. April stirbt Daniele da Volterra. (Daelli N. 41.) Lionardo war im November 1566 in Rom wegen Ordnung von Angelegenheiten und im Verkehr mit den Verehrern seines Onkels Diomede, Jacopo del Duca und Jacopo Romano. (Daelli N. 42. 43.) Erst am 14. August 1568 schreibt Leoni wieder an Lionardo, spricht aber nur von der Epitaphschrift. Er schickt eine solche ein. (Gotti I, 372.) Dann wieder am 5. März 1569 sendet er Inschriften nach Florenz. (Daelli N. 44.) Eine derselben ist von Manuzio. So im Brief Leonis vom 17. September 1569. Da heisst es dann: quando la sepoltura sarà del tutto finita fate di gratia che io anchora parte-

cipi per vostre lettere di questa comune consolazione. Offenbar
handelt es sich um das Grabmal in S. Croce, und nicht um
eines in Rom. (Daelli N. 45.) Am 10. April 1570 frägt er an,
wann das Grabdenkmal aufgerichtet werde und mit welchem
Epitaph. Er, Leoni, finde immer noch, dass es kein besseres
als das von Paolo Manuzio geben könne, welches begänne: unus
ex omni memoria. (Daelli N. 46.) — Aus einer genauen Prüfung
aller dieser Briefstellen ergiebt sich nun mit absoluter Bestimmtheit, dass es sich hier gar nicht um ein in Rom
anzufertigendes Denkmal handelt, wie man mehrfach geneigt
war anzunehmen, sondern um das Grabmal in S. Croce, das ja
während eben jener Jahre in S. Croce ausgeführt ward. Die Sache
verhält sich einfach so: wie oben dargelegt wurde, hat sich
Daniele da Volterra, der sich als seinen Mitarbeiter Jacopo del
Duca wählt, angeboten, den Entwurf für das Grabmal anzufertigen (10. März 1564). Vasari geht scheinbar darauf ein. Dann
(18. März 1564) lässt Vasari schon die Andeutung fallen, dass
neben Daniele auch florentinische Künstler für das Grabmal
herangezogen werden könnten. Vasari ist vorsichtig, weil er
Danieles Mittheilungen für die neue Biographie M.s gebraucht.
Lionardo giebt den Gedanken, die Viktoria für das Denkmal zu
verwerthen, auf und schiebt die Schuld dieses Gedankens auf
Daniele (22. Mai 1564), zugleich schreibt er offenbar an Diesen,
er wolle die Sache nicht beeilen. Das wird von Daniele gut
geheissen (11. Juni 1564). Im Oktober legt nun Vasari seinen
Entwurf Cosimo vor. Lionardo berichtet darauf von der
Wendung der Dinge nach Rom, lässt es aber noch unbestimmt,
wie er entscheiden werde. Darauf antwortet Jacopo (ist das
nicht ein Fehler bei Gotti, muss es nicht heissen: Daniele?)
noch im Oktober: er sei überzeugt, dass es in Florenz nicht an
Künstlern fehle, welche den Auftrag ehrenvoll ausführen würden;
doch hielten Daniele und Jacopo ihr Versprechen aufrecht. Nun
wird die Arbeit in Florenz wirklich in Angriff genommen. Vielleicht noch Ende 1564 theilt Lionardo Jenen die Thatsache und
den von ihm gefassten Entschluss mit und erklärt denselben
damit, dass er es den florentiner Künstlern, welche sich in so
begeisterter Weise an der Feier der Exequien betheiligt hätten,
nicht versagen könne, das Grabmal auszuführen. Daniele und
Jacopo finden sich (9. Februar und 15. März) in sehr vornehmer
Weise in diese Sachlage, und Jacopo nimmt, um seinerseits M. zu
ehren, die Ausführung jenes Tabernakels vor. — Fortan handelt
es sich nur noch um die Verhandlungen über das Epitaph
mit der Inschrift. Lionardo ist daran interessirt, auch von
den römischen Schöngeistern Entwürfe zu erhalten, und die
Freunde in Rom vermitteln dies.

So ist denn gar nicht von einem Denkmal in S. Apostoli
zu Rom die Rede gewesen, und das Grabmal im Korridor
neben S. Apostoli hat nichts mit M. zu thun. Dies war zuerst von Filippo de Romanis in seinen „Memorie di Michelangelo, per le nozze Cardinali Bovi, Rom 1823" behauptet
und vom Canonico Moreni in seiner „Illustrazione storico-critica
d'una medaglia rappresentante Bindo Altoviti, Florenz 1824"
acceptirt worden. Niccolò Ratti in einem Brief an Moreni
widersprach dem, und, wie wir sehen, mit Recht. Er führte
aus, das Denkmal zeige einen Professor der Medizin, Ferdi-
nando Eustachio. (Vgl. hierüber Vasari VII, 286.) Die heute
über dem Denkmal befindliche Inschrift, welche M. feiert (bei
Gotti I, 370), ist erst auf Grund jener angeblichen Entdeckung
Filippos de Romanis angebracht worden.

1564—1566. Die von Daniele da Volterra angefertigten
Bronzebüsten M.s. In seinem Briefe vom 11. Juni 1564 schreibt
Daniele, dass er von den zwei geplanten (von Lionardo bestellten) Porträts das eine Wachsmodell angefertigt habe und
dass er die Arbeit möglichst schnell ausführen werde. (Daelli
34.) Am 9. September meldet Diomede Leoni, dass die beiden
Büsten der Vollendung nahe und mit Sorgfalt ausgeführt
seien. (Daelli N. 35.) Um den 9. Februar 1565 scheint Daniele selbst Nachricht gegeben zu haben; Leoni berichtet,
er habe Jenem eine dritte in Auftrag gegeben, und alle drei
seien soweit fertig, dass sie nur gegossen zu werden brauch-
ten. (Daelli N. 36.) Am 8. September schreibt Leoni, dass
der Guss der für Lionardo bestimmten zwei Büsten wohl-
gelungen sei. Sobald Daniele vom Bade zurückkehre, würden sie ciselirt werden. (Gotti II, 147.) Ähnlich am 6. Oktober 1565. (Gotti I, 372.) Am 9. März 1566 theilt Leoni
Lionardo mit: dass seine (Leonis) Büste bald fertig sein
werde. Er habe nicht geglaubt, dass das Ciseliren so viel
Zeit und Kosten beanspruche, doch hätte er eben alle Sorgfalt
darauf verwenden lassen. (Daelli N. 40.) Nach dem Tode Danieles schreibt Leoni am 4. Juni 1566: die beiden Büsten seien
noch nicht ciselirt. Lionardo solle sie nach Florenz kommen
lassen oder sie ihm anvertrauen, er werde sie ciseliren (rinettare)
lassen durch denselben Künstler, der sein Exemplar sehr gut
ausgeführt habe. (Daelli 72.) Am 18. April berichtet Jacopo
del Duca, dass die Büsten erst zu ciseliren wären. Wenn
Lionardo glaube, ein Anderer werde es besser machen, als er,
Jacopo, so solle er es Dem geben. Ähnlich am selben Tage
Michele Alberti, die Büsten würden in einem Monat fertig sein.
(Gotti I, S. 372f.) Bald darauf dürften sie wohl an Lionardo
gesandt worden sein.

1565. Dezember. Die Statue des Siegers wird aus der Via Mozza
in den Palazzo vecchio gebracht. (Vasari VII, 166 Anm.)
1566. Die angefangene Papststatue M.s. Wohl die im Inventar
erwähnte Statue des h. Petrus. Sie war in den Besitz Lionardos
gelangt. Dieser hat bei seiner Abreise den Freunden den Auftrag gegeben, die Statue zu verkaufen. Am 14. Februar 1566
schreibt ihm Jacopo del Duca, er habe vom Monsignor von Pisa
den Auftrag erhalten, die Zeichnung für ein Grabmal Pauls IV.
zu machen und habe an demselben jene Statue zu verwerthen
gedacht. Nun frägt er an, ob Lionardo damit einverstanden
sei, in welchem Falle es sich empfehle, zwei Sachverständige
den Preis bestimmen zu lassen. (Daelli N. 29.)   Am 9. März
berichtet Leoni in der Angelegenheit, es sei noch nicht entschieden, ob die Statue für das Grabmal Pauls IV. oder für
einen anderen Zweck verwendet werden solle. Aber man stehe
in Verhandlungen darüber, und Lionardo könne sich darauf
verlassen, dass Dessen Freunde Jacopo und Daniele für sein
Interesse sorgen würden. (Daelli N. 40.)   Noch 1572 ist aber
die Statue nicht verkauft, denn Vasari schreibt am 18. Januar
Lionardo aus Rom: del vostro Papa di marmo abbozzato non
è ancor trovato il ripiego, nè me lo dimenticherò. (Vasari VIII,
465.) — Ist diese Statue eines Papstes die dereinst für das
Juliusdenkmal begonnene Statue des Julius II.? Eine solche wird
1508 am 24. Juni erwähnt. (S. oben.)
1568. Die zweite Auflage der Vite Vasaris mit der neu aus-
gearbeiteten Biographie M.s erscheint.
1570. Antonio del Franzese hat dem Herzog von Urbino eine Statuette des Moses von M. geschenkt. Am 26. August schreibt
er dem Herzog und macht ihm eine Porträtbüste M.s,
„designato da lui proprio" zum Geschenk. Beide Werke kamen
später nach Florenz, wo sie sich im Museo nazionale befinden. (Gotti I, 373 f.)

LITTERATUR-VERZEICHNISS.

Nur das Wichtigste wird hier verzeichnet, weniger Bedeutendes ist an Ort und
Stelle im Text zitirt worden.

Le lettere di M. B. per cura di G. Milanesi. Florenz 1875.
Le Rime di M. B. publicate da Cesare Guasti. Florenz 1863. Die
ältere Ausgabe: Rime di M. B. raccolte da Michelangelo suo
nipote, zuerst 1623 in Florenz, dann öfters erschienen, ist un-
brauchbar.
Die Dichtungen des M. B. Herausgegeben von Carl Frey. Berlin
1897. Vgl. hierzu auch
Die Gedichte des M. B. im Vatikanischen Codex. Aufsatz Carl Freys
im Jahrbuch der k. preussischen Kunstsammlungen 1883.
Sämmtliche Gedichte M.s. Übersetzt von Sophie Hasenclever. Leipzig
1875.
The Sonnets of M. A. B. and T. Campanella, translated by John
Addington Symonds. London 1878.
Die Gedichte des M. B. Übersetzt und biographisch geordnet von
Walter Robert-tornow. Berlin 1896.

Giovanni Bottari (und Ticozzi): Raccolta di lettere. Mailand 1822.
Gaye, Giovanni: Carteggio inedito d'artisti dei secoli XIV, XV, XVI.
Florenz 1840. II. u. III. Band.
Daelli: Carte Michelangiolesche inedite. Mailand 1865.
Ciampi, Sebastiano: Lettera di M. B. Florenz 1834.
La scrittura di Artisti Italiani. Florenz, Pini. 1869.
Les correspondants de M. A. N. 1: Sebastiano del Piombo. Herausg.
von Milanesi. Paris 1890.
Documenti per la storia dell' arte senese. Von Gaetano Milanesi.
Siena 1856. III. Band.
Sammlung ausgewählter Briefe an M. B. Herausg. von Carl Frey.
Berlin 1899.

Paolo Giovio. Michaelis Angeli Vita. Zuerst von Tiraboschi (Storia
della lett. ital. tom. IX App. p. 291. Modena 1781), dann von
Springer in seiner Biographie und von Carl Frey herausg. in
seiner „Sammlung ausgewählter Biographien" s. unten.

Anonymus Magliabecchianus: Abschnitt über M. s. in Freys „Sammlung".
Giorgio Vasari: Vite degli architettori, pittori e scultori. I. Ausgabe 1550. Abgedruckt in Freys „Sammlung".
Ascanio Condivi: Vita di M. B. Rom, Antonio Blado, 1553. — Florentiner Ausgabe von 1746 mit Anmerkungen von Pierre Mariette, D. M. Manni und Ant. Franc. Gori. — Auch in Freys „Sammlung". — Übersetzungen von Rudolf Valdek in den „Quellenschriften für Kunstgeschichte" (VI) und von Pemsel.
Giorgio Vasari: Vite. II. Ausgabe von 1568. Ich habe die letzte Ausgabe von G. Milanesi (1578 83) benützt. — Auch in der Frey'schen Sammlung.
Sammlung ausgewählter Biographien Vasaris herausg. von Carl Frey. II. Bd. Le vite di M. B. Kritische Ausgabe sämmtlicher von Zeitgenossen verfassten Biographien.

Benedetto Varchi: Storia Fiorentina. Ich benutzte die Ausgabe von Lelio Arbibo 1843.
Jacopo Nardi: Istorie della Città di Firenze. Ausg. Le Monnier 1888.
Bernardo Segni: Istorie Fiorentine. Ausg. von Gargani. Florenz 1857.
Lettere di Giambattista Busini a Benedetto Varchi. Florenz, Le Monnier, 1861.
Berni, Francesco: Opere burlesche. Florenz, Giunti, 1548.
Varchi, Benedetto: Due Lezzioni di B. V. Florenz, Torrentino, 1549.
Francisco de Hollanda: Vier Gespräche über die Malerei, geführt zu Rom 1538. Verfasst 1548. Herausg. von Joachim de Vasconcellos. In: Quellenschriften für Kunstgeschichte. Neue Folge. IX. Band. Wien 1899.
Giannotti, Donato: De' giorni che Dante consumò nel cercare l'Inferno e'l Purgatorio. Dialogi. Florenz 1859.
Giannotti, Donato: Opere. Florenz 1850.
Cellini, Benvenuto: La vita. (Schon 1559 zum grösseren Theile fertig, fortgeführt bis 1562.) Erste Ausgabe von Ant. Cocchi, Neapel 1728. Ausgaben von Molini (1832), Tassi (1852 und 1866) und Camerini (1878). Neueste 1901. Ich zitire nach der Goetheschen Übersetzung.
Cellini, Benv.: I Trattati dell' oreficeria e della ccultura. Ausg. von Carlo Milanesi. Florenz 1893, Le Monnier.
Caro, Annibale: Delle lettere familiari. Ausg. Padova 1763.
Pietro Aretino: Lettere. Paris 1609.
Esequie del divino M. B. Florenz, Giunti, 1564. Neudruck Florenz 1875.
Varchi, Benedetto: Orazioni funerale recitata nelle esequie di M. B. Firenze, Giunti, 1564. Übers. in der Ausg. von Condivi, Quell. für Kunstg. Bd. VI.
Salviati, Leonardo: Orazione in morte di M. B. Florenz 1564.

Tarsia, Giov. Maria: Oratione overo discorso nelle esequie di M.
Florenz 1564.
Borghini, Raffaelo: Il Riposo. Florenz 1584.

Duppa, Richard: The life and literary works of M. A. B. London
1806 und 1807.
Ker, Henry Bellenden: The life of M. London 1824.
Quatremère de Quincy: Histoire de la vie et des ouvrages de M.
A. B. Paris 1835.
Emiliani Giudici, P.: La vita ed il tempo di M. B. Palermo 1844.
Harford, John Sam.: The life of M. A. 1857.
Grimm, Herman: Das Leben M.s. I. Ausgabe 1860, Hannover.
Zahlreiche spätere. Die letzte 1900 mit Illustrationen.
Gotti, Aurelio: Vita di M. A. Florenz 1875.
Heath Wilson, C.: Life and works of M. B. London 1876.
L'œuvre et la vie de M. B. Gazette des beaux-arts 1876. Paris.
Springer, Anton: Raffael und Michelangelo. Zuerst 1878 in „Kunst
und Künstler des Mittelalters und der Neuzeit".
Scheffler, Ludwig von: Michelangelo, eine Renaissancestudie. Alten-
burg 1892.
Symonds, John Addington: The life of M. B. London 1893.
Justi, Carl: Michelangelo. Leipzig 1900.
Ricci, Corrado: Michelangelo. Traduit par A. J. de Crozals. Florenz 1901.

Seit der Veröffentlichung der I. Auflage dieses Bandes erschienen von grösseren Arbeiten ein weiterer Band von Justi über die
Werke M.s und die Biographieen von Mackowski und Frey (Bd. I).

Romanis, F. de: Alcune memorie di M. B. per le nozze di C. Cardi-
nali. Roma 1823.
Ragionamento storico su le diverse gite fatte a Carrara da M. B.
Massa, Frediani, 1837.
Campori, Giuseppe: Memorie biografiche degli scultori, architetti,
pittori di Carrara. Modena 1874.
Campori, Giuseppe: Gli artisti italiani e stranieri negli stati Estensi.
Modena 1855.
Campori: Lettere artistiche inedite. Modena 1866.
Bertolotti: Artisti Bolognesi, Ferraresi ed alcuni altri in Roma. Bo-
logna 1885.
Campori: Atti e Memorie d. Deput. di Storia patria per le Provincie
dell' Emilia VI p. I.
Gualandi, Mich.: Memorie originali riguardanti le belle arti. Ser. III.
1842.
Fagan, Louis: The art of M. B. in the British Museum. London 1883.

Bode, Wilhelm: Eine Marmorkopie Michelangelos nach dem antiken
Cameo mit Apollo und Marsyas im Jahrb. d. k. preuss. Kunstsammlungen 1891.

Frey, Carl: Studien zu Michelagniolo im Jahrb. der k. pr. Kunstsammlungen 1895 und 1896.

Friedmann und Thode: Philipp IV. und Michelangelo im Reper-
torium für Kunstwissenschaft XXIII.

Bode, Wilhelm: Eine Apollostatuette Michelangelos im Berliner
Museum. Im Jahrb. d. k. preuss. Kunsts. 1901.

Steinmann, Ernst: Wohnung und Werkstatt Michelangelos in Rom.
Deutsche Rundschau 1902.

Wichtigere, für die Annalen benutzte neuere Forschungen sind in
dem Vorwort zu den Annalen angeführt.

—

Passerini, Luigi: La bibliografia di M. B. e gli incisori delle sue
opere. Florenz 1875.

4 Teile

45 639